TEORIA Y ANALISIS
DEL TEXTO LITERARIO

TEORÍA Y ANÁLISIS
DEL TEXTO LITERARIO

SUSANA REISZ DE RIVAROLA

TEORIA Y ANALISIS DEL TEXTO LITERARIO

HACHETTE

© **LIBRERIA HACHETTE S.A.**
Rivadavia 739 - Buenos Aires
Hecho el depósito que marca la ley. 11.723.
ISBN 950-506-108-0
PRIMERA EDICION
IMPRESO EN ARGENTINA - PRINTED IN ARGENTINA.

A José Luis Rivarola,
que está en el comienzo de esto
y de muchas otras cosas.

Colección HACHETTE UNIVERSIDAD
dirigida por Elvira Arnoux

LENGUA - LINGÜISTICA - COMUNICACION

Catherine Fuchs y Pierre Le Goffic
Introducción a la problemática de las corrientes lingüísticas contemporáneas

Ana María Barrenechea, Mabel M. de Rosetti, María Luisa Freyre, Elena Jiménez, Teresa Orecchia y Clara Wolf
Estudios lingüísticos y dialectológicos. Temas hispánicos

Joseph Courtés
Introducción a la semiótica narrativa y discursiva

Nicolás Bratosevich
Métodos de análisis literario (aplicados a textos hispánicos)

Dominique Maingueneau
Introducción a los métodos de análisis del discurso. Problemas y perspectivas

Ana María Borzone de Manrique
Manual de fonética acústica

Jean Le Galliot
Psicoanálisis y lenguajes literarios. Teoría y práctica

Daniel Delas y Jacques Filliolet
Lingüística y poética

François Récanati
La transparencia y la enunciación. Introducción a la Pragmática

Iber H. Verdugo
Hacia el conocimiento del poema

Daniel Delas y Jean Jacques Thomas
Poética generativa

Carlos Altamirano y Beatriz Sarlo
Literatura/ Sociedad

Susana Reisz de Rivarola
Teoría y análisis del texto literario

Próxima aparición:

Juliette Garmadi
Sociolingüística

María Luisa Bastos
Relecturas. Estudios de textos hispanoamericanos

Jorge Panesi
Más allá del texto

Jean Molino, Michel Riffaterre, François Soublin y Joëlle Tamine
La metáfora

Jean-Bellemin-Noël
Hacia el inconsciente del texto

Philippe Hamon
Introducción al análisis de lo descriptivo

CIENCIA - POLITICA - SOCIEDAD

Aldo Neri
Salud y Política Social

Enrique E. Marí
La problemática del castigo. El discurso de Jeremy Bentham y Michel Foucault

Jorge E. Dotti
Dialéctica y Derecho. El proyecto ético-político hegeliano

Pierre-François Moreau
La utopía. Derecho natural y novela del Estado

Eliseo Veron, Leonor Arfuch, María Magdalena Chirico, Emilio De Ipola, Noemí Goldman, María Inés Bombal, Oscar Landi
El discurso político. Lenguajes y acontecimientos

Enrique Marí, Hans Kelsen, Enrique Kozicki, Pierre Legendre.
Derecho y Psicoanálisis. Teoría de las ficciones y función dogmática.

Jorge A. Mera
Política de Salud en la Argentina

Noemí Goldman, Régine Robin, Jacques Guilhaumou
El discurso como objeto de la historia. El discurso político de Mariano Moreno.

Próxima aparición:

Raymond Boudon y François Bourricaud
Diccionario crítico de Sociología

INTRODUCCION

> Pero el arte que imita solo con el lenguaje,
> en prosa o en verso, y, en este caso, con ver-
> sos diferentes combinados entre sí o con un
> solo género de ellos, carece de nombre hasta
> ahora.
>
> (Aristóteles, *Poética*, 1447 a 28 - 1447 b 9)

Las palabras de Aristóteles, el fundador de una ciencia de la literatura vigente hasta hoy dentro de la cultura occidental de raíces grecolatinas, expresan una incomodidad que sigue siendo actual a pesar de los siglos transcurridos. El autor del primer gran tratado que se conoce con el nombre de *Poética* denuncia la ausencia en la lengua griega de un término capaz de designar una multiplicidad de objetos verbales en prosa y verso a los que él adjudicaba un rasgo común: el representar, teniendo como medio necesario y suficiente el lenguaje, acciones humanas posibles. El comentario sobre el vacío terminológico apuntaba, sin embargo, a un cuestionamiento de mayor envergadura: al del uso indiferenciado de términos disponibles en su época (tales como *poeta* o *poesía*) para referirse a tipos de textos que, en su opinión, nada tenían en común fuera del estar escritos en verso.

Hoy podemos servirnos de un término que, por su mayor extensión que *poesía*, muy bien podría cubrir la laguna señalada por Aristóteles: *literatura* (y sus equivalentes en muchas lenguas modernas) designa desde fines del siglo XVIII las más variadas manifestaciones del arte verbal en verso o prosa. No obstante, la incomodidad subsiste. Ya no nos quejamos de la falta de nombres adecuados sino, más bien, de la dificultad de encontrar claros rasgos distintivos para todo lo que llamamos *literatura* y de decidir, ante la extraordinaria variedad de discursos circulantes en las sociedades dominadas por los medios masivos de comunicación, cuáles se pueden incluir bajo el rótulo en cuestión y cuáles no.

El problema no se resuelve con proponer una definición cualquiera (por ejemplo la del propio Aristóteles) y aplicar el término *literatura* solo a aquellos objetos que ostentan la propiedad en que se basa la definición. Semejante operación es científicamente lícita pero no nos ayuda en lo más mínimo a entender las condiciones y las consecuencias del hecho de que en ciertos sistemas culturales y en ciertas sociedades exista una entidad identificable a la que los miembros de la comunidad se refieren con la palabra *literatura*. Asimismo, tampoco ayuda a reconocer cuáles son las propiedades y/o funciones que permiten la identificación y designación de dicha entidad en las relaciones intersubjetivas.

Para decirlo brevemente: disponemos de un nombre específico y tenemos la certeza —basada en nuestra experiencia social— de que existe el objeto al que aludimos con él, pero no nos es fácil delimitarlo como una clase ni, por lo tanto, identificar ejemplares particulares como pertenecientes a ella.

Todos los trabajos incluidos en el presente libro procuran dar respuesta a ese problema que es, en definitiva, el de la demarcación del campo de los estudios literarios. Si bien han sido elaborados independientemente, a lo largo de un espacio de reflexión de más de diez años, se articulan entre sí como los diversos momentos de un único proceso de búsqueda por caminos distintos pero confluyentes. No es de extrañar, por ello, que ciertos pasajes se reiteren incluso literalmente,* que ciertos tópicos reaparezcan frecuentemente, cada vez en un nuevo marco argumentativo, y que a través del tratamiento de tópicos en apariencia distantes entre sí se persiga el esclarecimiento de una misma cuestión de fondo: qué factores textuales y extratextuales (lingüísticos, pragmáticos, históricos, sociales, psicológicos, etc.) determinan que un mensaje verbal funcione como objeto artístico. El etno- y logocentrismo de la pregunta es asumido conscientemente, de modo explícito o implícito, en las diversas formulaciones que ella adquiere en cada capítulo, así como en los sucesivos ensayos de respuesta: en la crítica del discurso sobre la literatura desde sus orígenes platónico-aristotélicos, en el estudio de la formación histórica de las nociones de "literatura", "poesía", "lírica" y "ficción" como base para la búsqueda de un común denominador transhistórico, en la reubicación de la teoría tripartita de los géneros dentro de una tipología general de los discursos, en el análisis de textos poéticos y narrativos consagrados y en la descripción del diálogo intertextual a través de la historia literaria de Occidente. La comparación de la literatura —entendida como un producto típico de nuestra cultura— con otras prácticas discursivas propias de sistemas culturales diferentes del nuestro y/o de comunidades arcaicas (o sociedades agrarias más o menos cerradas), prácticas que suelen incluirse bajo los rótulos *folklore* o *etnoliteratura*, es un tema que desborda los propósitos de este libro pero cuyo tratamiento podría constituir un elemento contrastivo del mayor interés para muchos de los planteos contenidos en él.

Una descripción completa de todo lo que queda fuera de nuestra delimitación pero que a la vez configura, por así decirlo, su marco inmediato, debería dar cuenta, en efecto, de las formas dependientes de la literatura culta — o de la

---

* Naturalmente habría sido posible y sencillo suprimir las repeticiones literales que se dan unas pocas veces (señaladamente en los Cap. III y IV). Sin embargo, no he optado por este procedimiento a fin de no perjudicar al lector que se interese por la lectura independiente de alguno de los capítulos en cuestión.

literatura sin más, tal como aquí se la concibe— pero que están confinadas a sus aledaños o excluidas de su campo por un juicio de valor negativo, implícito en casi todos los términos alternativos con que se las designa: literatura "trivial", "marginal", "de consumo" o "subliteraturas". Asimismo, debería tomar en consideración ciertas formas de discurso ritualizado que son totalmente independientes del sistema literario y de sus productos, pero que resultan parangonables con ellos en algún aspecto, como es el caso del cuento popular, del relato oral mítico, del conjuro mágico y de otras variedades de actividad verbal "etnoliterarias". Este libro deja, pues, de lado los objetos colindantes con el suyo, pero los presupone en todo momento y esporádicamente los tematiza cuando su presencia de fondo permite percibir con mayor claridad el enfoque central.

Los doce trabajos que lo integran se articulan con bastante naturalidad en cuatro secciones, la primera de las cuales comprende cinco estudios que versan sobre los temas fundacionales de la teoría literaria. El primero de ellos, "Poética y lingüística" —que es también el más antiguo—, cumple una función preparatoria respecto del que le sigue de inmediato. Como surge del título, que hace eco a una célebre ponencia de Jakobson invirtiendo el énfasis de las dos nociones en juego, se trata de una exégesis del modelo jakobsoniano de las seis funciones de la lengua y, en particular, de la "función poética", que incluye algunas críticas y contrapropuestas muy influidas aún por las ideas de Y. M Lotman. En "Texto literario, texto poético, texto lírico" la crítica se hace más radical a la par que se impone la convicción de que no es posible definir la literatura fuera del marco de una situación comunicativa y sin tomar en consideración el quehacer paraliterario que interviene en la producción, difusión, recepción y 'canonización' de los textos. Toda la reflexión se organiza en torno al postulado según el cual, lo que determina el carácter literario de un texto es no solo cierta configuración lingüística ni solo cierta relación con un esquema discursivo subyacente sino, fundamentalmente, su relación con un *metatexto* que lo clasifica como tal y que orienta su codificación y descodificación según una compleja jerarquía de normas —un *código estético* o una *poética*— que se superpone al código de la lengua natural y cuya validez está siempre ligada a un espacio y a un momento histórico determinado. En este marco argumentativo estructural-funcionalista, la noción de "función estética" es analizada desde el punto de vista de los procesos de orden cognoscitivo y emotivo que le van aparejados, con lo cual queda superado el carácter puramente relacional, vacío de todo contenido, de la correspondiente definición lotmaniana. Una vez trazado el límite de la categoría general —el texto literario—, la reflexión se desliza hacia el terreno de las posibles clasificaciones. Sin embargo, dado que hasta el presente no existe una tipología del discurso sistemática y exhaustiva que pueda servir de base para establecer una tipología del discurso literario, la propuesta es forzosamente lagunosa y provisoria: se limita a deslindar las nociones tradicionales, frecuentemente confundidas entre sí, de "poesía" y "lírica", atendiendo tanto a los rasgos de la estructura de superficie como a su relación con un esquema discursivo subyacente.

11

"La literatura como mímesis" y "La posición de la lírica en la teoría de los géneros literarios" proponen la relectura de algunas nociones fundamentales de la teoría literaria platónico-aristotélica a la luz de categorías semióticas de reciente data. El primero de ellos examina la concepción aristotélica de la literatura —y de las artes en general— como *mímesis* y la pone en relación con la definición lotmaniana de los sistemas artísticos como *modelizadores secundarios* (Lotman 1978). El cotejo está encaminado a demostrar que con *mímesis* queda implícitamente aludido el carácter modelizador de todas las artes y que con el reconocimiento aristotélico de la existencia de un conjunto de normas que regulan la construcción del mundo ficcional en cada género literario y de un subcódigo lingüístico igualmente propio de cada género, queda abierto el camino para el reconocimiento de la literatura como un sistema modelizador secundario y del texto literario como producto de una doble codificación: según el código de la lengua y según una compleja jerarquía de códigos artísticos variables para cada época, género, estilo, etc.

"La posición de la lírica en la teoría de los géneros literarios" sustenta la tesis de que la ausencia de la lírica en la clasificación platónico-aristotélica de los géneros literarios se debe a la acertada intuición de que dicha categoría no se opone a la narrativa y el drama como estas dos formas se oponen entre sí. Al igual que en el estudio precedente, este temprano descubrimiento es puesto en relación con una hipótesis muy reciente, en este caso formulada por K. Stierle (1979): la de que la característica común de los textos llamados "líricos" en diferentes épocas, es que en ellos se transgrede de muy variadas maneras el esquema discursivo de base, el que, a su vez, puede ser de cualquier tipo (narrativo, argumentativo, descriptivo, etc.). El trabajo concluye con la presentación de algunos criterios tipológicos que complementan y amplían los expuestos en el segundo capítulo.

"Ficcionalidad, referencia, tipos de ficción literaria" se inicia con una revisión crítica de la teoría ficcional de J. Searle (1975) y propone como alternativa partir de la noción de "modificación intencional de las modalidades atribuibles a los constituyentes de la situación comunicativa", procedente de J. Landwehr (1975). En la constitución del modelo de discurso ficcional este estudio se aparta, sin embargo, de las tesis de dicho autor, ya que replantea, con diferentes fundamentos epistemológicos, tanto el inventario de las modalidades como la relación entre la modificación de las zonas de referencia (el mundo representado en la ficción) y la modificación del rol de productor (una fuente de lenguaje distinta del autor). Propone, asimismo, un inventario de tipos de modificaciones y de posibles combinaciones de tales tipos, que permitiría sentar las bases para una tipología de ficciones literarias. A manera de ilustración y validación, los principios clasificatorios recién introducidos son aplicados al tan discutido caso de la literatura fantástica. Una parte considerable de la exposición está dedicada a poner en claro la trascendencia del aporte aristotélico: se demuestra aquí que en la *Poética* ya está en germen la idea de que los mundos ficcionales literarios se constituyen en conformidad con una *poética de la ficción* variable para cada género así como el reconocimiento de una *verosimilitud* propia de cada género. La reelaboración de esta idea apenas esbozada en su contexto original desemboca en un descubrimiento de cierta importancia: que si bien la ficcionalidad es una categoría que no coincide con los límites de la literatura —como ha sido señalado ya por algunos autores—, no obstante, lo literario no es una cualidad que simplemente puede *añadirse* a lo ficcional sino que, cuando está presente, lo condiciona de un modo específico. Es posible, así, llegar a establecer que lo que diferencia a las ficciones literarias de las no-literarias —y, en general, a las ficciones vinculadas con sistemas artísticos respecto de las no-artísticas— es que tanto su producción como su recepción está orientada por una instancia normativa (por una *poética*), variable para cada género y época, que es la que determina qué tipos de modificación de modalidades son los permitidos o esperables dentro de cada género y la que regula, además, las posibilidades de combinación de componentes de diferentes modalidades.

En la segunda sección aparecen dos trabajos que tienen en común, además del marco temático global, la presencia de numerosos textos poéticos destinados a ilustrar las respectivas argumentaciones y a poner a prueba las hipótesis contenidas en ellas. "Predicación metafórica y discurso simbólico" examina el parentesco y los rasgos distintivos de dos fenómenos semióticos que no son exclusivos del discurso poético —y ni siquiera del literario en general— pero que están muy frecuentemente representados en él. Se trata de dos tipos de organización semántica en los que el sentido literal de un segmento textual y resp. de un texto completo exige el tránsito a un sentido no-literal. El punto de partida de la reflexión son dos modelos que representan los procesos de significación de metáfora y símbolo por separado y con distintos marcos epistemológicos (Stierle 1975 a y Link 1975). El producto de su examen individual y su cotejo es la elaboración de un modelo contrastivo de metáfora como predicación y de símbolo como discurso figurado, con el fin de demostrar que la diferencia más obvia entre estas dos 'figuras' que las retóricas antiguas y modernas no logran delimitar satisfactoriamente y que suelen llamar "metáfora aislada" y "metáfora continuada" o "alegoría", a saber la oposición discontinuo/continuo, se funda en dos sistemas de relaciones distintos y no en la diferente extensión de las manifestaciones de un mismo sistema. El estudio incluye, asimismo, un esbozo de clasificación de metáforas y una tipología de discurso simbólico ejemplificada con textos poéticos de distintas épocas y las correspondientes propuestas de lectura. Como ocurre a lo largo de toda la primera sección, también aquí se hace notorio el esfuerzo por señalar el aporte del pensamiento antiguo (en este caso de Aristóteles y Quintiliano) y por correlacionarlo con planteamientos actuales.

"¿Quién habla en el poema?" presupone casi todas las nociones básicas trabajadas en la primera parte, pero entronca de modo tan directo con "Ficcionalidad, referencia, tipos de ficción literaria", que puede leerse como su continuación. De hecho, amplía, afina y redondea la discusión sobre la ficcionalidad al incluir en ella un dominio textual que había sido dejado de lado en un primer momento. Las razones de la omisión no eran de orden metodológico sino personal: se debían a la incapacidad de percibir, a esa altura de la reflexión, qué lugar podía ocupar la poesía dentro del amplio terreno de los textos ficcionales. Recién después de varios años fue posible plantear con claridad el problema e intentar una respuesta matizada, que implica el desgajamiento de la poesía, antes pensada como un bloque homogéneo, en diversos tipos de discurso según la situación enunciativa que se tematice en cada caso. Las tesis sostenidas aquí se enfrentan provocativamente tanto a la idea todoroviana de dejar a la poesía en una suerte de limbo indiferente a la ficción, como a la tendencia, más frecuente aún en los últimos años, de eludir el riesgo de un biografismo ingenuo dando por sobreentendido que el texto del poema no es, en ningún caso, enunciado directo del autor, sino el discurso de una instancia ficticia, de un "yo lírico" o "hablante lírico". Todo el trabajo está dedicado a demostrar, a través de numerosos ejemplos, que ambas suposiciones son falsas por parciales, ya que ambas aspiran a la generalidad mientras que solo dan cuenta de una de las posibles relaciones entre las categorías *poético* y *ficcional*. Dos criterios se introducen aquí para decidir, por una parte, cuándo el texto poético es ficcional y cuándo es no-ficcional (es decir, expresión testimonial del poeta) y, por otra parte, cuándo la cuestión se vuelve indecidible y el poema ingresa, como lo quiere Todorov, en un 'limbo' categorial. El primer criterio es la coincidencia o la abierta no-coincidencia entre la situación de escritura y la situación interna de enunciación. Queda en claro, no obstante, que la coincidencia es menos fácil de comprobar que la no-coincidencia y que, por lo tanto, solo los poemas que contienen enunciados de carácter general o que expresan pensamientos o emociones no ligados a una coyuntura vital determinada son categorizables como no-ficcionales. El otro citerio consiste en fijar tentativamente un límite más allá del cual no tendría sentido hablar de ficción: tras pasar revista a los fenómenos en que se manifiesta la coherencia del discurso y concluir que en el caso del texto literario el lector competente no se limita a reconstruirla sino que la instaura en un acto creativo, se sienta la hipótesis de que la ficción deja de ser posible allí donde la 'invención' de la coherencia no se apoya en ninguno o casi ninguno de los mecanismos que aseguran la cohesión del discurso fuera de la literatura.

La tercera sección está integrada por dos estudios consagrados a dilucidar algunos de los problemas con que se confronta una disciplina que ha alcanzado notable desarrollo en los últimos quince años: la narratología literaria. "Voces y conciencias en el relato literario-ficcional" trata los puntos neurálgicos del modelo de Genette (Genette 1972) incluyendo las principales modificaciones propuestas por otros autores, a la par que introduce un nuevo concepto de *distancia*. La preocupación central es el reconocimiento de nítidas fronteras y, a la vez, de interrelaciones y posibles interferencias entre el *origo* del discurso narrativo y la conciencia en la que tienen lugar los procesos interiores verbalizados por el relato. De M. Bal, autora que lleva hasta sus últimas consecuencias el principio metodológico genettiano de mantener estricta separación entre *voz* y *focalización*, se adopta la distinción *focalizador-focalizado*, que permite analizar el fenómeno de la *focalización* en tanto resultado de la acción de un sujeto sobre un objeto, así como la transferencia de la idea de *niveles narrativos* a las esferas de la *voz* y la *focalización* respectivamente (Bal 1977 y 1981). Su postulación de un isomorfismo total entre los mecanismos de incrustación en uno y otro nivel es sometido, en cambio, a una revisión crítica, de la que resulta una nueva manera de plantear el fenómeno en el plano de la *focalización*. Como consecuencia inmediata de todo ello, se hace posible redescribir los tres tipos de *focalización* de que habla Genette ("cero", "interna" y "externa") de un modo más satisfactorio de como lo hace el propio autor, salvando las incongruencias señaladas por algunos de sus críticos. Semejante esfuerzo está encaminado a rescatar las cualidades positivas de una tipología que, a pesar de su carácter algo rudimentario, puede ser muy útil para identificar técnicas narrativas ligadas a códigos estéticos epocales o a preferencias de autor. El principal aporte del trabajo a la intrincada discusión actual sobre el tema de las categorías narrativas debe verse, sin embargo, allí donde propone una nueva forma de entender la *distancia*, que la saca del marco estrecho del *modo* —dentro del cual ciertamente no encuentra ubicación cómoda— y que la sitúa, sin temor de contaminaciones, en la zona de intersección de la *voz* y la *focalización*. Se plantea, así, la posibilidad de medir la distancia en los dos registros. En el de la *voz* se establecería, por un lado, en el mayor o menor esfuerzo de la fuente (primaria) del *discurso que refiere*, por separarse de la fuente (secundaria) del *discurso referido*; por otro lado, se fijaría en conformidad con el tipo de narrador (*hetero* u *homodiegético*) y su relación con las personas gramaticales de que se vale para referirse a los sujetos *intradiegéticos*. En el plano de la *focalización* lo decisivo para determinar la *distancia* no es que la instancia focalizadora —el *focalizador*— 'sepa más, igual o menos' que el personaje, sino la calidad de su saber (esto es, que se trate de un *focalizado* 'visible' o 'invisible') y dónde se ubica en relación con las vivencias del personaje focalizado. "Semiótica del discurso referido", escrito en colaboración con José Luis Rivarola, retoma uno de los hilos de la reflexión sobre la *distancia*: el concerniente a las relaciones entre el discurso que refiere y el discurso referido en el ámbito del relato literario. De entre todos los fenómenos subsumibles en este rubro, el que recibe la mayor atención es el conjunto de formas de reproducción que aparecen bautizadas con el nombre de *conjunciones discursivas* y cuyas principales variantes —también parcialmente renominadas— serían el *discurso indirecto libre*, el *indirecto mimético*, el *pseudo-indirecto*, el *pseudo-directo* y en el límite de la clase, una forma de apariencia engañosa, caracterizable como pseudo-conjunción: el *discurso directo libre*. Si bien el grueso del trabajo se centra en el aspecto mencionado y dentro de él, otorga interés preferencial al estudio del *discurso indirecto libre*, también se ocupa de formas no-conjuntivas como el *discurso directo* y el *discurso indirecto*, por cuanto ellas permiten plantear de modo privilegiadamente claro problemas que constituyen los pilares de un acercamiento semiótico al tema global, como es el caso de la literalidad, la verosimilitud y la ficcionalidad del discurso referido. Las formas propiamente conjuntivas se definirían por la superposición de las acciones verbales de un hablante que refiere y un hablante cuyo discurso es referido en una quasi-literalidad. En conformidad con las convenciones de la narrativa moderna, la polisemia enunciativa resultante de tan extraña operación lingüística no sería percibida —al menos por el lector competente— como una contradicción irresoluble, sino como una adecuada manera de instaurar una relación dialógica entre narrador y personaje, que tendría importantes consecuencias tanto en el plano de la *voz* como en el de la *focalización*. Precisamente, uno de los propósitos más ambiciosos de este estudio es, más aún que el intento de construir una tipología abierta a modificaciones futuras, ubicar el ya viejo y enmarañado debate sobre el *discurso indirecto libre* y otras formas emparentadas, en el terreno de la narratología literaria haciendo uso de los afinados instrumentos conceptuales de que ella dispone. Es así como la distinción de *niveles de voz* y de *focalización* y la consideración de la peculiar epistemología del discurso referido novelesco (con todas las fantasías realistas e irrealistas que de ella se derivan), permite definir con mayor precisión fenómenos que desde el ámbito de la estilística habían sido caracterizados con acierto intuitivo e inevitable vaguedad. El *discurso indirecto libre* se muestra, a la luz de las categorías mencionadas, como el más señalado caso de imbricamiento —esto es, de superposición, en un mismo nivel, de elementos pertenecientes a distintos niveles—, no solo de dos voces y sus respectivos discursos, sino además de las focalizaciones correspondientes a un focalizador primario y a un focalizador focalizado.

Los tres estudios que conforman la última sección del libro tienen, más allá de su valor intrínseco como propuestas de lectura de textos literarios de dos épocas y géneros distintos, una función de cierta importancia para la economía del conjunto. El comentario de textos, esa actividad tan antigua y tan vapuleada hoy desde ciertos sectores que cultivan el fetichismo de la formalización, puede ser una prueba muy difícil y un excelente medio de control para todo investigador de la literatura que trabaje con entidades abstractas y aspire a construir modelos de validez general. Los tres análisis dedicados respectivamente a un poema de nuestros días, a un consagrado cuento contemporáneo y a un célebre pasaje de una más célebre égloga renacentista, deben ser juzgados, por ello mismo, como un triple intento cuya eficacia medirá el lector: el de reivindicar los méritos de la práctica hermenéutica; el de contrariar los reproches --por lo común procedentes de intérpretes y críticos— dirigidos a quienes se ocupan de temas teóricos sin tomar suficiente contacto con textos particulares; y, finalmente, el de comprobar la consistencia y la aplicabilidad de algunas de las categorías, sistemas de categorías y modelos textuales elaborados en las secciones precedentes. En los tres casos se puede percibir, además, la misma preocupación por ubicar la peculiaridad del texto en la dinámica de su relación dialógica con otros textos, con el conjunto de la tradición y con las normas estéticas vigentes tanto en épocas anteriores como en el momento de su producción. Este afán surge ya con toda nitidez en la interpretación del poema de J. E. Eielson, ya que buena parte de ella tiene por fin poner en evidencia el carácter programático y polémico del empleo de una metáfora tradicional reliteralizada y de expresiones connotadoras de valores literarios y musicales con las que, sin embargo, no se asume sino se rechaza lo connotado. Especial atención merece, asimismo, la relación dialógica entre el poema y su título, así como entre el título del poema, los títulos de otros poemas de la misma serie, el título del poemario en que se incluyen y el título del volumen que recoge todos los poemarios del autor. El desentrañamiento de esta intrincada red de hilos discursivos deja al descubierto una poética personal: el ideal del poema como partitura trabada, hecha de letras-figuras que vedan el tránsito a su realización acústica. En el marco de esta lectura plural, atenta a los múltiples ecos, concordancias y colisiones intertextuales presentes en cada elemento del poema, el postulado jakobsoniano de la acción del principio de equivalencia en la constitución del texto poético, encuentra una aplicación que lo libera de las simplificaciones y pobrezas de la visión inmanentista en que se origina. "Borges: Teoría y praxis de la ficción fantástica" tiene como marco de referencia la teoría ficcional y la delimitación del tipo ficcional fantástico planteadas en el último capítulo de la primera sección. Dos nociones clave de la poética borgeana en relación con la narrativa fantástica son sometidas aquí a un examen comparativo respecto de las ideas formuladas por los teóricos sobre el mismo tema; los resultados de esta primera fase de la investigación son a su vez confrontados y complementados con el análisis de un cuento que se propone como paradigma de la clase textual a la que se aplicarían los postulados estéticos del autor. La conclusión final es que existe una exacta y feliz correspondencia entre teoría y praxis artística y que la reflexión metaliteraria de este gran creador resulta más acertada que muchas de las definiciones de literatura fantástica propuestas en la copiosa bibliografía especializada. El último trabajo indaga la práctica renacentista de la *imitatio* a través del análisis comparativo de un pasaje de la *Egloga III* de Garcilaso de la Vega y de su modelo latino, la *Egloga VII* de Virgilio. El estudio estilístico-temático de los dos textos se ubica en el trasfondo de una descripción de los sistemas culturales y de las normas estéticas que se manifiestan en ambos, y se complementa con una confrontación entre el texto recreado y otras recreaciones y traducciones a que el modelo ha dado lugar. El resultado de esta labor es, por una parte, la comprobación de que el genio de Garcilaso se muestra en su máximo vigor en los momentos en que se ciñe más rigurosamente al texto clásico que le sirve de inspiración; por otra parte, queda en evidencia que en ninguno de esos momentos se puede hablar de *imitatio* en el sentido de reelaboración de un tema o de un par de detalles estilísticos o de la inclusión de un motivo conocido en un contexto nuevo, sino que se trata, más bien, de un proceso de ·*transferencia*: del paso de un sistema poético a otro sistema poético cerrado e independiente pero construido con arreglo a los mismos principios estructurales y a una combinatoria isomórfica.

PRIMERA PARTE

CUESTIONES GENERALES

I

POETICA Y LINGÜISTICA: EN TORNO A LAS TEORIAS
DE R. JAKOBSON, M. RIFFATERRE Y J. LOTMAN*

> Pero, por el contrario, el poema no mue-
> re por haber servido; está hecho expresamen-
> te para renacer de sus cenizas y volver a ser
> indefinidamente lo que acaba de ser.
> La poesía se reconoce en este efecto notable,
> por el cual se la podría definir: que tiende a
> reproducirse en su forma, que incita a nues-
> tros espíritus a reconstruirla tal cual.
>
> P. Valéry (*Oeuvres*, t. 1, p. 1373).

La observación de Valéry pone de relieve un rasgo característico no sólo
de la poesía, sino de toda comunicación artística en oposición a los demás procesos semióticos. En éstos, el signo utilizado para transmitir un mensaje cumple
una función exclusivamente instrumental: una vez comprendido el mensaje, el
signo es olvidado y sustituido por los contenidos de que es portador. Típico del
proceso de recepción de toda obra de arte, en cambio, es el hecho de que el signo es sentido como insustituible y pervive inseparable de su mensaje en la memoria del lector, oyente, observador. Todo enunciado literario, una vez constituido como tal, se vuelve inmutable: la supresión o el reemplazo de uno solo
de sus elementos implica la destrucción del todo. Una de las tareas primordia-
les del investigador de la literatura consiste, por lo tanto, en preguntarse qué
es lo que determina la permanencia del mensaje literario o, lo que es lo mismo,
qué es lo que hace de un mensaje verbal una obra de arte.

En un trabajo pionero y revolucionario que llevaba el título que hemos
escogido para estas páginas y que se proponía poner sobre un fundamento lingüístico la ciencia literaria, R. Jakobson (Jakobson 1960) procuró dar respuesta, desde la perspectiva estructuralista, a los múltiples interrogantes que plantea
la investigación de la lengua artística. Recordemos aquí algunos de los pensa-

---

* Publicado originariamente en N.R.F.H. XXV, 1976.

mientos allí expuestos, que entretanto se han vuelto punto de partida casi obligado de toda reflexión sobre la interpretación de textos poéticos.

Jakobson incluye entre las diversas funciones de la lengua una *función poética* que se manifiesta en todos aquellos casos en que en el enunciado se da una suerte de relación reflexiva.[1] Mientras que en el uso no literario de la lengua el enunciado remite siempre, primordialmente, a algo que está fuera de él, en el literario remite predominantemente a sí mismo: es a la vez portador y contenido del mensaje.

La función poética de la lengua se puede reconocer empíricamente en el hecho de que entre los elementos de todo texto poético existen siempre relaciones de equivalencias análogas a las que se dan entre los miembros de cualquier paradigma lingüístico. En palabras de Jakobson: "La función poética proyecta el principio de equivalencia del eje de selección al eje de combinación" (p. 358). En la base de este teorema está la distinción entre dos procedimientos fundamentales que entran en juego en la formación de todo enunciado: la selección de elementos individuales a partir de paradigmas y la combinación, conforme a las reglas de la gramática, de los elementos seleccionados. Supongamos, por ejemplo, que la información que se quiere transmitir es: 'el niño de pecho chilla'. El hablante hace una selección entre una serie de nombres más o menos semejantes intercambiables entre sí (tales como *crío, bebé, guagua*) y entre una serie de formas verbales igualmente intercambiables (tales como *chilla, grita, berrea*). Las expresiones elegidas (por ejemplo *bebé* y *berrea*) se encadenan en un sintagma: *el bebé berrea*. Mientras que entre los elementos del eje de selección, es decir, entre los miembros del paradigma nominal y del paradigma verbal respectivamente, existen relaciones de equivalencia, entre los elementos del eje de combinación, es decir, entre los elementos del sintagma, existen relaciones de contigüidad. Por cierto que sería demasiado simplista representarse selección y combinación como dos procedimientos totalmente independientes uno de otro. En todo proceso de formulación tiene lugar, más bien, una constante interacción entre ambos. Esta interacción es tanto más intensa cuanto mayor es el predominio de la función poética sobre las demás funciones de la lengua. En un enunciado con función poética, la selección está en gran parte determinada por la tendencia a crear equivalencias entre los elementos que se van encadenando en sintagmas: para escoger en cada caso la expresión 'adecuada', el hablante toma siempre en consideración los rasgos prosódicos, fonológicos, morfológicos, sintácticos, semánticos, etc., de los demás segmentos de la secuencia textual y los combina sobre la base de las semejanzas o desemejanzas entre ellos. El *principio de equivalencia* se erige, así, en procedimiento constitutivo de la secuencia. El famoso mensaje de victoria de César *veni, vidi, vici*, mencionado por Jakobson *(loc. cit)* como prueba de que el campo de acción de la fun-

---

1. Sobre la noción de "función poética" *cf.* los comentarios críticos de E. Coseriu (Coseriu 1971).

ción poética no se limita a la poesía, nos servirá para ilustrar este fenómeno.

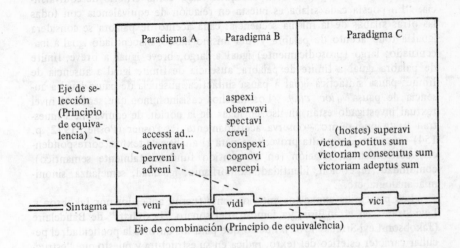

	Paradigma A	Paradigma B	Paradigma C
Eje de selección (Principio de equivalencia)	accessi ad... adventavi perveni adveni	aspexi observavi spectavi crevi conspexi cognovi percepi	(hostes) superavi victoria potitus sum victoriam consecutus sum victoriam adeptus sum
Sintagma	veni	vidi	vici

Eje de combinación (Principio de equivalencia)

En esta gráfica intentamos mostrar cómo el criterio de selección está determinado en gran parte por la búsqueda de correspondencias formales en el eje de combinación. Así, por ejemplo, la preferencia otorgada a *veni* respecto de *adveni, perveni* o de cualquier otra expresión semánticamente equivalente se puede explicar, entre otras razones, por su mayor semejanza fónica con *vidi* y *vici*. Lo mismo vale, ciertamente, para los demás miembros del sintagma. Incluso el uso de *vidi* y *vici* sin objeto directo se puede interpretar como resultado de la tendencia a mantener el paralelismo con la forma verbal intransitiva *veni*. Respecto de la consonante inicial, de la vocal final, del número de sílabas, de la cantidad vocálica, del acento de palabra y de la función sintáctica, *veni, vidi* y *vici* se pueden considerar miembros de una clase de equivalencias o, dicho de otro modo, de un paradigma actualizado en el texto. La gráfica permite distinguir, por lo tanto, dos tipos de relaciones de equivalencia: la 'vertical' entre las expresiones disponibles y la 'horizontal' entre los tres miembros del sintagma. Utilizando la terminología de ·Saussure se puede decir que en el primer caso los elementos equivalentes están unidos *in absentia*, en una serie mnemónica virtual, mientras que en el segundo caso están unidos *in praesentia*, en una serie efectiva (*Cf.* Saussure 1972, p. 171). Característico de la función poética es, pues, el unir *in praesentia* elementos que normalmente están unidos *in absentia* (*Cf.* Levin 1962, p. 40).

Puesto que la lengua poética se caracteriza por el hecho de que entre los elementos de la secuencia textual tienen lugar múltiples relaciones de equivalencia que se superponen a las relaciones de contigüidad, la tarea fundamental del analista consiste —según Jakobson— en investigar todas las equivalencias comprobables en un texto dado y deducir de su distribución la estructura del texto. Para ello puede servir cualquier rasgo como criterio de equivalencia: "En poesía cada sílaba es puesta en relación de equivalencia con todas las otras sílabas de la misma secuencia; cada acento de palabra se considera igual a todo acento de palabra y, del mismo modo, inacentuado igual a inacentuado; largo (prosódicamente) igual a largo, breve igual a breve; límite de palabra igual a límite de palabra, ausencia de límite igual a ausencia de límite; pausa sintáctica igual a pausa sintáctica, ausencia de pausa igual a ausencia de pausa" *(loc. cit.).* "Los muchos casisinónimos que según el nivel textual investigado están en uso en lugar de la noción de equivalencia muestran hasta qué punto —observa acertadamente R. Posner (Posner 1972, p. 154)— esta noción resulta provechosa para el análisis de textos: correspondencia, concordancia, relación (en un sentido fundamentalmente semántico), comunidad, repetición, identidad, isomorfismo, igualdad, semejanza, sinonimia, analogía, etc.".

Los principios expuestos anteriormente fueron aplicados por Jakobson y Lévi-Strauss en el análisis, ya famoso, del soneto "Les chats" de Baudelaire (Jakobson-Lévi-Strauss 1962). Puesto que para los autores la poeticidad, el peculiar carácter estético del texto, radica en su estructura y puesto que "estructura" es para ellos un sistema de relaciones inmanentes (intratextuales), su procedimiento analítico consiste en observar la distribución de los elementos en clases de equivalencia y de las clases en la totalidad del texto. De entre las muchas posibilidades de articulación resultantes de la repartición de las diferentes clases a lo largo del soneto, se escogen como estructuralmente determinantes aquellas segmentaciones en las que coincide un mayor número de clases. Una de las principales objeciones hechas contra tal método es que todo análisis inmanente que se limite a describir cómo se reparten en el texto todos los tipos posibles de equivalencia, sin tomar en consideración cómo son percibidas por el lector, no sólo corre el riesgo de perderse en un sinnúmero de divisiones banales, que más dificultan que facilitan el reconocimiento de la estructura global, sino que, además, no puede acceder al código estético de la obra analizada. **M. Riffaterre**, creador de un modelo analítico[2], que en la discusión sobre métodos estructurales de interpretación poética suele ser contrapuesto al de Jakobson[3], propone comenzar, en cambio, por la observación del *proceso de recepción* y sólo después investigar el texto mismo o, más exactamente, aquellos elementos que provoquen alguna reacción en el lector. El análisis

2. Diversos trabajos consagrados tanto a la fundamentación teórica como a la aplicación práctica de su método, que se hallaban dispersos en diferentes publicaciones, se pueden leer ahora reunidos en el volumen *Essais de stylistique structurale* (Riffaterre 1971).

3. Véase la detallada comparación hecha por Posner (Posner 1972), así como Wienold 1972.

de la recepción implica, en consecuencia, una preselección de los materiales textuales que han de ser estudiados. Para Riffaterre el texto es el objeto de un descubrimiento progresivo que no sólo conduce al lector de sorpresa en sorpresa sino que, además, lo obliga a volver constantemente hacia atrás y a modificar su comprensión de lo ya leído. En el curso de la lectura cada nuevo elemento arroja una nueva luz sobre los elementos precedentes, a los que amplía o contradice. En la medida en que el contenido del texto es concebido como un desarrollo basado en un juego alternante de anticipaciones y confirmaciones, se le impone al analista la necesidad de imitar al lector partiendo del comienzo y siguiendo el orden de la frase: "Nunca se insistirá lo suficiente sobre la importancia de una lectura que vaya en el sentido del texto, es decir, del comienzo al fin. Si no se respeta este 'sentido único', se desconoce un elemento esencial del fenómeno literario —que el libro se desarrolla (como el *volumen* se des-arrollaba, materialmente, en la antigüedad)" (p. 327). Dentro de esta concepción la noción de *expectativa* juega un rol sustancial. Riffaterre parte del hecho de que el texto literario ya al comenzar crea expectativas que, en lo que sigue, son confirmadas o contradichas. En el curso de la lectura cada nuevo elemento llena o frustra una expectativa, es decir, armoniza o contrasta con su contexto estilístico pero, a la vez, puede crear una nueva expectativa, es decir, puede constituirse él mismo en contexto estilístico de lo que sigue. Sorpresa y decepción denuncian los elementos imprevisibles del texto, aquellos que quiebran un *pattern* lingüístico y que, por ello mismo, son percibidos con mayor intensidad. El juego con las expectativas del lector, característico de toda obra literaria, puede a veces estar tan acentuado que se erija en principio arquitectónico de la estructura global. En tales casos y, en particular, en textos en que la ironía o la 'agudeza' desempeñan un rol importante, el método de Riffatere resulta especialmente esclarecedor. Poco convincente, empero, es el considerar estructuralmente relevantes sólo aquellos rasgos textuales que condicionan una 'experiencia contrastiva' del lector, así como el otorgar a los efectos de tensión, sorpresa y decepción el carácter de principios organizadores básicos. Por cierto que incluir en el análisis, indiscriminadamente, todos los rasgos comprobables en un texto lleva, según hemos visto, a una descripción difusa, no por exhaustiva menos esquemática, incapaz de dar cuenta de la complejidad real del objeto analizado. Pero, a la inversa, descartar de antemano como irrelevantes todos aquellos rasgos textuales que no se destaquen por contraste de su contorno puede conducir, no menos que el recuento indiferenciado, a una visión simplificadora de la obra literaria. No repetiremos aquí —por cuanto es una crítica superficial, basada en una total incomprensión de los postulados de Riffaterre— que su método es inaplicable a todo estilo fundado en analogías, en formas convencionales, en la integración armónica de elementos usuales y homogéneos. Ni contraste ha de ser entendido en el sentido restringido de antítesis o antonimia ni la noción de imprevisibilidad o escasa previsibilidad debe ser equiparada con la de rareza o desviación —en el sentido con que se usan estos términos en algunos trabajos sobre poética hechos desde la perspectiva de la gramática transformacional[4]. Para Riffaterre contraste es simplemente la oposición de dos elementos, uno de los cuales es no-marcado respecto del otro, e imprevisible es cualquier elemento que se distinga de su contexto, independientemente de que se trate de una metáfora audaz o de una fórmula trillada. Sus estudios sobre el clisé literario muestran de modo ejemplar cómo cualquier expresión tenida por banal y estereotipada se puede convertir en estilísticamente relevante a condición de que aparezca en un contexto no-marcado, es decir, que no esté constituido a su vez por otros clisés que la hagan esperable. Por lo demás, es preciso tener en cuenta, para evitar críticas descaminadas, que su noción de relevancia estilística no está necesariamente asociada a una valoración estética positiva. El que un componente del texto contraste con su contorno y llame así de modo especial la atención del lector es evaluado tan sólo como señal de que hay allí un 'hecho de estilo', independientemente de los juicios estéticos que éste pueda suscitar.

Nuestros reparos son, como lo hemos anticipado, de otro orden: creemos que Riffaterre parte de una concepción algo aislacionista de 'hecho de estilo' que lo lleva a no reconocer suficientemente la complejidad de la estructura literaria y a describirla, en consecuencia, de un modo demasiado esquemático. Por cierto que sus teorías nada tienen en común con el formalismo primitivo de quienes ven el 'recurso artístico' como una entidad material separable del texto. Riffaterre reconoce muy acertadamente que el 'hecho de estilo' no es una 'cosa' sino una relación pero, a nuestro parecer, simplifica un tanto el carácter de dicha relación. Al definir el 'hecho de estilo' como un grupo binario formado por un micro-contexto y un elemento contrastante con él —portador del efecto de sorpresa—, admite implícitamente su aislamiento respecto del todo, en la medida en que no considera relevantes las relaciones que la oposición 'micro-contexto + contraste' mantiene con todos los demás elementos no integrados en oposiciones similares y que, por lo tanto, no son portadores de análogos efectos de sorpresa. Semejante simplificación resulta, por cierto, inevitable, cuando para determinar la relevancia de las ligazones presentes en el texto se hace valer como criterio decisivo la limitada capacidad de recepción del lector, un criterio por lo demás sumamente inseguro, por cuanto el grado de perceptibilidad de un fenómeno literario no se puede medir de manera exacta y objetiva sino tan sólo de modo aproximativo y, cuando más, sobre la base de la comparación de reacciones individuales-subjetivas. Creemos, por lo tanto, que si se pretende penetrar lo más profundamente posible en los mecanismos de la lengua poética será preciso combinar la descripción inmanente con el análisis de la recepción. Ambas perspectivas de investigación justamente no se excluyen cuando se reconoce en el discurso poético un sistema semiótico extremadamente complejo, transmisor de una información igualmente compleja y sólo existente dentro de una determinada estructura, en la cual los contrastes suscitadores de sorpresa representan un medio —ciertamente uno entre muchos otros— para la transmisión de sentido. Atisbos de esta concepción,

4. *Cf.* por ejemplo Baumgärtner 1967.

que se basa en el postulado —en teoría generalmente admitido, pero en la práctica del análisis literario muy poco tomado en cuenta— de que en poesía expresión y contenido forman una unidad inseparable y que, por lo tanto, toda relación formal ha de ser vista a la vez como componente semántico del texto, se encuentran en Jakobson, quien repetidamente ha llamado la atención sobre la función significativa de los elementos fónicos del verso. Bastarán como ilustración los siguientes pasajes extraídos de "Linguistics and poetics"[5]:

> Indudablemente el verso es ante todo una "figura fónica" recurrente; ante todo, pero nunca sólo eso. Todos los intentos por confinar convenciones poéticas como el metro, la aliteración o la rima al nivel fónico, representan argumentaciones especulativas sin la menor justificación empírica. La proyección del principio de equivalencia sobre la secuencia tiene una significación mucho más profunda y vasta. La concepción valeriana de la poesía como "vacilación entre el sonido y el sentido" es mucho más realista y científica que toda preferencia por el aislacionismo fónico (p. 367).
>
> Cualquiera que sea la relación entre sonido y significado en las diferentes técnicas de la rima, ambas esferas se implican necesariamente. Después de las esclarecedoras observaciones de Wimsatt sobre la plenitud de significado de la rima y de los sagaces estudios modernos sobre los sistemas de rima eslavos, el investigador de la poética difícilmente podrá afirmar que la rima significa algo sólo de modo muy vago (p. 368).
>
> En resumen, equivalencia de sonido proyectada en la secuencia como su principio constitutivo, implica inevitablemente equivalencia semántica y, en cada nivel lingüístico, cada constituyente de una secuencia tal suscita una de las dos experiencias correlativas que Hopkins define acertadamente como "comparación por amor a la semejanza" y "comparación por amor a la desemejanza" (pp. 368 s.).

En el iluminador artículo "Poesie der Grammatik und Grammatik der Poesie", Jakobson recalca, además, la necesidad de analizar "la interpenetración de igualdades y diferencias sintácticas, morfológicas y léxicas" y alerta a la vez contra las insuficiencias de una investigación "que se limite automáticamente a la forma externa" (Jakobson 1967, p. 24). Es de lamentar, sin embargo, que tan agudas observaciones teóricas no encuentren aplicación suficiente en los propios análisis poéticos, en los que Jakobson se contenta, por lo común, con indicar, de modo más o menos asistemático, que algunas equivalencias fónicas *subrayan* equivalencias semánticas[6]. Precisamente en este aspecto se ha visto una de las principales debilidades de su método. Con razón se ha señalado que mucho más importante que verificar equivalencias en un determinado nivel textual es definir las relaciones entre elementos que se superponen en distintos niveles, y que más importante aún es investigar la relación de in-

---

5. Nuestras citas son traducciones directas del original.

6. *Cf.* por ejemplo "Les chats. . ." (Jakobson-Lévi-Strauss 1962, pp. 15 y 17).

terdependencia de los niveles fonológico, prosódico, sintáctico, etc., respectivamente con el nivel semántico (*Cf.* Posner 1972, pp. 39 s. y Coquet 1972, pp. 26-44, esp. p. 29). Todos estos problemas, percibidos claramente por Jakobson, pero dejados como interrogantes abiertos, encuentran, en nuestra opinión, una respuesta adecuada en los trabajos del estructuralista ruso **Jurij M. Lotman**[7]. Muchas de las ideas expuestas en ellos representan un valioso complemento y en gran parte también una ampliación correctiva de las tesis de Jakobson. Para Lotman, quien fundamenta su teoría literaria desde la perspectiva de la semiótica y de la teoría de la información, la equivalencia de los elementos estructurales es *siempre* significativa, es decir, está inmediatamente ligada al contenido: "En el discurso poético. . . la correlatividad, la recíproca intersección y superposición se erigen en ley del texto materialmente dado. En virtud de ello, el principio de la correlatividad de todas las unidades entre sí y con el todo se vuelve el fundamento de la semántica de un texto poético y todos sus elementos se semantizan (1972 a, p. 167). El hecho de que en el discurso poético todos los elementos de la secuencia textual entren en un *sistema de correlaciones* tiene por consecuencia que cada elemento en particular, así como toda la construcción en conjunto, adquieran una especial carga semántica: "Las palabras, frases y enunciados que se encuentran dentro de la estructura gramatical en posiciones enteramente disímiles, que no presentan semejanza alguna y que, por lo tanto, no se pueden comparar, pueden ser reunidos y contrapuestos comparativamente dentro de la estructura literaria en posiciones de identidad y antítesis. Esto descubre en ellos un nuevo contenido semántico, inesperado e imposible fuera del verso" (*ibid.*, p. 71). Pero ello significa al mismo tiempo que las palabras pierden la autonomía relativa que poseen en el uso idiomático normal. Es así que todo el texto se convierte en signo de un contenido unitario y las unidades léxicas que lo forman quedan reducidas a la categoría de elementos sígnicos. De acuerdo con esto el principio de la '*retro-remisión*' constituye la base de la estructura literaria: ésta "exige una constante vuelta al texto que aparentemente ya ha cumplido su misión informativa, al igual que una confrontación comparativa con el texto siguiente. En el proceso de tal confrontación también el viejo texto se descubre de una manera nueva pues sale a luz el contenido semántico antes oculto" *(loc. cit.).* Se reconocerá en estas palabras un notable parentesco con las concepciones de Riffaterre. Pero ambos investigadores parten de premisas totalmente distintas. Para Lotman *todos* los elementos del texto —tanto los que Riffaterre consideraría 'relevantes' como los que descartaría por 'irrelevantes', tanto las palabras y frases como las unidades morfológicas, fonológicas o prosódicas— desempeñan un rol en el proceso de 'retro-ensamblaje'. Fenómenos como la rima o el ritmo, a los que Riffaterre concede poca o nula atención porque normalmente no están asociados a 'experiencias contrastivas'

---

7. Las siguientes observaciones están centradas en dos de sus obras: *Vorlesungen zu einer strukturalen Poetik* (Lotman, 1972 a) y *Die Struktur literarischer Texte* (Lotman 1972 b).

del lector, son tomados muy especialmente en consideración por Lotman, quien los ve como elementos que cumplen una función semántico-distintiva: todos aquellos componentes textuales que, como la rima, reúnen a las unidades léxicas en pares oposicionales, descubren similaridades en lo disímil —en el discurso poético toda semejanza fónica crea una semejanza semántica, por muy distantes que sean los significados de base de las palabras en cuestión—; o, a la inversa, revelan el carácter sólo aparente de una identidad poniendo de relieve lo que hay de contrastivo en lo similar —en el discurso poético toda reiteración entraña una modificación semántica derivada de la nueva constelación de vínculos estructurales. En relación con este último aspecto es preciso subrayar una de las tesis más interesantes y fructíferas de Lotman: que la lengua artística no conoce la repetición semántica en sentido estricto por cuanto una misma unidad léxica al ser repetida cambia necesariamente su posición estructural y adquiere, en consecuencia, un sentido diferente, mucho más rico y complejo de aquel que poseía en su primera aparición textual.

También el problema de la *relevancia* es planteado por Lotman de un modo totalmente distinto: "Resulta necesario no sólo comprobar la existencia de un vínculo, sino, además, introducir el concepto de su intensidad, concepto que caracterizará el grado de ligazón de los elementos dentro de la estructura. Presuponemos que el grado de intensidad de los vínculos poéticos interverbales es relativamente mensurable. Será necesario elaborar para ello una matriz de posibles rasgos de paralelismo y tomar en consideración el número de los vínculos actualizados" (*ibid.*, p. 132). El hecho de que el lector perciba una correlación cualquiera más intensamente que otra no tiene, dentro de esta concepción, valor de indicio; una percepción más intensa se considera simplemente como consecuencia del mayor grado de ligazón entre los elementos comparados, y mayor ligazón implica no solamente mayor relevancia sino también mayor saturación semántica. En lo fundamental Lotman concuerda aquí con Jakobson, quien igualmente parte de la premisa de que un conjunto estructurado de elementos relacionados entre sí es especialmente relevante cuando comprende *varias* clases de equivalencia, es decir, cuando sus miembros están unidos mediante *varios* rasgos comunes y, por consiguiente, poseen un mayor grado de ligazón. En Lotman es nuevo el concepto de *saturación semántica*, que representa un complemento muy importante de la teoría de Jakobson y conduce a un nuevo ordenamiento de las clases de equivalencia. Es verdad que, según Jakobson, todo conjunto estructurado de unidades equivalentes tiene la posibilidad de convertirse en miembro de un conjunto de rango superior —sin que se pueda fijar un tope. Pero a Jakobson no le interesa construir un especial sistema jerárquico de niveles lingüísticos que pueda ser considerado como típico del discurso poético. Lotman postula, por el contrario, que la jerarquía de los niveles en la obra poética tiene caracteres distintos de la del uso idiomático normal: "Esta consiste en la unidad de macro y microsistemas que se dan por encima y por debajo de una línea fijada. Dicha línea está representada por el nivel de la palabra, que constituye la base semántica de todo el sistema (*ibid.*, p. 96). "Todos los estratos estructurales inferiores a la palabra (la organización en el nivel de las partes de la palabra) y superiores a ella (la organización en el nivel de las cadenas de palabra) adquieren su significado sólo en relación con el nivel que forman las palabras del lenguaje natural" (Lotman 1972 b, p. 242). Pero, a su vez, la palabra, no bien aparece integrada en una estructura poética, pierde el contenido semántico exactamente fijado que posee en el sistema de la lengua y adquiere a cambio un significado ocasional, que depende de sus relaciones con otras palabras y con todos los demás elementos estructurales. Este significado es único e irrepetible, por cuanto sólo existe dentro de un determinado organismo poético. Es, además, pluriestratificado, ya que se compone del contenido fijo de la palabra más todos los rasgos semánticos que surgen de sus vínculos con otros elementos del texto.

La asunción de esta premisa implica la necesidad metodológica de tomar constantemente en consideración no sólo los elementos representativos del tipo de equivalencia estudiado en cada caso, sino también todos los demás componentes del texto que de uno u otro modo estén en relación con ellos, incluidas las unidades menores que la palabra. La elección de los criterios analíticos complementarios debe ser determinada cada vez por el grado de ligazón de los elementos estructurales participantes de un procedimiento dado. No toda equivalencia debe ser tomada en cuenta, sino sólo aquellas que se pueden caracterizar como relevantes por estar estrechamente conectadas con el fenómeno investigado. Esta necesaria restricción metodológica no debe impedir, sin embargo, que en muchos casos se tomen en consideración algunos elementos relativamente aislados que desempeñen un rol importante en el ensamblaje poético. Incluso Jakobson, cuyo método consiste básicamente, como se ha visto, en la observación de repeticiones y paralelismos de todo tipo, había llamado la atención sobre el relieve que pueden alcanzar, en condiciones especiales, determinados elementos no integrados en clases de equivalencias. En "Linguistics and poetics" observa a propósito de los fonemas: "Por efectivo que sea el énfasis de la repetición en poesía, la textura fónica está muy lejos de reducirse a artificios numéricos. Un fonema que aparece una sola vez pero en una palabra clave, en una posición pertinente y sobre un fondo contrastante, puede adquirir una significación sorprendente" (pp. 373 *s*). También en el mencionado artículo "Poesie der Grammatik. . .", subraya Jakobson la necesidad de incluir en el estudio del paralelismo los diferentes tipos y funciones de "versos aislados" (p. 24).

El análisis de una obra poética conforme a las normas expuestas hasta aquí resulta, empero, incompleto hasta tanto no se intente definir sus efectos estéticos, para lo cual es preciso salir del estrecho campo de las relaciones intratextuales. Lotman reconoce muy sagazmente las limitaciones de todo estudio literario inmanentista cuando afirma: "El texto es uno de los componentes de la obra literaria, por cierto un componente extremadamente importante, sin el cual la existencia de la obra literaria no es posible. Pero el efecto artístico en su totalidad surge de la confrontación comparativa del texto con el complejo pluriestratificado de las concepciones sobre la vida y lo ideal-estético"

(Lotman 1972 a, p. 57). Para emitir un juicio sobre el valor literario de una obra poética es necesario analizar no sólo las relaciones entre todos los recursos artísticos utilizados por el poeta sino también las relaciones entre la totalidad de su sistema poético y todos los demás sistemas poéticos vigentes hasta entonces, así como las relaciones entre la cosmovisión del autor y el contexto histórico que la condiciona.

El análisis inmanente debe ser considerado, por tanto, sólo como un primer paso en el camino que lleva al conocimiento científico de la obra poética. Tal análisis deberá ser ampliado con la investigación de los vínculos extratextuales, por ejemplo, de las relaciones entre el texto y las expectativas del lector, las normas estéticas, los principios determinantes de los géneros literarios, las concepciones religiosas y políticas de la época en cuestión, las circunstancias socioeconómicas concomitantes, etc.

II

TEXTO LITERARIO, TEXTO POETICO, TEXTO LIRICO*
Elementos para un tipología

*A la memoria de
Pepe Chichizola*

1. TEXTO LITERARIO

1.1. EL PROBLEMA DEFINITORIO: POSICIONES SUSTANCIALISTAS Y FUNCIONALISTAS

Las siguientes reflexiones parten de la convicción de que todo esfuerzo por precisar nociones tales como "literariedad" o "poeticidad" sobre la sola base de rasgos textuales inmanentes, describibles en la terminología lingüística y/o lógica, está condenado de antemano al fracaso. Entre los ejemplos más elocuentes de que un estructuralismo inmanentista sólo atento a configuraciones verbales y relaciones intratextuales es incapaz de dar cuenta de lo "literario" o lo "poético" en su respectiva diferencia específica, se hallan los fallidos intentos de la poética en el sentido jakobsiano —entendida como estricta disciplina lingüística— por separar el discurso literario de un abigarrado conjunto de tipos de discurso que abarca desde el conjuro mágico hasta las fórmulas propagandísticas de los medios de comunicación de masas.

La contrapropuesta de definición que se esbozará aquí se apoya asimismo en la convicción, complementaria de la anterior, de que un funcionalismo a ultranza, que niegue o relativice al máximo la importancia de la noción de "estructura textual" para sustituirla por una "función textual" sólo localizable en cada acto de recepción concreto y sólo definible en términos de las repercusiones de cada texto en cada receptor, representa el reflejo invertido —igualmente simplificador y tal vez más ingenuo— de los más elementales modelos lingüísticos y gramático-textuales de poeticidad, así como una ineficaz réplica a las definiciones sustancialistas de literatura y poesía.

* Publicado originariamente en *Lexis* Vol. V, Núm. 2, 1981.

Esta segunda postura es característica de algunos representantes de una sociología de la literatura atomizadora y hostil a todo intento de definición transhistórica del texto literario, que se niega incluso a aceptar que existe una relación de concomitancia entre ciertas funciones y ciertas estructuras textuales. Tal es, por ejemplo, el caso de H. U. Gumbrecht, quien en un polémico artículo aparecido en un número de la revista *Poetica* parcialmente dedicado al tema "poeticidad" (Gumbrecht 1978), pretende invalidar el modelo a la vez morfológico y funcional de W. Koch (Koch 1978), basado a su vez en una ampliación del modelo lingüístico de Jakobson, con el argumento, a su juicio irrebatible, de la mezcla indebida de una perspectiva estructural y una perspectiva funcional en la descripción del objeto tematizado.

1.2. UNA ALTERNATIVA INTEGRACIONISTA: LA DINAMICA DE LA CORRELACION ENTRE FUNCIONES Y ESTRUCTURAS TEXTUALES

Este trabajo, parte, por el contrario, de una premisa cuyo corolario inmediato es la necesidad metodológica de integrar —por cierto que no de mezclar indiferenciadamente— ambas perspectivas. Se postula aquí, en efecto, en conformidad con uno de los principios nucleares de la semiótica lotmaniana, que la emergencia de cualquier sistema cultural implica la formación de una estructura de funciones textuales peculiar de esa cultura (y de un estadio particular dentro de esa cultura), así como el establecimiento de un sistema de relaciones entre funciones textuales y estructuras textuales correspondientes (Lotman 1976, p. 342).

Del postulado precedente se pueden derivar las siguientes hipótesis (Cf. Lotman 1976, pp. 340-344):

1) Entre las variadas funciones atribuibles a los textos atesorados por las diversas culturas se cuenta una función estética.
2) Tanto la ubicación como el valor adjudicado a la función estética respecto de las demás funciones textuales varían según el sistema cultural particular que determina la estructura de dichas funciones.
3) Es literario todo texto verbal capaz de cumplir una función estética dentro de los límites de un determinado sistema de cultura (lo que no excluye que pueda cumplir a la vez otras funciones: religiosas, políticas, educacionales, etc.).
4) Para que el texto pueda cumplir una función estética debe tener una estructura determinada: aquélla que cada sistema cultural correlaciona con dicha función.

Si se aceptan estas hipótesis, hay que aceptar a la vez que premisas funcionalistas tales como: *esteticidad, literariedad, poeticidad no son atribuibles a estructuras sino a funciones textuales* o: *de estructuras textuales no se pue-*

den inferir funciones (Cf. Gumbrecht 1978, p. 356), sólo resultan verdades a medias. Ellas son válidas, en efecto, si se pretende identificar un texto como literario atendiendo exclusivamente a fenómenos lingüísticos en total desconocimiento del sistema de funciones y del sistema correlativo de estructuras textuales fijados por la cultura particular en la que se inscribe el texto. No son válidas, en cambio, si la identificación del texto a partir de su estructura se realiza sobre la base del conocimiento de específicas correlaciones entre estructuras y funciones textuales igualmente específicas de la cultura en cuestión.

Hasta aquí he utilizado las nociones de "estructura" y "función" como puntos móviles, vacíos de todo contenido, como si sólo fueran susceptibles de una definición relacional. Esta manera de plantear el problema podría suscitar la sensación de un aire de familia con esas mismas posturas funcionalistas que acaban de ser cuestionadas. Baste un ejemplo para ilustrar lo dicho: funciones textuales son para Gumbrecht "aquellas repercusiones sobre la conducta y la acción de los oyentes/lectores que se pueden entender como resultados de la recepción textual"[1]; pero, a la vez, Gumbrecht se manifiesta totalmente escéptico sobre la posibilidad de establecer empíricamente qué conductas y acciones específicas se derivan de las recepciones de textos (Gumbrecht 1978, p. 357). Tan sólo se limita a enmarcar su definición dentro de la tesis según la cual la función global de la comunicación es la 'apropiación del mundo' esto es, la transmisión de un saber sobre los fenómenos tematizados que es requisito de nuestra conducta y de nuestro accionar en el mundo.

Es indudable que con tan escasos elementos conceptuales no se puede llegar a ninguna definición de función estética que permita a su vez caracterizar el texto literario de un modo que lo haga trascender la condición de casillero vacío y desplazable, susceptible de ser ocupado por cualquier contenido según las infinitas variaciones de situaciones comunicativas concretas.

Si se asume que la función global de la comunicación es, como lo propone Gumbrecht, la transmisión de un saber sobre el mundo, es posible entender la función propia de la comunicación estética como un subtipo de dicha función global y buscar, por tanto, uno de sus rasgos distintivos en un modo específico de 'apropiación del mundo' que, como veremos enseguida, es analizable tanto en el nivel de la cognición como en el nivel de la emoción. Dar este paso implica eludir las definiciones funcionalistas de arte y literatura 'vacías' y circulares sin entrar, empero, en el ámbito de las definiciones de tipo ontológico. Si procuro evitar estas últimas tanto como las primeras es porque considero que las bien conocidas dificultades que plantean toda vez que se las quiere confrontar con objetos estéticos concretos —o, lo que es lo mismo, canonizados como tales dentro de una tradición cultural determinada— obedecen al hecho de que semejantes definiciones no pasan de ser generalizaciones empíricas a partir de un determinado concepto histórico de literatura, por lo cual se ubican en últi-

---

1. Todas las traducciones de textos son mías excepto cuando cito por una traducción publicada.

ma instancia en un plano normativo y no en el plano teórico al que aspiran a ingresar estas reflexiones: aquél en el que también las normas son objeto de descripción y explicación al igual que otros muchos fenómenos pertenecientes a la esfera de la comunicación artística (Cf. Mignolo 1978, pp. 41-47, esp. p 44).

La noción utilizada por Gumbrecht para determinar la función de la co municación en general gana en eficacia —a los efectos de delimitar una fun ción estética— si se la correlaciona y complementa con las categorías lotma-nianas de *modelización y sistema modelizador primario y secundario.*

1.3. LOS LENGUAJES ARTISTICOS COMO SISTEMAS MODELIZADORES SECUNDARIOS

Lotman considera que todos los lenguajes —ya sea los 'naturales' como por ejemplo el español o el inglés, ya sea los construidos artificialmente como es por ejemplo el caso de los metalenguajes de las descripciones científicas— cumplen no sólo una función comunicativa sino también de modelización en la medida en que cualquier sistema de designación refleja cierta idea clasi-ficatoria de lo que designa, es decir, propone una cierta representación —for-zosamente reductora y parcial— de la realidad designada: el continuo de los datos de la experiencia es segmentado y ordenado de uno o otro modo se-gún la estructura de cada lenguaje. Dentro de esta concepción las lenguas naturales ocupan el lugar del sistema modelizador por excelencia, de aquél que organiza todos los procesos cognitivos. De ahí que Lotman lo llame *primario* y que se represente a los sistemas artísticos —al igual que al mito o a la religión— como *modelizadores secundarios* en el supuesto de que funcio-nan *a modo de lengua*, lo que, en el caso especial de la literatura implica además un *servirse de la lengua como material* (Cf. Lotman 1978, pp. 17-36, esp. p. 20).

Sobre la base de los modelos del mundo elaborados por la conciencia del hombre (que es, para Lotman, una conciencia lingüística) cada cultura y cada época elaboran modelos artísticos del mundo que se superponen a aquéllos y que son tan generales como aquéllos. El creador literario —como todo artis-ta— propone, en cambio, a través de sus textos, un modelo particular y sub-jetivo, que se funda tanto en un código lingüístico como en un código artísti-co determinados, que es inseparable de la estructura de cada texto y que in-cluye no sólo la representación de ciertos objetos sino también la proyección de la estructura de la conciencia que percibe esos objetos (Cf. Lotman 1972 a, p. 38).

1.4. LA FUNCION DE LA COMUNICACION ARTISTICA

Con este bagaje conceptual podemos volver a las definiciones de Gumbrecht y afirmar —añadiendo precisión a la noción algo vaga de 'apropiación del mundo'— que la función de la comunicación en general es la transmisión, a través de los signos del código lingüístico común a un conjunto social, de una serie de saberes vinculados a un modelo interior del mundo que ha sido constituido sobre la base del sistema clasificatorio propio de ese mismo código lingüístico.

A partir de esta primera gran delimitación es posible deslindar ahora una variedad estética de función comunicativa, caracterizable tanto negativa como positivamente. Lo más sencillo es comenzar por lo primero: todo texto producido sin intención estética y recepcionado en conformidad con esa ausencia de intención, es codificado y descifrado según un código único: el del sistema de la lengua natural común a ambos comunicantes. Un texto tal no transmite, por lo común, ni más ni distinta información de la usualmente vehiculizada por los signos propios de ese código. Tampoco es capaz, por otra parte, de expresar un conocimiento del mundo que no sea el obtenido a través de las categorías conceptuales impuestas por el código en cuestión.

Cuando el texto es producido y recepcionado como artístico —literario—, es codificado y, en el caso de una comunicación exitosa, cointencionalmente descifrado según el código de la lengua natural (del sistema modelizador primario) y según una compleja jerarquía de códigos artísticos variables para cada época, tradición cultural, género, estilo, etc. (los del sistema modelizador secundario). Un texto con estas características se distingue de todos los no-literarios precisamente por su capacidad de transmitir un cúmulo de informaciones que se superponen —y en muchos casos se contraponen— a las habitualmente vehiculizadas por los componentes del sistema primario.

Mediante la manipulación —que puede llegar incluso a la destrucción y reificación acústica o gráfica— de los signos lingüísticos utilizados por la comunidad para la comunicación ordinaria, cada artista construye y propone a sus receptores un lenguaje y, a través de él, un modelo del mundo, que son resultado de la aplicación, la modificación o la transgresión de un nutrido conjunto de sistemas normativos operantes en distintos planos. Según las tradiciones genéricas, temáticas, estilístico-formales, tópicas, etc., dichos sistemas regulan, por ejemplo, la selección y combinación del material verbal en cada uno de los niveles lingüísticos, la ficcionalidad o no-ficcionalidad de los constituyentes de la situación comunicativa, las modalidades y combinaciones de modalidades admitidas en cada tipo ficcional, la organización del modelo de realidad —y de conciencia perceptiva— propuesto directamente por el texto o indirectamente a través de las voces y los mundos constituidos en la ficción etc. (Cf. Cap V "Ficcionalidad referencia, tipos de ficción literaria").

El texto artístico proporciona siempre, además de todos los tipos de información que los textos no-artísticos son capaces de transmitir, una información artística específica, referente a los códigos secundarios conforme a a los cuales ha sido elaborado. Tanto esta información como la que se deriva de una diferente segmentación de los signos del código primario —que, como se verá más adelante es mucho más acusada en el texto poético— es inseparable de la estructura del texto. De ella puede inferir el receptor tanto la función estética del texto —su carácter literario— como su vinculación con tal o cual tradición literaria particular, con tal o cual género literario, con tal o cual estilo, con tal o cual modelo de realidad ligado a una corriente artística determinada, etc.

El hecho de que no todo receptor esté en condiciones de descodificar esa densa red de informaciones no es prueba de que el texto carezca de una estructura fija y de que, por lo tanto, no haya relación alguna entre funciones y estructuras, como pretende Gumbrecht (Gumbrecht 1978, p. 357 y s.). El que receptores con diferentes reserva de saber se comporten diferentemente respecto de los mismos textos, los lean de distinto modo, les atribuyan distintas estructuras e incluso les nieguen la función que el productor quiso darles (y que otros receptores les adjudican), no demuestra la inexistencia de estructuras textuales dependientes de ciertas funciones sino los distintos grados de competencia de los receptores.

1.5. LA COMPETENCIA DEL RECEPTOR DE MENSAJES ARTISTICOS. COMPETENCIA LINGÜISTICA Y COMPETENCIA LITERARIA

Para que el receptor de un conjunto de estímulos acústicos o visuales devenga un lector u oyente de noticias periodísticas, propaganda comercial o poesía, un oyente de una sinfonía clásica, de música pop o de un jingle televisivo, un observador de un afiche propagandístico de cierta marca de comestibles o de una "naturaleza muerta", de una representación anatómica o una escultura, debe disponer de una serie de canales de transmisión no bloqueados por impedimentos físicos, psíquicos o de cualquier otro orden, debe dominar una multiplicidad de códigos y debe estar dispuesto a ponerlos en juego para descifrar la información vehiculizada por la materia sígnica (Cf. Posner 1973, p. 515). Puesto que no todos los individuos socializados dentro de una misma cultura manejan todos los códigos necesarios para producir y/o recepcionar adecuadamente todos los tipos de mensajes posibles en esa cultura y puesto que no todos los que manejan los mismos códigos los dominan del mismo modo, parece justificado hablar tanto de una competencia comunicativa general como de subtipos de competencia comunicativa (correspondientes a los sistemas semiológicos secundarios), que cada grupo social e incluso cada individuo poseerían en distinta medida.

La afirmación precedente no implica, empero, postular una simetría total entre la competencia lingüística y las distintas formas de competencia vinculadas a los sistemas artísticos (literaria, musical, pictórica, etc.). Con toda razón se ha hecho hincapié, por ejemplo, en que el aprendizaje de la literatura —como el de cualquier arte— se produce mucho más tardía y conscientemente que el aprendizaje de la lengua (Mignolo 1975, p. 3 y 1978, p. 13), lo que redunda en diferencias de competencia mucho más marcadas de individuo a individuo, diferencias en las que inciden los más variados factores (incluidos los de orden estrictamente personal). Por otro lado, la no-comprensión o la no-aceptación de un texto producido como literario y recepcionado como tal por cierto grupo social no siempre es consecuencia de una falta de competencia sino que puede ser también el resultado de un conflicto de normas en aquellos momentos de reacomodación del sistema cultural en los que tienen lugar nuevas combinaciones entre funciones y estructuras textuales así como una redistribución de los juicios de valor que les van aparejados.

Con todo, si se toman como coordenadas los momentos de relativa estabilidad dentro de la incesante dinámica del cambio, esto es, aquellos más o menos equidistantes entre la irrupción de uno o varios sistemas normativos concurrentes y su osificación y consiguiente reemplazo por otro u otros sistemas normativos igualmente concurrentes entre sí, y si se plantea el problema de la competencia literaria dentro de este marco restringido, es posible postular la existencia de una capacidad específica para producir y/o recepcionar y evaluar los mensajes canonizados o canonizables como literarios dentro de ese marco y representarse dicha capacidad como una compleja jerarquía de reservas de saber que se presupondrían unas a otras y que se ubicarían, por así decirlo, en las distintas marcas de una escala graduada. El grado más bajo estaría representado por la capacidad de identificar un texto como literario sin reconocer a la vez el código estético particular en que aquél se sustenta. Esta forma elemental de reconocimiento puede basarse incluso en señales externas a la estructura del texto mismo como, por ejemplo, su presencia en un libro que anuncia desde el título su condición de *poesía* o *novela*. A partir de él se pueden concebir grados cada vez más altos de competencia conforme al incremento de la capacidad de manejar un mayor número de códigos estéticos (correspondientes a épocas, escuelas, géneros, estilos verbales, tipos ficcionales, etc.) y un mayor número de reglas en relación con cada código.

Es preciso insistir, no obstante, en el hecho de que esta noción de competencia no pretende ser un correlato simétrico de la noción de competencia lingüística sino tan sólo el producto muy modificado de su extrapolación y adaptación al campo de la literatura. No puede ser de otro modo, ya que el status de los códigos estéticos y de sus respectivas reglas no es directamente parangonable con el de las lenguas naturales. Si bien en ambos casos el sistema contiene la virtualidad de su propia transformación, es innegable que la literatura se desarrolla según una dinámica diferente: con la sola continuidad de la permanente ruptura de las reglas que han posibilitado la producción literaria anterior. La estabilización del sistema, que en el caso de las lenguas naturales es requisito indispensable para la eficacia de su empleo, significa en literatura el primer paso a su osificación y el consiguiente empobrecimiento de su capacidad informativa. Es por ello que las obras literarias producidas en conformidad con las reglas de un código estético cuya identidad ha dejado de ser problemática son clasificadas como imitaciones o epígonos y ubicadas en la parte más baja de una escala de valores. Las obras censadas como innovadoras o, al menos, 'originales' —y valoradas más alto en virtud de este mismo rasgo— se caracterizan, en cambio, por fundarse en un código estético de identidad precaria, que sólo puede ser inferido a partir de su manifestación textual. El proceso de elaboración de tales obras incluye, por lo común, tanto la aceptación como la transgresión de reglas conocidas, así como la creación de nuevas reglas que, en tanto se constituyen recién en el proceso mismo de producción, no son previsibles para el receptor, aun cuando éste posea el mayor grado de competencia pensable. Una de las respuestas posibles del receptor ante el desafío que le plantea el texto es intentar descifrarlo de acuerdo con alguno de los códigos estéticos que conoce de antemano; el resultado de este procedimiento es una transcodificación que puede llevar a la destrucción de la estructura textual creada por el productor y a la sustitución del mensaje que le es inherente por otro. Semejante respuesta es, por cierto, indicadora de un grado de competencia inferior al exigido por la complejidad del texto.

Recordemos, por último, que la competencia literaria incluye asimismo el conocimiento de los textos particulares que constituyen el marco de referencia inmediato de un texto dado y que afloran en él por la vía de la cita, la alusión, la estilización o la parodia. Esta forma de competencia "intertextual" (Cf. Mignolo 1975, p. 14) está en relación directa con la cantidad de lecturas atesoradas en la memoria y comprende, en sus grados más altos, el manejo de las lenguas en que han sido codificados todos los textos cuya relación dialógica se extiende a través de diferentes épocas y de distintos sistemas culturales.

1.6. LA "FUNCION ESTETICA" DEL TEXTO LITERARIO EN LOS NIVELES COGNITIVO Y EMOTIVO

En el apartado precedente he intentado precisar la noción de "función estética" desde una perspectiva cognoscitiva. Antes de completar el análisis de dicha noción ubicándola en el nivel de los procesos afectivos que son concomitantes a los cognoscitivos, es conveniente recordar las características de ese modo específico de 'apropiación del mundo' que, como lo señalé más arriba, es típico de toda comunicación estética.

En el caso particular de la literatura la —por lo menos— doble codificación del mensaje tiene como consecuencia la constitución de un modelo del mundo que puede estar más o menos alejado del modelo impuesto por el sistema clasificatorio de la lengua natural y por las creencias y valoraciones vigentes en una época y una cultura dadas. Por otro lado, el modelo particular y concreto propuesto por cada texto literario puede a su vez estar más o menos alejado de los modelos artísticos de carácter general que, dentro de esa misma época y cultura, gozan ya de conocimiento y aceptación. Este segundo tipo de alejamiento puede deberse tanto a la originalidad y a la potencia innovadora del productor como a una tendencia regresiva, que lo lleva a preferir modelos todavía más viejos y conocidos (aquéllos que el sistema autoclasificador de la literatura descarta por 'superados' pero que aún pueden tener predicamento en amplios sectores sociales).

La percepción del desfase entre el modelo artístico concreto y los modelos generales artísticos y no-artísticos vigentes en la época, puede conducir al receptor al reconocimiento de las limitaciones y las deficiencias —y con ello al cuestionamiento— de las concepciones sobre la realidad, las normas de conducta y los juicios de valor que le han sido impuestos en su proceso de socialización. Pero igualmente puede llevarlo a negar la propia experiencia de la realidad y a aceptar el modelo artístico como un sustituto gratificante. Esta tendencia a la evasión se observa frecuentemente entre los consumidores de ciertas formas de arte que, como la literatura trivial, son producidas con la intención de movilizar estereotipos imaginativos y emotivos y de anular, a través de ellos, la capacidad de cuestionar las 'verdades' transmitidas y aceptadas por vastos sectores de la comunidad. El tipo de respuesta no depende, empero, tan sólo de las características del producto artístico ni siempre es acorde con la intención del productor: una misma obra puede generar, según la disposición particular y la personalidad del receptor, tanto una actitud alerta y crítica como una actitud resignada y escapista.

A los procesos cognoscitivos que tienen lugar en la recepción de textos literarios les van aparejadas reacciones afectivas que parecen ser igualmente específicas de la comunicación estética. El hecho de que los receptores de literatura —y de arte en general— por lo común participan voluntariamente en la comunicación artística, tienen la libertad de selección y con no poca frecuencia vuelven a recepcionar las mismas obras en conformidad con sus preferencias, parece indicar que la función estética de un texto opera también en el nivel de las emociones y que, en consecuencia, no se puede desconocer, al delimitarla, la importancia de un factor como el placer individual.

Ya Aristóteles vio en este factor uno de los componentes sustanciales de la recepción de obras de arte y reconoció asimismo una forma de placer derivada de procesos estrictamente cognoscitivos (*Poética*, Cap. 4, 1448 b 4-12) y otra que resulta de la experimentación liberadora —la catarsis— de afectos elementales (*Poética*, Cap. 6, 1449 b 24-28).

La primera forma de placer es puesta por él en relación con el reconocimiento de la obra artística en tanto producto de una mimetización, lo que en términos modernos significaría: en tanto resultado de un proceso de modelización secundaria de la realidad[2]. Este reconocimiento implica: a) la confrontación del modelo artístico con el objeto modelizado (*Poética*, Cap. 4, 1448 b 10-12 y *Retórica*, Libro I, Cap. 11, 1371 b 4-10) y la consiguiente aprehensión de las diferencias que los separan; b) la comprobación de que la obra de arte es el resultado de la aplicación de una técnica (*Poética*, Cap. 4, 1448 b 17-19).

En ambos casos se trata, como puede apreciarse, de una fruición de raíz

---

2. Sobre la "mímesis" aristotélica y sus relaciones con la idea lotmaniana de los sistemas artísticos como "modelizadores secundarios" véase el cap. III "La literatura como mímesis".

intelectual, fundada en una competencia que le permite al receptor no sólo poner distancia entre la representación artística y los datos de la experiencia modelizados en ella, sino, además, explicar esa distancia por la ingerencia, en el proceso de modelización, de un sistema de normas composicionales ligadas a un determinado código artístico.

Con la noción de "catarsis" Aristóteles procuró en cambio definir una especie particular de satisfacción, en cierta medida opuesta a la anterior, que presupone la suspensión —o la inexistencia— de una reflexión metaliteraria distanciadora y la capacidad de identificarse con los modelos de hombre y de experiencia humana propuestos por la obra. Puesto que esta noción es presentada en el marco de una teoría de la ficción trágica, es preciso relacionarla con las emociones específicas que, en opinión de Aristóteles, la tragedia tiene la función de suscitar en el receptor: conmoción y horror (*Poética*, Cap. 6, 1449 b 27). El placer se definiría, en este caso especial, como una forma de distensión, como el subproducto de la descarga de afectos intensos y de signo negativo.

El hecho de que el texto literario pueda provocar, según las características del mensaje y la personalidad del receptor, estados anímicos y sentimientos de muy diverso orden y de muy diversa magnitud, tiene ciertamente otras repercusiones no contempladas por la doctrina aristotélica de la identificación catártica: al transferir a la esfera de la propia conciencia las vivencias modelizadas en el texto el receptor puede ampliar el espectro de sus posibilidades afectivas y puede desarrollar, además, una "cultura sentimental" que le permita reconocer y clarificar sentimientos indiferenciados y nebulosos (Cf. Schmidt 1978, p. 380).

1.7. EL FUNCIONAMIENTO DE LA LITERATURA EN EL SISTEMA GENERAL DE LA CULTURA: TEXTOS Y METATEXTOS LITERARIOS

La clase textual literaria se puede delimitar, como acabo de hacerlo, desde el punto de vista de la función y de la correlación entre ésta y la organización interna del texto. Tal criterio diferenciador resulta, empero, insuficiente si no se lo complementa con un examen del modo de funcionamiento de la literatura dentro del sistema general de la cultura.

Uno de los aportes más interesantes de la teoría semiótica de Lotman radica, precisamente, en el reconocimiento de que la literatura, como la cultura, es un sistema que se autoorganiza y se autointerpreta. Esta actividad se cumple a través de la exclusión de un tipo específico de textos o, lo que es lo mismo, de su clasificación como no-literarios, así como a través del ordenamiento taxonómico de los textos restantes y de su distribución jerárquica según una escala de valores. En el más alto nivel del mecanismo organizativo tales acciones son desempeñadas por una entidad que Lotman llama *metatextos de la literatura* y en la que engloba, de modo indiferenciado, elementos de diverso orden: tanto normas o reglas cuanto tratados teóricos o ensayos críticos

(Lotman, 1976, p. 344). El único común denominador de todos ellos es el tratarse de enunciados *sobre* la literatura (enunciados metaliterarios) de carácter preceptivo; la diferencia entre unos y otros radica en que·algunos de ellos, como es el caso de los tratados y ensayos, están fijados en textos que se fundan en un esquema discursivo argumentativo y que proceden de un autor determinado, mientras que otros, como es el caso de las normas o reglas propias de un código estético, por lo común sólo pueden inferirse a partir de su concretización en textos artísticos.

A fin de no confundir el conjunto global de conceptos y enunciados metaliterarios con los textos particulares que los registran, es conveniente reservar el término *metatexto* para el sistema de designación, clasificación y evaluación reconstruible a partir de todos los textos que lo manifiestan en forma explícita o implícita (escritos técnicos, artículos críticos, artes poéticas literarias o no-literarias, manifiestos, declaraciones públicas de artistas o lectores competentes, opiniones transmitidas oralmente y conservadas en forma de 'leyenda', afirmaciones poetológicas expresadas o presupuestas en obras literarias, textos literarios elaborados en conformidad con tales o cuales creencias estéticas, etc.)[3]

1.8. EL TEXTO LITERARIO: RASGOS DISTINTIVOS

Podemos completar ahora nuestra definición de *texto literario* recapitulando, para ello, los postulados básicos asumidos y precisados en la páginas precedentes:

— Es literario todo texto capaz de cumplir una función estética dentro de los límites de un determinado sistema cultural.

— Para que el texto pueda cumplir esa función debe tener una determinada organización interna.

— Si bien es el sistema general de la cultura el que establece una constelación particular de funciones textuales y de correlaciones entre funcio-

---

3. Cf. Mignolo (1978, esp. pp. 247-249) cuya noción de *metalengua* está muy próxima a la de *metatexto* aquí adoptada. La diferencia de designación no sólo se debe al propósito de evitar confusiones con un término técnico de la lingüística sino, además, al hecho de que la *metalengua* de Mignolo parecería corresponder a la concepción lotmaniana de *código secundario o estético*, tal como puede inferirse de la siguiente definición: "Por su parte, los elementos del conjunto metalengua (Mg) serían un sistema de creencias (SC) (estéticos, conceptuales), un conjunto de técnicas (CT) y la racionalidad (Ra) de SC y CT" (p. 249). En mi propuesta el *metatexto* va más allá de los límites del código secundario o, dicho en términos tradicionales, de la *poética* en que se funda un texto dado: el *metatexto* es a la vez un sistema de conceptos y valores, variable para cada período literario, que engloba todos los códigos secundarios particulares vigentes dentro de un estadio determinado de un sistema literario determinado.

nes y estructuras, es el mecanismo autoorganizador de la literatura el que dictamina, en cada estadio de su propio desarrollo, qué estructuras textuales particulares son las aptas para cumplir una función estética.

— Lo que en última instancia determina el carácter literario de un texto es su relación con un metatexto (variable según los diferentes sistemas literarios y los distintos estadios de un mismo sistema), que lo clasifica como tal, lo ordena dentro de una tipología, proyecta sobre él un valor y orienta su codificación y descodificación según una compleja jerarquía de normas pertenecientes a distintos códigos secundarios que se superponen a las del código primario de la lengua natural.

— Todo texto literario se caracteriza por su codificación múltiple, así como por la tematización implícita —y a veces explícita— de los diversos códigos confluyentes en él, incluido el de la lengua. La tematización implícita del código primario se hace visible en la reorganización y resemantización de los signos lingüísticos según reglas distintas de las propias de dicho código. Es a este fenómeno al que alude Jakobson cuando habla de la orientación del mensaje hacia sí mismo como rasgo típico de los textos con "función poética" (1974, p. 135). El resultado de la pluricodificación y de la tematización mencionadas es el incremento de la complejidad de la estructura textual y, proporcional a él, el aumento de la capacidad informativa del texto.

2. TEXTO POETICO

2.1. LITERARIO Y POETICO: ALGUNAS HIPOTESIS DELIMITADORAS

Una vez definida la categoría *texto literario* podemos preguntarnos si los textos a los que intuitivamente adjudicamos el carácter de "poemas" y cuyo rasgo más notorio y constante a través de los diversos períodos de diversas literaturas parece ser su división en versos, representan o no un tipo específico de texto literario susceptible de una clara delimitación.

En lo que sigue utilizaré los términos *poesía* y *poético* en un sentido menos amplio y ambiguo que Jakobson[4], si bien aún no definido çon precisión, para referirme a una cualidad menos general que la designada por el término *literario* pero subsumible en ella. Por cierto que al hacerlo no me limito a acogerme a una larga tradición que se remonta ya a Gorgias, para quien la poesía

---

4. Sobre las ambigüedades terminológicas de la teoría poética jakobsoniana véase el cap. IV "La posición de la lírica en la teoría de los géneros literarios".

(póiesis) es una forma especial de discurso artísticamente elaborado cuyo rasgo distintivo es el metro (Gorgias B 11 *(Helena)* 9); adoptar el uso convencional del término ímplica asumir a la par la hipótesis de que los textos poéticos tienen una identidad propia dentro de la clase de textos literarios y que esa identidad admite una definición transhistórica. Con esta última acotación quiero significar que me propongo ir más allá de la mera verificación de que la poeticidad de un texto está determinada por su relación con un metatexto que lo inscribe en el dominio de la *poesía.* Así como en la caracterización de la clase textual literaria procuré romper la circularidad propia de toda definición exclusivamente relacional especificando la naturaleza de las magnitudes interrelacionadas, se hace preciso comprobar ahora si la magnitud *poesía* ostenta algún rasgo que permanezca constante a través de las múltiples variaciones de los criterios clasificatorios del metatexto y de las correspondientes estructuras textuales rotuladas en cada época como poéticas. En el caso del texto literario el rasgo invariable es el cumplimiento de una función estética —operante tanto en el nivel cognoscitivo como en el emotivo— que se manifiesta en una estructura textual cuya característica igualmente invariable es su codificación múltiple y su alto grado de densidad semántica. Queda por examinar ahora si los textos que a lo largo de la tradición literaria occidental, de Gorgias en adelante, han sido clasificados —intuitivamente o en el marco de una reflexión sistemática— como *poesía,* se distinguen por alguna cualidad específica y permanente, que se derive y a la vez se destaque de la cualidad común a todo texto literario.

Enumeraré a continuación algunas conjeturas de carácter intuitivo que pueden servir como base para una delimitación más precisa:

— La poesía parece caracterizarse, respecto de otras formas literarias, por una mayor proximidad a otras artes no-verbales como la música y las artes plásticas. Por "mayor proximidad" debe entenderse tan sólo una virtualidad: la capacidad —siempre disponible pero no siempre explotada— de poner de relieve el lado concreto y sensorial de los signos lingüísticos para obtener con ellos efectos acústicos y/o visuales portadores de informaciones adicionales que se superponen a las propiamente lingüísticas.

En Occidente la poesía se vincula con la música desde sus orígenes grecolatinos de dos maneras diferentes. En unos casos la 'imita' mediante la sistemática manipulación de los aspectos audibles de los signos con miras a crear una armonía verbal fundada tanto en regularidades cuantitativas y cualitativas (duración y timbre de los grupos silábicos) como en una suerte de contrapunto entre el esquema rítmico cuantitativo y el esquema prosódico tonal. En otros casos se asocia directamente a la música para constituir con ella una unidad verbo-vocal-instrumental, como en las partes corales de la tragedia clásica o en los muchos y variados textos en verso que los filólogos alejandrinos incluyeron en una categoría cuyo nombre procede de uno de los instrumentos acompañantes más usados: la *lírica.*

La proximidad a los sistemas artísticos que trabajan con medios visuales se muestra en todos aquellos textos en los que una parte sustancial de las informaciones primarias (sobre la realidad modelizada) y secundarias (sobre los códigos estéticos co-modelizantes), se deriva de una especial división y distribución de los signos gráficos en el blanco de la página. Esta conexión de lo poético con lo pictural se hace particularmente patente en la poesía concreta de nuestro siglo pero, a pesar de su menor difusión, es de casi tan vieja data como la poesía-canto (la *lyriké* griega): se remonta al *technopaignion* de los alejandrinos y a los *carmina figurata* de los latinos.

— La semantización de los aspectos audibles y visibles de los signos lingüísticos es uno de los muchos recursos de que dispone la literatura para concentrar un inmenso volumen de información en el reducido 'espacio' de un texto. Esta capacidad de almacenar y trasmitir información en forma extremadamente compacta y económica —compartida por la literatura con todos los sistemas artísticos (Cf. Lotman, 1978, p. 36)— parece manifestarse en los textos poéticos en un grado todavía más alto que en los restantes textos literarios, lo que a su vez parecería ser el resultado de la explotación intensiva de elementos no-precodificados en el sistema primario de la lengua. En la medida en que tales elementos se vuelven portadores de condensadas informaciones primarias y secundarias que se superponen a las vehiculizadas por los elementos precodificados, el mensaje poético intensifica en virtud de ellos la densidad y complejidad semánticas consustanciales a todo mensaje literario.

— En los textos poéticos se percibe más marcada la tendencia —que Lotman señala como propia de todo texto artístico— a organizar el material del código primario de tal modo, que a la usual división de los signos se le superpone una nueva división por encima y por debajo del nivel correspondiente a la palabra. A consecuencia de ella el texto literario se erige en un gran signo complejo dentro del cual las palabras se comportan como elementos sígnicos e inversamente morfemas y fonemas pueden adquirir, sobre todo en poesía, el carácter de los signos de la lengua natural (Cf. Lotman 1972 a, pp. 48-49). A la sintagmática de la cadena se le suma, por otro lado, la sintagmática de la jerarquía: los signos aparecen ligados en el sintagma y, además, unos dentro de otros como en un sistema de cajas chinas. Este procedimiento de reorganización del material lingüístico es una de las tantas formas que puede asumir la implícita tematización del código de la lengua a que me referí más arriba (p. 44).

La diferente segmentación de los signos del código primario es, con todo, por muy importante que sea su rol en el ensamblaje del texto poético, una de las muchas y variadas manifestaciones de la sistemática manipulación del material verbal con miras a su despragmatización. Este proceso, consistente en desmontar y rearmar las estructuras de la lengua natural o en recombinarlas o en insertarlas en nuevos contextos según las normas de un código estético acoplado al lingüístico, es parangonable a la actividad del artista plástico que trabaja con una materia ya estructurada (chatarra de vehículos, piezas de motores, utensilios y artefactos de uso cotidiano, etc.) y la modifica en su forma, la re-ordena o simplemente la reubica en un espacio distinto del habitual para despojarla de su funcionalidad pragmática y volverla vehículo de un condensado mensaje que incluye informaciones sobre el mundo, sobre la personalidad del artista que lo aprehende en el acto de modelizarlo y sobre un lenguaje artístico específico que co-modeliza la parcela de mundo representada en la obra.

Los resultados del trabajo de despragmatización y resemantizacion de los signos utilizados en el intercambio cotidiano, si bien son perceptibles en toda obra literaria, se manifiestan, sin embargo, con mayor nitidez, intensidad y sistematicidad en los textos canonizados como poéticos a lo largo de siglos dentro de la serie literaria de la historia cultural de Occidente. Una de las primeras explicitaciones teóricas de este fenómeno se encuentra en la exaltación aristotélica de lo "extraño" (*xenikón*) —esto es, de todas las formas lingüísticas infrecuentes en la comunicación pragmática— y de las metáforas fundadas en analogías poco evidentes como particularmente aptas para el discurso poético en oposición a las diversas formas de oratoria y, en general, a todas las formas de discurso no-artístico. El privilegiamiento de la metáfora entre los mu chos posibles modos de configuración del sentido y su entronización como vehículo ideal del pensamiento poético se deben a que Aristóteles adjudica a esta figura un alto valor cognoscitivo. En efecto, su teoría de la metáfora, que incluye una caracterización de variantes específicamente poéticas, hace particular hincapié en dos aspectos que muestran a las claras que el proceso de metaforización constituye para él la manifestación lingüística de un modo no rutinario de aprehensión de los datos de la experiencia. Esos dos aspectos, sobre los que podrían multiplicarse las citas, son los siguientes:

1) Metaforizar bien es algo que no se puede aprender de nadie, ya que se trata de percibir y expresar una semejanza, hasta entonces oculta, entre dos objetos (Cf. *Poética*, Cap. XXII, 1459 a 48; *Retórica*, L. III, Cap. 11, 1412 a 11-15 y L. III, Cap. 2, 1405 a 8-10).

2) Interpretar una metáfora supone la superación de una confusión inicial y la placentera sorpresa de co-descubrir la semejanza descubierta por el creador (Cf. *Retórica*, L. III, Cap. 10, 1410 b 10-27 y L. III, Cap. 11, 1412 a 19-26).

Estas tesis, aun formuladas en la sintética versión que acabo de ofrecer, testimonian suficientemente que en opinión de Aristóteles, las metáforas, al igual que los demás recursos extrañantes que él asocia a la poesía, no son medios prescindibles cuya función se limitaría a añadir 'ornato' a un mensaje igualmente verbalizable en otros términos menos 'bellos'. Al poner de relieve que en la producción de metáforas poéticas lo que cuenta no es el dominio de cierta técnica verbal sino una capacidad de percepción individual e intransferible, reconoce implícitamente que el verdadero poeta no modeliza la realidad apoyándose en el filtro preclasificador del código lingüístico manejado por el conjunto social sino que, por el contrario, se ve compelido a manipular los signos de ese código para poder expresar un modo personal de apropiación del mundo fundado en el rechazo de categorías aprioristicas y generalizaciones simplificadoras. El texto poético representa, desde esta perspectiva, un paradigma y un límite: es el ámbito en el que el proceso de desmecanización y remodelación del material lingüístico —que está en la base de toda construcción literaria— se realiza del modo más exhaustivo y sistemático.

—Entre los elementos no-precodificados más explotados por los textos poéticos de casi todas las épocas y culturas se cuéntan las figuras de recurrencia (reiteración de unidades de todos los niveles lingüísticos, desde el tipográfico —en el caso de la poesía escrita— hasta el semántico). El único denominador común de todos los textos poéticos parece ser, empero, la distribución más o menos regular del material verbal en secuencias fónicas y/o gráficas ("versos" o componentes de una figura verbo-pictórica en el caso de la poesía visual) configuradas según los más variados criterios en conformidad con los correspondientes códigos estéticos.

2.2. EL MODELO DE JAKOBSON

2.2.1. "Función poética" de la lengua y texto poético

La última de las conjeturas es quizás la más cuestionable pero a la vez la que posee una mayor capacidad de rendimiento para la determinación de rasgos distintivos. Obsérvese, en efecto, que las tres primeras conjeturas encaran la poeticidad como una cuestión de grado, esto es, ubican la supuesta clase *texto poético* en el punto en que cierta cualidad, compartida en mayor o menor medida por todos los textos literarios, se manifiesta del modo más intenso y constante en la estructura textual. La cuarta y última, en cambio, plantea la posibilidad de distinguir dicha clase por una cualidad específica: la organización del material verbal según algún principio rítmico sonoro y/o visual que lo segmente en secuencias regularmente reiteradas. Asumir este criterio delimitativo implica, por cierto, la operación complementaria de excluir del ámbito poético todos los textos literarios que no participen de esa cualidad; no implica, sin embargo —y aquí reside el aspecto discutible de la propuesta—, la exclusión de los textos no-literarios (por ejemplo pragmático-propagandísticos) que ostenten el tipo de organización señalado. Esta manera de abordar el problema de la poeticidad que, como intentaré demostrarlo enseguida, no es básicamente errónea sino tan sólo insuficiente hasta tanto no se la combine con otros criterios, nos remite a un paradigma teórico tan influyente como controvertido desde su aparición: a los trabajos de R. Jakobson sobre poesía y, en particular, a su célebre ponencia de Bloomington "La lingüística y la poética" (Jakobson, 1974 [1960], Cf. Cap. I).

Las numerosas y variadas críticas a que ha dado lugar, sobre todo en los últimos años, han movido recientemente a N. Ruwet (1980) a hacer una defensa de la validez transhistórica de la teoría poética jakobsoniana partiendo del supuesto de que la mayoría de las objeciones formuladas contra ella se fundan en una deficiente comprensión del pensamiento de su autor, quien —añado por mi parte— utiliza algunos términos-clave (como *poético* o *mensaje*) en forma tan poco unívoca[5] o se expresa a veces con tal exuberancia excursiva, que deja bastante margen para malosentendidos.

Acierta Ruwet al señalar que el núcleo de la teoría radica en ese postulado general según el cual lo que caracteriza al discurso poético es "la proyección del principio de equivalencia del eje de la selección al eje de la combinación". Y acierta, asimismo, al puntualizar que muchas de las confusiones en que se basan las críticas a dicho principio derivan del hecho de que éste aparece encuadrado en un marco funcional que lo vuelve fácilmente falseable. En efecto, el flanco más débil del modelo de Jakobson corresponde a la ubicación de una función poética junto a otras funciones de la lengua y a la caracterización de la poeticidad (o literariedad) de un texto según el grado de preponderancia de dicha función sobre todas las demás. Es a este aspecto al que dirige todas sus baterías E. Coseriu cuando en sus conocidas tesis sobre las relaciones entre lenguaje y poesía (Coseriu 1977 [1971], pp. 201-207) sostiene que el lenguaje poético no se debe entender como "reducción del lenguaje a una supuesta función poética" ni como "lenguaje + una supuesta 'función poética' " y postula, a cambio, que la poesía coincide con el lenguaje por cuanto representa el ámbito en que se desarrolla su más plena plurifuncionalidad (tesis 7 y 8). Puesto que en este mismo contexto (en la tesis 9) refuta la idea de poesía como desviación y, realizando un curioso desliz conceptual, equipara *desviación* con *reducción*, parece querer homologar implícitamente los planteos de Jakobson con todos aquellos otros que inspirados directa o indirectamente en la gramática generativa ven en el criterio de la desviación lingüística la piedra filosofal para la delimitación del texto poético entre las muchas clases de textos posibles. Si esta crítica va realmente dirigida al modelo jakobsoniano —cosa que no queda del todo clara—, Coseriu habría incurrido en un malentendido similar a los muchos suscitados por las imprecisiones terminológicas a que me referí más arriba.

Lo más objetable del modelo es, a mi entender, la manera un tanto simplista de ubicar a la literatura dentro del campo de acción de la función poética según un criterio cuantitativo-gradual, lo que redunda en la imposibilidad de marcar claras fronteras entre lo literario y lo no-literario por una parte, y lo literario y lo poético por la otra.

Poéticos son para Jakobson todos los textos en que la función poética predomina sobre las demás funciones de la lengua. Puesto que esta función es concebida como aquella que está centrada en el mensaje mismo y que se manifiesta en la proyección del principio de equivalencia del eje de la selección al eje de la combinación, esto es, en el principio de repetición y variación en los diferentes niveles lingüísticos, se puede completar la definición precedente mediante la aclaración de que en los textos poéticos la recurrencia de unidades lingüísticas

5. Cf. nota 4.

de distinta magnitud no cumple el rol subsidiario de reforzar la eficacia de las otras funciones sino que es un fin en sí misma: se erige a la vez en vehículo y contenido del mensaje. Esta precisión no explica, empero, cuáles son los factores que determinan el autotelismo de las equivalencias horizontales en el texto literario. Por otro lado, cuando Jakobson habla del predominio de la función poética parece aludir a la *literariedad*, es decir, a los rasgos distintivos de todo texto literario independientemente de su clasificación en géneros y de la distinción prosa-verso. Sin embargo, el excesivo peso que adquieren en las ejemplificaciones aquellos textos en versos tradicionalmente designados *poemas* hace sospechar que Jakobson ve en ellos algo así como el grado máximo de la literariedad, lo cual implicaría la suposición de que los rasgos distintivos del texto poético —del poema— aparecerían 'diluidos' o parcialmente presentes no sólo en muchos textos no-literarios (como por ejemplo slogans políticos y propagandas comerciales con paronomasias o rimas) sino también en todos los demás tipos de textos literarios no-poemáticos (como por ejemplo dramas o relatos en prosa). Si esta interpretación es correcta, habría que adjudicarle a Jakobson la idea de que la literariedad es una propiedad cuantificable, que permitiría establecer una clasificación textual según una escala graduada, sin hacer intervenir los juicios de valor dependientes del código estético en que se funda cada texto. Semejante escala se extendería desde un 'mínimo literario' de contornos difusos (en el que se incluirían los mencionados textos pragmático-propagandísticos con rimas y otros similares) hasta un 'máximo literario' representado por la poesía. No vale la pena insistir sobre las insalvables dificultades que plantearía la aplicación de una hipótesis con estas características.

2.2.2. La noción de "equivalencia"

Todas las objeciones propias y ajenas que acabo de exponer no anulan, sin embargo, la validez del principio de equivalencia como posible criterio diferenciador para la delimitación del texto poético. Su capacidad de rendimiento se hace más evidente cuando se lo considera al margen del modelo de funciones lingüísticas en que Jakobson lo inscribe y, sobre todo, cuando se lo correlaciona con otros criterios de tipo pragmático. Antes de sacarlo del estrecho marco de una "teoría lingüística de la literatura" y de reinterpretarlo y reubicarlo dentro del marco de una "teoría del texto literario" (Cf. Mignolo 1978, p. 160) considero, empero, oportuno, clarificar y precisar la noción misma de "equivalencia" siguiendo una interesante propuesta de W. Koch (1978).

Este autor señala con razón que Jakobson utiliza los conceptos "sintagma" y "paradigma" de un modo bastante vago. Para fundar adecuadamente su crítica, recuerda que un paradigma (en el sentido lingüístico del término) posee siempre dos rasgos: el de una relativa igualdad estructural (intercambiabilidad) y el de una relativa diferencia. Así por ejemplo, un paradigma conjugacional (lat. *amo*, *amas*, *amat*. . .) se basa en una cierta equivalencia (*am—*) pero a la vez en una cierta no-equivalencia (*—o*, *—as*, *—at*. . .). Lo mismo valdría para los múltiples paradigmas que es posible establecer conforme al parámetro adoptado en cada caso. Acota Koch que la total equivalencia (la 're-petición') es paradigmáticamente sin sentido pero que, sin embargo, la repetición es el prototipo de equivalencia sintagmática cuando se trata de fenómenos métricos. Propone, por ello, que semejantes equivalencias no se entiendan como realizaciones sintagmáticas de un paradigma —como lo sugiere la formulación del célebre postulado jakobsoniano: *la función poética proyecta el principio de equivalencia del eje de la selección al eje de la combinación*— sino como "series de recurrencias no-triviales cuyo mínimo elemento, también visto paradigmáticamente, representa por lo menos una serie de dos segmentos idénticos o casi idénticos" (Koch 1978, p. 293, nota 20).

La distinción terminológica introducida por Koch está ampliamente justificada por el hecho de que Jakobson utiliza *equivalencia* (al igual que otros términos cuya correcta comprensión es decisiva para la validación de su modelo) en tres sentidos diferentes que conviene no confundir: a) "igualdad total" b) "igualdad parcial (en conjunción con una diferencia parcial)" y c) "oposición". Para evitar ambigüedades podría ser útil rebautizar cada uno de estos casos con los términos *recurrencia, equivalencia estricta* y *equivalencia oposicional* respectivamente (u otros similares), toda vez que se los relacione con el postulado de la proyección del principio de equivalencia del eje paradigmático al sintagmático. La aplicación de este postulado resulta, en efecto, evidente, cuando en el eje de combinación se encadenan, por ejemplo, sinónimos (equivalencia estricta) o antónimos (equivalencia oposicional). No siempre ocurre otro tanto, en cambio, cuando reaparece un mismo fonema o grupo de fonemas, una cantidad vocálica, un esquema acentual, una misma construcción sintáctica, etc. En tales casos habría que tener mayor cautela en la utilización de la noción de equivalencia. Así, por ejemplo, estará justificado decir que dos segmentos de una construcción paralelística son equivalentes —e incluso que son realizaciones sintagmáticas de un mismo paradigma—, a condición de que la igualdad de función sintáctica se combine con una no-igualdad léxica. Si, en cambio, hay total identidad sintáctica y léxica, es más adecuado considerar el fenómeno como una repetición o recurrencia. Del mismo modo, se podrá decir que dos sílabas largas o dos sílabas acentuadas son equivalentes, a condición de que la igualdad de ambas se reduzca a la longitud vocálica o al acento y de que sean diversas en otros aspectos, por ejemplo, en su constitución fonémica. Si son idénticas desde todo punto de vista, será preferible hablar de repetición o recurrencia.

2.2.3. Equivalencias horizontales como condición necesaria pero no suficiente de poeticidad

Hecha esta aclaración podemos retomar el examen del principio jakobsoniano desde el punto de vista de su relevancia para la caracterización del texto poético. Una interesante reflexión de uno de los autores que recientemente han puesto en tela de juicio la validez transhistórica de dicho principio, proporciona, paradójicamente, un excelente punto de partida para demostrar su aplicabilidad a la clase *poesía*, independientemente de condicionamientos históricos y de las correspondientes variaciones del metatexto literario.

En un trabajo que antecede en unos cuantos años a sus actuales objeciones a la poética de Jakobson, G. Genette (1970 [1968]) señala que la verdadera "estructura" del lenguaje poético "no es ser una *forma* particular, definida por sus accidentes específicos, sino más bien un *estado*, un grado de presencia y de intensidad al que puede ser llevado, por así decirlo, cualquier enunciado, con la única condición de que se establezca en torno de él ese *margen de silencio* que lo aísla en medio (pero no lo aparta) del habla cotidiana" (pp. 78-79). Al respecto cita en nota una bella idea de Eluard: "Los poemas tienen siempre grandes márgenes blancos, grandes márgenes de silencio" y llama la atención sobre el hecho de que incluso "la poesía más liberada de las formas tradicionales no ha renunciado (por el contrario) al poder de condicionamiento poético que deriva de la disposición del poema en el *blanco* de la página. Hay justamente, en todos los sentidos del término, una *disposición poética*" (pp. 78-79, nota 48).

Esta muy acertada observación de Genette parecería corroborar el principio básico de la teoría poética jakobsoniana: la presencia de equivalencias horizontales como rasgo característico del discurso poético. En efecto, aceptar que existe una "disposición poética" del texto es aceptar el principio de la equivalencia (o recurrencia) rítmico-auditiva (y/o rítmico-visual) de cada margen de silencio (y/o blanco) con todo otro margen de silencio (y/o blanco), de cada cadena fónica (y/o gráfica) limitada por márgenes de silencio (y/o blancos) con toda otra cadena fónica (y/o gráfica) limitada por márgenes dentro de un mismo texto, de cada intervalo-límite de comienzo de cadena con todo otro intervalo-límite de comienzo de cadena, de cada intervalo-límite de final de cadena con todo otro intervalo-límite de final de cadena, de cada segmento relleno con letras o formas gráficas determinadas con todo otro segmento relleno con las mismas letras (o simplemente con letras) o con las mismas formas gráficas (o simplemente con formas gráficas que alternan regularmente con vacíos), etc.

Esta interpretación de la reflexión de Genette —que creo enteramente lícita dentro del marco conceptual del ensayo en que aparece el pasaje citado— está, sin embargo, en franca contradicción con su más reciente crítica a Jakobson (Genette 1976, pp. 302-314, esp. p. 313), según la cual el principio de equivalencia representaría una idea típicamente romántica y simbolista[6], no aplicable a la poesía de todos los tiempos ni, mucho menos, a la más moderna.

En el mismo volumen de *Poétique* (1980, n° 42) en el que Ruwet responde a esta crítica, J.–M. Schaeffer insiste en la misma objeción: también en su opi-

6. Sobre la relación genética entre las concepciones poéticas del romanticismo alemán (particularmente Novalis) y la teoría de Jakobson y de los formalistas rusos véase Todorov (1977, pp. 339-352), quien no se apoya en esta vinculación para objetar la validez del modelo de Jakobson sino, más bien, para poner en evidencia las diferencias de un discurso científico coherente y consecuente con sus propios postulados frente a un discurso "profético" o "panfletario".

nión "el principio jakobsoniano se aplica sobre todo a la poesía romántica y post-romántica" (Schaeffer 1980, p. 182). Sus razones para negarle valor definitorio son, al parecer, las mismas de Genette y, en general, de quienes recusan el carácter distintivo de las equivalencias horizontales: "Existen tradiciones poéticas que se revelan rebeldes a análisis basados en este principio, ya sea en el nivel fonológico o en el nivel morfológico" (*ibid*). Esta aclaración de Schaeffer pone en evidencia los exactos límites dentro de los cuales semejante crítica se muestra justificada. Es indudable, en efecto, que un sinnúmero de textos considerados poéticos en diferentes épocas y culturas no presenta una organización textual que se manifieste en un sistema más o menos regular de recurrencias fonológicas ni morfológicas. Muchos de ellos carecen incluso no sólo de ese tipo de equivalencias fonológicas que constituye uno de los rasgos más constantes y extendidos en la tradición poética occidental (rimas), sino, además, de todo esquema métrico regular, sea éste cuantitativo, acentual o tonal.

Cabría preguntarse, empero, si es posible concebir un texto poético sin "márgenes blancos" en un sentido a la vez literal y metafórico es decir sin pausas sonoras y/o visuales, sin una detención, regularmente reiterada, de la cadena sonora o de la secuencia gráfica o, en el caso especial de la poesía visual, de las porciones rellenas con letras –o restos de letras o manchas o formas cualesquiera– de la superficie en blanco que les sirve de fondo. Uno se inclina por la respuesta negativa cuando advierte que ciertos textos que parecen responder a un considerable número de convenciones aceptadas como poéticas dentro de ciertas coordinadas históricas pero que no ostentan esos "márgenes blancos" generadores de una insistente ritmicidad auditiva y/o visual, suscitan de inmediato la duda sobre su status (¿"poesía" o "prosa poética"? ¿"texto poético" o "texto literario con algunos rasgos poéticos"? ¿"lírica en prosa"? ¿"anti-poesía"?). La presencia de esos mismos "márgenes" –siempre en relación con las convenciones mencionadas– vuelve, en cambio, superflua toda especulación al respecto.

Se podría aceptar, por tanto, que al menos uno de los distintos tipos de equivalencias horizontales contemplados por Jakobson es común a todos los textos producidos y recepcionados como poéticos en diferentes épocas, lo que no implica, ciertamente, admitir que la existencia de cierto esquema rítmico sonoro y/o visual sea condición a la vez necesaria y suficiente de poeticidad.

Ya Aristóteles había reconocido, contra la opinión imperante en su época, que la sola presencia del verso no basta para volver poético un texto, "dado que se podría versificar las obras de Herodoto y no serían por ello menos historia con versos que sin versos" (*Poética*, Cap. IX, 1451 b 2-4).

2.3. LA "DISPOSICIÓN POÉTICA"

2.3.1. La "disposición poética" del texto en relación con un metatexto y con las condiciones pragmáticas de su utilización

La contradicción aparentemente irresoluble entre la posición aristotélica y la tesis gorgiana del verso como única característica propia de la poesía (cf. *supra*, p. 45), contradicción que de alguna manera se prolonga en el debate actual sobre el valor definitorio del principio de equivalencia, deja de ser tal cuando se reconoce el carácter parcial (*necesario pero no suficiente*) del criterio delimitador y cuando se lo integra en un sistema clasificatorio capaz de dar cuenta de las diferencias específicas de los textos literarios en general. Sobre el trasfondo de los criterios propuestos más arriba (pp. 43-44) para demarcar la clase *texto literario*, se puede sostener, en efecto, que la "disposición poética" del texto se erige en rasgo distintivo de poeticidad siempre que —y sólo cuando— esté en relación con un metatexto que lo clasifique como literario, lo ordene dentro de una tipología literaria y oriente su codificación y descodificación según una compleja jerarquía de sistemas normativos que se superponen al de la lengua: de época, escuela, género, estilo verbal, etc. Otro factor, ciertamente subsidiario —por cuanto se deriva del status literario o no-literario del texto— pero que colabora adicionalmente a constituir la distintividad de dicho rasgo, atañe a las condiciones pragmáticas de la utilización del texto con "disposición poética".

Un ejemplo de lo dicho: si bien la poesía trágica griega es impensable sin el trímetro yámbico de las partes dialogadas y sin las variadas y sofisticadas combinaciones de versos líricos en las estrofas destinadas al canto del coro, la presencia de ambos tipos de versos —obligatoria para el género dramático como la del hexámetro dactílico para la épica— sólo funciona como rasgo de poeticidad trágica en conjunción con otros rasgos típicos del género que resultan de la aplicación de sistemas normativos concurrentes con el sistema métrico y, como él, inscriptos en el metatexto correspondiente al período clásico de la literatura griega antigua. Entre ellos se cuentan, principalmente, cierto registro verbal (predominio de un estilo 'sublime', que admite metáforas audaces, neologismos y extensas palabras compuestas, con especial concentración de recursos extrañantes en las partes cantadas), una determinada estructuración del mundo ficcional (caracteres 'medios', no muy distantes del espectador, acciones aptas para producir conmoción y espanto, encadenamiento necesario o verosímil de las acciones, cambio de fortuna de la felicidad a la desgracia, etc.)[7] y el hecho de que el texto sea representado —o representable— por actores y por cantantes-danzarines acompañados de músicos en un escenario con ciertas características específicas. Otro tanto puede afirmarse de un poema épico popular o culto de la antigüedad, el medioevo o el renacimiento, de una comedia del Siglo de Oro español, de una oda horaciana o de unas rimas de Bécquer, de un soneto amoroso de Garcilaso de la Vega o de Severo Sarduy, de una novela en verso de Pushkin o de cualquier poema moderno en "versos libres".

Si en la deliberadamente caótica enumeración anterior he mezclado épo-

---

7. Todos estos rasgos —ciertamente inferibles a partir de los textos trágicos— aparecen, además, explicitados y erigidos en canon de validez 'eterna' en la *Poética* de Aristóteles, que constituye un precioso testimonio para la identificación de los sistemas normativos operantes en la obra de los tres grandes poetas trágicos del siglo V. a C. y, consecuentemente, para la reconstrucción del metatexto que los engloba.

cas, escuelas, géneros, estilos, formas métricas y autores, es para insistir en el hecho de que la única característica común a todos los especímenes mencionados, el verso, funciona como rasgo distintivo de poeticidad sólo a partir del supuesto de que los tipos textuales en cuestión están ligados a un metatexto que los designa, ordena y evalúa como literarios, lo que a su vez implica que el verso no distingue por su sola presencia sino por su vinculación específica con cada uno de los sistemas normativos correspondientes a épocas, escuelas, géneros, estilos, etc. y por su relación con los contextos situacionales en que es utilizado.

2.3.2. Textos poéticos y textos pragmáticos con "disposición poética": el rol del verso en el poema y en la propaganda comercial

Esta manera de enfocar el problema de las equivalencias horizontales en el texto poético permite resolver la aporía a que llega Jakobson al dar por sentado que en tales equivalencias se manifiesta siempre una "función poética" de la lengua, sin tomar en consideración ni la situación comunicativa ni los códigos extralingüísticos puestos en juego por los comunicantes. Precisamente el no tomar en cuenta estos factores trae como consecuencia la imposibilidad de distinguir satisfactoriamente un poema de una propaganda comercial, un slogan político o un conjuro mágico en el caso de que todos los textos ostenten cualquier tipo de equivalencia horizontal y que, por lo tanto, opere en todos ellos la "función poética". Tratar de zanjar el problema afirmando, por ejemplo, que en el poema predomina la función poética sobre la apelativa es sustituir una explicación fundada en el análisis de los objetos y sus rasgos diferenciadores por la racionalización de una aprehensión intuitiva de la diferencia. La racionalización consiste, en este caso, en pretender definir, según el modelo de una combinación jerárquica de funciones lingüísticas, clases de textos identificados apriorísticamente en conformidad con una praxis de lectura en la que los factores extralingüísticos silenciados en la definición juegan un rol fundamental.

En un texto poemático la distribución más o menos regular del material verbal en secuencias fónicas y/o gráficas (o en unidades verbo-pictóricas en el caso de la poesía visual) cuyos límites no coinciden –al menos de manera integral– con las divisiones usualmente practicadas en el habla cotidiana, es el resultado de la aplicación de un sistema normativo que a su vez se correlaciona con otros sistemas normativos que determinan, por ejemplo, la selección del vocabulario y la sintaxis, la selección y articulación de los temas, la linealidad del discurso o su ruptura, la organización del mundo miméticamente constituido en la ficción (si se trata de un texto ficcional) etc. Las interrelaciones de los varios sistemas normativos concurrentes en cada texto configuran constelaciones diversas, que representan el esquema de base de los diferentes tipos de discurso admitidos por el metatexto. Es en virtud de su posición dentro de una determinada constelación de códigos secundarios –adicionales al de la lengua– que el verso (o cualquier entidad rítmica equiparable con él) proyecta sobre el texto una valencia poética y condiciona, en el receptor competente, la puesta en juego de procedimientos de descodificación mucho más complejos de los utilizados en la comunicación pragmática.

En una propaganda comercial versificada, en cambio, la organización de los enunciados en secuencias regularmente reiteradas es el resultado de la aplicación de una norma aislada, que no se ubica en ninguna constelación normativa ni, en consecuencia, en ninguno de los metatextos históricamente verificables, razón por la cual el verso, despojado de su capacidad de proyectar en el texto una valencia, se limita a dotarlo de un 'ornato' pseudopoético. El hecho de que la norma métrica manifestada en el texto propagandístico aparezca desvinculada de los códigos espocales, genéricos, literario-ficcionales, estilístico-verbales, etc. conforme a los cuales se elaboran y descifran todos los mensajes que cumplen una función estética en el marco de un sistema cultural determinado, hace que cualquier receptor que haya sido socializado dentro de esa cultura se comporte ante dicho texto no como lector u oyente de poesía sino como potencial consumidor del producto promocionado en verso. A ello colabora, por cierto, el hecho, inseparable del anterior, de que el texto aparezca inscripto en el contexto situacional que se reconoce como propio de la propaganda: no en un libro de poesía o en el marco de un recital poético sino, por ejemplo, en las secciones comerciales de periódicos o revistas, en afiches callejeros, espacios radiales o televisivos, etc.

Mediante el empleo metafórico del término *valencia* he querido formular de modo sintético una propiedad que el verso sólo adquiere en su utilización literaria: la de informar implícitamente sobre su posición dentro de una constelación de códigos secundarios y, por consiguiente, sobre la capacidad de combinación del sistema métrico con otros sistemas normativos según los principios establecidos en cada estadio de un sistema literario determinado por el metatexto correspondiente. Afirmar que el verso proyecta en el texto literario una valencia poética implica, pues, no sólo que lo dota de una marca de poeticidad sino, además, que remite, en conjunción con los demás componentes de la estructura textual, a la particular constelación de códigos estéticos que se manifiesta en el texto y en virtud de la cual éste puede ser clasificado y evaluado.

En el caso de la propaganda comercial, el slogan político o cualquier texto pragmático parangonable con "disposición poética", la equivalencia rítmica auditiva y/o visual de los enunciados no vehiculiza ninguna de las informaciones específicamente artísticas que acabo de enumerar. No se puede negar, sin embargo, que incluso en este espacio textual la proyección del principio de equivalencia sobre la secuencia redunda en un incremento de la complejidad y densidad semánticas del texto. También aquí la formación de pares co-oposicionales de unidades lingüísticas recurrentes o equivalentes puede producir variados efectos de sentido que se imbrican en el mensaje primario y abren brechas en su linealidad, como, por ejemplo, instaurar una relación de semejanza (u oposición quasi-antonímica) entre elementos léxicos totalmente disímiles o poner al descubierto una diferencia en lo aparentemente idéntico[8].

8. Cf. Lotman 1972 b, esp. pp. 71-73 y 1978, pp. 105-247, esp. pp. 105-108, quien reduce a los dos procesos mencionados todas las operaciones semánticas que resultan de la

Pero es preciso recalcar que tales efectos —que, como he intentado demostrarlo, no son *per se* poéticos— no van aparejados aquí con otras tantas informaciones implícitas sobre los sistemas modelizadores secundarios que regulan la constitución de todo mensaje con función estética.

La explotación de ciertos recursos emparentados con la música o las artes visuales, la semantización de los aspectos audibles y visibles de los signos lingüísticos así como su segmentación según un orden jerárquico diferente del de la lengua natural (cf. supra, pp. 45-46), son algunos de los caminos por los que los textos propagandísticos (u otros similares) pueden llegar a tocar tangencialmente la clase poética. El hecho decisivo que los aparta de ella es que la reorganización y resemantización del material verbal no obedece a los principios constructivos de un sistema modelizador secundario que se valga del sistema primario de la lengua natural para producir fisuras en el filtro preclasificador de la realidad que aquélla impone a sus usuarios. En el texto poético la manipulación de los signos en conformidad con un código estético tiene como meta la constitución de un modelo del mundo menos general y estereotipado que el elaborado por la conciencia colectiva —lingüística— de una comunidad cultural. En el texto propagandístico, en cambio, esa misma manipulación, en tanto que responde a normas desgajadas de códigos estéticos y por ello mismo ya sin conexión alguna con los correspondientes modelos artísticos de la realidad, no cumple la función de socavar sino, más bien, de reforzar la presencia mediatizadora del código lingüístico en la apropiación del mundo (cf. supra, p. 35). Por esta razón las equivalencias horizontales no pasan de ser aquí medios de ornamentación y relieve: las 'apoyaturas' de un discurso de identidad no problemática cuyo fin es movilizar esterotipos conceptuales y emotivos.

2.4. EL TEXTO COMO ACCION VERBAL Y LA IDENTIDAD DEL DISCURSO

Esta manera de entender la función de las recurrencias o equivalencias en los textos pragmáticos nos remite, como surge de la terminología utilizada en la última afirmación del apartado precedente, a un modelo de texto —concebido como acción verbal— que procede de K. Stierle y que ha sido asumido por mí en mis planteos sobre el status de la lírica como género literario (véase el Cap. IV). Considero oportuno anticipar algunas de las ideas allí expuestas, ya que ellas pueden iluminar, en este marco temático, tanto el rol de la "dis-

presencia de equivalencias horizontales, sin considerar siquiera el caso de la creación sintagmática de una antonimia entre elementos léxicos paradigmáticamente no-oponibles, basada en una identidad fónica o sintáctica. Cf. al respecto Reisz de Rivarola 1977, pp. 77-99, esp. pp. 89-90. Me abstengo aquí de hacer un recuento de las posibilidades no contempladas por Lotman por cuanto las he tratado e ilustrado con cierta exhaustividad en el citado trabajo. A pesar de que mis observaciones se fundan en el estudio de un corpus poético, mucho de lo dicho allí acerca del análisis semántico intratextual de los diferentes tipos de equivalencias se aplica igualmente a textos no literarios.

posición poética" fuera el ámbito de la poesía, como la relación —y frecuente confusión— entre las categorías *texto poético* y *texto lírico*.

Para Stierle (1979) el texto es la base verbal del discurso. La recurrencia y la conexidad de los elementos lingüísticos dan al texto coherencia pero no identidad. Dichos factores sólo se vuelven identificatorios cuando el texto se entiende como una acción ejecutada por un sujeto hablante que se manifiesta en la identidad de un rol, esto es, cuando se lo traspone a la dimensión del discurso.

El sentido y la identidad del discurso resultan de su vinculación con un esquema discursivo institucionalizado pero no son reductibles a la mera concretización del esquema de base sino que se constituyen en el complejo proceso de tránsito del esquema a su realización. A lo largo de este proceso se producen numerosas brechas en las que el sentido del discurso se dispersa en múltiples direcciones y su identidad se perfila en una relación de proximidad-distancia con la identidad del esquema: en la incesante apertura del discurso hacia el no-discurso.

En el ámbito de los textos pragmáticos —no-literarios— la línea de identidad del discurso se mantiene al precio de una radical reducción de la multiplicidad de contextos en los que tiende a proyectarse cada factor discursivo. La sujeción a un esquema de base que orienta la producción y recepción del discurso así como la praxis, igualmente institucionalizada, de preservar su linealidad o, lo que es lo mismo, de simplificar su complejidad real para impedir su fuga hacia el no-discurso, hacen que su identidad, por más que en última instancia sea precaria, no resulte problemática.

En el ámbito de los textos literarios la identidad del discurso es siempre problemática, si bien en grado variable según los géneros respectivos y su carácter ficcional o no-ficcional[9].

Ahora bien, si se acepta —en conformidad con la propuesta de Stierle asumida y desarrollada por mí en el cap. IV— que para una delimitación sistemática de los géneros es necesario partir del universo de discurso de los textos pragmáticos entendidos como acciones verbales y preguntarse luego por sus equivalentes literarios[10], resulta evidente que todo discurso literario tiene una identidad secundaria, que se deriva de la identidad primaria del discurso pragmático con el que está en relación de analogía. Añado por mi parte que puesto que esta relación está siempre mediatizada por la incidencia de un conjunto

9. El aserto implícito de que no todo texto literario es ficcional ni todo texto ficcional es literario está ampliamente fundamentado en el cap. V.

10. Stierle habla de "equivalentes poético-ficcionales" (1979, p. 514, nota 16), término que prefiero evitar por cuanto sugiere una indiferenciación de las categorías *literario, poético* y *ficcional*. En el sistema clasificatorio esbozado en este trabajo, así como en "Ficcionalidad, referencia, tipos de ficción literaria" (cap. V) y "La posición de la lírica en la teoría de los géneros literarios" (cap. IV), dichas categorías aparecen claramente separadas: *literario* y *ficcional* están en relación de intersección mientras que *poético* implica *literario* pero no viceversa.

de sistemas normativos que organizan el texto según reglas diferentes pero concurrentes con las que operan en sus correlatos pragmáticos, la identidad del discurso literario, ya de suyo problemática por su carácter derivado, se vuelve tanto más compleja y fluctuante por la interposición de un código estético que potencia la pluralidad de los contextos en los que cada factor discursivo puede ser traspuesto.

Si se tiene en cuenta que la identidad de todo discurso resulta tanto de su relación con un esquema-sustrato preexistente como de su vinculación con un sujeto hablante que asume un rol determinado, se reconocerá de inmediato que los textos literarios ficcionales plantean una dificultad adicional. En ellos, en efecto, la fuente de lenguaje de que dimana el discurso no coincide con la identidad real del autor ni con la identidad específica de su rol de autor de discursos ficcionales; por otra parte, no se trata de una instancia que está por encima del discurso sino que recién se constituye en él como su condición ficcional: como la instancia, instaurada por el autor de ficciones, que posibilita el discurso.

El recuento pormenorizado de las diferentes formas y de los diferentes grados en los que la identidad de cada tipo de discurso literario se muestra problemática, superaría con mucho el marco del presente trabajo. Me limitaré por ello a dedicar preferente atención a la lírica, ya que ella representa un caso ejemplar y extremo de identidad discursiva inestable en conjunción con una base textual particularmente compacta y cerrada que, como se verá enseguida, cumple una función compensatoria.

3. TEXTO LIRICO

3.1. EL TEXTO LIRICO COMO ANTIDISCURSO Y CASO EXTREMO DE IDENTIDAD PROBLEMATICA

Stierle ha demostrado convincentemente que la lírica no es un género equipolente de la narrativa y el drama ni un tipo de discurso literario que, como todos los demás, esté dotado de un esquema discursivo propio que a su vez se pueda retrotraer a un esquema pragmático. La lírica es, antes bien, una manera específica de transgredir cualquier tipo de esquema discursivo, sea éste narrativo, descriptivo, argumentativo, etc. (Stierle 1979, p. 514). Si se trata, por ejemplo, de un sustrato narrativo, la transgresión lírica se manifiesta como el predominio del discurso sobre la historia (ib., pp. 514 y s.). En el nivel del texto dicha transgresión se patentiza en una inconexidad marcada o también en la imprevisibilidad e inconsistencia en el uso de los tiempos (p. 516).

La lírica, cualesquiera sean sus variantes —variantes que se derivan de las diferencias entre los esquemas de base transgredidos en cada caso—, es fundamentalmente *antidiscurso*: en ella la sucesividad ordenada del discurso —el alineamiento progresivo de los factores que se van desarrollando a partir de la perspectiva temática unitaria bajo la cual se organiza la acción verbal— se quiebra constantemente como consecuencia del predominio de la tendencia de fuga hacia el no-discurso (pp. 516 y s.).

En tanto *transgresión* —noción que, como lo señalo en el cap. IV, no debe ser equiparada con la de *desviación lingüística*— o en tanto *antidiscurso* la lírica queda definida negativamente: como lo que·ella anula o no realiza en el tránsito de un esquema dado a su concretización. Sin embargo, desde el momento en que se considera su modo específico de transgredir, se abre el camino para su caracterización en términos positivos. El 'desorden' o mejor: el des-ordenamiento de la línea del discurso se puede concebir, en efecto, como la contracara positiva de una reducción simplificadora, como la abolición de un conjunto de restricciones que garantizan la homogeneidad y continuidad del sentido al precio de su empobrecimiento. En el antidiscurso lírico la dislocación del esquema de base conduce, como observa acertadamente Stierle, a una "simultaneidad problemática de contextos" (1979, p. 517) que redunda en una máxima intensificación de la capacidad informativa del mensaje. La proliferación de los contextos simultáneos (que lleva a un incremento correlativo de los puntos de fuga y de las ramificaciones del sentido del discurso y, del lado de la recepción, a una multiplicación de las hipótesis de lectura) se cumple tanto a través del proceso de metaforización como en virtud de una organización temática caracterizada por 'saltos', detalles enigmáticos o conexiones imprevisibles en relación con el esquema-sustrato.

Así considerado, el texto lírico parecería ostentar en grado máximo una cualidad que si bien es común a todos los textos literarios, se muestra con particular vigor en los textos poéticos: la capacidad de almacenar y transmitir información de modo extremadamente compacto y económico (cf. *supra*, p. 46). Si se aceptan —al menos como parcialmente válidas— aquellas conjeturas iniciales en las que encaré la diferencia poética como una cuestión gradual (pp. 45-46), cabría añadir aquí que el poema lírico es el espacio en el que se actualiza en forma exhaustiva una tendencia virtualmente presente en todo texto literario respecto de la cual la "disposición poética" funciona como catalizador: la tendencia a concentrar el mayor volumen de información en la menor superficie textual.

Puesto que la identidad del discurso se expresa en la reducción y seriación de sus posibles contextos simultáneos, la ruptura o cuestionamiento implícito de su linealidad conlleva, junto con la sobrecarga semántica aludida, la desestabilización de su identidad: el texto lírico representa, desde esta óptica, el grado más alto de problematicidad que puede plantear un texto literario.

Cuando el texto lírico ostenta, además, una "disposición poética", se hace tanto más notorio el contraste —sólo en apariencia paradójico— entre el carácter abierto y proteico de un discurso en constante fuga hacia el no-discurso y el carácter cerrado y homogéneo de una base textual en la que diversos tipos de recurrencias y/o equivalencias horizontales (distribuidas a lo largo de la línea sintagmática) y verticales (concurrentes en los distintos niveles lingüísticos de un mismo segmento) crean el espejismo de una identidad discursiva. Precisamente, uno de los más interesantes aportes de la teoría lírica de Stierle consiste en llamar la atención sobre este contraste y explicarlo adjudicando a la severa estructura textual un rol compensatorio de la pérdida de identidad (pp. 517 y s.).

En un fructífero intento por reinterpretar, a la luz de la categoría del *discurso*, la idea jakobsoniana del autotelismo del mensaje con "función poética", señala Stierle que, en general, en el ámbito de los discursos de identidad problemática —situación en la que se encuentran todos los tipos de textos literarios— el texto, entendido como el sustento verbal de una acción, adquiere una función que no tiene en los discursos pragmáticos: la estructuración del material verbal se convierte en un factor discursivo más y actúa como equivalente sustitutorio de una identidad vuelta precaria. Esta modificación de la funcionalidad del texto, igualmente caracterizable como una reflexivización del discurso o, en términos jakobsonianos, como la orientación del mensaje hacia sí mismo, es mucho más acusada en el antidiscurso lírico que en las demás clases de discursos o 'géneros' literarios, y todavía más marcada en la subclase del poema lírico. En él la forma textual —tal como se muestra a través de toda la historia de la lírica occidental, no sólo de Petrarca en adelante, sino también en muchas de las especies poéticas griegas y latinas comprendidas en la categoría "lírica" de los alejandrinos—puede promover, en virtud de una organización fundada en la recursividad y por ello reiteradamente 'replegada' sobre sí misma, un tipo de recepción que no corresponde a las verdaderas condiciones del discurso: que deja de lado el problema central —definitorio de la clase— de una identidad inasible y que, en olvido de la compleja dimensión semántica del poema, sólo repara en la 'atmósfera' o la 'magia verbal' (Cf. Stierle, p. 518).

En esta peculiar configuración del material de la lengua que en el curso de siglos ha ido casi siempre aparejada a la transgresión lírica, radica una de las principales causas de la indiferenciación, tan frecuente en estudios literarios de las más diversas orientaciones metodológicas, de las nociones de "poesía" y "lírica"[11]. Las clases textuales correspondientes se pueden mantener, sin embargo, claramente separadas cuando se considera que no es la organización recursiva de la base textual la que liriza el texto, sino la transgresión del esquema que sirve de sustrato al discurso. Es preciso tener en cuenta, además, que la estructura de la base textual lírica no es siempre tal que dé como resultado una "disposición poética" y, por otro lado, que la "disposición poética" puede darse tanto en textos poéticos no-líricos como en textos pragmáticos (no-li-

---

11. Como ejemplo bastará recordar que T. Todorov, para delimitar la literatura fantástica, excluye en bloque del ámbito de la ficción a la "poesía" con argumentos que se aplican fundamentalmente a cierta clase de textos poéticos que, desde nuestra perspectiva, entran en la categoría de la lírica (Cf. Todorov 1970, pp. 64-67, y mi crítica a esta exclusión en el cap. V).

terarios y, por lo tanto, no-poéticos). Las clases textuales poética y lírica están, al igual que las clases literaria y ficcional, en relación de intersección: no todo texto lírico es poético ni todo texto poético es lírico. Una muestra de lo primero se hallará, por ejemplo, tanto en muchos de los llamados "poemas en prosa" como en parte de la novela del siglo XX. Ilustrativas de lo segundo son tanto la poesía épica, desde Homero hasta la epopeya culta del Renacimiento —en la que, no obstante, puede haber ocasión para la transgresión lírica—, como la "poesía de circunstancias" o "pragmática", en la que la articulación lírica es secundaria en relación con un esquema discursivo que tiene la fuerza ilocucionaria de una acción verbal y persigue un fin determinado (Cf. Stierle 1979, pp. 521 y s.).

Cabe señalar, finalmente, que las recurrencias o equivalencias de los componentes del texto cumplen una función radicalmente diferente según que se trate de un discurso lírico o de un discurso pragmático: en aquél se discursivizan para constituir una identidad sustitutoria; en éste se limitan a subrayar, con aderezos poetiformes, una identidad discursiva no-problemática (Cf. *supra*, pp. 56-57).

3.2. LOS TRES GRANDES 'GENEROS' Y SUS VARIANTES POETICAS Y NO-POETICAS

Si se acepta la delimitación de la clase textual poética fundamentada a lo largo de este trabajo, resultará evidente que todo intento por establecer una tipología exhaustiva del texto literario deberá tomar en cuenta, al preguntarse por los equivalentes literarios de los textos pragmáticos, las intersecciones o subdivisiones a que puede dar lugar, dentro de la clasificación, el hecho de que el texto sea poético o no lo sea[12].

El reconocimiento de que en cada tipo textual — concebido como acción verbal— o, lo que es lo mismo, de que en cada tipo discursivo es posible distinguir, al menos teóricamente, dos variantes (una poética y otra no-poética) resulta un valioso instrumento discriminador incluso cuando se parte de la milenaria división genérica en *narrativa, lírica* y *drama.* En efecto, si bien la lírica no es, como se ha sustentado aquí, un género equipolente de la narrativa y el drama sino, más bien, un antigénero, ella tiene en común con los otros dos rubros de la clasificación tradicional un rasgo que, siquiera parcialmente, justifica su equiparación: la lírica, al igual que la narrativa y el drama, es una clase textual literaria subdivisible a su vez en una variante poética y otra no-poética. Un examen sistemático de estos tres grandes 'géneros' que a través de los siglos han sido designados, de modo vacilantemente alternativo, como *literarios* o *poéti-*

---

12. En relación con todos los demás factores —no menos relevantes que la "disposición poética"— que una clasificación sistemática debe tomar en consideración cf. el programa de investigación esbozado en el cap. IV, pp 89-90).

cos, deberá incluir, en consecuencia, un análisis comparativo, sincrónico y dia-
crónico, de las dos variantes propias de cada uno de ellos. En el caso especial
de la lírica el cotejo de los especímenes poéticos y no-poéticos coexistentes
en ciertos momentos de la historia de esta forma literaria permitiría indagar en
qué medida la "disposición poética" del texto colabora al incremento de la problemática simultaneidad de contextos y de todos los demás factores positivos
que se derivan de la transgresión del esquema-sustrato; o, si se desea invertir la
perspectiva analítica, dicho cotejo permitiría averiguar hasta qué punto la
transgresión lírica promueve la explotación exhaustiva de los variados mecanismos de resemantización de los signos y densificación del mensaje que están virtualmente ligados a la "disposición poética".

III

LA LITERATURA COMO MIMESIS.
APUNTES PARA LA HISTORIA DE UN MALENTENDIDO*

En los últimos decenios se ha puesto muy en boga, en el terreno de los estudios literarios, invocar la autoridad de Platón o de Aristóteles para demostrar la validez 'eterna' de una teoría —y, consecuentemente, la imposibilidad de cualquier planteo realmente novedoso— o, por el contrario, achacar a ambos filósofos la persistencia de confusiones conceptuales e incluso de posiciones dogmáticas a lo largo de siglos de reflexión sobre la literatura.

En estas páginas me propongo examinar el sentido de una familia de términos técnicos muy utilizada por ambos: *mímesis, mimetizar, mimético*, etcétera, con el doble fin de despejar tanto objeciones como actitudes apologéticas basadas en equívocos y de señalar la productividad y la importancia de esas nociones para el desarrollo de la ciencia literaria actual.

Miméisthai ("mimetizar") designa originariamente —y el sentido primigenio del nombre griego debió jugar un rol considerable en su adopción como tecnicismo filosófico y teórico-literario— una acción cuya función exclusiva es evocar otra acción con la que guarda una relación de analogía. Caso típico es, por ejemplo, el de un individuo que en un ritual religioso destinado a conjurar a las divinidades de la fertilidad efectúa una serie de movimientos similares a los de un agricultor en trance de arrojar la simiente a los surcos. Tal individuo no siembra sino mimetiza el sembrar. Retengamos desde ya un aspecto de esta actividad que tiene especial relevancia en el campo de las artes: el objeto de la mímesis —el original o el modelo en el sentido no científico del término— puede ser, en el caso señalado, la acción particular, única en su facticidad, de un agricultor particular, igualmente único en su facticidad, pero no tiene por qué ser necesariamente así y de hecho suele no ser así. El objeto de la mímesis puede ser también una clase de acciones correspondientes a una clase de individuos.

Cuando se habla de *modelo* en el sentido mencionado suele pensarse en un individuo concreto, casi nunca en una abstracción. Se supone que el modelo de una naturaleza muerta, para mencionar un ejemplo pictórico, debe ser un

* Ponencia presentada al *Tercer Coloquio Internacional de Poética y Semiología Literaria* (México, noviembre de 1980) y publicada en *Acta Poética* 4-5/1982-1983.

determinado plato con frutas que el pintor tuvo ante sus ojos y no aquella "cierta idea" de su mente que Rafael decía retratar.

La noción aristótelica de mímesis implica el presupuesto contrario: el carácter genérico del objeto de la mímesis artística y, en particular, de la mímesis poética. El no reconocimiento de este rasgo sustancial ha dado pie, como veremos en seguida, a muchos malentendidos y objeciones descaminadas que reaparecen periódicamente en algunos de los más autorizados críticos de nuestros días.

Mimetizar es para Aristóteles el quehacer específico del artista, el que lo define como tal, el que permite reconocer, más allá de las diferencias en los medios, objetos y maneras de la mímesis, el vínculo profundo que mantiene coherentemente unidas las más diversas manifestaciones artísticas. El pintor que pinta un paisaje o un plato de frutas, el escultor que da forma a un lanzador de discos, el poeta que imagina y registra un discurso que no es el suyo, el bailarín o el músico que con movimientos corporales o los sonidos de un instrumento evocan conductas o emociones, mimetizan por igual.

En oposición con Platón, quien en el libro X de *La República* sostenía que los artesanos mimetizaban las ideas eternas de las cosas y los artistas mimetizaban las mimetizaciones de los artesanos, Aristóteles entiende que el carpintero que fabrica una silla se limita a producir un objeto que no es representación de un ente ideal, sino lisa y llanamente una silla determinada. Si ésta se reconoce como tal no es por el hecho de ser reproducción de la *idea* de silla sino porque la *forma* de silla —que sólo puede existir en las múltiples sillas concretas— se realiza en una materia particular. A la inversa, quien pinta o esculpe una silla no hace un objeto sino la mímesis de un objeto, esto es, lo re-presenta, reproduce la actualización de su forma en un medio distinto de aquél en el que se actualiza la forma silla para dar lugar a una silla-objeto.

Si bien Aristóteles no se pronuncia con claridad sobre cuál sea el objeto específico de la mímesis en las artes plásticas, es, por el contrario, bien explícito en lo que concierne a la música, la danza y la poesía, que aparecen englobadas bajo el término *póiesis*, utilizado por él tanto en este sentido amplio cuanto en el más estrecho de arte verbal. En este último terreno el objeto de la mímesis está constituido, como lo puntualiza repetidas veces, por acciones humanas y, secundariamente, por los caracteres que ejecutan dichas acciones.

Ahora bien, puesto que al referirse a la poesía trágica —que dentro de su concepción evolucionista de la historia literaria representa a la poesía por antonomasia— señala que el objeto de la mímesis poética es *lo que podría acaecer* (*Poética*, IX), resulta a primera vista justificado suponer que la noción misma de mímesis está confinada a los límites de uno de los tantos metatextos históricos (preceptivas, tratados teóricos descriptivo-normativos, artículos críticos, etcétera) dentro de los cuales el sistema de la literatura se autodefine como tal en un ininterrumpido proceso de cambio (*Cf.* Lotman 1976, pp. 344-346 y *supra*, Cap. II, pp. 42-43). Dicho de otro modo: desgajada del contexto amplio de la *Poética* en su totalidad, la caracterización generalizadora de la poesía como *mímesis de posibles acciones* tiene todo el aspecto de una definición normativa cuya validez, como la de todo enunciado normativo, sería equivalente a la de cualquier otra definición elaborada en el interior de cualquiera de los metatextos literarios identificables en el espacio y en el tiempo.

Es en ese supuesto que se le ha reprochado frecuentemente a la *Poética* aristotélica —en particular en este siglo— el fundarse en postulados no por más sutiles menos totalitarios que los platónicos, que tendrían por finalidad subordinar la creación artística a la noción de realidad dominante en el conjunto social, sofocar cualquier intento individual de cuestionamiento de los patrones cognoscitivos generales y afianzar, mediante una repetición servil, la visión estereotipada del mundo en que se sustenta el orden constituido.

El arte propugnado por Aristóteles, la mímesis de acciones posibles cuya función es, como lo precisa abrupta y telegráficamente el célebre capítulo VI, provocar en el receptor la catarsis de afectos elementales, constituiría, desde esta perspectiva, una copia, una mera reproducción de lo que una comunidad histórica experimenta como realidad, cuyo sentido primordial sería proporcionar un *ersatz*, un sustituto ilusorio para la satisfacción de los sentidos y los instintos humanos. No mucho más que el muñeco —el remedo de padre, madre o hermano— en el que el niño desfoga jugando sus amores y sus odios (*Cf.* Adorno 1970, p. 354 y *passim*).

Un persuasivo ejemplo de poética antiaristotélica, fundada en parte en la estética de Adorno y del poeta y teórico alemán Siegfrid J. Schmidt, se hallará en el ensayo del poeta y crítico literario portugués Alberto Pimenta *O silêncio dos poetas* (Pimenta 1978). En él se sostiene la tesis de la existencia, a través de todas las épocas, de dos formas de poesía (y de arte en general): una poesía "poetológica", supuestamente fundada en las normas aristotélicas, que sería expresión de un conocimiento del mundo obtenido a través de categorías conceptuales preexistentes, y una poesía propiamente "estética", que sería expresión de un conocimiento individual, directo, concreto, no mediatizado por ninguna clasificación apriorística. Esta segunda forma de poesía partiría del rechazo de la lengua en su carácter de sistema modelizador de la realidad y se empeñaría en transformar e incluso destruir los signos lingüísticos convencionales para articular, a través de esa transformación y/o de esa destrucción, un modo inmediato y personal de aprehensión y representación del mundo.

Respecto de esta tesis me atrevo a arriesgar que, contra lo que muchos estetas modernos suponen, Aristóteles no sólo la habría suscripto sino que, además, habría identificado la segunda forma de poesía con su propia noción de *póiesis*. Sus reflexiones sobre los medios de expresión propios de la poesía en el capítulo XXII de la *Poética* y las numerosas observaciones diseminadas a lo largo de casi todo el tercer libro de la *Retórica* sobre los rasgos distintivos de la elocución poética en oposición a la oratoria, permiten afirmar que Aristóteles no estaba describiendo ni, mucho menos, erigiendo en canon una poesía que subordinara la creatividad cognoscitiva y expresiva del artista a la necesidad de comunicar mensajes comprensibles, basados en un código conocido y en una clasificación apriorística de la realidad. Su exaltación de lo "extraño (*xenikón*) que, como se verá más adelante (*Cf.* Cap. VI, p. 171, nota 27), anticipa la noción de "extrañamiento" (*ostranenie*) de los formalistas rusos, y su tendencia a privilegiar la metáfora respecto de las demás figuras por ser el medio de expresión más apto para extrañar, sorprender y transmitir un conocimiento nuevo, muestran a las claras que la elocución poética no era para él el resultado de un compromiso entre necesidades individuales y sociales ni un simple medio entre los extremos de una ramplona inteligibilidad y un refinado hermetismo.

La teoría aristotélica de la metáfora, que incluye una caracterización de las metáforas específicamente poéticas, hace particular hincapié en dos aspectos que hablan a favor de una concepción de poesía que bien puede calificarse de "estética" en el sentido técnico que adquiere este término a partir de Baumgarten, quien por primera vez asoció explícita y sistemáticamente la producción de arte con una teoría del conocimiento sensitivo. Esos dos aspectos, sobre los que podrían multiplicarse las citas, son los siguientes:

1) Metaforizar bien es algo que no se puede aprender de nadie, ya que se trata de percibir y expresar una semejanza, hasta entonces oculta, entre dos objetos (*Cf. Poética*, capítulo XXII, 1459 a 4-8; *Retórica*, L. III, capítulo 11, 1412 a 11-15 y L. III, capítulo 2, 1405 a 8-10).

2) Interpretar una metáfora supone la superación de una confusión inicial y la placentera sorpresa de co-descubrir la semejanza descubierta por el creador (*Cf. Retórica*, L. III, capítulo 10, 1410 b 10-27 y L. III, capítulo 11, 1412 a 19-26).

Estas tesis, aun formuladas en la sintética versión que acabo de ofrecer, testimonian suficientemente que la obra de arte literaria no es vista como el mero resultado de la aplicación de una técnica ni, por consiguiente, como producto de una aprehensión rutinaria de los datos de la experiencia. El implícito reconocimiento de que el verdadero poeta no percibe el mundo a través del filtro preclasificador del código lingüístico manejado por el conjunto social sino que más bien se ve forzado a transformar ese código para poder expresar su visión personal, están en perfecta consonancia con dos concepciones a primera vista tan extrañas e incluso contradictorias como: a) una mímesis cuyo objeto no es un individuo particular, efectivamente existente, sino una posibilidad de individuo y b) una mímesis embellecedora o afeadora, que sobre la base de cierto objeto —existente o meramente posible— construye un nuevo objeto, mejor o peor que aquél.

La primera de estas concepciones aparece cuidadosamente fundamentada en el mencionado capítulo IX de la *Poética*, en el que Aristóteles marca las fronteras entre poesía e historia y, al hacerlo, sienta las bases para una teoría de la ficción literaria (*Cf. supra*, Cap. V).

La segunda de ellas está claramente expuesta en el capítulo II, donde se afirma que todos los artistas —incluidos los artistas plásticos— mimetizan caracteres superiores, inferiores o semejantes a lo que suelen ser los hombres. Como elemento de comparación Aristóteles usa los términos "nosotros" o "los de ahora", con los cuales no alude, sin embargo, a individuos concretos sino a una clase definible por un conjunto de rasgos comunes a los seres humanos en general. Al sostener que la mímesis trágica se caracteriza, al revés que la comedia, por mimetizar caracteres superiores, sugiere que el poeta trágico elabora un modelo artístico de hombre que a su vez guarda cierta relación analógica con un modelo de hombre que forma parte de la noción de realidad, históricamente condicionada, de una determinada comunidad cultural.

En la reflexión precedente he utilizado por primera vez el término *modelo* en el sentido en que se lo usa en teoría de la ciencia y, a partir de ella, en el ámbito de la semiótica. Semejante desplazamiento conceptual no es casual ni arbitrario. Con él quiero significar que la noción aristotélica de mímesis que, como se vio, resulta contradictoria —si no incomprensible— si se la quiere conmutar por las de imitación o copia, así como la definición de poesía como mímesis de acciones y caracteres, quedan notablemente iluminadas si se las correlaciona con las modernas categorías de *modelización* y *sistema modelizador* que Yuri Lotman ha aplicado tan eficazmente al examen de los sistemas semiológicos artísticos (*Cf.* Cap. II, pp. 36-38).

Cuando Aristóteles sostiene que la poesía —como todas las artes—, es mímesis, cuando ubica el objeto de la mímesis trágica en el ámbito de las acciones y los caracteres posibles a la par que admite que el objeto de la mímesis épica es no sólo lo *posible* sino también lo *imposible que convence* (*Poética*, capítulo XXIV, 1460 a 26-27) y cuando, finalmente, señala diferencias fundamentales entre la elocución poética y la retórica así como entre los diferentes tipos de elocución poética en conformidad con los diversos géneros literarios, alude a los mismos rasgos que, en la opinión de Lotman, caracterizan a la obra literaria. Con mímesis queda implícitamente aludido el carácter modelizador de todo sistema artístico. Con el reconocimiento de la existencia de un conjunto de normas que regulan la construcción del mundo ficcional en cada género literario y de un subcódigo lingüístico igualmente propio de cada género, queda abierto el camino para el reconocimiento de la literatura como un sistema modelizador secundario y del texto literario como el producto de una doble codificación: según el código de la lengua (del sistema modelizador primario) y según una compleja jerarquía de códigos artísticos variables para cada época, género, estilo, etcétera (los del sistema modelizador secundario).

De todo lo dicho se desprende que ni la definición del arte como mímesis ni la definición de *póiesis* en sentido amplio (literatura, música y danza) como *mímesis de acciones y caracteres* ni, por último, la definición de *póiesis* en sentido estrecho (fundamentalmente poesía trágica) como *mímesis de acciones y caracteres posibles*, se ubican en el nivel correspondiente a una reflexión metaliteraria de tipo preceptivo. Un examen atento de los contextos en que aparecen todas estas definiciones permite localizarlas en un nivel superior: el correspondiente a una teoría cuya tarea no es sentar normas ni evaluar las obras literarias conforme a determinados sistemas normativos ni tampoco evaluar los sistemas normativos mismos, sino describir y explicar un conjunto de fenómenos entre los que se incluyen precisamente las definiciones y los sistemas normativos así como los criterios de evaluación emanados de ellos (*Cf.* Mignolo 1978, pp. 44-45).

La afirmación precedente no implica, por cierto, que la *Poética* aristotélica en conjunto se ubique en el plano de la teoría en el sentido que acabo de precisar. Es un hecho bien sabido que ya desde el primer párrafo se manifiesta en ella la tendencia a combinar constantemente —y a veces confundir— una perspectiva descriptiva (que bien podría calificarse de estructuralista) con la preocupación por fijar paradigmas de buena poesía a los que se les atribuye validez universal y eterna. Uno de los resultados más notorios de esta tendencia sincretizadora es la identificación de la estructura de la poesía trágica con la estructura de la tragedia del siglo V a. C. y, en particular, con la de la tragedia sofoclea, que representa para Aristóteles una cumbre jamás igualada. Otro resultado de esa mezcla de ópticas —especialmente relevante para nuestra reflexión— es el erigir la *mímesis de acciones posibles*— que, como el propio Aristóles lo admite implícitamente, designa un tipo literario ficcional entre otros— en fórmula definidora de la poesía en general, por el hecho de corresponder a un género literario que Aristóteles ubicaba en el punto terminal de un largo proceso de perfeccionamiento.

Pródiga fuente de equívocos y, por ello mismo, de objeciones desacertadas es asimismo la teoría platónico-aristotélica de la división de la poesía en géneros, dentro de la cual el par terminológico *mímesis-diéguesis* juega un rol fundamental. En este punto Aristóteles sigue dócilmente la propuesta clasificatoria de su maestro, limitándose a modificar la nomenclatura en consonancia con sus propios planteos sobre la naturaleza mimética de las artes. Aristóteles es más consecuente que Platón en la utilización de aquellas expresiones que él adopta como términos técnicos. En efecto, en la *Poética*, la familia léxica *mímesis, mimetizar, mimético*, etcétera, alude invariablemente al carácter modelizador —no simplemente imitativo ni, mucho menos, imperfectamente imitativo según la teoría platónica— de los sistemas artísticos. En Platón, en cambio, esa misma familia cubre un campo semántico bastante amplio y de contornos difusos, que incluye conceptos como "imitación", "emulación", "repetición en un medio distinto del original", "reproducción engañosa", "reflejo", "espejismo", "copia de copias (alejada del original en dos grados)", etcétera. El último de los conceptos mencionados es el dominante en el libro X de *La República*, en el que todas las artes son censuradas por estar aún más alejadas del mundo de las ideas que la pseudo-realidad, ya en sí misma ilusoria, del mundo de los sentidos. En el libro III usa, en cambio, el término *mímesis* con un significado técnico-literario para designar con él una de las modalidades de presentación de sucesos. Allí define a la poesía como "diéguesis de cosas pasadas, presentes o futuras" (392 d 3) debiéndose entender por diéguesis no simplemente "relato", como hoy se acostumbra, sino un concepto englobante de aquél, tal vez traducible por "exposición", "presentación" o "construcción imitativa", que abarca tanto una modalidad narrativa como una modalidad descriptiva. Platón llama, por tanto, diéguesis a lo que Aristóteles llamará mímesis de acciones y distingue, dentro de ella,

a) una *diéguesis simple*, que corresponde al actual concepto de "relato", en la que las acciones de los personajes son referidas por el poeta; b) una *diéguesis a través de la mímesis*, en la que las acciones, tanto verbales como no verbales, son directamente ejecutadas por los personajes sin mediación del poeta; y c) una *diéguesis mixta*, en la que alternan el relato de acciones con la presentación inmediata de acciones verbales ejecutadas por los personajes (los llamados "discursos directos"). La primera forma es identificada con el ditirambo, la segunda con la tragedia y la comedia y la tercera con la epopeya (*República*, Libro III, VI-VII, 392 d – 394 c 5).

En el capítulo III de la *Poética* Aristóteles adopta esta delimitación con algunas leves variantes, como surge del siguiente pasaje:

> En efecto, con los mismos medios es posible mimetizar las mismas cosas unas veces narrándolas (ya convirtiéndose en otra cosa, como hace Homero, ya como uno mismo y sin cambiar), o bien presentando a todos los mimetizados como obrando y en acción (1448 a 20-24).[1]

Las diferencias más notorias —aparte de las meramente terminológicas— radican en que Aristóteles subsume la diéguesis simple (el relato puro) y la diéguesis mixta de Platón en una categoría general narrativa que se contrapone al drama, y en que no ejemplifica con el ditirambo ni con ninguna forma literaria determinada la variante del relato puro.

Me he detenido con alguna morosidad en los textos clásicos para que la objeción que debo hacerle a uno de los maestros de la narratología moderna, Harald Weinrich, no parezca superficial o arbitraria. En un trabajo de reciente data, "Los tiempos y las personas" (Weinrich 1978), intenta rendir a Platón y Aristóteles un homenaje que, lamentablemente, se funda en una distorsión de las ideas de ambos sobre los géneros. Señala allí con razón que dichas ideas constituyen un precedente fundamental para la moderna oposición entre lo no narrativo y lo narrativo pero basa este reconocimiento en dos argumentos que implican una visión anacrónica de los sistemas teórico-literarios de ambos filósofos. Uno de ellos es que la oposición entre lo mimético y lo no mimético (en el sistema platónico) o entre lo mimético directo y lo mimético indirecto (en el sistema aristotélico) les habría permitido a ambos distinguir dos géneros polares puros, el de la poesía dramática y el de la poesía lírica, y un género mixto, el de la poesía épica (Weinrich 1978, p. 25).

Semejante aserto es el resultado del desconocimiento de los diversos estadios que integran el proceso de formación de la conciencia de clases de textos literarios en el mundo griego antiguo. Ni Platón ni Aristóteles hablaron jamás de "poesía lírica" o de "poeta lírico". No podían hacerlo pues ninguno de los dos reconocía un tercer gran género que, sin ser mezcla de narrativa y drama, se opusiera igualmente a ambos. Por otra parte, en caso de que lo hubieran re-

---

1. Las traducciones de los textos de Aristóteles y Platón son mías.

conocido, no lo habrían llamado *poesía lírica* sino *mélica* (de melos: "canto"), que es el nombre que ellos emplean ocasionalmente —por ser el único disponible en su época— para designar cualquier tipo de poesía destinada a ser cantada. En este rasgo, el único común a muchas y variadas formas versificadas no subsumibles en el drama ni en la epopeya, se apoyarían posteriormente los gramáticos alejandrinos —tan dados al afán catalogador— para delimitar una tercera gran categoría poética, equipolente de la poesía dramática y épica, a la que rebautizarían con el término *lírica* (derivado del nombre de uno de los instrumentos más usados para acompañar musicalmente esas composiciones).

El anacronismo de Weinrich se explica tal vez por el hecho de que Platón, a diferencia de Aristóteles, ejemplifica la *diéguesis simple* (la forma no mimética de su sistema) con el ditirambo, que era precisamente uno de los tantos especímenes de poesía-canción que los alejandrinos englobarían más tarde en el género lírico. Pero Platón no lo menciona por su carácter musical ni porque poseyera ninguno de los rasgos que la conciencia literaria moderna reconoce como líricos (tales como estatismo, subjetivismo, tendencia monologizadora, etcétera) sino por el simple hecho de ser puramente narrativo. En efecto, si bien no se conoce ningún ejemplar de ditirambo primigenio y los pocos ditirambos tardíos que se conservan (por ej.: "Los persas" de Timoteo) muestran una evolución hacia el predominio total de la música sobre el texto así como elementos dialógico-dramáticos, hay testimonios suficientes de que este tipo de composición, que fue originalmente una canción cultual consagrada a Dionysos, se volvió eminentemente narrativa y de contenido heroico no dionisíaco a raíz de las innovaciones introducidas por el legendario Arión hacia el 600 a. C. Podemos, pues, representarnos el ditirambo a que alude Platón como una canción coral destinada a una gran masa de voces masculinas, que relataba las hazañas y padecimientos de algún héroe mítico en el estilo indirecto tan exactamente descripto e ilustrado por el propio filósofo con su versión no mimética del comienzo de *La Ilíada* (*República*, Libro III, VI, 393 d 3 – 394 b).

El otro argumento anacronístico de Weinrich al que me referí más arriba consiste en asignar al problema de las personas gramaticales un lugar central dentro de la teoría platónico-aristotélica de las tres modalides de poesía. El siguiente pasaje testimonia más de una confusión sobre lo que ambos filósofos estaban en condiciones de decir:

> Ahora bien, el criterio de esta distinción está basado en el capítulo de las personas gramaticales que corresponde a la gramática. Es así que pudieron afirmar que cuando el poeta lírico dice "yo" es posible saber que es él mismo quien habla; en consecuencia, el poeta lírico no es imitador. Mientras que si, por el contrario, es el poeta dramático el que dice "yo", éste imita a alguien, apoderándose así de su rol comunicativo (Weinrich 1978, p. 25).

No vale la pena insistir en el hecho de que ni Platón ni Aristóteles tenían la noción de "poeta lírico" pero, aun prescindiendo de esta indebida atribución, se hace preciso puntualizar que jamás tematizaron el uso de las personas gramaticales en relación con los géneros literarios reconocidos en su época como tales. Es más: sorprende comprobar que ninguno de ambos se ocupó de preguntarse qué ocurre cuando el poeta épico invoca a la Musa para que lo inspire, refiriéndose a sí mismo en su calidad de poeta-narrador. El que no mezclaran aquí el problema de las personas gramaticales me parece, con todo, un acierto: como si hubieran intuido, anticipándose en muchos siglos a las más recientes reflexiones sobre el tema, que el único criterio decisivo para distinguir tipos de discursos no es que el que habla diga "yo", "tú" o "él" sino que haya o no relación de identidad entre el sujeto del enunciado y el sujeto de la enunciación por un lado, y entre la fuente del discurso y el creador literario, por el otro. Es este aspecto fundamental —el de los roles asumidos por el productor del discurso— el que subrayan ambos filósofos cuando contraponen narrativa y drama y, sobre todo, cuando adjudican un *status* especial, dentro de esta oposición categorial, a los poemas homéricos. La siguiente caracterización que Platón hace del comienzo de *La Ilíada* es suficientemente elocuente al respecto:

> Entonces sabes que hasta estos versos: "y a todos los aqueos, y particularmente a los dos Atridas, caudillos de pueblos, así les suplicaba" es el poeta el que habla y no trata de llevar nuestros pensamientos a otra parte como si hablara otro en lugar de él. Pero inmediatamente después habla como si fuera Crises y se esfuerza al máximo por darnos la impresión de que no es Homero quien habla sino el anciano sacerdote. Y en esta forma poco más o menos ha compuesto casi todo el resto de la narración de los sucesos ocurridos en Ilión, en Itaca y en toda la Odisea. (*República*, Libro III, VI, 393 a 3-393 b 5).

Como puede apreciarse, Platón plantea el problema de los diferentes tipos de narración en términos muy próximos a los recientemente propuestos por J. R. Searle (Searle 1975) con la diferencia de que no incurre, como este autor, en la tentación de mezclar el criterio distintivo de los roles discursivos con el de las personas gramaticales (*Cf.* Cap. V, pp. 91-92). Desde la perspectiva de la moderna teoría literaria la única imprecisión conceptual radica en la identificación del narrador con el autor, esto es, de la fuente de lenguaje imaginaria de que dimana la narración con el o los individuos históricos ("Homero") que imaginaron y registraron los actos de habla de esa fuente de lenguaje. En este punto Aristóteles sigue dócilmente las huellas de su maestro. Los mismos aciertos y la misma confusión del narrador con el autor caracterizan el pasaje arriba citado de la *Poética* en el que contrapone la narrativa, en sus dos variedades fundamentales, al drama.

Las reflexiones de Weinrich sobre el aporte de la teoría literaria antigua a la narratología desarrollada en los últimos decenios de este siglo, se fundan en parte en un trabajo ya algo viejo de Genette que ha gozado de gran difusión, especialmente en el ámbito hispanoamericano. Me refiero a "Fronteras del relato", aparecido originariamente en el ya célebre número de la revista *Communications* dedicado al análisis estructural del relato (Genette 1970 [1966]).

En ese artículo Genette exhuma la terminología platónico-aristotélica para señalar tanto los grandes hallazgos como las presuntas omisiones y confusiones de ambos filósofos y para lanzar a través de ella una tesis que en su formulación más sintética y provocativa reza: "Mímesis es diéguesis" (Genette 1970, p. 198). Con ello quiere significar que sólo puede hablarse de mímesis en aquellos casos en que un hablante *relata* acciones ajenas o propias en lugar de ejecutarlas o bien *refiere* en las formas del estilo indirecto discursos ajenos o propios en lugar de citarlos o pronunciarlos.

Puesto que Genette entiende que la mímesis, en tanto actividad específica del poeta, consiste en "representar por medios verbales una realidad no verbal y, excepcionalmente, verbal" (*ibid.*, p. 196) excluye de este ámbito tanto la mímesis escénica —los gestos y movimientos de los actores— como todas las acciones verbales englobables en la categoría del *discurso* (en el sentido de Benveniste) por oposición a la *historia*, independientemente de que estén destinadas a la escena o no lo estén. Según Genette tanto los parlamentos de los personajes dramáticos como los discursos directos intercalados en la narración épica no mimetizan nada sino que repiten literalmente un discurso real —si es que ha sido efectivamente pronunciado— o bien —caso el más frecuente— constituyen verbalmente un discurso ficticio. Sólo habría trabajo de mímesis cuando con el lenguaje se busca suscitar en la mente del receptor la imagen de objetos no verbales (por ej. cosas materiales, personas, sucesos, etcétera) o cuando los objetos verbales (los discursos de personajes) aparecen incorporados a la narración, vale decir, transpuestos a otro estilo, modificados, resumidos o, para decirlo en los términos de Genette, imperfectamente imitados, ya que él parte del supuesto de que un "discurso no puede imitar perfectamente sino a un discurso perfectamente idéntico" (*ibid.*, pp. 197-198).

Por las mismas razones excluye del ámbito de la mímesis toda la poesía hoy caracterizable como lírica, satírica o didáctica, en la que una fuente de lenguaje, en muchos casos identificable con el productor del texto, pronuncia un discurso asumiéndolo como propio. En el hecho de que ni Platón ni Aristóteles hicieran la menor alusión a las muchas formas poéticas griegas de este tipo que ellos no podían desconocer, Genette ve la confirmación de su tesis, que le permite así separar limpiamente al relato de todas las demás clases de discurso y, a la vez, de los otros dos grandes géneros tradicionalmente admitidos (la lírica y el drama) al adjudicarle como rasgo distintivo el ser la única forma auténtica de mímesis (*Cf.* pp. 202 ss.).

Semejante propuesta no deja de ser interesante y sugestiva pero a condición de que no pretenda erigirse en la versión corregida (y correcta) de la teoría literaria aristotélica. Uno de los principales reproches que se le pueden hacer en este sentido es reducir la noción de mímesis a 'imitación' o 'representación' dando a la vez por sentado que el objeto de la imitación o representación es un individuo particular, con características prefijadas, que está esperando ser debidamente representado. Genette incurre en el mismo error que él achaca indebidamente a una supuesta teoría platónico-aristotélica de la imitación, cuando sostiene que ésta no establece diferencias entre ficción y representación pues para ella el objeto de la ficción es "un simulacro de realidad, tan trascendente al discurso que lo lleva a cabo como el acontecimiento histórico es exterior al discurso del historiador o el paisaje representado al cuadro que lo representa" (p. 197). Esta objeción, que —insisto— se vuelve un boomerang contra el propio Genette, no es pertinente para ninguno de los dos filósofos, si bien por razones diametralmente opuestas. A Platón no lo toca pues él no confunde representación con ficción sino ficcionalidad con mentira. Y a Aristóteles tampoco, ya que al excluir a la poesía del ámbito propio de la historia —el de lo particular y efectivamente acaecido— y al ubicarla en el terreno de lo general y posible y, en casos especiales, hasta de lo imposible, consagra implícitamente a la ficcionalidad como rasgo distintivo de la mímesis literaria. Sólo en un sentido muy lato y simplificador puede decirse que esta operación mental equivale a no distinguir representación de ficción.

Pienso que en el curso de toda esta reflexión y, en especial, tras la revisión de los contextos en que aparecen estas nociones, ha quedado suficientemente en claro que para Aristóteles el objeto de la mímesis poética —y consecuentemente el de la ficción— no es trascendente al discurso que la realiza en la misma medida en que puede serlo un acontecimiento histórico al discurso del historiador.

Si, como se ha visto, lo característico del arte que tiene como medio el lenguaje, el ritmo y la armonía, es que su objeto no es un ente concreto sino una posibilidad y que esa posibilidad a su vez puede ser embellecida o afeada en el proceso mismo de mimetización, entonces es preciso concluir que la mímesis literaria no consiste en representar imitativamente, por medio de los signos convencionales del lenguaje, un objeto que ha sido previamente aprehendido a través del filtro preclasificador del código lingüístico común a un conjunto social, esto es, independiente de y preexistente al trabajo de representación. La mímesis literaria es, antes bien, un complejo proceso de estructuración de los datos procedentes de un acto de conocimiento resultante del rechazo de los conceptos apriorísticos impuestos por la lengua. No se trata, por tanto, de la simple verbalización-reproducción de cierto modelo del mundo largamente internalizado, sino de la elaboración de un modelo nuevo, menos general y abstracto que los preexistentes, obtenido *en y mediante* el proceso de desconstrucción y manipulación del código de la lengua, proceso timoneado por las normas del código literario particular adoptado por el artista.

En conformidad con esta noción de *mímesis* —y no con la postulada por Genette e indebidamente atribuida a Aristóteles— no es posible sostener que la única forma auténtica de *mímesis* sea el relato de acciones no verbales y la transposición de acciones verbales al estilo indirecto. Si uno se ubica en el interior del sistema aristotélico se puede argumentar que así como una tragedia o una epopeya son, desde una perspectiva macroestructural, modelos de posibles acciones (tanto no verbales como verbales), los parlamentos de los personajes dramáticos y los discursos directos intercalados en el relato épico son modelos de posibles discursos. Lo que lleva a Genette a afirmar que en tales parlamentos y discursos no hay trabajo de mímesis —en el sentido de construcción a partir de algo— sino cita o autogeneración, es el falso supuesto de que el objeto de la mímesis es un individuo particular y concreto. Cuando se parte de la premisa correcta, a saber, que el objeto en cuestión no es un discurso determinado sino lo que cierto tipo de hombre podría decir en cierto tipo de circunstancias (*Cf. Poética*, capítulo IX), las diferencias entre el objeto y el producto de la mímesis se perfilan con nitidez: son las que se dan entre lo posible y lo fáctico, lo general y lo particular, lo abstracto y lo concreto, la clase y cada uno de los individuos que ostentan los rasgos distintivos de la clase.

Este mismo razonamiento podría aplicarse a esa multiforme familia de textos poético-musicales que los alejandrinos subsumieron en la categoría de la "lírica" así como esa otra familia —considerada aparte por su metro yámbico y la ausencia de música— de las invectivas a enemigos y rivales reales o supuestos, como los célebres "yambos" de Arquíloco. Dejo deliberadamente de lado el caso de los poemas filosóficos a la manera de un Empédocles y, en general, el de las obras didácticas en verso, pues el mismo Aristóteles los excluye en forma explícita del ámbito de la mímesis literaria y, en consecuencia, del ámbito de la *póiesis* en sentido restringido, noción que corresponde aproximadamente al moderno concepto de literatura (*Cf. Poética*, capítulo I). El que Aristóteles niegue la condición de poetas a los autores de tales poemas a la par que indirectamente adjudica carácter poético a los diálogos de Platón, evidencia una concepción de lo literario en ciertos aspectos más amplia y en ciertos aspectos más estrecha de la vigente desde los albores de la Grecia clásica hasta hoy. Aristóteles introdujo polémicamente, ya desde el primer capítulo de su *Poética*, un criterio de demarcación que iba contra todos los hábitos clasificatorios tradicionales y que no logró imponerse ni en su época ni en siglos posteriores. En su opinión no es la presencia o ausencia del verso ni la presencia o ausencia de música acompañante ni el uso de un lenguaje particular lo que distingue fundamentalmente a los textos poéticos —es decir, literarios— sino el ser *mímesis de acciones* y sólo secundariamente de los caracteres que ejecutan esas acciones.

El llamativo hecho de que Aristóteles no incluyera ni excluyera expresamente de la esfera de la *póiesis* ninguno de los tipos de textos hoy caracterizables como líricos o satíricos —que él debía forzosamente conocer—, no parece ser indicador de una decisión negativa (la de rotularlos como no literarios), sino, antes bien, de una perplejidad por la resistencia que esos textos ofrecían a ser encasillados dentro de la *mímesis de acciones*.

En efecto, si se tiene en cuenta que la *praxis* aristotélica no es una acción cualquiera sino una hecha con la intención de alcanzar un fin determinado y, además, condicionada por la estructura psico-moral y los patrones comportamentales habituales en el individuo actuante, resulta claro que los personajes de tragedia o de epopeya realizan tales acciones, como cuando Orestes mata a su madre para vengar a su padre, Edipo busca la verdad que lo conducirá a la ruina o Aquiles se retira de la lucha irritado por la ofensa de Agamenón. Resulta claro, asimismo, que tales personajes no sólo ejecutan ese tipo específico de acciones sino que también son víctimas o beneficiarios de análogas acciones ajenas, esto es, *hacen cosas y les ocurren cosas*, todo lo cual configura un entramado de sucesos causalmente conectados entre sí que pueden ser presentados de modo inmediato ante los ojos del espectador, como en el drama, o bien tan sólo referidos, como en la epopeya. Es explicable, entonces, que Aristóteles concentrara toda su atención en estas dos formas poéticas en detrimento de todas las demás. O, si se quiere expresar esto mismo desde otro ángulo del problema, es natural que extrayera sus criterios clasificatorios de las dos formas poéticas que más apreciaba. Queda por ver, empero, si esta última circunstancia quita validez general a su definición de poesía y la hace ingresar, contra lo que afirmé al comienzo, al nivel correspondiente a un enunciado normativo.

Cabe preguntarse —y es probable que Aristóteles mismo se lo haya preguntado, sin hallar una respuesta satisfactoria— en qué medida un texto como el de la celebérrima oda de Safo en la que una voz describe la suprema intensidad de sus vivencias eróticas a la vista de la doncella amada y perteneciente al hombre que está gozando de su compañía, se puede considerar como resultado del proceso de mimetización de cierta clase de acciones.

La respuesta tendrá que ser negativa si se piensa primordialmente en las acciones verbales y, sobre todo, no verbales de los héroes trágicos o épicos en las que se manifiesta del modo más abrupto el conflicto entre la decisión provocativa, emanada del *ethos*, y los límites impuestos por la voluntad divina o por otra voluntad humana.

La respuesta podrá, en cambio, ser positiva, si se piensa en las muchas acciones verbales de esos mismos personajes a través de las cuales tan sólo se hace patente cierta contextura psíquica, cierta visión del mundo o cierto estado anímico. Dado que los parlamentos con estas características están muy próximos al caso, que parecía tan problemático, de la mencionada oda de Safo y que no parece razonable suponer que Aristóteles no los considerara parte constitutiva de la mímesis de acciones, es posible completar el pensamiento aristotélico allí donde ha quedado lagunoso y rescatar la lírica —tal como hoy la entendemos— para incluirla expresamente en el campo de la *póiesis*. Para ello no es necesario modificar la definición correspondiente sino tan sólo desplazar los acentos haciendo de lo secundario lo principal y viceversa.

No diremos, pues, que la lírica, como la poesía trágica, es mímesis de acciones y, en segundo lugar, de los caracteres que ejecutan esas acciones, sino, a la inversa, que es, en primera línea, *mímesis de caracteres que se manifiestan a través de acciones verbales*.

En los casos en que el texto lírico no se puede identificar con el discurso del poeta que lo imagina y fija verbalmente sino que hay que suponer que emana de una fuente de lenguaje instaurada por él para articular por su intermedio vivencias propias y/o ajenas, es lícito definirlo como resultado de un proceso de mimetización que tiene por objeto el posible discurso de un posible carácter que puede estar más o menos próximo al del poeta. El producto de este proceso es un modelo de discurso cuya diferencia con los modelos de discursos más frecuentes en la poesía trágica y épica es que su función básica consiste en poner al descubierto un modelo de vivencias y, simultáneamente, un modelo de conciencia sensitiva.

Espero que este recorrido, tal vez algo prolijo, por algunas de las nociones más ricas en consecuencias pero de contornos menos nítidos de la teoría literaria antigua haya servido para remarcar su ininterrumpida vitalidad y para llamar a la vez la atención sobre la necesidad de practicar una cuidadosa exégesis toda vez que se las quiera incorporar al estado actual de la reflexión en torno a los mismos problemas que la ciencia de entonces procuraba dilucidar con ellas.

IV

LA POSICION DE LA LIRICA EN LA TEORIA DE LOS GENEROS LITERARIOS*

Hablar de géneros literarios, insistir en clasificar una masa inconmensurable de textos atesorados a través de los siglos pasando por encima de los múltiples condicionamientos históricos que han determinado la proyección en ellos de un valor difícil de definir fuera de la dinámica del cambio permanente, iniciar, en suma, un discurso metaliterario que aspira a ser actual y científico anudándolo a un viejo —para muchos ya caduco— discurso, de casi tan antigua data como la literatura misma, puede parecer un proyecto inútil por trasnochado. Tanto más inútil e inoportuno en un momento como el presente, en que buena parte de los creadores se afana por borrar las fronteras de los esquemas discursivos consagrados por una tradición milenaria y se resiste a que sus productos, sus "textos", sus "libros", su "escritura" —como suele designárselos hoy, con una nomenclatura más acorde con el propósito transgresivo— sean forzados a ingresar, por la vía directa de la rotulación o la indirecta de la comparación con los paradigmas textuales correspondientes a los rótulos, en el ámbito de la *narrativa*, la *lírica* o el *drama*.

El malestar que términos como *novela* o *lírica* suscitan en más de un creador cuando se trata de dar un nombre genérico a sus obras y, con ello, de sentar ciertas pautas para su lectura, tiene su correlato en las vacilaciones y ambigüedades terminológicas en que incurren muchos de quienes, desde distintas premisas epistemológicas pero con el mismo empeño por construir un modelo científico del fenómeno literario, se esfuerzan por trazar los límites de su objeto de estudio. *Artístico, estético, literario* y *poético* aparecen con frecuencia, especialmente a partir del formalismo ruso, como designaciones concurrentes para caracterizar la especificidad de dicho objeto. Tal vez el más equívoco de todos estos términos sea *poético*, el consagrado por R. Jakobson desde su tan citado y discutido trabajo "La lingüística y la poética" (Jakobson 1974 [1960]) y el que desde entonces suele aplicarse indistintamente tanto al fenómeno literario en bloque —sin hacer distingos entre géneros o entre verso y prosa— como a la ciencia general que lo estudia, tanto a una subclase de textos literarios a los que intuitivamente adjudicamos el carácter de *poemas* como a una

* Publicado originariamente en *Lexis*, vol. V, Núm. 1, 1981.

disciplina especial dentro de la ciencia literaria encargada de describir las estructuras de tales textos.

Poéticos son para Jakobson todos los textos en los que la "función poética" predomina sobre las demás funciones de la lengua. Puesto que esta función es concebida como aquella que está centrada en el mensaje mismo y que se manifiesta en la proyección del principio de equivalencia del eje de selección al eje de combinación (1974, p. 138), esto es, en el principio de repetición y variación en los diferentes niveles lingüísticos, se puede completar la definición precedente mediante la aclaración de que en los textos poéticos la recurrencia de unidades lingüísticas de distinta magnitud no cumple el rol subsidiario de reforzar la eficacia de las otras funciones sino que es un fin en sí misma: se erige a la vez en vehículo y contenido del mensaje. Esta precisión no alcanza, empero, a disipar todos los interrogantes que se derivan del uso poco unívoco de los términos-claves *poético* y *mensaje* respectivamente. Así, cuando Jakobson habla del predominio de la función poética parece aludir a la *literariedad*, es decir, a los rasgos distintivos de todo texto literario independientemente de su clasificación en géneros y de la distinción prosa-verso. Sin embargo, el excesivo peso que adquieren en las ejemplificaciones aquellos textos en verso tradicionalmente designados *poemas* hace sospechar que Jakobson ve en ellos algo así como el grado máximo de la literariedad, lo cual implicaría la suposición de que los rasgos distintivos del texto poético —del poema— aparecerían 'diluidos' o parcialmente presentes no sólo en muchos textos no-literarios (como por ej. slogans políticos o propagandas comerciales con paronomasias o rimas) sino también en todos los demás tipos de textos literarios no-poemáticos (como por ej. dramas o relatos en prosa). Si esta interpretación es correcta, habría que adjudicarle a Jakobson la idea, por demás problemática y cuestionable, de que la literariedad es una propiedad cuantificable y que, por tanto, sería posible establecer una escala de textos desde un 'mínimo literario' hasta un 'máximo literario' (representado por la poesía) sin hacer intervenir para ello los juicios de valor dependientes del código estético particular en que se funda cada texto.

Como lo señala con razón Ruwet (1980, p. 197), tampoco el sentido del término *mensaje* —que es básico para entender la teoría jakobsoniana de lo poético— resulta del todo claro. Con frecuencia se tiene la sensación de que Jakobson aludé con él especialmente a la materialidad del texto: a su textura fónica, prosódica, sintáctica, etc. Sin embargo, casi todas sus referencias al carácter autotélico del mensaje con función poética dejan en la duda acerca de cuáles sean los elementos del texto que remiten primordialmente a sí mismos. Estos pueden ser, en efecto, los aspectos audibles y/o visibles de los signos lingüísticos que integran un texto, los cuales, en virtud de su recurrencia, serían capaces de generar efectos de sentido secundarios, que se añadirían a los contenidos normalmente vehiculizados por ellos. Pero igualmente podría entenderse que el texto en su totalidad, esto es, tanto la faz material de los signos cuanto los contenidos primarios y secundarios vehiculizados por ellos concentran en bloque la atención del receptor, quien se vería así impedido de realizar la operación —propia de la comunicación pragmática y de la comunicación literaria quasi-pragmática— de pasar, por encima y más allá de los signos concretos, a ese 'otro lado' del texto constituido por los objetos y hechos de referencia.

A pesar de la indefinición en que quedan los términos mencionados —o precisamente en virtud de esa misma indefinición— se puede concluir a modo de síntesis, sobre todo a la luz de otros muchos trabajos de Jakobson, que si bien la esfera en que domina la función poética coincide con los límites de lo literario independientemente de géneros o de subclases literarias, es en cierto tipo de textos cuyo rasgo formal más saltante es la disposición en verso (o cualquier forma de organización rítmica auditiva y/o visual) en donde dicha función se manifiesta con la mayor intensidad. Dicho de otro modo: la teoría poética de Jakobson —como la de muchos otros autores que dentro de un marco epistemológico estructuralista-inmanentista elaboran sus modelos sobre la base del principio de equivalencia— se aplica fundamentalmente a la poesía, a esa subclase literaria cuya definición constituye uno de los problemas centrales de la reflexión sistemática sobre la literatura pero que tanto lectores como especialistas reconocen intuitivamente como un dominio separado dentro del arte verbal.

El reconocimiento implícito —ampliamente generalizado— de la poesía como una forma especial de literatura y, de otro lado, el gran desarrollo que sobre todo en los últimos decenios han alcanzado tanto los estudios dedicados a la delimitación de un lenguaje o de una estructura propios de la poesía como los consagrados al análisis de las estructuras del relato en general y de los procedimientos particulares del relato literario, hacen entrever, a pesar de las tendencias contrarias señaladas al comienzo, que el viejo tema de los géneros está lejos de ser una estorbosa reliquia de manuales adocenados.

No debe sorprender, por ello mismo, que el propio Jakobson lo incluya, si bien marginalmente, en su constructo teórico y que, tal vez compelido por la antigua y prestigiosa tradición de una clasificación tripartita, distinga, también él, tres géneros poéticos: la épica, la lírica y una curiosa especie que viene a ocupar el lugar usualmente reservado al drama y que aparece designada como "poesía de la segunda persona" y dividida en una variante "suplicatoria" y otra "exhortativa" (1974, p. 137). Esta tercera forma podría, sin embargo, considerarse subsumida en la tradicional categoría dramática en la medida en que los parlamentos de las obras teatrales son siempre acciones verbales ejecutadas con el propósito de influir en un interlocutor presente o presupuesto. La peculiaridad de la designación se explica tal vez por el hecho de que Jakobson, que piensa prioritariamente en formas en verso, parecería asociar el drama de modo más inmediato a los tipos de discurso coloquial propios del teatro moderno.

El criterio de que se vale para distinguir los tres géneros como magnitudes equipolentes suscita tantas dudas y objeciones como la noción misma de poeticidad, ya que también intenta resolver este difícil problema definitorio ubicándolo en el marco de las funciones de la lengua y proponiendo una combinatoria especial de funciones y de grados de preeminencia: al predominio sustancial de la función poética se le añadiría secundariamente el predominio de la función referencial en la épica, el de la función emotiva en la lírica y el de la función conativa en la "poesía de la segunda persona".

Esta simple y expeditiva manera de zanjar la delicada cuestión de decidir si existen realmente "tres formas naturales de la poesía" como pretendía Goethe —siguiendo a su vez una línea de pensamiento que se remonta a los gramáticos alejandrinos— sólo colabora a potenciar las dificultades que plantea la delimitación del campo de acción de la función poética. La aporía a que llega Jakobson al dar por supuesto que dicha función está presente en cualquier tipo de texto en que se manifiesten equivalencias horizontales y al tratar de establecer las fronteras de la poesía con un criterio meramente cuantitativo, se vuelve aun más insalvable en la combinatoria funcional de los géneros poéticos. Si se prescinde, como lo hace Jakobson, de tomar en consideración la situación comunicativa y los diversos códigos extralingüísticos puestos en juego por los comunicantes en cada caso particular no se ve, en efecto, cómo se pueda distinguir satisfactoriamente una "poesía de la segunda persona" (como por ej. una oda horaciana o una elegía de Tibulo) de una propaganda comercial rimada o un slogan político del tipo de "I like Ike". Postular que la diferencia radica en que en el primer caso la función poética predomina sobre la conativa y en el segundo la conativa sobre la poética si bien en ambos casos estas dos funciones son dominantes respecto de las cuatro restantes (referencial, emotiva, fática y metalingüística), es sustituir una explicación con fuerza demostrativa por un mero malabarismo conceptual.

Lo que diferencia a una propaganda comercial versificada de un poema es que en aquélla la distribución de los enunciados en secuencias regularmente reiteradas es el resultado de la aplicación de una norma aislada, que ha sido desgajada de un complejo sistema de normas de cuya interrelación se deriva una valencia artística. El hecho de que la norma métrica manifestada en el texto propagandístico aparezca desvinculada de los códigos epocales, genéricos, literario-ficcionales, estilístico-temáticos, etc, conforme a los cuales se elaboran y descifran todos los mensajes que cumplen una función estética en el marco de un sistema cultural determinado, hace que cualquier receptor que haya sido socializado dentro de esa cultura se comporte ante dicho texto no como lector u oyente de poesía sino como un potencial consumidor del producto promocinado en verso. A ello colabora, por cierto, el hecho, inseparable del anterior, de que el texto aparezca inscripto en el contexto situacional que se reconoce como propio de la propaganda: no en un libro de poesía o en el marco de un recital poético sino, por ej., en las secciones comerciales de periódicos o revistas, en afiches callejeros, espacios radiales o televisivos, etc.

Con todo, el aspecto más cuestionable de la tradicional división en tres géneros poéticos (en el sentido amplio de "literarios" o en el estrecho de "formas literarias en verso"), que Jakobson asume de modo acrítico, consiste en ubicar a la lírica a la par de la narrativa y el drama como si tratara de una categoría que se opusiera a las otras dos en la misma medida en que la *mímesis indirecta* de acciones verbales y no-verbales se opone a la *mímesis directa* de esas mismas acciones. Esta manera de enfocar el problema —como surge a todas luces de la terminología utilizada para ello— nos remite al momento inaugural de un discurso metaliterario regido por el afán clasificador que si bien se ha prolongado con algunas intermitencias a través de más de veinte siglos no ha seguido, sin embargo, el acertado rumbo marcado por sus iniciadores, Platón y Aristóteles.

En lo que sigue trataré de demostrar que el hecho de que en el primer esbozo de una teoría de los géneros literarios la lírica esté ausente se debe a una intuición feliz que, en especial desde el Renacimiento hasta hoy, ha permanecido ignorada o ha dado lugar a confusiones o ha sido interpretada como una laguna que requería ser llenada aun cuando para ello se introdujeran criterios ajenos a los de los sistemas en que estaba originariamente inscripta.

En el Libro III de *La República* Platón define a la poesía como "diéguesis de cosas pasadas, presentes o futuras" (392 d 3), debiéndose entender por *diéguesis* no simplemente "relato", como hoy se acostumbra, sino un concepto engloblante de aquél, tal vez traducible por "exposición", "presentación" o "construcción imitativa", que abarca tanto una modalidad narrativa como una modalidad|descriptiva[1]. Platón llama, por tanto, *diéguesis* a lo que Aristóteles llamará *mímesis de acciones* y distingue, dentro de ella, a) una *diéguesis simple*, que corresponde al actual concepto de "relato", en la que las acciones de los personajes son referidas por el poeta b) una *diéguesis a través de la mímesis* en la que las acciones, tanto verbales como no-verbales, son directamente ejecutadas por los personajes sin mediación del poeta y c) una *diéguesis mixta*, en la que alternan el relato de acciones con la presentación inmediata de acciones verbales ejecutadas por los personajes (los llamados "discursos directos"). La primera forma es identificada con el ditirambo, la segunda con la tragedia y la comedia y la tercera con la epopeya (*República*, Libro III, VI-VII, 392 d — 394 c 5).

En el Cap. III de la *Poética* Aristóteles adopta esta delimitación con algunas leves variantes que se derivan del diferente sentido con que él utiliza los términos *mímesis* y *póiesis* respectivamente. Con el primero de ellos alude al carácter modelizador —no simplemente imitativo ni, mucho menos, imperfectamente imitativo según las tesis formuladas por Platón en el Libro X de *La República*— de los sistemas artísticos. Mimetizar es para Aristóteles el quehacer específico del artista, el que lo define como tal, el que permite reconocer, más allá de las diferencias en los medios, objetos y maneras de la mímesis, un vínculo profundo que separa los productos de ese quehacer de todos los objetos fabricados por el hombre para cumplir una función meramente pragmática. Si bien no se pronuncia con claridad sobre cuál sea el objeto específico de la mímesis en las artes plásticas es, por el contrario, suficientemente explícito en lo que concierne a la música, la danza y la poesía, que aparecen englobadas bajo el término *póiesis*, empleado por él tanto en este sentido am-

---

1. Parte de estas reflexiones integran el texto de "La literatura como mímesis" (Cap..III del presente libro).

plio cuanto en el más restringido de arte verbal. En este último terreno el objeto de la mímesis está constituido, como lo puntualiza repetidas veces, por acciones humanas y, secundariamente, por los caracteres que ejecutan dichas acciones. En la medida en que este objeto no es, por lo demás, una entidad particular, efectivamente existente, sino una posibilidad (*Poética*, Cap. IX) que a su vez es susceptible de ser embellecida o afeada en el proceso mismo de mimetización (ibid, Cap. III), sería totalmente erróneo suponer que con *mímesis de acciones posibles* Aristóteles se refiere a la mera reproducción de lo que cada comunidad histórica experimenta como realidad. La mímesis literaria no consiste en representar imitativamente un objeto que ha sido previamente aprehendido a través del filtro preclasificador del código lingüístico común a un conjunto social, esto es, independiente de y preexistente al trabajo de representación. El implícito reconocimiento de que tragedia y epopeya constituyen sus respectivos mundos ficcionales según normas diferentes y en conformidad con distintos verosímiles (Cf. Cap. V, pp. 119-121) así como sus sagaces observaciones sobre la importante función gnoseológica de la metáfora y, en general, de los procedimientos de extrañamiento propios de la elocución poética[2], prueban que la mímesis literaria no es, para Aristóteles, la articulación verbal de cierto modelo del mundo largamente internalizado sino, antes bien, la elaboración de un modelo nuevo obtenido *en* y *mediante* el proceso de deconstrucción y manipulación del código de la lengua, proceso timoneado por las normas del código literario particular adoptado por el artista.

Es en este trasfondo ideológico en el que debe interpretarse el pasaje arriba mencionado en el que Aristóteles asume el esbozo de tipología literaria propuesto por su maestro:

> En efecto, con los mismos medios es posible mimetizar las mismas cosas unas veces narrándolas (ya convirtiéndose en otra cosa, como hace Homero, ya como uno mismo y sin cambiar), o bien presentando a todos los mimetizados como obrando y en acción.
>
> (1448 a 20-24; traducción propia)

Las diferencias más notorias con el pasaje platónico correspondiente —aparte de las divergencias terminológicas que acabo de comentar— radican en que Aristóteles subsume la *diéguesis simple* (el relato puro) y la *diéguesis mixta* en una categoría general narrativa que se contrapone al drama, y en que no ejemplifica con el ditirambo ni con ninguna forma literaria determinada la variante del relato puro.

De los textos examinados surge con toda claridad que la tradicional división de la poesía en narrativa, lírica y drama no tiene cabida dentro del esquema platónico-aristotélico. Sorprende, por ello, que en un trabajo relativamente reciente, H. Weinrich sostenga, prolongando un viejo malentendido, que la oposición entre lo mimético y lo no-mimético (en el sistema platónico) o

---

2. Una fundamentación más extensa de estas afirmaciones podrá encontrarse en el trabajo mencionado en nota 1.

entre lo mimético directo y lo mimético indirecto (en el sistema aristotélico) les habría permitido a ambos filósofos distinguir dos géneros polares puros, el de la poesía dramática y el de la poesía lírica, y un género mixto, el de la poesía épica (Weinrich 1978, p. 25).

Semejante aserto es el resultado del desconocimiento de los diversos estadios que integran el proceso de formación de la conciencia de clases de textos literarios en el mundo griego antiguo. Ni Platón ni Aristóteles reconocían un tercer gran género que, sin ser mezcla de narrativa y drama, se opusiera igualmente a ambos. Por otra parte, en caso de que lo hubieran reconocido, no lo habrían llamado *poesía lírica* sino *mélica* (de *melos*: "canto"), que es el nombre que ellos emplean ocasionalmente —por ser el único disponible en su época— para designar cualquier tipo de poesía destinada a ser cantada. En este rasgo, el único común a muchas y variadas formas versificadas no subsumibles en el drama ni en la epopeya, se apoyarían posteriormente los gramáticos alejandrinos —tan dados al afán catalogador— para delimitar una tercera gran categoría poética, equipolente de la poesía dramática y épica, a la que rebautizarían con el término *lírica* (derivado del nombre de uno de los instrumentos más usados para acompañar musicalmente esas composiciones).

El anacronismo de Weinrich se explica tal vez por el hecho de que Platón, a diferencia de Aristóteles, ejemplifica la *diéguesis simple* (la forma no-mimética de su sistema) con el ditirambo, que era precisamente uno de los tantos especímenes de poesía-canción que los alejandrinos englobarían más tarde en el género lírico. Pero Platón no lo menciona por su carácter musical ni porque poseyera ninguno de los rasgos que la conciencia literaria moderna, de Petrarca en adelante, reconoce como líricos (tales como estatismo, subjetivismo, tendencia monologizadora, etc.) sino por ser puramente narrativo[3].

Queda por indagar, entonces, por qué ni Platón ni Aristóteles tomaron en consideración aquella multiforme familia de textos poético-musicales que los alejandrinos subsumieron en una categoría "lírica" ni tampoco esa otra familia —considerada aparte por su metro yámbico y la ausencia de música— de las invectivas a enemigos y rivales reales o supuestos, a la que pertenecen, por ej., los célebres "yambos" de Arquíloco.

La ausencia es tanto más llamativa en el caso de Aristóteles, ya que no sólo afecta al capítulo sobre los géneros sino, en general, a casi todas sus reflexio-

---

3. Si bien no se conoce ningún ejemplar de ditirambo primigenio y los pocos ditirambos tardíos que se conservan (por ej., "Los persas" de Timoteo) muestran una evolución hacia el predominio total de la música sobre el texto así como elementos dialógico-dramáticos, hay testimonios suficientes de que este tipo de composición, que fue originariamente una canción cultual consagrada a Dionysos, se volvió eminentemente narrativa y de contenido heroico no-dionisíaco a raíz de las innovaciones introducidas por el legendario Arión hacia el 600 a. C. Podemos, pues, representarnos el ditirambo a que alude Platón como una canción coral destinada a una gran masa de voces masculinas, que relataba las hazañas y padecimientos de algún héroe mítico en el estilo indirecto tan exactamente descripto e ilustrado por el propio filósofo con su versión no-mimética del comienzo de *La Ilíada* (*República*, Libro HI, VI, 393 d 3 - 394 b).

nes sobre la naturaleza y las funciones de la poesía (en el sentido restringido de arte verbal). El hecho de que en la *Poética* la tragedia ocupe un lugar preponderante, acompañada en un modestísimo segundo plano por la epopeya, mientras que los textos hoy caracterizables como líricos o satíricos no son ni incluidos ni excluidos expresamente de la esfera de la *póiesis*, se puede explicar, entre otras razones, por la resistencia que dichos textos ofrecían a ingresar en la categoría delimitadora *mímesis de acciones*.

En efecto, si se tiene en cuenta que la *praxis* aristotélica no es una acción cualquiera sino una hecha con la intención de alcanzar un fin determinado y, además, condicionada por la estructura psico-moral y los patrones comportamentales habituales en el individuo actuante, resulta claro que los personajes de tragedia o de epopeya realizan tales acciones, como cuando Orestes mata a su madre para vengar a su padre, Edipo busca la verdad que lo conducirá a la ruina o Aquiles se retira de la lucha irritado por la ofensa de Agamenón. Resulta claro, asimismo, que tales personajes no sólo ejecutan ese tipo específico de acciones sino que también son víctimas o beneficiarios de análogas acciones ajenas, esto es, *hacen cosas y les ocurren cosas*, todo lo cual configura un entramado de sucesos causalmente conectados entre sí que pueden ser presentados de modo inmediato ante los ojos del espectador, como en el drama, o bien tan sólo referidos, como en la epopeya. Es explicable, entonces, que Aristóteles concentrara toda su atención en estas dos formas poéticas en detrimento de todas aquellas cuya condición de *mímesis de acciones* no fuera tan evidente.

Cabe preguntarse, efectivamente —y es probable que Aristóteles mismo se lo haya preguntado— en qué medida un texto como el de la celebérrima oda de Safo en la que una voz describe la suprema intensidad de sus vivencias eróticas a la vista de la doncella amada y perteneciente al hombre que está gozando de su compañía, se puede considerar como resultado del proceso de mimetización de cierta clase de acciones.

La respuesta tendrá que ser negativa si se piensa primordialmente en las acciones verbales y, sobre todo, no-verbales de los héroes trágicos o épicos en las que se manifiesta del modo más abrupto el conflicto entre la decisión provocativa, emanada del *ethos*, y los límites impuestos por la voluntad divina o por otra voluntad humana.

La respuesta podrá, en cambio, ser positiva si se piensa en las muchas acciones verbales de esos mismos personajes a través de las cuales tan sólo se patentiza cierta contextura psíquica, cierta visión del mundo o cierto estado'anímico. Dado que los parlamentos con estas características están muy próximos al caso, que parecía tan problemático, de la mencionada oda de Safo y que no parece razonable suponer que Aristóteles no los considerara parte constitutiva de la mímesis de acciones, es posible completar el pensamiento aristotélico allí donde ha quedado lagunoso y rescatar la lírica —tal como hoy la entendemos— para incluirla expresamente en el campo de la póiesis. Para ello no es necesario modificar la definición correspondiente sino tan sólo desplazar los acentos haciendo de lo secundario lo principal y viceversa.

No diremos, pues, que la lírica, como la poesía trágica, es mímesis de acciones y, en segundo lugar, de los caracteres que ejecutan esas acciones, sino, a la inversa, que es, en primera línea, *mímesis de caracteres que se manifiestan a través de acciones verbales.*

En los casos en que el texto lírico no se puede identificar con el discurso del poeta que lo imagina y fija verbalmente sino que hay que suponer que emana de una fuente de lenguaje instaurada por él para articular por su intermedio vivencias propias y/o ajenas, es lícito definirlo como resultado de un proceso de mimetización que tiene por objeto el posible discurso de un posible carácter que puede estar más o menos próximo al del poeta. El producto de este proceso es un modelo de discurso cuya diferencia con los modelos de discurso más frecuentes en la poesía trágica y épica es que su función básica es poner al descubierto un modelo de vivencias y, simultáneamente, un modelo de conciencia sensitiva.

A más de un lector familiarizado con las enredadas polémicas de los teóricos del Cinquecento la argumentación precedente puede suscitarle la engañosa impresión de que su principal objetivo es llegar a una suerte de 'salvación de la lírica' similar a la de aquellos tratadistas que se esforzaban por demostrar, contra la opinión de algunos aristotélicos demasiado pegados a la letra, que obras como las *Odas* de Horacio o el *Cancionero* de Petrarca tenían carácter poético a pesar de que parecían no encontrar cabida en el esquema bipartito de la *Poética.* Por ello mismo es importante puntualizar que los argumentos esgrimidos entonces —y repetidos hasta hoy[4]— se basan, a mi ver, en una inadecuada interpretación de la clasificación platónico-aristotélica.

Los teóricos del Renacimiento italiano no reflexionaron sobre las razones de orden sistemático que pudieron llevar a ambos filósofos a no pronunciarse sobre el status de las variadas formas líricas existentes en su época y se abocaron, en cambio, a la tarea de ampliar o remodelar el esquema original. La bipartición aristotélica de la poesía en una forma narrativa y una forma dramática fue sustituida por la división tripartita procedente de Platón pero con la diferencia sustancial de que se hizo ingresar, bajo el nombre de lírica, a toda esa multiforme familia de textos silenciada por ambos filósofos en el lugar correspondiente a la *diéguesis simple* (relato puro). Una de las justificaciones más frecuentemente aducidas en favor de esta reclasificación de la poesía en *lírica, épica* y *dramática* es que en la primera, al igual que en el ditirambo mencionado por Platón, el poeta no hace hablar a sus personajes sino que él mismo 'relata' las cosas en su propio nombre (Cf. Fubini 1971, p. 29)[5].

Semejante manera de razonar se basa en una confusión que es, a mi modo de ver, tan elocuente como el silencio de Platón y Aristóteles: a través de la incapacidad de diferenciar esas dos formas básicas de organización de cualquier texto —literario o no-literario— que en la terminología de Benveniste

4. Por ej. por H. Weinrich, en el artículo comentado más arriba (Weinrich 1978, p. 25).

5. Para una crítica pormenorizada de esta reflexión que H. Weinrich hace suya (1978, p. 25), véase el cap. III: "La literatura como mímesis".

corresponden a la *historia* y al *discurso* o, en la de Weinrich, al *mundo narrado* y al *mundo comentado*, se manifiesta la oscura intuición de que la lírica no se opone a esas dos formas como ellas dos se oponen entre sí ni como se oponen entre sí las especies literarias de la narrativa y el drama[6].

K. Stierle ha replanteado recientemente este mismo problema valiéndose para ello de acertados criterios que, en mi opinión, no sólo se aplican a cierta concepción de lírica vigente en la tradición occidental desde Petrarca, como él señala cautamente, sino que se pueden hacer extensivos a todos los textos poéticos ausentes en la clasificación platónico-aristotélica (Stierle 1979).

El gran aporte de Stierle consiste en el reconocimiento de que la lírica no es un tipo de discurso literario con un esquema discursivo propio que a su vez se pueda retrotraer a un esquema pragmático —en el sentido de no-literario— como es, por ej., el caso de la narrativa. La lírica es, antes bien, una manera específica de transgredir cualquier tipo de esquema discursivo, sea éste narrativo, descriptivo, reflexivo, argumentativo, etc. (Stierle 1979, p. 514).

Es preciso aclarar de antemano que esta forma negativa de definición poco tiene en común con los muchos intentos que se han hecho en los dos últimos decenios por establecer un paradigma transhistórico de texto poético o de lenguaje poético tomando como criterio delimitador la noción de desviación lingüística. A diferencia de esta última, la noción de transgresión lírica no se ubica en el nivel de lo describible con categorías exclusivamente lingüísticas sino que presupone la inserción de dichas categorías en una teoría de las acciones verbales. Para entenderla cabalmente es preciso enmarcarla en el trasfondo de una distinción sistemática entre *texto* y *discurso* (Stierle 1979, pp. 507-510).

El texto es para Stierle lo lingüísticamente observable, la base verbal del discurso. La recurrencia y la conexidad de los elementos lingüísticos dan al texto coherencia pero no identidad. Recurrencia y conexidad sólo se vuelven factores identificatorios cuando son transferidos a la dimensión del discurso, esto es, cuando se integran en una acción verbal ejecutada por un sujeto hablante. Así como toda acción adquiere sentido e identidad por su relación con un esquema de acción institucionalizado y por su relación con la identidad de un individuo actuante, del mismo modo el sentido y la identidad del discurso emanan de su relación con un esquema discursivo preexistente —que orienta la producción y la recepción del discurso— y de su vinculación con un sujeto que se manifiesta en la identidad de un rol. Ello no implica, empero, que el sentido y la identidad del discurso se puedan definir como la simple concretización de un esquema dado. En la medida en que el esquema sólo funciona como un marco de referencia y de orientación, todo discurso tiene una identidad precaria que se diferencia de la identidad del esquema. Todo discurso es a la vez no-discurso: el problemático tránsito del esquema a su realización concreta produce innumerables puntos de fuga en los que el sentido del discurso se ramifica

---

6. Para una delimitación de estas categorías dentro del marco de la teoría ficcional de J. Searle, véase el cap. V, "Ficcionalidad, referencia, tipos de ficción literaria", pp. 94-95.

incesantemente y se abre a un número imprevisible de nuevas conexiones temáticas cuya consecuencia inmediata es el carácter siempre inconcluso del proceso de recepción.

Dentro de este marco conceptual la lírica se ubica en el punto máximo de tensión entre el discurso y el no-discurso, lo cual no significa, sin embargo, que esté liberada de toda sujeción a un esquema preexistente. La lírica, cualesquiera sean sus variantes, se relaciona siempre con un esquema discursivo que le sirve de sustrato pero la realización de ese esquema consiste precisamente en su transgresión. Si se trata, por ej., de un sustrato narrativo, la transgresión lírica se manifiesta como el predominio del discurso sobre la historia (Stierle, pp. 514 y s.). En el nivel del texto dicha transgresión se patentiza en una inconexidad marcada o también en la imprevisibilidad e inconsistencia en el uso de los tiempos (p. 516).

Stierle no sólo define a la lírica en tanto negatividad. La transgresión también es, en su concepto, punto de partida para una serie de fenómenos que se pueden caracterizar en términos positivos. Tal vez el más importante de todos ellos sea que la supresión o problematización de la linealidad del discurso —linealidad que se obtiene al precio de una reducción de los múltiples contextos en que puede inscribirse cada factor discursivo— conduce en la lírica a una "simultaneidad problemática de contextos" (p. 517). La proliferación de los contextos simultáneos (que lleva a un incremento correlativo de los puntos de fuga del sentido del discurso y, del lado de la recepción, a una multiplicación de las hipótesis de lectura) se cumple tanto a través del proceso de metaforización como en virtud de una organización temática caracterizada por 'saltos', detalles enigmáticos o conexiones imprevisibles en relación con el esquema-sustrato.

Me detengo en esta sucinta reseña de las tesis de Stierle sobre la lírica para señalar una vez más cómo esta manera de plantear el problema de la especie en cuestión corrobora, tras siglos de malosentendidos, el acierto de los fundadores de la teoría de los géneros en el ámbito occidental y abre promisorias perspectivas para el establecimiento de una tipología del discurso literario que supere las insuficiencias de un esquema al que sigue aferrándose buena parte de la ciencia literaria de hoy.

El malestar a que me referí al comienzo de esta reflexión, la resistencia que el uso de las designaciones genéricas tradicionales provoca en creadores, lectores y críticos no debe conducir a dejar de lado al viejo tema por inabordable u ocioso sino, más bien, a replantearlo con un instrumental conceptual que esté a la altura de su complejidad.

Coincido con Stierle en considerar que para lograr este cometido es preciso partir del universo de discurso de los textos pragmáticos entendidos como acciones verbales y preguntarse luego por sus equivalentes literarios (p. 514, nota 16). Añado, por mi parte, que semejante pregunta exige a su vez la clarificación previa de nociones como "literario", "ficcional" y "poético". Así, si se acepta que lo que determina el carácter literario de un texto no es sólo cierta configuración lingüística ni cierta relación con un esquema discursivo subyacente sino, fundamentalmente, su relación con un metatexto, esto es, con un sistema clasificador y evaluador en constante cambio (*Cf.* Cap. II, pp. 42-43), una tipología del discurso literario deberá tomar en cuenta todas las variables que resultan de la sucesión histórica de diversos metatextos así como de los conflictos entre metatextos concurrentes. Deberá considerar, asimismo, las diferencias que separan los textos literarios ficcionales de los no-ficcionales y, en el caso de los primeros, tendrá que contemplar que su relación con cierto universo discursivo pragmático está siempre mediatizada por la incidencia de una determinada poética ficcional (*Cf.* Cap. V, pp. 119-122). Deberá tomar en cuenta, por último, los traslapamientos o nuevas divisiones a que pueda dar lugar, dentro de la clasificación, el hecho de que el texto sea poético o no lo sea. Para ello propongo considerar poético todo texto literario en verso u organizado según algún principio rítmico sonoro y/o visual que lo segmente en secuencias regularmente reiteradas. Creo, en efecto, que es lícito hablar de una "disposición poética" de los enunciados (*Cf.* Genette 1970, pp. 78-79) siempre que se vea en ella una condición necesaria pero no suficiente de poeticidad: la disposición poética sólo se erige en rasgo distintivo en relación con una compleja jerarquía de códigos estéticos (de época, escuela, 'género', estilo verbal, etc.) y con las condiciones pragmáticas de su utilización.

La última de las distinciones mencionadas permite disipar una de las tantas confusiones que se derivan de la tradicional clasificación tripartita. Las vacilaciones de quienes se refieren a los tres grandes 'géneros' llamándolos a veces *literarios* y a veces *poéticos* pierden razón de ser cuando se comprueba que no sólo la narrativa y el drama son categorías que están por encima de la división entre poesía y prosa sino incluso la lírica, que con tanta frecuencia suele ser considerada como paradigma de poesía.

Un examen sistemático de esta huidiza categoría que, como acaba de verse, se traslapa con todas las divisiones tradicionalmente practicadas en los estudios literarios, deberá incluir, en consecuencia, un análisis comparativo de las variantes poéticas y no-poéticas a que dé lugar la transgresión lírica de cada tipo de esquema discursivo. Indagar en qué medida la "disposición poética" del texto incide en la proliferación de los contextos simultáneos y en los demás factores positivos que se originan en la violación del esquema de base, podría conducir quizás al reconocimiento de que en la confusión de la poesía con la lírica subyace la correcta intuición de que el texto poético es el ámbito ideal de manifestación de las diversas formas de transgresión lírica. Pero semejante idea es, por el momento, una mera hipótesis.

V

FICCIONALIDAD, REFERENCIA, TIPOS DE
FICCION LITERARIA*

Para Ana María Barrenechea

1. LA TEORIA FICCIONAL DE SEARLE

Los tres temas de reflexión a que alude el título de este trabajo me fueron sugeridos por la relectura de un artículo de J. R. Searle sobre el status lógico del discurso ficcional (Searle 1975) a la luz de algunas observaciones críticas hechas por F. Martínez-Bonati desde la perspectiva del teórico de la literatura (Martínez-Bonati 1978).

La confrontación de los dos puntos de vista me llevó a la convicción de que el conocimiento superficial y la inadecuada aplicación de ciertas categorías elaboradas por la ciencia literaria pueden dar como resultado un planteamiento distorsionador del problema de la ficcionalidad. Asimismo me permitió reconocer que, si bien lo ficcional y lo literario no se implican necesariamente —no todo texto considerado literario es ficcional ni todo texto ficcional es considerado literario—, las ficciones creadas y recepcionadas como literarias tienen un status particular dentro de la clase de los textos ficcionales. Se me hizo evidente, además, que el criterio de diferenciación propuesto por Searle, la noción de "simulación", no es apto para definir la ficcionalidad de un modo que haga posible incluir y, a la vez, delimitar satisfactoriamente esa subclase literaria que Searle no reconoce y, sin embargo, privilegia en sus ejemplos. Resulta sorprendente, en efecto, que para ilustrar dicha noción sólo tome en cuenta textos novelísticos y dramáticos y que, al hacerlo, parta de una distinción entre una narrativa "en 3ª persona" y una narrativa "en 1ª persona" en la que ve algunos rasgos comunes a la situación ficcional propia del drama.

Uno de los aspectos más delicados y discutibles de toda su argumentación es en parte la consecuencia de pasar por alto algunas nociones vueltas ya casi obvias en los estudios literarios, como la obligada separación del autor y el narrador de un relato (o, en términos más generales, del autor de un texto ficcio-

---

* Publicado originariamente en *Lexis*, Vol. III, Núm. 2, 1979.

nal y la 'voz' o fuente ficticia del discurso), así como el reconocimiento de que la opción del novelista o cuentista no se da entre dos personas gramaticales sino entre dos actitudes narrativas: hacer contar la historia por uno de los personajes o por un narrador ausente de ella[1].

1.1. EL DISCURSO FICCIONAL COMO "SIMULACION"

Según Searle, el autor de una narración "en 3ª persona" simula realizar (hace como si realizara) actos ilocucionarios —se entiende que propios—, es decir, emite efectivamente frases pero a la vez suspende, en virtud de una serie de convenciones extralingüísticas, la operación de las reglas que presiden todo acto ilucucionario "serio" (auténtico, efectivo) y cuya función consiste en relacionar dichos actos con el mundo (1975, p. 326). Para la narración "en 1ª persona" (cabría precisar: de un narrador-personaje), postula que el autor simula ser alguien distinto (de quien es) que hace aserciones (pp. 327 y s.). En ambos casos se trata, por cierto, de una pseudoperformancia sin el propósito de engañar, cuyo resultado no son aserciones falsas, incorrectas o mentirosas sino pseudoaserciones (o pseudodescripciones, pseudoidentificaciones, pseudo-explicaciones, etc.).

Semejante distinción pierde validez cuando se repara en el fenómeno —ampliamente reconocido y analizado en el campo de los estudios literarios— de que el autor de ficciones narrativas siempre relata a través de una voz distinta de la suya —la del narrador— y que esta situación no se modifica por el hecho de que esa voz llegue a erigirse o no en persona, se mantenga fuera del universo narrado o esté presente en él ya sea como protagonista o simple testigo[2]. Es a este fenómeno al que alude Martínez-Bonati cuando sostiene que el creador de una novela no habla ni finge hablar sino que se limita a imaginar los actos ilocucionarios de una fuente de lenguaje imaginaria: "La regla fundamental de la institución novelística no es aceptar una imagen ficticia del mundo, sino previo a eso, aceptar un hablar ficticio. Nótese bien: no un hablar fingido y no pleno del autor, sino un hablar pleno y auténtico, pero ficticio, de *otro*, de una fuente de lenguaje (lo que Bühler llamó "origo" del discurso) que no es el autor, y que, pues es fuente propia de un hablar ficticio, es también ficticia o meramente imaginaria (Martínez-Bonati 1978, p. 142).

Para caracterizar la actividad verbal del autor de ficciones narrativas Martínez-Bonati recuerda que existe una diferencia sustancial entre el acto de producir (o reproducir) los signos del hablar y el acto de hablar. Conforme a esta

---

1. De entre la copiosa bibliografía sobre el tema se pueden consultar con provecho Todorov 1968, pp. 64-67 y Genette 1972, pp. 251 y ss.

2. *Cf.* Genette (1972, pp. 251-253), quien designa estos tres tipos básicos de narrador con los términos "heterodieguético", "autodieguético" y "homodieguético" respectivamente.

distinción sólo habla quien, además de producir un discurso, lo asume como propio, como parte de su *hic et nunc*. No habla, en cambio, quien recita una poesía, lee en voz alta una carta de otro, cita una sentencia con la que no está de acuerdo o quien, como el autor de ficciones, imagina y registra un acto de habla que sólo le pertenece en tanto lo ha imaginado y registrado pero que no es *su* acto de habla puesto que no lo asume como propio. Desde esta perspectiva resulta coherente negar no sólo que el autor realice realmente actos ilocucionarios —como lo plantea Searle— sino, incluso, que simule realizarlos: el autor no realiza actos de habla ni efectivos ni simulados sino que imagina y registra el discurso ficticio de un hablante ficticio.

A partir de estas premisas la tesis de Searle parecería aplicable tan sólo a un caso muy particular de discurso narrativo que Martínez-Bonati no toma en cuenta: el de un narrador identificado explícitamente por el autor consigo mismo, como el "Borges" de "La forma de la espada", que aparece como narrador del primer nivel narrativo y como interlocutor —apelado como "Borges"— en un segundo nivel englobado en el primero[3]. Tal vez en este caso sí cabría aceptar que el autor simula realizar actos ilucionarios, hace *como si* hablara él mismo o, para invertir la formulación de Searle a propósito de la narrativa "en 1ª persona", simula ser el que realmente es: Borges hace como si el "Borges" de la ficción fuera el mismo Borges que imaginó y registró el discurso narrativo del interlocutor ficcional del personaje ficcional Vincent Moon.

1.2. "PSEUDORREFERENCIAS" Y REFERENCIAS "REALES"

El ejemplo anterior —que ciertamente no basta, en razón de su particularismo, para invalidar las objeciones de Martínez-Bonati— es doblemente interesante pues ilustra otro fenómeno cuya explicación constituye otro de los aspectos más cuestionables de la teoría de Searle. Me refiero a sus planteos sobre el status de la referencia en la ficción.

Recuerda Searle que puesto que una de las condiciones del cumplimiento exitoso del acto de referencia es que debe existir el objeto a que el hablante se refiere, toda vez que el autor de ficciones alude a un objeto imaginario está realizando una referencia simulada, una pseudorreferencia. El autor simula referirse a un objeto y, al hacerlo, simula que el objeto en cuestión existe. El resultado de esta simulación es la creación de un objeto ficcional, al que luego podemos referirnos "seriamente" pero en tanto ficcional (1975, p. 330).

Nuevamente habría que precisar que no es el autor quien finge realizar actos de referencia sino que es una fuente de lenguaje ficticia la que se refiere efectivamente a objetos tan fiticios como ella. Pero no es éste el punto más

---

3. Combinando la terminología de Genette (1972) y de Prince (1973) esta persona ficcional es caracterizable como "narrador extradiguético" y "narratario intradieguético" (*cf.* nota 20).

espinoso del problema. Todavía menos fácil de aceptar es el supuesto de que un texto ficcional puede albergar referencias reales. Según Searle, cuando el autor de una obra de ficción menciona sucesos efectivamente acaecidos, lugares o personajes existentes, se refiere realmente a objetos reales: ". . .en *La guerra y la paz*, la historia de Pierre y Natacha es una historia ficcional sobre caracteres ficcionales pero la Rusia de *La guerra y la paz* es la Rusia real y la guerra contra Napoleón es la guerra real contra el Napoleón real" (loc. cit.)[4]. De acuerdo con esta idea habría que sostener que cuando Vincent Moon llama "Borges" a su interlocutor dentro del universo ficcional de "La forma de la espada", el autor del cuento se está refiriendo realmente a sí mismo. Ello no implica, por cierto, que cuanto se diga de "Borges" en dicho texto deba ser entendido como referido a la realidad. Pero, con todo, desde la perspectiva de Searle estaríamos ante un caso en que el autor asume ciertos compromisos no-ficcionales, esto es, mezcla cierta dosis de no-ficción en la ficción. Del grado de compromiso del autor por representar hechos reales dependería en parte, según Searle, la definición de ciertos géneros ficcionales como novelas naturalistas, cuentos de hadas, ciencia-ficción, etc.

Tal criterio de diferenciación, sobre el que será preciso volver más adelante, resulta ya cuestionable cuando se repara en el hecho de que el mundo que se constituye por la mediación de una 'voz' distinta de la del autor —por más que pueda llevar su propio nombre—, de una voz instaurada por él como fuente de un discurso que no es el suyo, no puede ser el mundo de lo fáctico. Aunque ciertos objetos mencionados en la ficción existan fuera de ella, su inclusión entre los objetos de referencia de un texto ficcional los modifica funcionalmente. Así, cuando Borges-escritor imagina y fija por escrito un discurso narrativo que a su vez contiene el discurso de un personaje que interpela a su interlocutor —el narrador del cuento— como "Borges", no identifica —no puede identificar— con este acto a su yo real productor del texto en cuestión (ni a su concepción de su yo real, cualquiera sea su idea de lo "real"), sino a un yo ficcionalizado en virtud de su inclusión en un texto a su vez ficcionalizado por el carácter ficticio de quien *habla* y de los objetos y hechos de que habla.

1.3. EL DRAMA COMO CASO ESPECIAL DE FICCION

Para Searle el texto dramático "consiste en algunas pseudoaserciones-pero en su mayor parte consiste en una serie de directivas serias a los actores sobre cómo deben simular hacer aserciones y ejecutar otras acciones". El texto teatral es, más que una forma de simulación, una "receta para simular" (1975, p. 328).

Desde una perspectiva histórico-literaria semejante afirmación resulta ya discutible por el simple hecho de que un buen número de textos dramáticos,

---

4. Cito siempre en español. Todas las traducciones son mías excepto cuando utilizo una traducción española publicada.

incluida allí la dramaturgia clásica griega y latina, carece de toda indicación sobre la manera de representar la obra y se reduciría, por tanto, a un conjunto de "pseudoaserciones" al igual que los textos narrativos ficcionales. Pero no es ésta la objeción más importante. Más problemática aún es la distinción entre narrativa y drama: según Searle, mientras que en la narrativa "en 1ª persona" el autor "simula ser alguien que hace aserciones" (alguien distinto de quien es), en el drama no es el autor el que efectúa la simulación sino los actores durante la actuación (loc. cit.).

Respecto de la narrativa pienso que ha quedado suficientemente en claro que en la mayor parte de los casos el autor ni finge hablar ni finge ser alguien que habla sino que, independientemente de las personas gramaticales utilizadas o, para ser más precisos, del tipo de voz adoptado, se limita a producir, esto es, a imaginar y fijar el acto de habla de una fuente de lenguaje ficticia. El texto de una ficción narrativa no es, pues, un conjunto de "pseudoaserciones" del autor sino un conjunto de aserciones (y otros actos ilocucionarios de tipo representativo) de un narrador ficticio.

Respecto del drama cabe distinguir, como lo hace Searle, entre el texto teatral y su representación a cargo de actores. Es verdad que durante la actuación el actor simula ser alguien distinto de quien es y, eventualmente, se enmascara o caracteriza para que el espectador suspenda voluntariamente el conocimiento de su verdadera identidad de actor. Ello no implica, sin embargo, que el actor simule realizar actos de habla. Pienso que también en este caso se aplica la distinción, hecha por Martínez-Bonati, entre el acto de producción (o reproducción) de los signos del hablar y el acto de hablar. Conforme a ella, el autor del texto teatral sólo habla en sentido estricto cuando da indicaciones sobre la manera de representar la obra. En todos los demás casos el autor sólo *produce* signos (imagina y registra discursos ajenos) que los actores *re-producen* para que los personajes *hablen* por su intermedio. El texto no representado no es, por tanto, un conjunto de "pseudoaserciones" sino una serie de aserciones (o de actos ilocucionarios de otro tipo) de fuentes de lenguaje ficticias que se constituyen en personas ficcionales en y mediante el texto de su propio discurso y de los discursos de las otras personas ficcionales. En la representación teatral estas personas ficcionales se manifiestan a través de un *analogon* material: la voz y el cuerpo del actor que las en-carna.

2. EL TEXTO FICCIONAL COMO PRODUCTO DE "MODIFICACIONES INTENCIONALES" (J. LANDWEHR)

El examen de las tesis de Searle abrió una serie de interrogantes que ni las acertadas críticas y contrapropuestas de Martínez-Bonati ni las objeciones añadidas por mí alcanzan a responder. Puesto que la noción de "simulación" se ha mostrado inadecuada para definir formas ficcionales pertenecientes al ámbito de la literatura, es preciso oponerle otra que sea capaz de dar cuenta de ellas sin reducir la ficcionalidad a un problema exclusivamente literario (como parecen entenderlo Martínez-Bonati y casi todos los autores que han enfocado el tema desde la perspectiva de la ciencia literaria).

La noción de "modificación intencional", introducida por J. Landwehr, ofrece un buen punto de partida para satisfacer ambas exigencias. En un extenso y bien documentado trabajo (Landwehr 1975) este autor revisa algunos de los conceptos fundamentales de la teoría literaria, en particular el de ficción, pero ubicándolos en el marco amplio de la ciencia del texto. Puesto que su propósito, como lo anuncia en el prólogo (p. 11), no es investigar la literaturidad del texto literario sino, por el contrario, determinar ciertas cualidades que, en su opinión, la literatura comparte con otras formas de la comunicación verbal y con otros procedimientos —no necesariamente verbales— de la constitución de ficciones, incluye en sus consideraciones ciertos tipos de ficción literaria (incluso algunos tan peculiares como el cuento de hadas, la leyenda, la saga o la literatura fantástica) pero sin asignarles un status especial y, en consecuencia, sin preocuparse por distinguir su especificidad dentro del conjunto de los textos caracterizables como ficcionales.

Aunque en este trabajo parto, como ya lo señalé, de la hipótesis, opuesta a la de Landwehr, de que las ficciones literarias representan un caso particular de ficción, esto es, que lo literario no es una cualidad que tan sólo se añade a lo ficcional sino que lo condiciona de diversas maneras que es preciso estudiar, considero, no obstante, que la definición de ficcionalidad propuesta por este autor aporta un instrumental conceptual sumamente útil para delimitar esa subclase ficcional que está en el centro de mi interés.

2.1. FICTIVIDAD Y FICCIONALIDAD

Landwehr distingue "ficticio" de "ficcional". "Ficticios" son todos aquellos objetos y hechos cuya manera de ser es modificada intencionalmente por alguien durante cierto lapso, vale decir, aquellos objetos y hechos a los que un individuo adjudica transitoriamente una modalidad distinta de la que tiene vigencia para él —y para otros individuos de su mismo ámbito cultural— en determinado momento histórico (p. 176). "Ficcionalidad" designa, en cambio, la relación de una expresión —verbal o de otro tipo— con los constituyentes de la situación comunicativa, a saber, el "productor", el "receptor" y las "zonas de referencia", a condición de que al menos unos de estos constituyentes sea ficticio, esto es, intencionalmente modificado en el modo de ser que normalmente se le atribuye (p. 180). Basta, por lo tanto, que el productor de un texto sea ficticio —como es el caso del narrador de una novela no autobiográfica en el sentido estricto del término— para que el texto en su totalidad se ficcionalice.

La modificación de los constituyentes de la situación comunicativa puede ser efectuada: a) por el productor del texto independientemente del receptor, b) por el receptor en concordancia con las intenciones del productor y c) por el receptor independientemente del productor (p. 162). Sólo en el caso b) puede hablarse, empero, de una comunicación exitosa, ya que para su cumplimiento es preciso que el receptor realice cointencionalmente las mismas modificaciones efectuadas por el productor.

Más adelante discutiré en detalle el problema de las maneras de ser atribuibles a los constituyentes de la situación comunicativa y de los tipos de modificación resultante. Por ahora bastará tener presente que Landwehr trabaja con seis modalidades que proceden de la esfera de las proposiciones de la lógica: *real, posible, necesario* y sus respectivas negaciones, pero que sólo las aplica de modo más o menos sistemático a las "zonas de referencia".

2.2. LA MODIFICACION DEL "PRODUCTOR" DEL TEXTO

Una de las primeras dificultades que suscitan las definiciones precedentes es que el término *productor* designa indistintamente tanto a quien produce los signos del hablar (quien efectúa la modificación) como a quien habla (el constituyente modificado), tanto al autor de un texto como a la fuente de lenguaje instaurada por él. Por lo mismo, tampoco queda totalmente en claro en qué consiste la modificación del constituyente "productor". Landwehr la explica del siguiente modo (1975, pp. 164 y ss.): cuando uno de los participantes de la situación comunicativa asume un rol impropio, que no coincide con su yo real (o con su concepción de este yo), tiene lugar una cierta 'división' entre un yo real y un yo ficticio. Tal división afecta al productor cuando éste emite un enunciado que no corresponde a sus verdaderas opiniones, sentimientos, cánones valorativos, etc., sino a un rol adoptado. Para mostrar que no se trata de un fenómeno exclusivamente literario, Landwehr menciona, como caso típico, el de quien asume en diálogos o discusiones el rol de "abogado del diablo", es decir, el de quien en forma institucional (por ej. en el juzgado) o por razones de estrategia dialógica, sostiene puntos de vista divergentes de los propios sin el afán de confundir o engañar. El hecho de que los participantes en la discusión reconozcan o no ese rol como ficticio, depende de su conocimiento de la verdadera posición del productor.

Como puede apreciarse, la introducción de oposiciones como "yo real"-"yo ficticio", "productor"-"rol adoptado", "verdadera posición"-"rol ficticio" no despejan la ambivalencia mencionada ni aclaran cómo se produce la fictivización. En realidad, la distinción terminológicamente poco feliz entre un "yo real" y un "yo ficticio" —o cualquiera de sus equivalentes— está bastante próxima a la establecida por Martínez-Bonati entre el productor de enunciados y el hablante. Landwehr se acerca a ella cuando sostiene que en aquellos casos en que la 'división' del productor ocurre en forma intencional, "no es un yo real el que se expresa sino un yo ficticio" (1975, p. 165), lo que, dicho en los términos de Martínez-Bonati, sería: "no es el autor de ficciones quien habla, sino una fuente de lenguaje ficticia".

Ahora bien, si se acepta la definición de fictividad propuesta por Landwehr y, conforme a ella, se reserva el término *ficticio* para objetos intencionalmente modificados en su manera de ser, habría que concluir que el constituyente modificado no es el autor de ficciones —el individuo que imagina y escribe o incluso eventualmente 'pronuncia', como es el caso del "abogado del diablo", un discurso que no es el suyo— sino la fuente de lenguaje, el "otro" que sostiene el discurso asumiéndolo como propio. La modificación puede consistir, por ejemplo, en adjudicar una manera de ser *real* a una fuente de lenguaje *irreal* (inexistente, imaginaria) o, como se explicará más adelante, en atribuir la modalidad *fáctico* (realmente existente) a un hablante *posible* (como podría existir en la realidad) o a un hablante *imposible* (como sería el caso de un animal o un monstruo fabuloso que cuenta su historia: "Axolotl" de Cortázar o "La casa de Asterión" de Borges corresponderían a este último tipo).

Afirmar que en todos los ejemplos mencionados el "productor" —entendido como el autor— asume un rol ficticio no es una aplicación coherente de la definición de fictividad pero resulta indudablemente más aceptable que sostener, como Searle, que "simula hablar". Diversas tendencias de la ciencia literaria actual coinciden, en efecto, en reconocer como rasgo típico de la comunicación literaria ficcional la duplicación o desdoblamiento de los constituyentes de la situación comunicativa[5]. Valga, a modo de ejemplo, la siguiente caracterización de K. Stierle (1975a, p. 102): "Si como modelo de comunicación simple se presupone la relación entre 'emisor' y 'receptor' respecto de una comunicación dada bajo las condiciones de un código, así, el modelo de comunicación ficcional se constituye mediante su duplicación: el 'emisor' desempeña el rol de un 'emisor' (el autor de una novela 'hace de' narrador de la novela como rol constitutivo de ella), el 'receptor' desempeña el rol del 'receptor' (el lector concreto de una novela 'desempeña' el rol del lector, cuya estructura de intereses está integrada en la aspectualidad del objeto literario)".

Una manera posible de evitar la ambivalencia terminológica sería mantener, conforme a esta delimitación teórico-literaria, una estricta separación entre el "productor" y el "rol de productor" así como entre el "receptor" y el "rol de receptor". Quienes efectúan modificaciones intencionales de las modalidades atribuibles a los objetos son el productor y el receptor. Los constituyentes modificables —fictivizables— son, en cambio, el rol de productor, el rol de receptor y los objetos y hechos de referencia del discurso; su carácter ficticio sería el resultado de la modificación intencional de la modalidad que una determinada comunidad cultural les adjudica en determinado momento histórico.

2.3. CONSTITUYENTES FICTICIOS Y FICCIONALES

Una vez aclarado cuáles son los constituyentes fictivizables y cómo se produce su fictivización, la distinción arriba mencionada entre los conceptos "ficticio" y "ficcional" se vuelve también mucho más nítida.

5. *Cf.* por ej. las tesis de Booth (1961), Todorov (1970 b), Iser (1972) y Prince (1973).

"Ficcionalidad" es para Landwehr una magnitud relacional, ligada a enunciados o a otras formas de actualización de códigos (como el film, la pantomima, la danza, etc.). Esta limitación a formas de actualización se funda en el hecho de que la condición de la ficcionalidad es que al menos uno de los constituyentes fictivizables sea intencionalmente modificado por el productor (y, en el caso de una comunicación exitosa, cointencionalmente modificado por el receptor). Ficcionalidad es, pues, una categoría que se constituye pragmáticamente (1975, p. 181). Los textos ficcionales no tienen, en efecto, ninguna propiedad semántica o sintáctica que permita caracterizarlos como tales. Cualquier enunciado y cualquier forma de actualización de otros medios de comunicación puede ficcionalizarse si es que se cumple la condición referida.

Ahora bien, si por "ficcionalidad" se entiende la relación de un texto con constituyentes ficticios —intencionalmente modificados en su manera de ser—, en sentido estricto el calificativo "ficcional" sólo se aplica al texto mismo. Landwehr propone, sin embargo, hacerlo extensivo a todos los objetos y hechos que de algún modo están representados o configurados en un texto ficcional, con lo cual se aproxima al uso más corriente del término: "Así, es *ficticio* el narrador de una novela en la medida en que aparece como un yo 'dividido' del productor del texto y representa un rol inauténtico, adoptado por el productor. Pero este narrador es *ficcional* en la medida en que se constituye como 'persona' en un texto y mediante un texto que se ficcionaliza precisamente en virtud de esa división del productor, ya sea que se constituya como persona en una autorrepresentación directa o bien indirectamente en la evaluación, selección y modo de representación (incluido el 'estilo'), en la reflexión, en la participación afectiva en lo representado y en los factores apelativos del texto" (loc. cit).

Si se pasa por alto la inadecuada definición del carácter ficticio del narrador, la distinción resulta válida. Se la puede ilustrar con el ejemplo ya citado de "Axolotl" de Cortázar: en este cuento un hombre-axolotl o, más exactamente, un pensamiento obsesivo desgajado de una conciencia humana y vuelto axolotl, narra la historia de ese desdoblamiento y observa desde dentro de un acuario al hombre del que formó parte. Decir que este narrador-protagonista es ficticio porque el productor del texto, Cortázar, "asume el rol" de un axolotl que habla es, como se ha visto, una explicación poco coherente, que no está en consonancia con los postulados teóricos del propio Landwehr. La fictividad es aquí el producto de la modificación intencional de la manera de ser de ese constituyente que no es el autor del texto y al que puede designarse como "fuente de lenguaje", "hablante" (en oposición a "productor de signos del hablar"), "rol de productor" o simplemente "narrador" (en oposición a "autor"). El narrador de "Axolotl" es *ficticio* por cuanto se trata de un ser como juzgamos que no podría existir en la realidad, esto es, a quien le atribuimos la manera de ser *irreal* (o *imposible*) y al que el autor presenta, sin embargo, como *realmente existente*, con lo cual quiero significar tan sólo que la instauración de la voz narrativa no va acompañada de señales directas y evidentes de su carácter puramente imaginario. Podrá decirse, en cambio, que este narrador es *ficcional* en la medida en que se constituye, a través de su propio discurso, en una entidad individual de rasgos bien definidos.

Cabe señalar, por último, que este uso extensivo del término *ficcional* es igualmente apto para designar —como lo sugiere Landwehr (loc. cit) y como es la norma en los estudios literarios— al 'mundo' representado en un texto ficcionalizado por su relación con uno o más constituyentes ficticios.

2.4. "PARTES DE REALIDAD" EN EL MUNDO FICCIONAL

Landwehr propone una explicación mucho más plausible que la de Searle para todos aquellos casos en los que en un texto ficcional se mencionan lugares y objetos reales, sucesos y personajes históricos: "Los objetos y hechos de cuya realidad se tiene conciencia y que a la vez aparecen como componentes del mundo de un texto ficcional adquieren una especie de existencia doble. Por un lado, incluso durante la recepción de un texto ficcional, se mantiene la conciencia de su realidad pero, por otro lado, se presentan como funcionalmente modificados por su inclusión en un texto tal: son parte integrante del mundo ficcional" (1975, p. 182).

Menos acertada es, en cambio, su crítica al concepto de "credibilidad", con el cual suele caracterizarse —a mi entender justificadamente— la función que cumplen dentro de la ficción todas las referencias a objetos y hechos que tienen un correlato en el mundo de nuestra experiencia. Landwehr malentiende esta noción al oponerla a la de ficcionalidad y al no tener en cuenta que, cuando se la utiliza, se piensa exclusivamente en el receptor del texto. En su opinión, dichas referencias —o "partes de realidad" como él las designa— tienen la función de "facilitar la *modificación* intencional/cointencional también de aquellas partes del mundo representado de las que se tiene conciencia de que son no-reales" (loc. cit.). De ello concluye que "las partes del mundo ficcional conformes a la realidad producen precisamente lo contrario de 'credibilidad' etc.: en la medida en que estas partes promueven el proceso de modificación intencional constituyen en primerísima línea la fictividad de un constituyente de la comunicación, del rol del productor, y de este modo la ficcionalidad del texto o de la expresión" (pp. 182 y ss.). A todo se puede objetar lo siguiente:

— Sólo el productor puede tener clara conciencia de qué partes del mundo representado por él son "no-reales" en el sentido de que no tienen un correlato en el mundo de la experiencia.

— No está claro en qué medida las "partes de realidad" le facilitan al productor la modificación "no-real" ⇒ "real" del rol de productor y de todas las demás partes del mundo representado.

— Tampoco resulta evidente que tales partes faciliten la modificación cointencional correspondiente en el receptor, es decir, que ayuden a éste a co-constituirlas en ficticias y a recepcionar el texto como ficcional.

Que la modificación intencional, efectuada por el productor, del tipo "no-real" ⇒ "real" sea reconocida como tal por el receptor y consecuentemente co-efectuada no depende de la presencia de "partes de realidad" en el mundo representado sino, antes bien, de otros tipos de señales o indicaciones relativas al carácter ficcional del texto. En ausencia de tales señales, el receptor —incluso un receptor competente, no alejado del productor por barreras socioculturales condicionantes de una recepción 'ingenua'— puede interpretar el conjunto de elementos configurados en el texto ·como directas representaciones de lo real y atribuir los correspondientes enunciados al productor mismo. Cuando, por el contrario, el texto está provisto de claras señales de su ficcionalidad, entonces las "partes de realidad" no producen lo contrario de credibilidad sino que coadyuvan a que el mundo representado en la ficción sea recepcionado como un modelo de realidad compatible con los modelos vigentes (como un mundo *posible* en el sentido aristotélico). Si por creíble, convincente o verosímil entendemos lo que está en conformidad con los criterios de realidad válidos para una determinada comunidad cultural en un determinado momento histórico, puede decirse que las referencias, dentro de un texto ficcional, a hechos u objetos de cuya existencia no-ficcional se tiene conciencia (las guerras napoleónicas, Borges o la ciudad de Londres) colaboran a verosimilizar la ficción.

Es así como Aristóteles, quien, como se verá más adelante, delimitó con exactitud en el marco de sus concepciones poetológicas los dominios de la ficción y de la no-ficción, interpretó la función de las referencias a personajes realmente existentes (o juzgados como tales) dentro de la ficción trágica. Entre los argumentos introducidos para salvar la aparente contradicción resultante de su afirmación de que la poesía (dramática y épica) no es representación de lo realmente acaecido sino de lo que podría acaecer y del hecho de que los poetas trágicos, a diferencia de los cómicos, no inventaban sus fábulas sino que reelaboraban "mitos" —a los que él, o al menos los espectadores de su época, atribuían el carácter de lo realmente acaecido en un pasado remoto[6]— se encuentra el siguiente: "En la tragedia, en cambio, los poetas se atienen a los nombres de personajes que han existido. La razón es que resulta convincente lo que es posible. Ahora bien: mientras que podemos no creer que sea posible lo que no ha ocurrido es, por el contrario, del todo evidente que lo que ha ocurrido es posible, ya que, si fuera imposible, no habría ocurrido" (*Poética*, 145 1 b 15-19). No parece demasiado aventurado suponer que queda sugerido ya, de este modo, que toda mención a personajes históricos en un texto ficcional no implica que el texto se refiera, ni aun parcialmente, a objetos y hechos realmente existentes, sino que tales menciones vuelven evidente el carácter posible de lo posible, esto es, subrayan la compatibilidad del mundo representado en la ficción con la opinión general sobre el mundo.

Las referencias en cuestión no constituyen ni relevan pero tampoco disi-

---

6. Sobre la 'historicidad' de los argumentos trágicos véase Fuhrmann 1973, p. 24 y Lucas 1972, p. 122, comentario a 1451 b 15.

mulan o anulan el carácter ficcional de un texto concebido como tal por el productor. Esto último sólo puede ocurrir cuando falta toda indicación explícita o implícita de la función comunicativa correspondiente (adjudicación explícita del texto, en el título o subtítulo, a un género convencionalmente aceptado como ficcional, observaciones directas o indirectas en el prólogo, en el marco de una narración, etc.) o cuando el receptor carece de la competencia necesaria para descodificar tales indicaciones y, por ejemplo, lee un texto incluido en un libro que lleva el título *Ficciones* como enunciados de realidad directamente atribuibles al productor y los acepta como verdaderos o los rechaza como falsos. En ambos casos, si bien por diferentes razones, el no reconocimiento de las modificaciones efectuadas por el productor lleva al fracaso de la comunicación ficcional.

Es preciso admitir, sin embargo, que las referencias a objetos y hechos de cuya existencia extratextual se tiene conciencia, pueden favorecer, en combinación con otros recursos textuales —pero nunca independientemente de ellos— un tipo de recepción que K. Stierle llama "quasi-pragmática" (Stierle 1975 b, pp. 357-360) y que caracteriza de un modo bastante afín a aquél en que Brecht describió los efectos narcotizantes del teatro "ilusionista": en una forma similar a la de la recepción pragmática, que se dirige siempre, por encima y más allá del texto, al propio campo de acción, la recepción quasi-pragmática implica un transitar el texto que es una manera de abandono, de salida de la ficción en dirección a la ilusión producida por el receptor bajo el estímulo del texto. La ilusión resulta así como una "forma diluida de ficción". La ficción es desgajada de su base de articulación —el texto— pero no llega, empero, a encontrar un lugar en el campo de acción del receptor. Este se *interesa* por el mundo representado en la ficción, se identifica con los personajes y vive sus experiencias a la manera de un *voyeur*, a la par que deja de percibir el texto como factor desencadenante de la ilusión. Señala Stierle que la recepción de la ficción como ilusión es un nivel de recepción elemental, una forma de lectura primaria, algo 'ingenua', que puede producirse a partir de cualquier tipo de texto literario ficcional, independientemente de sus calidades y de la intención del productor. Observa, no obstante, que existen formas de ficción que, como la literatura trivial y, en general, todas las formas de literatura de consumo orientadas a satisfacer los gustos del gran público, están organizadas para suscitar una recepción exclusivamente quasi-pragmática. En esta clase de literatura el productor utiliza la lengua como simple medio para movilizar estereotipos de la imaginación y la emoción, para llevar la atención del receptor al otro lado del texto, hacia una realidad ilusoria, fundada en patrones colectivos de percepción, conducta y juicio y que, por ello mismo, reafirma la cosmovisión predominantemente estereotipada del receptor.

2.5. LA MODIFICACION DE LOS OBJETOS Y HECHOS DE REFERENCIA DEL TEXTO

En las consideraciones siguientes deberán quedar de lado todos aquellos textos inequívocamente no-ficcionales en los que no tiene lugar ninguna modificación intencional de los constituyentes fictivizables o, para decirlo en los términos de Martínez-Bonati, en los que el autor no registra el discurso imaginario de *otro* sino que sostiene su propio discurso (es éste, por ej., el caso del relato autobiográfico a condición de que el autor no intente representar sus experiencias de antaño limitándose a su información de antaño, esto es, a condición de que no haga como si ignorara todo lo acontecido desde entonces hasta el momento de la producción pues tal actitud supondría ya la fictivización del rol de productor).

Si dejamos de lado todos los casos en que el compromiso no-ficcional del autor es evidente y si se parte del supuesto de que siempre que el discurso emana de una fuente de lenguaje fictica el texto en cuestión se ficcionaliza, habrá que admitir que tan ficcional es una novela naturalista como un cuento de hadas o un relato fantástico.

Si, por otra parte, conforme a lo expuesto en 1.2 y 2.4, se rechaza la idea de que un texto ficcional pueda albergar referencias "reales", queda simultáneamente descartada la posibilidad de distinguir algo así como grados de ficcionalidad o de compromisos no-ficcionales en la ficción. Y, sin embargo, nuestra experiencia de lectores nos indica que una novela naturalista y un relato fantástico son ficciones de naturaleza muy diversa y que los mundos representados en ellas, si bien son igualmente ficcionales, se relacionan diferentemente con nuestro mundo real o con nuestra concepción de la realidad. Llegamos así a un problema nuclear que hasta ahora sólo fue mencionado al pasar: el de la ficcionalización de un texto en virtud de la modificación intencional, paralela a la modificación intencional del rol de productor, del modo de ser de los hechos y objetos de referencia de su discurso.

Se trata, en efecto, de un problema de fondo por cuanto de su adecuado planteamiento depende que podamos distinguir tipos de mundos ficcionales y que podamos definir, a partir de ellos, ciertos géneros tradicionalmente considerados ficciones literarias. Plantearlo en forma adecuada implica, sin embargo, poner previamente en claro qué modalidades entran en juego en la modificación intencional de los hechos y objetos que forman parte del mundo miméticamente constituido en la ficción.

2.6. EL PROBLEMA DE LAS MODALIDADES

Como Landwehr (1975, p. 175), estimo conveniente no abordar la cuestión —sólo resoluble en el marco de una determinada concepción filosófica del mundo— acerca de si las modalidades atribuibles a los objetos son construcciones subjetivas o están dadas en la realidad. Bastará partir de la premisa mínima de que por distintas que sean las posiciones ideológicas de los comunicantes, hay acuerdo sobre el hecho de que hay diversos 'mundos' a los que es posible referirse verbalmente (el mundo de lo fáctico, del recuerdo, de la imaginación, del sueño, etc.) y que dichos mundos están constituidos por objetos a los que, conforme a una norma individual o supraindividual, se les adjudica un modo de ser común.

Menos fácil resulta ponerse de acuerdo sobre cuántas y cuáles sean las modalidades atribuibles a esos mundos y, por ende, a los objetos que los constituyen. El problema es particularmente delicado por cuanto de su solución depende que se pueda describir el carácter ficcional de un texto en términos menos vagos que "modificación intencional" y, en consecuencia, que se puedan delimitar ciertas clases de textos literarios ficcionales. Antes de abordarlo, es preciso dejar sentado que hasta aquí he asumido implícitamente, en conformidad con Landwehr (1975, pp. 15 y ss. y passim) y Searle (1975, pp. 319 y ss.), la hipótesis de que tanto lo ficcional como lo literario sólo son definibles en relación con interpretantes, esto es, como categorías que se constituyen pragmáticamente y que ficcionalidad y literaturidad no están en relación de implicación[7]. No creo, sin embargo, que, como sostiene Searle, sea sólo el productor quien decide si un texto es ficcional y sólo el receptor quien decide si es literario. Concuerdo con Landwehr en que el carácter ficcional de un texto puede resultar tanto de una modificación intencional efectuada por el productor como de una modificación intencional —independiente de la del productor— o co-intencional efectuada por el receptor, si bien sólo en este último caso puede hablarse de comunicación ficcional. Análogamente, la naturaleza y funciones de la literatura no se pueden describir sin tomar en cuenta todos los factores que intervienen en el complejo proceso de la comunicación literaria —el texto, su producción, su transmisión y su recepción, factores que tienen su propia historia y sus propias reglas— así como todo el quehacer paraliterario que influye sobre ella —crítica, enseñanza, investigación, propaganda, comercialización de textos, etc.

Si se parte de estas premisas, resulta evidente que el establecimiento de las modalidades adjudicables a las zonas de referencia de un texto y, en general, a los constituyentes fictivizables, no podrá hacerse exclusivamente en el marco de tal o cual sistema filosófico, esto es, prescindiendo de los criterios no-científicos o precientíficos puestos en juego por los comunicantes para atribuir un modo de ser a un objeto determinado y eventualmente modificarlo.

Landwehr no es del todo consecuente al respecto: por una parte acepta que puede haber la más amplia gama de divergencias entre los comunicantes

7. Es interesante comparar al respecto los planteos de S. Schmidt (1975, pp. 189 y s.), que representan una posición intermedia entre quienes establecen y quienes niegan la ecuación *literario = ficcional*. Para este autor lo literario sólo es definible en el marco de la comunicación social integral. Dentro de este marco, el arte constituye un sistema contextual especial en el que el principio de la ficcionalidad regula todos los procesos semánticos. Schmidt subraya, empero, que él se limita a describir una tradición cultural que exige del lector de literatura que no refiera los textos que se le presentan como literarios al mundo de su experiencia sino al contexto de la comunicación literaria. Esta tradición es para él un simple *factum* que diversas tendencias del arte moderno procuran modificar (literatura comprometida, teorías de la muerte del arte, formas artísticas concretas, realismo socialista, etc.).

acerca de los criterios conforme a los cuales se constituyen los diversos 'mundos' de referencia y acerca de cuál modalidad le corresponde a tal objeto de referencia particular y cuál 'nueva' modalidad se le debe adjudicar en el proceso de modificación intencional; por otra parte, utiliza en sus descripciones categorías modales tomadas con leves adaptaciones de la lógica, sin considerar si se corresponden, siquiera parcialmente, con el conjunto de criterios supraindividuales, históricamente condicionados, que garantizan el éxito de la comunicación: que aseguran que, en el caso de un discurso ficcional, el receptor opere co-intencionalmente el mismo tipo de modificación efectuada por el productor.

Landwehr adopta seis modalidades que, como se verá, guardan cierta relación con las categorías empleadas por Aristóteles en su *Poética: real, posible, necesario* y sus respectivas negaciones, pero sólo las utiliza de manera más o menos sistemática para precisar el carácter ficticio de las zonas de referencia. A excepción de un par de observaciones marginales, cuando alude a la modificación de los roles de productor y receptor opone sencillamente "real" a "impropio" o "real" a "ficticio", como si las modalidades en cuestión no fueran aplicables a dichos constituyentes.

No es ésta, sin embargo, la única ni la principal dificultad suscitada por la introducción de las seis categorías mencionadas. Cuando se ocupa de la fictivización de las zonas de referencia, Landwehr rechaza la tesis de quienes sostienen que la fictividad es el resultado de la instauración de lo "fácticamente irreal" "como real" o "como si fuera real" (1975, p. 170). En su opinión nada justifica el privilegiamiento de este tipo de modificación intencional respecto de otros tipos como, por ej., la presentación de lo *posible* como *imposible*, de lo *irreal* como *posible*, de lo *posible* como *necesario*, etc. No aclara, sin embargo, cómo se produce ninguna de las modificaciones incluidas por él dentro del repertorio de posibilidades de fictivización de los objetos de referencia del texto ni señala cómo se relaciona con el carácter ficticio o no-ficticio del rol de productor. Tan sólo ilustra el tipo *real* ⇒ *irreal* con el caso de un receptor que se introduce en una situación comunicativa a pesar de que las condiciones de recepción son diferentes de las originarias, tomando las actuales "como no-dadas, como 'irreales' " (loc. cit.).

Aparte del hecho de que el comillado de la cita precedente parece poner al descubierto una cierta incomodidad en el uso del término *irreal* dentro de este contexto, conviene tener presente que en este caso no son las zonas de referencia las modificadas intencionalmente por el receptor sino sus propias condiciones de recepción, lo que implica paralelamente la modificación del rol de receptor: tales modificaciones son típicas de la actividad del filólogo que procura reconstruir las condiciones de producción de un texto antiguo y lograr así una recepción del mismo que se adecue en la medida de lo posible a dichas condiciones.

Es de lamentar que el ejemplo anterior no permita inferir cómo podría tener lugar una modificación equivalente de las zonas de referencia. Por cierto que se pueden construir ejemplos *ad hoc* como el siguiente: el de un productor que describe experiencias realmente vividas por él como si las hubiera inventado, soñado o tan sólo deseado, y que las describe con conciencia de la modificación operada (pues en su defecto se trataría del discurso de un psicótico) y de una manera tal que le permita al receptor reconocer la modificación (pues en su defecto no se trataría de un discurso ficcional sino de una mentira). O quizás cabría pensar nuevamente en el caso particular de "La forma de la espada" de Borges, así como en todas aquellas ficciones de este autor en las que aparecen como personajes él mismo o sus amigos. A. M. Barrenechea ha llamado la atención sobre este procedimiento que, en su opinión, cumple la doble función de dar consistencia de realidad a la ficción y, contradictoria y complementariamente, desrealizar a los seres reales que se mueven en ella: "La realidad del autor mismo entra así en las múltiples experiencias de la ficción, les presta el sostén de su existencia, y a su vez se deja penetrar del misterio, se siente amenazado por haberlo descubierto o traspasado por el milagro de la revelación; en última instancia queda siempre absorbido y desintegrado por lo fantástico. Por su parte, los seres ficticios que viven y se codean con el autor y sus amigos, están amenazándolos con su condición de simulacros, prontos a disolverlos en su nada" (Barrenechea, 1967, p. 179).

Sin embargo, puesto que Landwehr no se pronuncia con claridad al respecto, no es posible saber si, desde su perspectiva, la persona ficcional que con el nombre de Borges asume las funciones de narrador extradieguético y de narratario intradieguético (*cf.* nota 3)) en "La forma de la espada" representa, como venimos conjeturando, un ejemplo de modificación del tipo *real* ⇒ *irreal* o, por el contrario, del tipo *irreal* ⇒ *real*.

En el primer caso cabría la siguiente interpretación: el productor del texto —el escritor que se limita a registrar un discurso narrativo imaginado por él— se adjudica a sí mismo el modo de ser *irreal*, esto es, presenta al Borges que en un momento y un tiempo reales fija o hace fijar por escrito el texto de "La forma de la espada", como un Borges que sostiene un discurso imaginario y a su vez escucha el discurso imaginario de un Vincent Moon igualmente imaginario.

En el segundo caso cabría esta otra interpretación, por la que personalmente me inclino: el escritor real Borges se imagina una persona a la que dota de su nombre y de algunos de sus rasgos identificadores, esto es, produce una imagen *irreal* de sí mismo —ya que no existe realmente el Borges que cuenta la historia que Vincent Moon le contó— y adjudica a este ser *irreal* el modo de ser *real* en el discurso narrativo que él imagina y fija por escrito. Afirmar que le atribuye el modo de ser *real* implica, en este contexto, tanto como decir que el narrador no es presentado explícitamente como una voz desdoblada del autor sino como la voz del productor mismo, como una fuente de discurso que no lleva la marca de su inexistencia actual.

El propio Landwehr parece admitir —en franca contradicción con sus planteos sobre las múltiples posibilidades de fictivizar los constituyentes de toda situación comunicativa— que este tipo de modificación no es simplemente una posibilidad entre otras. Así, después de definir la ficción como verbalización de objetos y hechos intencionalmente modificados, hace la siguiente reflexión: "Si bien las posibilidades de ficcionalización de expresiones [...] son equivalentes, sin embargo, la instauración de lo irreal como real, de lo no-existente como existente y de lo no-real como real ocupa un lugar especial entre las ficciones, puesto que mediante esta modificación es posible introducir en la realidad comunicativa, ligada a la praxis, esferas que en el mundo de lo fáctico no se han hecho realidad, todavía no se han hecho realidad y eventualmente jamás se harán realidad" (1975, pp. 185 y ss.). En otro pasaje —uno de los pocos en los que intenta aplicar las modalidades en cuestión al rol de productor— encontramos una afirmación todavía más categórica y contradictoria: "el rol no-real de un narrador recién se convierte en ficticio cuando por un cierto lapso es presentado intencionalmente como real. Esta modificación intencional de lo 'irreal', en 'real' resulta facilitada cuando a lo representado por el narrador se le puede adjudicar el modo de ser de lo real" (1975, p. 182).

Buena parte de las contradicciones y, en general, de los puntos débiles de la teoría ficcional de Landwehr se deben al hecho de que este autor extrapola un repertorio de modalidades del ámbito de las proposiciones de la lógica al de los enunciados-ocurrencia de las lenguas naturales (a textos con un determinado valor comunicativo dentro de una determinada situación comunicativa) sin problematizar su adecuación respecto de estos últimos.

Creo que la principal dificultad planteada por los pasajes citados radica en el hecho de que el autor no establece con claridad qué entiende por *real* y —lo que redunda en mayor número de confusiones— no intenta siquiera definir la modalidad opuesta a lo *real*, que él designa indistintamente como *irreal, no-real, no-dado, no-existente, fácticamente irreal*, etc.

3. LA ECUACION IMAGINARIO = IRREAL

Desde una perspectiva fenomenológica la tesis de quienes sostienen que la ficción es el resultado de la presentación de lo *irreal* "como *real*" o "como si fuera real" no resulta, como se verá enseguida, tan obviamente recusable.

Tomemos el caso de un productor —por ej. un autor de novelas— que cuenta una serie de sucesos que no ha vivido, visto ni oído sino tan sólo imaginado. Martínez-Bonati caracteriza muy bien este tipo de actividad: "El autor (a) imagina ciertos acontecimientos; algunos de estos acontecimientos imaginados son frases, y algunas de estas frases, describen a algunos de los acontecimientos. Además de esto, el autor (b) registra (directa o indirectamente) por escrito el texto de las frases imaginadas que decide retener" (1978, p. 142).

Si intentamos traducir esta caracterización en los términos propuestos por Sartre en *L'Imaginaire* (1940) diremos que los sucesos verbales y no-verbales imaginados por el productor en cuestión son *irreales*. Ello implica, dentro del sistema sartreano, que los objetos imaginados o, más exactamente, la conciencia de tales "objetos-en-imagen" encierra en su propia estructura una tesis nihilizante, un acto de creencia negativo: la negación de la pertenencia del "objeto-en-imagen" a la realidad (1940, p. 233). El objeto imaginado existe *en tanto que imaginado* pero esta forma de existencia difiere sustancialmente del tipo de existencia del objeto aprehendido como real (p. 229). Imaginar un objeto es negar la presencia actual o la existencia del objeto fuera de la imagen (pp. 24, 232 y passim): si imagino a un amigo mío en tal o cual situación niego su *presencia actual*, niego que está aquí conmigo; si, como el aludido autor de novelas, 'invento' un personaje, niego su *existencia*, y la niego de la misma manera que niego la existencia de un centauro o de una alfombra mágica en imagen. De ello se sigue que tan *irreal* es la imagen de mi amigo (que yo sé que existe, que está en alguna parte) como la del personaje de la novela o la del centauro.

Ahora bien, ¿qué hace al autor de novelas de nuestro ejemplo, cuando registra las frases que decide retener? Si nos mantenemos dentro de la perspectiva sartreana habrá que decir que provee a su objeto imaginario, esto es, *irreal*, de un *analogon* material (en este caso verbal), a través del cual se manifiesta el objeto irreal. Para Sartre no se trata, pues, de un paso de lo *irreal* a lo *real* sino tan sólo de la *objetivación* de un objeto mental que como tal es incomunicable (pp. 239 y ss.).

¿Habría contradicción, entonces, cuando se afirma que el caso por excelencia de ficcionalización de una expresión es la presentación de lo irreal como real o, para decirlo en los términos de Landwehr, la modificación intencional del modo de ser de los objetos y hechos de referencia del discurso del tipo *irreal* ⇒ *real*? Al parecer no la habría si se parte del supuesto de que presentar lo irreal *como* real o adjudicar a lo concebido como irreal el modo de ser real no es lo mismo que hacer real lo irreal. Presentar *como* real implicaría tan sólo no *poner* explícitamente los objetos y hechos de referencia como *dados-ausentes* o *inexistentes* fuera del discurso, sino, por el contrario, *ponerlos* (a) como *dados-actualmente presentes* (directamente aprehendidos) o (b) como *dados-presentes en el pasado* (recordados)[8].

Un ejemplo de (a) sería el siguiente comienzo de novela:

"Son las dos de la mañana. Yo estoy solo en la habitación contigua. La vieja que vela esa agonía ha dicho que es preferible que los ojos del moribundo no se encuentren con los míos.
No experimento dolor o impresión moral alguna. Sólo una confusa melancolía, un indeciso temor por lo que va a venir. He visto difuntos y sé que mañana esto será atroz para mí. Pero en este instante, nada; el oleaje de mi corazón está inmóvil. Imposible llorar, imposible leer". (Luis Gusmán, *Brillos*, p. 13).

8. Sobre la diferencia entre *imaginar* y *recordar cf.* Sartre 1940, pp. 230 y s.

Un ejemplo de (b) –que es el caso más frecuente dentro de las ficciones narrativas– podría ser el comienzo del relato de tipo autobiográfico contenido en "El inmortal" de Borges:

> Que yo recuerde, mis trabajos empezaron en un jardín de Tebas Hekatómpylos, cuando Diocleciano era emperador. Yo había militado (sin gloria) en las recientes guerras egipcias, yo era tribuno de una legión que estuvo acuartelada en Berenice, frente al Mar Rojo: la fiebre y la magia consumieron a muchos hombres que codiciaban magnánimos el acero. (*Obras completas*, p. 533).

Las reflexiones precedentes han puesto en evidencia el carácter irreal que todo objeto imaginario tiene desde la perspectiva de su producción pero, a la vez, plantean algunos problemas que son especialmente relevantes para la delimitación del discurso ficcional y de sus variedades: no ha quedado en claro, en efecto, (a) si quien presenta los objetos irreales como reales es el productor o la fuente de lenguaje ficticia de que dimana el discurso ni (b) si es posible distinguir subclases de objetos irreales ni (c) cómo se relacionan dichos objetos con el mundo de la experiencia y los criterios de realidad de los comunicantes.

El interrogante (a) nos reconduce a los planteos de Martínez-Bonati respecto de lo que él llama "la regla fundamental de la institución novelística" (*cf.* supra, p. 92) pero que, en realidad, es válida para toda comunicación ficcional: quien *dice*, esto es, presenta y asume como propio un discurso ficcional, no es el productor del texto –sea éste un autor de novelas, un poeta lírico, un dramaturgo o alguien que hace de "abogado del diablo" en una discusión sin afán de engañar– sino una 'voz' de que se vale el productor, una fuente de lenguaje ficticia que, según los casos, puede llegar a constituirse en 'persona' y que como tal puede diferir mucho o muy poco de la persona real que registra (y/o pronuncia) el discurso. De ello se deriva que el problema de la fictivización de los objetos y hechos de referencia del texto no puede ser tratado independientemente de la fictivización de la fuente de lenguaje (ni, por otra parte, de la fictivización del oyente o lector presupuesto por dicha fuente). En consecuencia, si nos queremos mantener en la definición sartreana del objeto imaginario como *irreal*, habría que concluir que lo irreal presentado *inmediatamente* como real por el autor de una novela no son los objetos de referencia del discurso novelístico sino la 'voz' que sostiene el discurso. Los objetos en cuestión son también irreales desde la perspectiva de su producción: la conciencia imaginante del autor los *pone* como inexistentes. Sin embargo, quien los pone o presenta en el discurso de tal o cual manera (como inexistentes, como dados-actualmente presentes o como dados-presentes en el pasado) no es el autor mismo sino el narrador. "Presentar lo irreal como real o como si fuera real" es, por tanto, dentro de este sistema conceptual, una forma demasiado vaga para definir algo así como "la ficción por antonomasia".

El interrogante (b) es quizás el que revela del modo más inmediato hasta qué punto la ecuación *imaginario = irreal* resulta poco operativa para distinguir tipos de ficciones conforme a los mundos representados en ellas. Poco nos ayuda, en efecto, saber que en tanto objetos imaginarios tan irreales son Don Quijote como los monstruos de Lovecraft, tan irreales la silla en que está sentado un personaje como la alfombra en la que otro se desplaza por los aires, tan irreales sus alucionaciones como sus sueños o sus percepciones, tan irreales los gigantes que ve Don Quijote como los molinos que ve Sancho Panza.

El interrogante (c) contiene implícitamente una posible respuesta a (b): si queremos distinguir tipos de mundos ficcionales en tanto objetos de comunicación, será preciso determinar cómo se relacionan dichos mundos con el mundo de la experiencia de los comunicantes, para lo cual habrá que tener en cuenta las variables resultantes de eventuales diferencias históricas y socioculturales.

4. LA NOCION DE "REALIDAD"

De todo lo anterior se desprende la necesidad de delimitar, como lo intenta Landwehr, algunas modalidades atribuibles a los mundos en cuestión pero de tal modo que resulten compatibles con los criterios intuitivos (precientíficos) y los intereses de los comunicantes, criterios e intereses conforme a los cuales los textos son producidos y recepcionados. Ello implica que si, por ej., se procura establecer el grado de adecuación de un texto a la realidad, habrá que renunciar a todo tipo de definición ontológica y basarse, más bien, en aquello que aceptamos cotidianamente, y por lo común sin cuestionarlo, como realidad, en aquello que aprehendemos y describimos como realidad y que al ser verbalizado es, si no constituido, al menos co-constituido por la lengua de que nos valemos para verbalizarlo y, más específicamente, por los textos concretos en los que lo verbalizamos. No hablaremos, por tanto, de la realidad en *sí* ni del mundo en *sí* sino de los modelos interiores del mundo exterior puestos en juego por los comunicantes en el acto de comunicación.

Una primera delimitación que, a mi criterio, responde a las exigencias señaladas y permite, a la vez, describir mejor los tipos de modificaciones intencionales más característicos del discurso ficcional —y, en particular, de ciertos géneros literarios ficcionáles— es la trazada por H. Glinz (1973) entre "realidad" y "facticidad" y, respectivamente, entre "adecuación a la realidad" y "fidelidad fáctica".

Glinz define la *realidad* como "el contexto de causalidad en el que uno se fía al actuar" y entiende por tal contexto de causalidad "la *experiencia práctica* y la *certeza* del hombre que actúa, basada en dicha experiencia, de que a un suceso S o a una acción A le sigue con seguridad o con una probabilidad calculable (estimable) una consecuencia C o resp. una reacción R, y que se puede desencadenar esta consecuencia C o esta reacción R provocando el suceso S o resp. ejecutando la acción A" (1973, pp. 111 y s.). *Facticidad* es, en cambio, un concepto más limitado, subsumible en el de realidad y que abarca tan sólo los estados y procesos realmente acaecidos en un momento del pasado o los que realmente acaecen en el presente y en un lugar dado, esto es, "lo que sobre la base de las *posibilidades* de la realidad *sucede o sucedió realmente* (y que por ello puede tener siempre el matiz de lo único y casual)" (p. 112).

En las definiciones precedentes están implícitos dos postulados que orientarán la reflexión a partir de este punto y, según creo, permitirán replantear de modo más satisfactorio el problema de las modalidades atribuibles a los objetos y hechos de referencia del discurso:

1) La realidad es no sólo el conjunto de todo lo realmente acaecido hasta un momento dado sino también "un conjunto de *posibilidades* de las que pueden resultar *facta*" (loc. cit).

2) "La facticidad se sitúa siempre en el marco de la realidad, está condicionada por la realidad y crea eventualmente nueva realidad" (loc. cit). Creo no malentender a Glinz al añadir la siguiente precisión: todo nuevo hecho fáctico modifica la realidad o, más exactamente, la amplía al incrementar el conjunto de los hechos fácticos que la integran; ciertos hechos fácticos, aquellos que tienen más marcado el rasgo de lo único y casual, los menos predecibles ('insólitos', 'extraños', 'increíbles' pero al final de cuentas posibles en tanto han acaecido), modifican la realidad en el sentido de que transforman "el contexto de causalidad en el que uno se fía al actuar" al incorporar a dicho contexto nuevas posibilidades no contempladas antes. Tales hechos conllevan, por tanto, el cuestionamiento de una certeza previa y la reestructuración de los juicios de probabilidad ligados a ella.

La información transmitida por un texto será, en consecuencia, "adecuada a la realidad" si es compatible con el contexto de causalidad en que se apoyan los comunicantes, contexto que, como se ha visto, debe ser concebido como un sistema dinámico, sujeto a modificaciones.

La información transmitida por un texto será "fácticamente fiel" si el texto presenta correctamente "la *facticidad momentánea* (lo que existe realmente en el instante) o una *facticidad pasada* (lo que fue realmente así, lo que ocurrió realmente en un determinado momento y en un determinado lugar)" (p. 113). La corrección depende, por cierto, del grado de conocimiento que de la facticidad en cuestión tenga el productor del texto. A su vez el receptor puede eventualmente verificar mediante su propia experiencia o bien mediante la confrontación de la información recibida, con otra información (por ej. la procedente de testigos presenciales o de otros textos cualesquiera, orales o escritos). De ello se sigue que todo enunciado fácticamente fiel es verdadero.

Si un enunciado no presenta correctamente la facticidad actual o pasada por ignorancia del productor, diremos que se trata de una aserción falsa o equivocada. Cuando la incorrección no se debe a un conocimiento deficiente de lo que acaece o acaeció sino a la intención de engañar al receptor, estamos en presencia de una mentira. Podemos señalar, siguiendo a Searle (1975, p. 322), que en este caso el productor viola la regla de sinceridad, asume el compromiso de creer en la verdad de su enunciado sin creer realmente en ella. Dentro del sistema conceptual de Landwehr la falta de fidelidad fáctica por ignorancia representa una modificación *involuntaria* del modo de ser de los objetos y hechos de referencia, mientras que la mentira representa una modificación intencional hecha con el afán de que no sea reconocida como tal por el receptor.

Llegamos así a uno de los postulados más manidos en la reflexión sobre el status de los textos literarios (a los que muchos autores, de Aristóteles en adelante, adjudican como rasgo distintivo precisamente la ficcionalidad): que los enunciados literarios —en nuestro planteo *ficcionales*— no pueden ni deben ser sometidos a la prueba de la verdad, que el productor no cree que sus enunciados sean verdaderos (como el que se equivoca) ni pretende que se los crea como verdaderos (como el mentiroso).

5. LA TEORIA FICCIONAL ARISTOTELICA

En este punto me parece conveniente regresar al comienzo de un debate que lleva muchos siglos de existencia y que sigue siendo planteado —y especialmente replanteado en las últimas décadas— en términos similares a los de sus orígenes. Me refiero a la respuesta dada por Aristóteles en varios de los capítulos de su *Poética* al anatema platónico "los poetas mienten".

5.1. DISCURSO POETICO Y DISCURSO HISTORICO

Una delimitación sumamente productiva para la reflexión posterior y que puede ser puesta en relación inmediata con las categorías de "adecuación a la realidad" y "fidelidad fáctica", es la que, al comienzo del Cap. IX, traza la frontera entre el ámbito de la poesía y el de la historia:

> De lo dicho resulta evidente que la tarea propia del poeta no es referir lo realmente acaecido (τὰ γενόμενα) sino qué calidad de cosas podrían acaecer (οἷα ἂν γένοιτο), esto es, las cosas posibles según lo verosímil o lo necesario. En efecto, el historiador y el poeta no se diferencian por el hecho de que el uno se expresa en verso y el otro no (ya que se podría poner en verso la obra de Herodoto y no sería menos historia con versos que sin ellos); se diferencian, más bien, en que el uno refiere lo realmente acaecido y el otro qué calidad de cosas podrían acaecer. Por eso la poesía es más filosófica y más profunda que la historia, ya que la poesía habla más de lo general, la historia de lo particular. Lo general es qué calidad de cosas le corresponde decir o hacer a qué calidad de individuo según lo verosímil o lo necesario. A esto apunta fundamentalmente la poesía por más que ponga nombres propios a los personajes. Lo particular es qué hizo o qué le pasó a Alcibíades (1451 a 36-1451 b 11).

Antes de analizar el texto precedente es preciso recordar que el término poesía (ποίησις) está utilizado aquí en un sentido mucho más restringido que en los primeros capítulos de la *Poética*, donde designa el conjunto de las artes miméticas (imitativas, representativas) que, en oposición a las artes mimético-plásticas (como la pintura y la escultura), se caracterizan por ser mímesis *de acciones* y, secundariamente, de los caracteres que ejecutan esas acciones, esto es, tanto la "literatura" (en un sentido a la vez más amplio y más estrecho del tradicionalmente aceptado) cuanto la música y la danza. Fuera de esos capítulos iniciales, cuando Aristóteles habla de *poesía* alude por lo común a aquella especie de las artes mimético-verbales que dentro de su concepción histórica evolucionista de los géneros literarios ocupa el lugar correspondiente a la forma 'más desarrollada' y por ende 'más perfecta': la poesía trágica. La subespecie dramática de la comedia así como la poesía épica son consecuentemente descriptas y evaluadas en función de la tragedia, en tanto que ciertas formas que hoy llamaríamos líricas son dejadas de lado probablemente porque no encajan muy bien dentro de la categoría delimitadora en que se funda toda la *Poética*: la mímesis de acciones (cf. Cap. IV, pp. 87-89).

Puesto que el pasaje que ahora nos interesa trata de la poesía dramática y épica (pero sobre todo la tragedia) de un lado, y la historia de otro, puede parecer inapropiado a los fines de la presente reflexión. En efecto, si traducimos la oposición de que habla Aristóteles en los términos que hemos venido utilizando hasta aquí, habrá que admitir que el pasaje en cuestión no marca directamente los límites entre la clase de los textos ficcionales y la clase de los textos no-ficcionales sino entre una subclase de textos ficcionales tradicionalmente considerados como literarios y una subclase de textos no-ficcionales cuyo status literario o no literario no está claramente fijado por la tradición (ya que varía conforme a las propiedades de los ejemplares concretos y a los correspondientes juicios de los receptores) pero que queda claramente fuera del concepto aristotélico de las artes mimético-verbales, fuera de la *poesía-póiesis* desde todos los aspectos pensables, aun cuando pueda compartir con ésta el rasgo, descartado por irrelevante, de la expresión en verso.

Creo, sin embargo, que este tipo de oposición, lejos de obligarnos a restringir el marco conceptual en que nos hemos venido moviendo, nos induce más bien a ampliarlo y a introducir en él nuevas posibilidades de demarcación. Partiendo del planteo aristotélico del problema se puede, en mi opinión, no sólo determinar mejor las modalidades atribuibles a los objetos de referencia del texto y sus eventuales modificaciones, sino, a la vez, postular la especificidad de los textos ficcionales tradicionalmente aceptados como literarios respecto de todos los demás textos ficcionales (escritos u orales), por más que Aristóteles no haga explícita esta oposición o incluso jamás haya pensado en ella.

5.2. EL AMBITO DE REFERENCIA DEL DISCURSO POETICO: "LAS COSAS POSIBLES"

Si examinamos el mencionado pasaje de la *Poética* apoyándonos en las definiciones de *realidad* y *facticidad* que hemos tomado de Glinz reconocemos de inmediato que Aristóteles reclama fidelidad fáctica para el texto histórico y, simultáneamente, le niega esta propiedad al texto poético. El objeto de referencia de este último —entendido como clase— no es "lo realmente acaecido", lo *fáctico*, sino —y éste es un implícito fácilmente postulable— lo *no-fáctico*. De ello se deriva que, mientras que los enunciados del historiador pueden ser considerados verdaderos o falsos, correctos o erróneos, los del poeta no se pueden ni deben evaluar de acuerdo con esas categorías.

Aristóteles refuta así la condena platónica de la poesía de un modo tácito e indirecto, con argumentos poetológicos: afirmar que los poetas mienten supone desconocer que su objeto de referencia es lo *no-fáctico*, lo aún no acaecido o lo que eventualmente jamás acaecerá. Ya desde la primera frase se descubre, empero, que Aristóteles no exime al poeta de toda sujeción a la realidad ni postula la existencia de un mundo poético autónomo sin conexión con la experiencia colectiva del mundo real. Sería, por otro lado, banalizar su pensamiento entender que tan sólo quiere significar que en tanto que el historiador registra hechos fácticos, el poeta inventa personajes y sucesos. Lo no-fáctico a que el texto poético se refiere es definido —restringido— desde un comienzo: "las cosas posibles según lo verosímil o lo necesario", vuelto a definir: "qué calidad de cosas podrían acaecer", es identificado con "lo general" y finalmente redefinido con la máxima precisión: "qué calidad de cosas le corresponde decir o hacer a qué calidad de individuo según lo verosímil o lo necesario".

Lo no-fáctico a que el poeta se refiere o debería referirse —no olvidemos que Aristóteles describe paradigmas y que por tanto sus descripciones son simultáneamente preceptos— es, pues, un posible-general que abarca tan sólo la relación de verosimilitud o de necesidad entre un modelo de hombre (un "carácter") y los modelos de acciones verbales y no-verbales que se le atribuyen.

Ahora bien: aunque los caracteres dramáticos, sus discursos y actos no son particulares en el sentido en que lo son por ej. Alcibíades y sus obras, tampoco son, sin embargo, generales ni 'típicos' en el sentido de que representan patrones de comportamiento carentes de rasgos individualizadores. Lo que hace que la poesía (especialmente la trágica) sea en el concepto de Aristóteles "más filosófica y más profunda" que la historia es su posibilidad de proponer problemas humanos de validez universal a través de unos personajes y unas acciones que siempre llevan el sello de lo individual y a través de situaciones casi siempre tan extremas, tan poco 'cotidianas', que uno se siente tentado de atribuirles ese matiz de lo único y casual que, según Glinz, puede tener lo fáctico.

Este último detalle, en combinación con el hecho ya mencionado (*cf. supra*, p. 101) de que el poeta trágico por lo común no inventaba los lineamientos generales de la acción dramática sino que se atenía en esto a una tradición mítica que al menos para los coetáneos de Aristóteles pertenecía al ámbito de la facticidad, explica una llamativa falta de paralelismo en la oposición entre lo particular-histórico (fáctico) y lo general-poético (no-fáctico, posible). En efecto, cuando afirma, respecto del discurso histórico, "lo particular es qué hizo o qué le pasó a Alcibíades" omite deliberadamente un "qué dijo" pues es consciente de la práctica de los historiadores de atribuir a los personajes históricos los discursos que *podrían haber dicho* de acuerdo con su carácter y su situación. Análogamente, lo que le *ocurre* a los caracteres trágicos, las situaciones conflictivas en que se ven envueltos, queda implícitamente fuera del ámbito de "las cosas posibles según lo verosímil o lo necesario" (*Cf.* von Fritz, 1962, p. 437). Ello no implica, sin embargo, que Aristóteles postule algo así como una fidelidad fáctica parcial del texto trágico —o lo que Searle consideraría una dosis de no-ficción en la ficción— ni tampoco que exima al poeta de atenerse a lo verosímil al presentar un determinado carácter en una determinada situación.

Respecto de lo primero, ya hemos visto (*cf. supra*, p. 101) cómo Aristóteles explica la práctica de los poetas trágicos de poner a sus caracteres los nombres de personajes considerados históricos del punto de vista de su función verosimilizadora: lo objetivamente posible, lo que se ha demostrado como posible por haber ocurrido realmente, vuelve "convincente", subjetivamente posible, lo que de suyo podría no parecer posible. Lo que en definitiva cuenta para el poeta, conforme a dicha argumentación, no es por tanto ser fiel a lo fáctico sino valerse de lo fáctico para convencer.

El hecho de que una situación trágica fijada por la tradición resulte verosímil o, lo que es lo mismo, *poéticamente posible*, no depende, sin embargo, tan sólo de su real o supuesta facticidad. En otro pasaje del mismo Cap. IX de la *Poética* Aristóteles sugiere con bastante claridad que no todo lo fáctico puede cumplir una función verosimilizadora y que, por tanto, lo que le *ocurra* al personaje, independientemente de su verdad histórica, debe estar de alguna manera en consonancia con sus cualidades individuales, sus palabras y sus acciones: "Si se le presenta [al poeta] la ocasión de poetizar sucesos realmente acaecidos no es por eso menos poeta, ya que nada impide que algunos de los sucesos realmente acaecidos sean tales como los que verosímilmente podrían acaecer, respecto de lo cual aquél es su poeta" (1451 b 29-32). Queda aquí sentado que aun cuando el poeta trabaje con materiales históricos, lo específico de su tarea, lo que lo hace poeta, es seleccionar del conjunto de lo fáctico lo poéticamente apropiado, lo *posible para una tragedia* e incorporar este fáctico poéticamente apto al universo de "las cosas posibles según lo verosímil o lo necesario".

5.3. LO VEROSIMIL. VEROSIMILITUD ABSOLUTA Y VEROSIMILITUD GENERICA

El pasaje precedente revela, además, una ambigüedad conceptual que se mantiene casi a todo lo largo de la *Poética* y que deriva del hecho de que Aristóteles trabaja implícitamente, a veces de modo simultáneo, con dos nociones que el poeta y teórico alemán del siglo XVIII J. Ch. Gottsched delimitó con toda claridad y denominó respectivamente "verosimilitud absoluta" y "verosimilitud hipotética"[9]. En la *Poética* esas dos nociones aparecen designadas, a veces de modo indistinto, por los términos εἰκός ("verosímil") y πιθανόν ("convincente") —solos o en combinación con δυνατόν ("posible")— con los que Aristóteles fija normativamente el universo de la poesía —en particular la trágica— y que se oponen a los términos, cuyas fronteras semánticas tampoco resultan muy claras, ἀδύνατον ("imposible"), ἄτοπον ("insólito", "absurdo") y ἄλογον ("inexplicable", "contrario a la razón", "inverosímil"), con los que caracteriza aquellos elementos que, en principio, deberían quedar excluidos de ese universo.

Cuando Aristóteles, en el pasaje que estamos examinando, sostiene que "nada impide que algunos de los sucesos realmente acaecidos sean tales como los que verosímilmente podrían acaecer" parece invalidar aquella otra afirmación según la cual "mientras que podemos no creer que sea posible lo que no ha ocurrido es, por el contrario, del todo evidente que lo que ha ocurrido es posible, ya que si fuera imposible, no habría ocurrido" (*Cf. supra*, p. 101).

Si se acepta que todo lo fáctico pone retrospectivamente en evidencia posibilidades de *facta* o, dicho de otra manera, que cada hecho fáctico es la realización de una posibilidad objetiva y que todo lo que se ha demostrado posible (por el mismo hecho de haberse realizado) resulta verosímil, no se puede aceptar a la vez, sin incurrir en contradicción, que sólo *algunos* hechos fácticos "sean tales como los que verosímilmente podrían acaecer".

Si por verosímil entendemos lo que se adecua a los criterios de realidad vigentes dentro de una comunidad cultural determinada o, para decirlo aristotélicamente, lo que está en conformidad con la "opinión común" sobre la realidad o con la opinión de "los mejores", la contradicción permanece en pie. Dentro de esta concepción, que corresponde al "verosímil absoluto" de Gottsched, sólo es factible compatibilizar las dos afirmaciones en cuestión si se distingue, conforme al grado de probabilidad calculable o estimable de los sucesos, lo *verosímil* (esperable, predecible) de lo *relativamente verosímil* (lo poco esperable pero no descartable por imposible). En favor de la introducción de esta última noción se puede aducir otro pasaje de la *Poética*: "las cosas inexplicables (πἄλογα) se deben justificar con la opinión común: así se puede mostrar que a veces no son inexplicables, ya que es verosímil (εἰκός) que las cosas ocurran también en contra de lo verosímil" (1461 b 14-15).

De acuerdo con esta acotación, un suceso realmente acaecido pero del todo excepcional, que no parece obedecer a ningún tipo de regularidad, se demuestra como objetivamente posible pero es a la vez no predecible, no esperable, no acorde con los criterios intersubjetivos acerca de lo que es usual o

---

9. *Cf.* sus penetrantes reflexiones sobre la verosimilitud propia de ciertos géneros literarios como la fábula en el Cap. VI de su *Versuch einer critischen Dichtkunst vor die Deutschen*, Leipzig 1730, donde remite precisamente a Aristóteles para fundamentar dicha distinción (Gottsched 1972, pp. 129 y ss.).

normal que ocurra en la realidad. Al demostrarse como objetivamente posible, sienta, sin embargo, el precedente de que lo no esperable ocurra y obliga, así, a modificar los juicios de probabilidad ligados a la "opinión común" sobre la realidad. Tal suceso podrá caracterizarse, por tanto, como *relativamente verosímil*.

En conformidad con la distinción precedente, habría que reservar el calificativo *verosímil* para lo que se adecua *en amplia medida* (*y no como caso de excepción*) a los criterios de realidad aceptados dentro de una comunidad cultural determinada (*Cf.* Landwehr 1975, p. 170).

¿Es a este alto grado de verosimilitud absoluta al que alude Aristóteles cuando adjudica sólo a algunos hechos fácticos el ser "tales como los que verosímilmente podrían acaecer"? Dado el contexto en que aparece semejante restricción, me inclino a pensar que no es el caso y que, por útil que pueda resultar la distinción que se acaba de trazar —y a la que volveremos más adelante—, no se aplica satisfactoriamente aquí.

Si lo que hace poeta a un poeta no es, como lo señala repetidamente Aristóteles, su capacidad para escribir versos o para inventar fábulas sino su capacidad para poetizar sucesos "tales como los que verosímilmente podrían acaecer" —independientemente de que hayan ocurrido o no— y si lo típico de la poesía trágica (poesía por excelencia) es la representación de situaciones tan extremas, tan insólitas, tan poco normales que difícilmente se les podría adjudicar un alto grado de verosimilitud absoluta, entonces cabe suponer que lo que quiere significar Aristóteles es que existe un *verosímil trágico* (así como existe un *verosímil cómico* y un *verosímil épico*)[10] y que el poeta no deja de ser poeta cuando representa hechos fácticos o considerados tales, a condición de que esos hechos sean *trágicamente verosímiles*: adecuados a las leyes del género y aptos para producir en el receptor los efectos que, según Aristóteles, son específicos de cada género.

En consecuencia, si el efecto propio de la poesía trágica es que "a través de la conmoción (ἔλεος) y el espanto (φόβος) opera en el espectador la catarsis de tales estados emotivos" (1449 b 27-28)[11], cuando el poeta trabaje con hechos fácticos o considerados tales, tendrá que tener en cuenta, junto a su grado de verosimilitud absoluta, su verosimilitud trágica, lo que implica, de un lado, que tanto las cualidades del personaje como sus acciones verbales y no-verbales estén en relación de verosimilitud o de necesidad con la situación trágica fijada por la tradición y, de otro lado, que el entramado de las acciones sea capaz de producir el desencadenamiento liberador de conmoción y espanto. En aquellos casos en que surja un conflicto entre el verosímil absoluto y el verosímil condicionado por el género (el verosímil "hipotético" de Gottsched,

---

10. T. Todorov (1970 a, p. 13) atribuye a los clásicos franceses la introducción de esta 'nueva' noción de verosimilitud en el sentido de la adecuación del texto a las leyes del género literario respectivo.

11. Sobre las nociones "conmoción", "espanto" y "catarsis" véase Fuhrmann, 1973, pp. 90-98.

que a partir de ahora llamaré *genérico*), Aristóteles está dispuesto a darle prioridad a este último: "Por lo que se refiere a la poesía, el imposible que convence (πιθανὸν ἀδύνατον) es preferible a lo no convincente y posible" (1461 b 11-12). En conformidad con este principio, a pesar de que recalca que los poetas dramáticos y épicos deben abstenerse de construir historias que incluyan elementos disparatados, inexplicables, contrarios a lo que la mayoría o "los mejores" estiman que podrían acaecer en la realidad, hace la siguiente concesión: "pero si las construyen y ellas tienen un aire de verosimilitud, habrá que admitir incluso lo absurdo; así es que las inverosimilitudes del abandono [de Ulises] en la *Odisea* resultarían evidentemente insoportables si hubieran sido obra de un mal poeta pero aquí el poeta disimula lo absurdo con las otras cualidades [de su obra] y lo vuelve agradable" (1460 a 35-1460 b 2).

El buen poeta es, pues, aquél capaz de organizar su material de tal manera, que en su obra la verosimilitud genérica pueda imponerse, llegado el caso, a la inverosimilitud absoluta y condicione, en consecuencia, un tipo de recepción que relativice la importancia de la segunda en favor de la primera.

Que en opinión de Aristóteles cada género posee un verosímil específico, determinado por las propiedades estructurales y por los efectos que le son específicos, resulta evidente cuando respecto de aquellos elementos argumentales que dejan maravillado al receptor afirma: "En las tragedias es preciso introducir lo asombroso (τὸ θαυμαστόν)[12] pero en la epopeya es incluso admisible lo inexplicable (τὸ ἄλογον)[12], que es la principal fuente de lo asombroso, ya que no se tiene ante los ojos al personaje que realiza la acción" (1460 a 11-14).

Este último pasaje revela, además, que existe cierta relación entre la verosimilitud genérica y la verosimilitud absoluta y que, según los géneros, dicha relación puede variar desde la casi total coincidencia hasta el conflicto abierto, caso en el cual la suspensión de las exigencias de verosimilitud absoluta dependerá del talento del poeta y, correlativamente, de la competencia del receptor.

A la tragedia, que, como se ha señalado repetidas veces, ocupa en la *Poética* la posición del género más perfecto, le exige Aristóteles, —siempre en su afán por establecer normativamente "cómo hay que construir los argumentos si se quiere que la composición poética sea bella" (1447 a 2-3)— una casi coincidencia de su propio verosímil (lo apto para provocar conmoción y espanto) con lo verosímil absoluto en sus diferentes grados, incluido allí el grado débil representado por lo extremadamente insólito pero no descartable por imposible que, como se ha visto, es típico de buena parte de las situaciones trágicas.

En el caso de la epopeya la relación entre ambos tipos de verosimilitud resulta, en cambio, más laxa, lo que se explica por un efecto adicional que Aristóteles parece adjudicar a este género como exclusivo de él: dejar maravillado al receptor suscitando el placer por lo sorprendente y racionalmente inexpli-

---

12. En la medida en que, como se señaló más arriba (p. 126), Aristóteles utiliza a veces el término como sinónimo de ἄτοπον y ἀδύνατον, podría traducirse igualmente por "absurdo", "inverosímil" (en el sentido de "inverosímil absoluto") o "imposible".

cable. Es este efecto —o "fin" al que tiende por naturaleza el poema épico— el que justifica que en él se pueda dar mayor cabida a lo "imposible que convence".

5.4. LA POETICA DE LA FICCION TRAGICA

De los pasajes aristotélicos examinados hasta aquí se pueden extraer ya algunas conclusiones importantes. La primera de ellas es que es posible completar ahora la hipótesis acerca de la especificidad de los textos ficcionales tradicionalmente aceptados como literarios (*cf. supra*, p. 113) añadiendo que lo característico y exclusivo de ellos radica en el hecho de que el productor los construye ateniéndose a las reglas de una poética de la ficción que varía según los diferentes géneros y épocas, lo que supone, del lado del receptor, el aprendizaje, a través de la praxis, de un modo específico de recepción que incluye tanto el reconocimiento de la ficción como tal cuanto el de la poética particular que la sustenta[13]. Ello implica, si nos volvemos a ubicar en el sistema conceptual de Landwehr, que tanto los tipos de modificación intencional —cointencional de las modalidades atribuibles a los objetos de referencia como la posibilidad de coexistencia en un texto de diversos mundos varían no sólo conforme a las variaciones de los criterios de realidad de los comunicantes sino, además, según las variaciones del conjunto de convenciones literarias que dentro de cada época y dentro de cada género norman la construcción del mundo ficcional[14].

Entre la experiencia colectiva de la realidad, siempre presente como el horizonte último de las ficciones literarias, y el mundo representado en ellas se interpone como instancia mediadora —como primer horizonte inmediato— la experiencia de lo admitido y esperable dentro de cada tipo de ficción[15]. Esta experiencia, caracterizable como una forma de competencia literaria, se manifiesta en el productor como la capacidad de atenerse a las normas de la verosimilitud genérica —o quebrarlas de modo consciente, con un afán innovador— y la de resolver satisfactoriamente todo conflicto entre las exigencias de verosimilitud genérica y las de verosimilitud absoluta. Del lado del receptor dicha competencia se manifiesta en el reconocimiento de las normas se-

---

13. Tomo de K. Stierle el término *poética de la ficción* pero lo utilizo en un sentido más restringido (*Cf.* Stierle 1975 b, pp. 356 y ss.).

14. Uso aquí *mundo ficcional* en el sentido de Landwehr (1975, p. 181), como "el ámbito de referencia de una expresión que se ha ficcionalizado mediante la modificación intencional de uno o varios de los constituyentes del proceso de comunicación". *Cf. supra*, 2.3.

15. Utilizo el término *horizonte* en el sentido de H. R. Jauss (*cf.* Jauss 1970) y de K. Stierle (*cf.* Stierle 1975 b, esp. pp. 378 y ss.).

guidas o quebradas por el productor y en la elaboración de expectativas acordes con ellas.

Así, cuando Aristóteles procura demostrar que los poetas no mienten y que sus obras no son, como pretendía Platón, copias engañosas de una realidad ilusoria concebida a su vez como copia o proyección imperfecta de la 'verdadera' realidad (el mundo de las ideas), lo hace con argumentos que implican el reconocimiento de la función mediadora de una poética de la ficción o, por lo menos, de una poética de la ficción trágica. Aristóteles subraya, como se ha visto, que la tarea del poeta —y ya sabemos que por tal ha de entenderse en primera línea el poeta trágico— no es reproducir fielmente, 'copiar' el mundo de lo fáctico sino representar "las cosas posibles según lo verosímil o lo necesario". La consecuencia inmediata de tal afirmación se puede formular, en conformidad con las definiciones de realidad y facticidad adoptadas más arriba (*cf. supra*, pp. 110 y s.), de la siguiente manera: no se debe esperar de una tragedia (cabría precisar, al margen de Aristóteles: de una tragedia griega clásica) que sea fácticamente fiel, aun cuando esté elaborada sobre la base de hechos fácticos o considerados como tales, pero sí que sea *adecuada a la realidad*, esto es, que los hechos no-fácticos (lo que podría acaecer) presentados en ella como fácticos (acaecidos), lo general y posible presentado como particular y realizado, saquen a luz, hagan efectiva una latencia contenida en el contexto de causalidad presupuesto en todas las acciones de los miembros de la sociedad griega de los siglos V o IV a. C.

El mundo representado en una tragedia no es, pues, réplica de una facticidad particular —por más que ciertos elementos de ese mundo puedan tener correlatos en la esfera de lo fáctico— pero tampoco es un mundo autónomo, que sólo responda a sus propias leyes[16] sino, antes bien, constituye una forma de actualización de posibilidades de *facta* contenidas en el mencionado contexto de causalidad.

La modificación típica de la ficción trágica, la exigida por la poética de la ficción trágica, se podría definir, por tanto, como la adjudicación de la modalidad *fáctico* (acaecido, actualmente existente) a acciones y actantes considera-

---

16. Debe quedar en claro que por mucho que el mundo ficcional pueda apartarse de la experiencia colectiva de la realidad, nunca se independiza por completo de ella en la medida en que lo absolutamente diferente resultaría inexpresable. Stierle señala con razón que en tanto el mundo ficcional se instaura por medio del lenguaje —o de un lenguaje—, se ubica siempre en el horizonte de una experiencia posible: "si en la ficción todo fuera básicamente distinto que en nuestra experiencia de la realidad, si, en consecuencia, la ficción ya no se pudiera poner en relación con un concepto de realidad, ni se la podría articular verbalmente ni se la podría constituir en la recepción" (1975 b, p. 378). El hecho de que Stierle utilice una noción de realidad al parecer algo más laxa de la adoptada aquí, no modifica la validez de su observación. Una vez descartada la posibilidad de la autonomía absoluta, las diferencias entre clases de mundos ficcionales instaurados conforme a las normas de distintas poéticas pueden ser interpretadas como grados de distanciamiento —de autonomía relativa— respecto de la realidad.

dos *posibles* (no acaecidos, no actualmente existentes pero pertenecientes a la realidad en tanto se piensa que podrían acaecer o existir).

Obsérvese que no hablo ya de la modificación de las "zonas de referencia" del texto sino de la modificación de "acciones y actantes". Así como respecto de la narrativa señalé que la fictivización de los objetos y hechos de referencia del texto no se podía tratar independientemente de la fictivización del narrador —de la instauración de una voz distinta de la del autor que sostiene un discurso narrativo asumiéndolo como propio—, del mismo modo, en' el caso del drama no es posible tratar las modificaciones de las zonas de referencia sin considerar, en primer lugar, la fictivización de los sujetos de las acciones e interacciones verbales y no-verbales que configuran el 'mundo' del drama. Estos actantes ficticios se constituyen en personas ficcionales —los "personajes" o los "caracteres" de Aristóteles— en y mediante el texto de sus propios actos de habla, de los actos de habla de las otras personas ficcionales y, eventualmente, en el texto de las acotaciones escénicas del autor. Las zonas de referencia de los discursos de los personajes pueden configurar a su vez otros tantos 'mundos' dentro del 'mundo' de las acciones dramáticas.

Ahora bien, si, como se señaló más arriba, tanto la posibilidad de coexistencia de diversos mundos en un mismo texto como los tipos de modificación intencional de las modalidades atribuibles a los objetos pertenecientes a cada mundo están inmediatamente condicionados por la poética ficcional propia de cada género, podemos completar ahora las normas de la poética de la ficción trágicas presupuestas por Aristóteles: en la tragedia tanto el mundo configurado por las acciones verbales y no-verbales de los personajes —la mímesis de acciones y caracteres— cuanto los mundos representados en los discursos de los personajes —la mímesis dentro de la mímesis— deben ser mundos a los que la "opinión común" les adjudique el modo de ser *posible*. Así, los personajes deben ser tales como los hombres que se estima que podrían existir; sus acciones deben ser tales como las que se piensa que podrían ser realizadas por tales hombres; y, por último, los objetos y sucesos evocados o de alguna manera representados en los discursos de los personajes —piénsese por ej. en los discursos narrativos de la figura típica del mensajero— deben ser igualmente tales como los que se estima que podrían existir o acaecer.

La tragedia, a diferencia de la epopeya, no admite la irrupción de lo imposible (τὸ ἄλογον) en el universo de lo posible. La coexistencia de ambos órdenes redundaría en una ruptura de la verosimilitud trágica, que exige que las acciones dramáticas presentadas como fácticas reúnan dos condiciones complementarias: (a) que sean aptas para producir conmoción y espanto y (b) que dimanen unas de otras de manera necesaria o verosímil (*Cf. Poética* IX, 1451 b 33 - 1452 a 11 y X, 1452 a 18-20). La segunda condición implica que las acciones no deben sucederse simplemente, esto es, producirse unas tras otras en forma más o menos azarosa, sino que deben estar causalmente conectadas y que el tipo de conexión debe estar en conformidad con el contexto de causalidad presupuesto por los miembros de la comunidad cultural griega clásica.

La poética de la ficción trágica se puede definir, de acuerdo con los postulados aristotélicos, como una poética 'realista'. La tragedia clásica descripta por Aristóteles y elevada por él mismo al rango de modelo literario de validez universal y atemporal, se puede caracterizar, por tanto, sin incurrir en contradicción, como uno de los tipos de ficciones literarias fundados en la *mímesis de la realidad* o, para ser más precisos, en la mímesis de aquella esfera de la realidad constituida por las *posibilidades de facta*. La tragedia es un género ficcional en la medida en que en ella lo real-posible y en tanto posible aún no-fáctico, es presentado como fáctico: modelos de acciones y actantes posibles aparecen en ella como acciones efectivamente realizadas y como individuos efectivamente existentes.

Si se acepta la precedente caracterización de la tragedia griega clásica como tipo literario ficcional, parece posible ya dar algunas pautas para una tipología de las formas literarias ficcionales. Previo a ello creo conveniente, sin embargo, hacer un somero examen del procedimiento que nos ha llevado a ese primer resultado parcial, tanto para poner a prueba su congruencia cuanto para completar nuestro instrumental analítico.

1) Apoyándome en las objeciones de Martínez-Bonati a la teoría ficcional de Searle, revisé algunas de las nociones claves de dicha teoría —tales como "simulación", "pseudoaserción" y "pseudorreferencia" en oposición a "referencia real" —para poner en evidencia que no se adecuan a la complejidad de la situación comunicativa propia del discurso ficcional en general y que, aplicadas a determinados géneros literarios ficcionales, pueden llevar a distorsiones como la confusión entre el autor y el narrador de una novela. Por lo mismo quedó en claro que no es admisible trazar una tipología de las ficciones literarias tomando como criterio la presencia mayor o menor de "referencia reales" del autor dentro del mundo ficcional.

2) Al discutir la teoría ficcional de Landwehr intenté demostrar que si bien la ficcionalidad puede ser definida satisfactoriamente con ayuda de la noción de "modificación intencional de las modalidades atribuibles a los constituyentes de la situación comunicativa", es preciso replantear, en términos diferentes de los de Landwehr, tanto el inventario de dichas modalidades como la relación entre la modificación de las zonas de referencia (la constitución del mundo representado en la ficción) y la modificación del rol de productor (la constitución de una fuente de lenguaje distinta del autor).

3) La consideración del mundo ficcional como un mundo imaginario nos condujo a la ecuación sartreana *imaginario = irreal*, que se mostró poco apta para distinguir tipos de ficciones conforme a los mundos representados en ellas.

4) En un primer intento por delimitar las modalidades atribuibles a los componentes del mundo ficcional en consonancia con el postulado de que lo ficcional sólo es definible en relación con interpretantes —con el productor y/o el receptor del mensaje, que son quienes atribuyen dichas modalidades— adopté una definición de *realidad* constituida ella misma en relación con interpretantes. Basándome en Glinz (1973) incorporé así la modalidad *real* y las modalidades, subsumibles en ella, de lo *fáctico* y lo *posible*.

5) A la luz de esas categorías busqué poner en claro la trascendencia del aporte aristotélico a la teoría de la ficción literaria. La relectura de algunos pasajes claves de la *Poética*, sobre todo de la célebre distinción entre historia y poesía —que a fuer de conocida y repetida ha sido entendida casi siempre de un modo muy superficial— iluminó un importante aspecto dejado de lado por los otros sistemas teóricos examinados aquí: el status especial de los géneros ficcionales tradicionalmente considerados como literarios. La reflexión metateórica trajo en este caso como resultado el reconocimiento de que tanto la producción como la recepción de las ficciones literarias están condicionadas por una instancia normativa (a la que he llamado "poética de la ficción"), variable para cada género y época, que es la que determina qué tipos de modificación intencional-cointencional de las modalidades atribuibles a los componentes del mundo ficcional son los permitidos o esperables dentro de cada género y que es la que regula, además, las posibilidades de combinación de componentes de diferentes modalidades. En relación inmediata con esa instancia normativa surgieron dos nuevas categorías, a las que denominé "verosimilitud absoluta" y "verosimilitud genérica". Si bien su introducción permitió entender mejor, según creo, que las ficciones literarias se relacionan con la realidad de un modo mediato, en virtud de y a través de una determinada poética de la ficción, no quedó del todo definido el status de lo *verosímil* respecto de las modalidades *real, fáctico* y *posible*. Al comentar los textos aristotélicos tuve que referirme asimismo a lo "necesario" y lo "imposible" —con sus aparentes variantes: lo "absurdo", lo "inexplicable", lo "inverosímil" etc.— sin poder precisar aún cómo se integrarían en un sistema mínimo de modalidades básicas que permita distinguir clases de textos literarios ficcionales conforme a los tipos de modificaciones exigidos en cada caso por la poética en que se sustentan. Pienso que una vez más el examen atento de algunas afirmaciones aristotélicas puede ayudar a esclarecer las relaciones conceptuales relevantes para este propósito.

5.5. LO POSIBLE SEGUN LO VEROSIMIL Y LO POSIBLE SEGUN LO NECESARIO

Como se recordará, los términos *posible, verosímil* y *necesario* aparecen estrechamente vinculados al comienzo del Cap. IX de la *Poética*, donde Aristóteles declara que la tarea propia del poeta es referir "las cosas posibles según lo verosímil o lo necesario", con una formulación que parece sugerir una diferencia cualitativa o cuantitativa de cosas posibles. Dada la frecuencia con que el par conceptual "verosímil" —"necesario" recurre a lo largo de toda la *Poética*, resulta tanto más sorprendente el silencio de los comentaristas sobre este pasaje.

El mencionado par aparece, por ej., al final del Cap. VII, donde se afirma que la extensión ideal de la tragedia es aquella que permite que en una secuencia de acontecimientos "que se suceden según la verosimilitud o la necesidad" se verifique el cambio de fortuna (1451 a 11-15). Hacia la mitad del Cap. VIII Homero es alabado por haber omitido en la *Odisea* todos aquellos sucesos de la vida de Ulises "ninguno de los cuales debía necesaria o verosímilmente producirse al producirse otro" (1451 a 24-28). En el mismo Cap. IX leemos que "lo general es qué calidad de cosas le corresponde decir o hacer a qué calidad de individuos según lo verosímil o lo necesario" (1451 b 8-9) y, más adelante, un tipo de trama caracterizado como "episódico" es objeto de severas críticas con el argumento de que en él "la interrelación de los episodios no es ni verosímil ni necesaria" (1451 b 34-35). Al final del Cap. X se insiste en que los momentos culminantes de la acción, aquéllos en los que el cambio de fortuna del héroe se produce de un modo brusco y sorprendente —lo que aumenta la intensidad del impacto afectivo en el receptor— deben desprenderse con naturalidad de la estructura argumental "de manera que se deriven necesaria o verosímilmente de hechos anteriores, ya que hay una gran diferencia en que esos sucesos acaezcan *a causa* de otros o bien *después* de otros" (1452 a 19-21).

Las palabras destinadas a fundamentar el precepto contenido en la última cita permiten inferir que con los términos *verosímil* y *necesario* Aristóteles se refiere, sobre todo, a la conexión causal de las acciones. Ello no implica, sin embargo, que haya que entender esos términos en bloque, como si configuraran una unidad semántica, tal como pretende M. Fuhrmann: "Los dos componentes del par conceptual se prestan mutuamente una cierta imprecisión: por ello es lícito traducirlos sintéticamente con la expresión 'verosimilitud' " (1973, p. 21). Creo, por el contrario, que si bien en el pasaje final del Cap. X los sucesos que se derivan "necesaria o verosímilmente de hechos anteriores" quedan globalmente caracterizados como aquellos que acaecen "a causa de otros", los términos en cuestión aluden implícitamente a dos tipos de conexión causal entre sucesos posibles y, en última instancia, a dos tipos de posibilidades de *facta*.

Es interesante recordar al respecto que en los muchos pasajes de la *Retórica* en los que Aristóteles se ocupa de lo *verosímil* presenta por lo común definiciones que se fundan en una comparación contrastiva —implícita o explícita— de lo *verosímil* con lo *necesario*. Veamos una de ellas: "Porque lo verosímil es lo que ocurre con frecuencia, pero no absolutamente, como lo definen algunos, sino lo que, pudiendo ser de otra manera, se relaciona con aquello respecto de lo cual es verosímil como lo universal con lo particular" (1357 a 34-37). La afirmación de que lo *verosímil* es lo que puede ser de otra manera suscita, en efecto, la confrontación con un contrario: lo que no puede ser de otra manera. Y este contrario es precisamente lo *necesario*, como surge con claridad de las siguientes definiciones incluidas en el Libro V de la *Metafísica*: "además, lo que no puede ser de otro modo, decimos que es necesario que sea así" (1015 a 33-35); "por lo tanto, lo primero y propiamente necesario es lo simple, ya que esto no puede ser de varios modos" (1015 b 11-13).

Asimismo, la noción de "lo que ocurre frecuentemente o la mayoría de las veces" sugiere de inmediato la asociación con "lo que ocurre siempre". Aristóteles confronta expresamente ambas nociones cuando precisa: "lo verosímil no es lo que ocurre siempre, sino lo que ocurre la mayoría de las veces" (*Retórica*, 1402 b 20-21). Que "lo que ocurre siempre" es otra manera de definir lo *necesario* se desprende de la siguiente reflexión, en la que los dos términos aparecen mencionados y confrontados en forma explícita: "no es lo mismo refutar algo fundándose en que no es verosímil y fundándose en que no es necesario pues lo que ocurre la mayor parte de las veces siempre es objetable, ya que en caso contrario no sería verosímil, sino que ocurriría siempre y sería necesario" (*Retórica*, 1402 b 27-29).

En resumen: *necesario* es lo que no puede ser de otra manera y ocurre siempre; *verosímil* es lo que puede ser de otra manera pero ocurre frecuentemente de una manera determinada. Puesto que lo *verosímil* es definido conforme al criterio cuantitativo de la frecuencia, de ello se sigue que existen grados de verosimilitud según los correspondientes grados de frecuencia: "es más verosímil aquello que ocurre más frecuentemente así [en mayor número de cosas]" (*Retórica*, 1402 b 37-1403 a 1). El grado más bajo de verosimilitud estaría representado por lo que ocurre sólo de modo excepcional y, por tanto, en forma imprevisible: "ocurre lo que no es verosímil; por lo tanto, también lo que está contra lo verosímil es verosímil. Y si esto es así, lo inverosímil será verosímil [. . .] pero no en absoluto sino relativamente" (*Retórica*, 1402 a 13-17; cf. *Poética*, 1461 b 14-15).

Los testimonios aducidos hasta aquí pueden crear la sensación de que el término εἰκός (que he traducido siempre como "verosímil") designa una categoría objetiva: algo así como la medida cuantitativa, el grado de la posibilidad de que un suceso devenga en hecho fáctico. De ser efectivamente así, la traducción más apta para este término no sería *verosímil* en el sentido de "lo que parece verdadero", sino *probable* en el sentido de "calculable". Si no he optado por esta solución es porque, como acertadamente señala Fuhrmann, mientras que el término πιθανόν ("creíble", "convincente") designa claramente el efecto de un texto sobre el receptor, la pura capacidad suasoria del discurso —y se puede considerar por ello el correlato subjetivo de lo objetivamente posible—, el término εἰκός oscila entre estos dos polos semánticos según el contexto (1973, p. 25). En efecto, no es difícil hallar en la *Retórica* misma otros testimonios en los que el criterio de la frecuencia es desplazado por el de la opinión mayoritaria autorizada. Así se recalca, por ejemplo, que el encargado de juzgar la refutación de una acusación "no debe juzgar únicamente sobre la base de lo necesario, sino también sobre la base de lo verosímil, puesto *esto es juzgar de acuerdo con la mejor opinión*" (1402 b 31-33). En otros casos ambos criterios se combinan para poner de relieve el carácter opinable, subjetivamente variable, de la noción misma de frecuencia, como surge de la definición de uno de los cuatro tipos de entimemas o silogismos retóricos: "los entimemas construidos sobre la base de lo que ocurre realmente o *parece* ocurrir la mayor parte de las veces se fundan en lo verosímil" (1402 b 14-16).

Sin embargo, independientemente de esta ambigüedad del término εἰκός, se puede concluir que la categoría por él designada, a la que seguiré llamando *verosímil* a falta de una expresión más adecuada, forma una dualidad polar con lo necesario, y que lo *verosímil* y lo *necesario* representan dos maneras diferentes de articulación ·de posibilidades. Procuraré ilustrar la diferencia con un ejemplo: es posible que dadas determinadas circunstancias un individuo quiera suicidarse saltando al vacío desde la ventana del séptimo piso de un edificio. De esta posibilidad se sigue necesariamente la posibilidad de que el individuo en cuestión caiga hacia abajo en lugar de quedar flotando en el aire o remontarse hacia el cielo o cualquier otra variante que implique la no-caída, esto es, que esté en contradicción con una ley natural que forma parte del "contexto de causalidad en el que uno se fía al actuar" y que por ello mismo queda descartada como imposible. Recordemos que lo necesario es "lo que no puede ser de otro modo": la única posibilidad que se deriva del posible salto de un posible suicida es la caída. A su vez, de la posibilidad de la caída resulta *verosímilmente*, esto es, con un alto grado de probabilidad calculable o estimable, la posibilidad de que el suicida muera al estrellarse contra el pavimento. Por cierto que en este caso lo contrario es también posible pero menos probable; que el suicida caiga en un lugar tal y de una manera tal que no le acarree la muerte.

Pienso que cuando Aristóteles asigna al poeta la tarea de referir "las cosas posibles según lo verosímil o lo necesario" alude sustancialmente a esos dos modos de relación entre sucesos posibles que acabo de ilustrar. Queda por considerar, sin embargo, si la diferencia en el modo de relación no implica una diferencia de posibilidades. En efecto, las cosas posibles según lo verosímil y las cosas posibles según lo necesario sólo son igualmente posibles si se las piensa como no-fácticas, susceptibles de volverse fácticas. No son igualmente posibles, en cambio, si se considera el grado de su respectiva posibilidad de convertirse en hechos fácticos, grado que depende de las condiciones a las que dichas cosas posibles están ligadas.

Resulta interesante recordar al respecto dos pasajes de la *Retórica* que hacen explícito el supuesto de que hay grados de lo posible: "Si es posible que algo llegue a producirse sin ayuda de una técnica (capaz de producirlo) y sin preparación, más posible será que se produzca mediante una técnica y poniendo en ello especial cuidado" (1392 b 5-6); "Si algo es posible para los que son inferiores, de menor valía y más tontos, más posible será para los que tienen las cualidades opuestas" (1392 b 10-11). No está de más aclarar, para la mejor inteligencia de estos textos, que Aristóteles no usa aquí el término εἰκός sino precisamente δυνατόν.

Tal vez no sea, por consiguiente, demasiado osado ver en la aludida distinción un anticipo de la categoría hegeliana de la *posibilidad real*, que se contrapone a la de la *posibilidad formal*. Mientras que esta última se funda en la mera ausencia de contradicción lógica y admite por ello mismo la alteridad (lo formalmente posible puede ser de una manera o de otra), la *posibilidad real* está siempre ligada a un complejo parcial de condiciones que, en caso de completarse en un complejo integral, transforma a la *posibilidad real* en *realidad* (o, para decirlo en los términos de Glinz, transforma a la *posibilidad* en *facticidad*).

Para Hegel lo *realmente posible*, en tanto ligado a determinadas condiciones y circunstancias, no puede ser de otra manera, de donde resulta que sólo en apariencia se distingue de lo *necesario* (*Cf. Logik* II, pp. 176-179).

¿No sería precisamente un anticipo de esta noción lo que subyace en la expresión aristotélica "las cosas posibles según lo necesario"? De ser así cabría conjeturar que lo *posible según lo necesario* (o lo *necesariamente posible*) alude, en oposición a lo *posible según lo verosímil* (o lo *verosímilmente posible*), a lo que es forzoso que ocurra en caso de que estén dadas o se creen determinadas condiciones. O, si se quiere interpretar la diferencia desde un punto de vista cuantitativo, cabría pensar que lo *posible según lo necesario* representa el grado máximo de la posibilidad de que algo ocurra efectivamente, esto es, que pase de *posible* a *fáctico*. Lo *posible según lo verosímil* representaría, en cambio, un grado menor, si bien relativamente alto, de dicha posibilidad de tránsito de lo *posible* a lo *fáctico*: correspondería a aquello cuya ocurrencia, en relación con ciertas condiciones, no es exactamente predecible sino sólo esperable o calculable de un modo aproximativo.

6. MODALIDADES ATRIBUIBLES A LOS COMPONENTES DEL MUNDO FICCIONAL

Al final del párrafo precedente he correlacionado una vez más las categorías aristotélicas que considero más aprovechables para el propósito de delimitar un repertorio mínimo de modalidades y sus transformaciones en el texto ficcional, con aquella definición de realidad que me ha parecido la más adecuada para ese fin por el hecho de estar pragmáticamente constituida (*Cf. supra*, pp. 110 y s.). Recordémosla nuevamente: la realidad, entendida como "el contexto de causalidad en el que uno se fía al actuar" consiste en "la experiencia práctica y la certeza del hombre que actúa, basada en dicha experiencia, de que a un suceso S o a una acción A le sigue *con seguridad* o *con una probabilidad calculable (estimable)* una consecuencia C o resp. una reacción R, y que se puede desencadenar esta consecuencia C o esta reacción R provocando el suceso S o resp. ejecutando la acción A" (Glinz 1973, p. 112 mío el subrayado).

Si sustituimos la expresión "con seguridad" por "necesariamente" y la expresión "con una probabilidad calculable (estimable)" por "verosímilmente" comprobamos que los dos tipos de posibilidades contemplados por Aristóteles se integran sin dificultad en la definición y permiten comprender mejor los presupuestos en que ella se funda. Si, además, recordamos todo lo dicho a propósito de la distinción hecha por Glinz entre lo *real* y lo *fáctico*. (*Cf. supra*, pp. 111 y s.) y lo ponemos en relación, no sólo con los dos tipos de posibilidades mencionados sino, además, con la noción aristotélica de lo *relativamente verosímil* (*Cf.* los pasajes ya citados de *Retórica*, 1402 a 13-17 y *Poética*, 1461 b 14-15) a la que me referí al distinguir grados de verosimilitud absoluta (*Cf.* *supra*, p. 116), se hace evidente que lo *posible*, tal como se ha venido entendiendo hasta aquí, es una modalidad compleja, que abarca un amplio espectro que se extiende desde lo exactamente predecible hasta lo enteramente impredecible. El grado mínimo de lo *posible* estaría representado por la posibilidad de ocurrencia de un suceso no calculable ni esperable o sólo esperable en tanto también es esperable que ocurra lo no esperable. Este grado mínimo constituiría la frontera entre lo *posible* y lo *imposible* o, lo que es lo mismo, entre lo *real* y lo *irreal*. Es preciso recordar, sin embargo, que dicha frontera no está dada de una vez y para siempre, sino que, aun dentro de las coordenadas de una determinada comunidad sociocultural y de un determinado momento histórico, está en un permanente proceso de desplazamiento. Como señalé más arriba, todo nuevo hecho fáctico y, particularmente, aquellos nuevos hechos fácticos que representan la realización de posibilidades estimadas 'remotas' (grado mínimo) o no contempladas hasta el momento o expresamente descartadas del marco de la realidad (por ej., confinadas al mundo de la imaginación o del deseo, esto es, dadas como posibles sólo en tanto pensables), incorporan al ámbito de lo real nuevas posibilidades o modifican el espectro de los grados de posibilidades preexistentes. Aquellos hechos que, en el decir de Aristóteles, no habrían sido considerados posibles si no hubieran ocurrido efectivamente, acarrean, al producirse, la puesta en tela de juicio y la consiguiente reestructuración de los criterios de realidad vigentes.

La relación entre las modalides consideradas hasta aquí se puede representar en el siguiente gráfico:

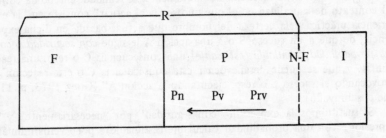

donde R = real, F = fáctico, N–F = no-fáctico, P = posible, Pn = posible según lo necesario, Pv = posible según lo verosímil, Prv = posible según lo relativamente verosímil, I = imposible (o irreal), ← = incremento del grado de posibilidad de tránsito de lo posible a lo fáctico y ┆ = frontera desplazable.

7. TIPOS DE MODIFICACION DE LAS MODALIDADES

Si se acepta que el precedente repertorio de modalidades sea suficiente y adecuado para delimitar las maneras de ser que los participantes de una situación comunicativa ficcional pueden atribuir a los componentes del mundo ficcional, cabe distinguir, al menos teóricamente, seis posibilidades de fictivización o, lo que es lo mismo, seis tipos de modificación de dichas maneras de ser:

$$F \Rightarrow P$$
$$F \Rightarrow I$$
$$P \Rightarrow F$$
$$I \Rightarrow F$$
$$P \Rightarrow I$$
$$I \Rightarrow P$$

Dadas las diferentes relaciones de las modalidades entre sí, a cada una de las modificaciones le corresponde un valor diferente en lo que concierne a las consecuencias que se derivan del paso de una modalidad a otra. Así, si lo fáctico se concibe como la realización de posibilidades que a su vez forman parte de la realidad, la modificación $F \Rightarrow P$ resultará poco relevante en tanto que su contraria, $P \Rightarrow F$, sí representará una auténtica transformación[17].

Hay que tener presente, además, que todas estas modificaciones se pueden combinar entre sí en el interior de un texto y que, puesto que la combinación de objetos de referencia de diversas modalidades implica la coexistencia de diversos mundos, la posibilidad misma de tal coexistencia puede ser propuesta de modo implícito o explícito como objeto de reflexión y como materia de interpretación.

Respecto de este último punto señala Landwehr (1975, p. 171) que cuando a las zonas de referencia del texto les corresponde, según las normas del productor y del receptor, una sola manera de ser, tanto la adjudicación como la eventual modificación de la modalidad en cuestión no ofrecen ninguna dificultad. Por el contrario, aquellos enunciados en los que se combinan objetos y hechos de referencia de distintas modalidades, plantean al receptor un problema interpretativo. Así, una expresión como "anoche soñé que pescaba una trucha y hoy me la voy a comer en el almuerzo" es considerada en principio desviante. Pero en el caso de que sea efectivamente pronunciada en una determinada situación y de que se reconozca que la mezcla de modalidades ha sido intencional, se tiende a interpretar el todo en un sentido irónico, como perteneciente en conjunto al ámbito de lo irreal. De allí deriva Landwehr la hipó-

17. *Cf.* Landwehr (1975, p. 177), quien excluye por irrelevante la modificación 'real' ⇒ 'posible'.

tesis de que frente a aquellas expresiones en las que, según el parecer del receptor, se combinan objetos y hechos de referencia de distintas modalidades, existe la tendencia a atribuir a todos los elementos de referencia en conjunto la modalidad menos problemática y que menos compromete ante el interlocutor. Advierte, sin embargo, que la modificación del todo en el sentido de la modalidad menos comprometedora debe estar posibilitada por la función comunicativa atribuida implícita o explícitamente a la expresión en cuestión. En efecto, mientras que en un informe orientado a lo fáctico o en un tratado científico la introducción de objetos de referencia irreales como reales es considerada una transgresión o un error (lo que conduce al fracaso del acto de comunicación), en un texto que se presenta como ficción literaria la combinación de modalidades puede no ser considerada transgresiva y, además, no induce necesariamente al receptor a adjudicar al todo la modalidad menos problemática. Es la poética de la ficción operante en cada texto literario la que determina que la combinación sea sentida o no como desviante, que resulte sorprendente o esperable y que sea presentada y recepcionada como problemática o natural.

8. CRITERIOS PARA UNA TIPOLOGIA DE TEXTOS LITERARIOS FICCIONALES

De lo expuesto en el parágrafo precedente se desprende que una clasificación de obras literarias ficcionales podrá tomar como punto de partida las siguientes pautas:

1) Tipo de modificación de las modalidades atribuibles a los componentes del mundo ficcional.
2) Necesidad, posibilidad o imposibilidad de una combinación de diferentes tipos de modificación que dé como resultado la coexistencia de objetos y hechos de diversos mundos dentro del mundo ficcional.
3) Cuestionamiento (explícito o implícito) o no-cuestionamiento de la coexistencia de distintos mundos dentro del mundo ficcional.

La formulación de estos criterios es, como se puede apreciar, lo suficientemente general como para que resulten aplicables a cualquier obra literaria ficcional independientemente de su pertenencia a uno de los tres grandes géneros canonizados por Goethe como "formas naturales de la poesía": lírica, épica y drama. Por *componentes del mundo ficcional* podrá entenderse, en consecuencia, tanto el narrador de un relato —sea éste un poema épico, una novela realista o un cuento de hadas— como los actantes de un drama o el yo, desgajado del yo del autor, que articula sus vivencias en una poesía lírica, tanto el mundo configurado por las acciones dramáticas como el ámbito de referencia de los parlamentos de los personajes; tanto los objetos y hechos de referencia de un discurso narrativo como los de un discurso lírico o dramático.

El tercer criterio está, por cierto, en relación de subordinación con el segundo, ya que su aplicabilidad depende del hecho de que la convivencia de distintos mundos sea exigida —como es el caso de la literatura llamada "fantástica" y "maravillosa"— o al menos admitida por las convenciones literario-ficcionales en cuyo horizonte se inscribe la obra. Al incluir esta tercera pauta he asumido uno de los conceptos clasificatorios introducidos por A. M. Barrenechea (1978, pp. 89 y s.) para delimitar el ámbito de la literatura fantástica en términos más satisfactorios que los propuestos por T. Todorov (1972). Para este autor la literatura fantástica es un género "evanescente" situado en el límite fluctuante entre lo "maravilloso" y lo "extraño", que dura lo que dura la vacilación, común al lector y al personaje, sobre la naturaleza de los sucesos imposibles de explicar por las leyes de nuestro mundo familiar. La duda puede resumirse, así, en la siguiente pregunta: ¿ocurrió o no ocurrió realmente? o, traducida a nuestros términos, ¿el suceso imposible forma parte del mundo de lo fáctico o pertenece al mundo del sueño, la alucinación, la fantasía, etc.? Podría parecer que esta segunda formulación se contradice con el repertorio de modalidades utilizado hasta aquí: en él, en efecto, la contraparte de lo *fáctico* es lo *no-fáctico posible* o lo *no-fáctico imposible*. Cuando nos referimos, en cambio, al mundo del sueño, nos basamos en una clasificación de los contenidos perceptivos intuitivamente realizada a partir de nuestro conocimiento empírico de las diferentes formas de percepción.

Ahora bien, que los objetos de la percepción puedan ser categorizados según su pertenencia a distintos mundos no sólo no interfiere sino que incluso favorece la adecuada descripción de los tipos de modificaciones efectuadas en el texto ficcional de acuerdo con las modalidades básicas. Así, si un texto ficcional nos presenta un suceso que consideramos que no podría ocurrir en la realidad —por ej. la lucha de un hombre con un dragón que arroja fuego por la boca— como soñado por un personaje, concluiremos que la modificación realizada en este caso es del tipo P $\Rightarrow$ F, ya que si bien partimos del supuesto de que los dragones no existen realmente, sabemos que es posible soñarlos. Lo que el productor de un texto tal propone al receptor es que adjudique al posible sueño de una persona posible —imaginados por él en conformidad con sus criterios de realidad— el carácter de lo acaecido, de lo efectivamente percibido en un sueño particular de una persona realmente existente. Si, por el contrario, un texto ficcional nos presenta un personaje en lucha efectiva con un dragón, diremos que la modificación realizada —y propuesta al receptor para su correalización— será I $\Rightarrow$ F. Y si por último un texto ficcional se mantiene en la "ambigüedad de percepción" postulada por Todorov como rasgo típico de lo fantástico y, por ej., suscita la duda sobre si la lucha con el dragón ha sido soñada o realmente vivida por el personaje, la modificación en él efectuada será del tipo I $\Rightarrow$ P, es decir, se deja abierta la pura posibilidad —la "posibilidad formal" en el sentido de Hegel (*Cf. Logik* II, pp. 176 y 178), cuyo contrario es igualmente posible— de que la lucha en cuestión haya ocurrido realmente o, dicho de otro modo, que entre lo efectivamente vivido y lo soñado no exista una frontera tan nítida como la presupuesta en el contexto causal en que se basan todas nuestras acciones cotidianas.

8.1. CONDICIONES DE APLICABILIDAD DE LOS CRITERIOS CLASIFICATORIOS

No es mi intención hacer un inventario de todos los tipos de ficción literaria que, al menos teóricamente, resultarían del recuento de todas las combinaciones pensables sobre la base de los tres criterios propuestos, ni realizar el procedimiento complementario de comprobar cuáles de esos tipos están históricamente representados en nuestra tradición literaria. La poética de la ficción, esa instancia mediadora a través de la cual los mundos ficcionales se relacionan con la realidad, varía —es preciso repetirlo— según los géneros literarios tradicionalmente reconocidos y según los períodos de la historia literaria. Por ello mismo, toda propuesta clasificatoria con aspiraciones de exhaustividad exigiría la revisión sistemática de los diversos géneros y períodos de las historias literarias de diversas naciones y de sus interrelaciones así como el estudio del surgimiento y la evolución de la conciencia misma de cada género particular, incluyendo en ella tanto el conocimiento intuitivo del lector competente de cada época (el horizonte de sus expectativas) cuanto la correspondiente reflexión metaliteraria del estudioso de la literatura (definiciones y preceptivas de los géneros en cuestión).

Hay que tener presente, además, que la inclusión de un fenómeno dado en el ámbito de la realidad o de la irrealidad varía igualmente de una comunidad cultural a otra y de una época a otra, lo que incide de manera sustancial en el éxito de la comunicación literaria ficcional. Este sólo está garantizado cuando el receptor — ya sea porque es coetáneo y miembro de la misma comunidad cultural del productor, ya sea por haber realizado un esfuerzo por acortar la distancia hermenéutica que lo aparta de él— está en condiciones de manejar una noción de realidad análoga a la del productor y dispone de una competencia literaria que le permite reconocer la ficción como tal así como la poética particular en que ella se sustenta y, consecuentemente, efectuar de modo cointencional las modificaciones intencionales realizadas por el productor exactamente en los términos por él propuestos. Es evidente, por lo tanto, que todo intento por ofrecer una tipología completa de las ficciones literarias ha de tomar en cuenta las variables resultantes de las condiciones de creación y recepción de los textos: los tres criterios clasificatorios mencionados sólo son operativos si se los pone en relación con el horizonte cultural del productor del texto ficcional y de los receptores postulados por él.

9. LAS FICCIONES FANTASTICAS Y SUS RELACIONES CON OTROS TIPOS FICCIONALES

Por todas las razones expuestas me limitaré a señalar cómo con la ayuda de los criterios introducidos en la sección precedente se podría delimitar y caracterizar con mayor precisión —como en parte ya lo ha hecho A. M. Barrenechea (1978)– algunas formas ficcionales a las que T. Todorov (1972, *cf.* *supra*, p. 131) ha consagrado un estudio tan rico en acertadas sugerencias como en afirmaciones insuficiente o inadecuadamente fundadas y que precisamente en razón de sus muchas virtudes y de sus no pocos puntos débiles ha dado lugar a numerosos trabajos en los que o se aplican dócilmente las categorías allí propuestas o se pone en tela de juicio toda la clasificación. Me refiero a la literatura fantástica y a ciertos tipos de ficción que Todorov incluye, según los casos, dentro de los "géneros vecinos" de lo "extraño" y lo "maravilloso" o de los "subgéneros transitorios" de lo "fantástico-extraño" y de lo "fantástico-maravilloso" (1972, pp. 56 y s.). No es éste el lugar para examinar pormenorizadamente el sistema clasificatorio de Todorov. Me contentaré con dar algunas orientaciones sobre la manera como podría replantearse el problema en conformidad con las nociones elaboradas en el presente trabajo.

9.1. CONDICIONAMIENTOS HISTORICO-CULTURALES

Ante todo es preciso considerar el horizonte cultural en que se inscriben las formas ficcionales aludidas para aplicar luego nuestras tres pautas ordenadoras en el contexto de la concepción de realidad y de los presupuestos poético-ficcionales de los creadores y lectores de tales formas. Esta necesidad de orden metodológico se hace particularmente notoria en el caso de las ficciones consideradas fantásticas, ya que ellas se sustentan en el cuestionamiento de la noción misma de realidad y tematizan, de modo mucho más radical y directo que las demás ficciones literarias, el carácter ilusorio de todas las 'evidencias', de todas las 'verdades' transmitidas en que se apoya el hombre de nuestra época y de nuestra cultura para elaborar un modelo interior del mundo y ubicarse en él. Su dependencia de esquemas cognitivos específicos, históricamente precisables, es puesta de relieve por I. Bessière (1974, p. 60): "Lo fantástico dramatiza la constante distancia del sujeto respecto de lo real; es por eso que está siempre ligado a las teorías sobre el conocimiento y a las creencias de una época".

Repetidas veces se ha recordado, en efecto, que la literatura fantástica surge en Europa como una especie de compensación ante la rigurosa escisión, impuesta por el pensamiento iluminista, entre la esfera de lo natural y la de lo sobrenatural, que la religión había mantenido coherentemente unidas hasta entonces. Suele admitirse que lo fantástico presupone la imagen de un mundo en el que no hay cabida para portentos, donde todo se produce conforme a un estricto causalismo natural y en donde lo sobrenatural se acepta como otra forma de legalidad: como el conjunto de principios codificados y asumidos como no cuestionables (sistemas religiosos imperantes, creencias populares de gran difusión, etc.) que dan sentido trascendente al entramado causal de los sucesos y de las acciones humanas pero sin intervenir en ellos de modo directo.

Al respecto señala I. Bessière (1974, p. 93): *"El Diablo Enamorado* marca el nacimiento del género fantástico por la exacta sutura de lo real, de las circunstancias comunes que lo caracterizan, y de la extrañeza propia de lo maravilloso. Pero un maravilloso súbitamente improbable, que mantiene una relación anómala con lo real, fuera de las leyes y de las convenciones de los intercambios real-suprarreal específicos de la mitología, de la religión y de los relatos populares". Esta definición viene a corroborar la opinión ampliamente aceptada de que lo fantástico nace de la confrontación de dos esferas mutuamente excluyentes, de una antinomia irreductible cuya designación varía según el instrumental conceptual de cada autor: "natural" −"sobrenatural" (Todorov 1972, p. 34), "normal"− "a-normal" (Barrenechea 1978, p. 89), "real" −"imaginario" (Vax 1965, p. 6 y Lenne 1974, p. 16), "orden"− "desorden" (Lenne 1974, p. 26), "leyes de la naturaleza" −"asaltos del caos" (Lovecraft 1974, p. 163), "real"−"maravilloso improbable" (Bessière, loc. cit.), todo lo cual se traduciría, dentro del sistema de modalidades propuesto por mí, en la convivencia conflictiva de lo *posible* y lo *imposible*. Al formularlo así estoy aplicando ya los criterios 2) y 3), esto es, parto de la hipótesis, concordante con la de A. M. Barrenechea (1978), de que la poética de la ficción fantástica exige tanto la coexistencia de lo *posible* y lo *imposible* dentro del mundo ficcional cuanto el cuestionamiento de dicha coexistencia.

Queda por aclarar el carácter específico de esas dos modalidades en conflicto o, lo que es lo mismo, su relación con cierta noción de realidad históricamente condicionada. Lo novedoso y particularmente acertado de la definición de I. Bessière radica precisamente en que ubica el *imposible* que ahora nos interesa "fuera de las leyes y de las convenciones de los intercambios real-suprarreal específicos de la mitología, de la religión y de los relatos populares" (loc. cit.). Este *imposible*, que la mencionada autora caracteriza como un "maravilloso súbitamente improbable", reúne, pues, dos condiciones:

a) Está en contradicción con cualquiera de las leyes −lógicas, naturales, sociales, psíquicas, etc.− que integran el contexto de causalidad en que se fundan las acciones de los miembros de una comunidad cultural marcada por el racionalismo iluminista, que se afana por mantener una nítida separación entre lo natural −la realidad− y lo sobrenatural −lo que da sentido último a la realidad sin formar parte de ella misma.

b) No se deja reducir a un *Prv* ("posible según lo relativamente verosímil") codificado por los sistemas teológicos y las creencias religiosas dominantes, no admite su encasillamiento en ninguna de las formas convencionalmente admitidas −sólo cuestionadas en cada época por minorías ilustradas− de manifestación de lo sobrenatural en la vida cotidiana, como es el caso de la aparición milagrosa en el contexto de las creencias cristianas o la metamorfosis en el contexto del pensamiento mítico greco-latino.

La segunda condición nos permite entender, entre otras cosas, por qué las *Metamorfosis* de Ovidio no se pueden considerar ficciones fantásticas y "La metamorfosis" de Kafka sí. Que una ninfa perseguida por un dios se convierta en un árbol de laurel es un hecho tan ajeno a la realidad cotidiana de un griego o un latino del siglo I como lo es para un occidental del siglo XX la repentina transformación de un viajante de comercio en un insecto repugnante. Sin embargo, por más que ambos sucesos puedan parecer meras variaciones de un mismo *imposible*, sus diferentes relaciones con el respectivo horizonte cultural del productor y sus receptores, acarrean que el primer suceso pueda ser categorizado como producto de un tipo de legalidad opuesta a la natural pero en última instancia admitida como un *Prv* por la validación que le da su pertenencia a una tradición mítica aún viva; el segundo, en cambio, no corresponde a ninguna de las formas codificadas de manifestación de lo sobrenatural que mantengan su vigencia para un hombre de nuestros días y de nuestro ámbito cultural.

No es el carácter aterrador o inquietante del suceso el que lo vuelve apto para una ficción fantástica sino, antes bien, su irreductibilidad tanto a una causa natural como a una causa sobrenatural más o menos institucionalizada. El temor o la inquietud que pueda producir, según la sensibilidad del lector y su grado de inmersión en la ilusión suscitada por el texto, es sólo una consecuencia de esa irreductibilidad: es un sentimiento que se deriva de la incapacidad de concebir —aceptar— la coexistencia de lo *posible* con un *imposible* como el que acabo de describir o, lo que es lo mismo, de admitir la ausencia de explicación —natural o sobrenatural codificada— para el suceso que se opone a todas las formas de legalidad comunitariamente aceptadas, que no se deja reducir ni siquiera a un grado mínimo de lo *posible* (llámese milagro o alucinación). Se trata, en suma, de ese sentimiento de lo "siniestro" (*das Unheimliche*) que Freud deriva de la impresión de que convicciones primitivas superadas, pertenecientes a un estadio anterior en el desarrollo psíquico del individuo o de la especie —propias de la mentalidad mágica del niño o del hombre primitivo— parecen confirmarse contra nuestras creencias actuales, un sentimiento cuya intensidad está en relación directa con el grado de superación efectiva de las convicciones primigenias (*Cf.* Freud 1972 [1919], VII, p. 2502).

L. Vax plantea mal el problema cuando intenta explicar por qué ciertos imposibles no son adecuados para crear el efecto propio de lo fantástico: "Indicaremos ante todo que lo sobrenatural, cuando no trastorna nuestra seguridad, no tiene lugar en la narración fantástica. Dios, la Virgen, los santos y los ángeles no son seres fantásticos; como no lo son tampoco los genios y las hadas buenas". (1965, p. 10). Un relato piadoso de los milagros de la Virgen o de la vida de un santo y un cuento de hadas no son, en efecto, ficciones fantásticas pero no lo son por razones muy diversas y que poco tienen que ver con la ausencia de ingredientes terroríficos. Tampoco son necesariamente fantásticos todos los relatos entre cuyos personajes se encuentren el diablo o brujas y ogros. Lo que, es el decir de Vax, "trastorna nuestra seguridad" no es simplemente lo sobrenatural maléfico sino lo que no corresponde a las formas convencionalizadas de representación de manifestaciones sobrenaturales —benéficas o maléficas— predominantes en la mentalidad comunitaria.

9.2. LA "LEYENDA" CRISTIANA

Examinemos primero el caso de las vidas de santos y veamos por qué no se las puede considerar ficciones. Como lo ha mostrado A. Jolles en un estudio que es ya un clásico en la materia, los relatos de las *Acta sanctorum* representan actualizaciones de la "forma simple" de la "leyenda" católica occidental, forma que surge de la "actividad espiritual" (*Geistesbeschäftigung*), de amplia vigencia en el medioevo cristiano, de la *imitatio* (Jolles 1972 [1930], pp. 21-61). El santo es un imitable. De entre los muchos sucesos de su vida sólo interesan, para la "leyenda", aquellos que permiten evaluarlo como imitable, aquellos en los que se manifiesta activa su virtud, en los que se materializa el bien: sus milagros. Es por ello que todas las "vidas" en el sentido arriba anotado se reducen a informar sobre aquellas cosas que, conforme a la definición escolástica, "se producen por obra de Dios, fuera de las causas que nos son conocidas" (*illa, quae a Deo fiunt praeter causas nobis notas miracula dicuntur*).

No hay en tales relatos ninguna modificación intencional de las modalidades atribuibles a los hechos de referencia: los milagros son considerados y consecuentemente presentados como *fácticos*, como efectivamente acaecidos, si bien conforme a una causalidad distinta de la natural, inabordable con categorías racionales. Por cierto que semejantes relatos pueden ser leídos como ficciones pero quien así lo hace se ubica fuera del horizonte espiritual del que han nacido. Dentro de ese horizonte, en el mundo piadoso de la *imitatio*, el milagro no trastorna la seguridad de nadie aun cuando se trate de una lucha con el diablo y aunque éste asuma la forma de un dragón que amenaza a la Virgen: tanto para el productor como para el receptor creyentes de una de las versiones de la "leyenda" de San Jorge esa lucha —que bien podría ser materia de una ficción fantástica— ha ocurrido realmente, es uno de esos hechos fácticos ni esperables ni explicables que al producirse contra toda expectativa amplían la noción de realidad, ya que obligan a incluir en ella hechos considerados antes imposibles o no contemplados en el espectro de las posibilidades reales.

9.3. EL CUENTO DE HADAS

El caso del cuento de hadas es totalmente diferente a pesar de que algunos de sus elementos estructurales coinciden con los de la "leyenda". Es preciso aclarar, ante todo, que cuando me refiero a esta forma ficcional que el alemán llama *Märchen*, el inglés *fairy-tale* y el francés —sobre el que está calcada nuestra expresión— *conte de fées*, incluyo en ella, siguiendo a Jolles (1972, p. 219), todos aquellos relatos del tipo de los reunidos por los hermanos Grimm en sus *Kinder—und Hausmärchen*.

No es posible aquí trazar una historia de este género ficcional, que está representado ya en las colecciones de cuentos que Straparola en el s. XVI y Basile en el s. XVII escribieron ateniéndose al modelo del *Decamerón*, que a partir de los *Cuentos* de Perrault domina el panorama de la narrativa europea de comienzos del s. XVIII y que fue muy apreciado, cultivado y discutido teóricamente por los románticos alemanes. Habrá que prescindir asimismo de considerar hasta qué punto concurren en él esos dos tipos de creatividad que los románticos solían contraponer y caracterizar respectivamente como literatura "artística" y literatura "natural" o "popular".

9.3.1. La poética ficcional feérica

Para Todorov (1972, p. 68) el cuento de hadas es una variedad dentro del género de lo "maravilloso" y lo único que lo distingue "es una cierta escritura, no el status de lo sobrenatural". La primera parte de la afirmación sólo deja de ser una comprobación banal si por "una cierta escritura" se entiende tanto una manera de representación del mundo que, como lo veremos enseguida, es de carácter general y atemporal, cuanto una estructura discursiva que se caracteriza a la vez por imponer férreos límites a la creatividad individual y por permitir infinitas variantes personales (contar la historia 'con la propias palabras'), rasgos ambos típicos, según Jolles (1972, p. 235), de las "formas simples" o, dicho en términos más tradicionales, de la literatura "natural" o "popular" de que hablaban los románticos[18].

La segunda parte de la afirmación de Todorov es una verdad a medias pues si bien es cierto que, por ej., la sola presencia de hadas, ogros o brujas no es un rasgo distintivo, las ficciones feéricas se diferencian de las fantásticas precisamente en el hecho de que los *imposibles* que en ellas aparecen como *fácticos* corresponden a formas convencionalizadas de representación de manifestaciones sobrenaturales en el mundo natural, formas que, además, llevan implícita la marca de su carácter imaginario y que, por ello mismo, no son puestas por los receptores −a menos que se trate de niños− en relación inmediata con el mundo de su experiencia.

R. Caillois (1967, "Prefacio") llama la atención sobre este rasgo en términos similares a los de L. Vax: "[. . .] las hadas y los ogros no pueden inquietar a nadie. La imaginación los confina en un mundo lejano, fluido y estanco, sin relación ni comunicación con la realidad de todos los días, en la cual la mente no acepta que puedan introducirse. Se admite que se trata de creaciones para divertir o atemorizar a los niños. Nada puede ser más claro; no puede haber ninguna confusión. Quiero significar con esto que ningún adulto razonable puede creer en las hadas o en los magos".

El fenómeno a que alude Caillois −y con él muchos otros autores que han

---

18. No entraré a discutir este punto, que ha sido objeto de largas controversias. *Cf.* por ej. M. Lüthi (³ 1968 a), quien sostiene que el cuento de hadas no es una "forma simple" sino "de arte".

intentado fijar los límites de lo fantástico en relación con lo feérico— fue reconocido con toda claridad por Freud cuando al examinar cómo la literatura puede provocar el sentimiento de lo "siniestro" *(das Unheimliche)* excluye categóricamente al cuento de hadas en razón de su alejamiento respecto de lo cotidiano y familiar: "El mundo de los cuentos de hadas, por ejemplo, abandona desde el principio el terreno de la realidad y toma abiertamente el partido de las convicciones animistas. Realizaciones de deseos, fuerzas secretas, omnipotencia del pensamiento, animación de lo inanimado, efectos todos muy corrientes en los cuentos, no pueden provocar en ellos una impresión siniestra, pues para que nazca este sentimiento es preciso, como vimos, que el juicio se encuentre en duda respecto de si lo increíble, superado, no podría, a la postre, ser posible en la realidad, cuestión ésta que desde el principio es decidida por las convenciones que rigen el mundo de los cuentos" (Freud 1972 [1919], VII, p. 2503).

Lo *imposible* de las ficciones feéricas es, en suma, como lo señala acertadamente Bessière (1967, p. 66), un "inverosímil marcado y codificado (pero, por ello mismo, bajo la dependencia de las convenciones y de la mentalidad comunitarias)". Esta definición se integra sin dificultad en el sistema conceptual propuesto en este trabajo a condición de que por "inverosímil" se entienda la no-coincidencia del verosímil genérico y el verosímil absoluto, con la consiguiente primacía del primero sobre el segundo (*Cf. supra*, 5.3.). El verosímil feérico —y, en última instancia, la poética de la ficción feérica— admite, por ej., que los animales sean capaces de actuar como hombres y a la vez exige que los hombres que conviven con esos animales no se asombren de semejantes capacidades, todo lo cual está, por cierto, en franca oposición con los criterios de realidad de los productores y los receptores adultos de tales ficciones y se puede caracterizar, en consecuencia, como inverosímil en términos absolutos. Es por ello que, como observa M. Lüthi ([3] 1968 b, p. 29), en aquellos casos aislados en que el héroe del cuento se admira, por ej., de que un animal le hable, el texto se aparta del "auténtico estilo feérico", es decir, quiebra su verosímil genérico por respetar la verosimilitud absoluta, lo que implica una violenta transgresión de la poética ficcional propia del género.

Desde este punto de vista también lo *posible* feérico, cuya armónica convivencia con lo *imposible* es otro de los rasgos típicos del cuento de hadas, podría definirse, por paradójico que parezca, como un "inverosímil marcado y codificado". Los posibles feéricos, en efecto, no son posibilidades reales en sentido estricto: no se cuentan entre las posibilidades de *facta* que forman parte de la noción de realidad de los productores y receptores adultos de tales relatos (así los ubiquemos en la Italia del s. XVI o en la Alemania del S. XIX, en el grupo de los 'ilustrados' o de los 'ingenuos'). Como lo han demostrado casi todos los autores que se han ocupado del cuento de hadas, las fórmulas propias del género son claras señales cuya función es imponer distancia entre el mundo ficcional feérico y el de la realidad cotidiana del receptor. El "érase una vez", el "hace mucho, mucho tiempo", el "en un país distante, muy lejos de aquí" y todas las expresiones similares con las que suele introducirse la historia, sugieren que ella ocurre en un lugar que puede ser cualquier lugar —y ningún lugar concreto— y en un tiempo que es todos los tiempos, un nunca desde el punto de vista histórico y un siempre desde una perspectiva simbólica (*Cf.*, por ej., Jolles 1972, p. 244 y Lüthi [3]1968 b, p. 31).

El narrador de ficciones feéricas renuncia —y lo anuncia a través de las fórmulas que emplea en su relato— a toda pretensión de fidelidad fáctica, renuncia desde sus primeras palabras a crear la ilusión de que se refiere a personas y hechos históricamente identificables, únicos en su facticidad. Los personajes feéricos, ya sea que se trate de modestos labradores o de opulentos reyes, de hadas o de brujas, nunca tienen rasgos individualizadores, no están marcados ni por un desarrollo psíquico particular ni por el medio del que proceden. Como lo señala Lüthi ([3] 1968, p. 74), "están en lugar de las esferas de las que provienen. Las presentan pero no las representan". Esta falta de particularismo favorece la movilidad de las situaciones: el porquerizo se puede convertir de un día para otro en rey sin problemas, lo mismo que la fregona en princesa, pues el medio social en el que se supone que se hayan criado hasta entonces —aclaremos que se trata de un presupuesto que el cuento jamás tematiza— así como el desarrollo psíquico que les correspondería de acuerdo con una determinada circunstancia individual y social, no dejan ninguna traza en su personalidad. Los personajes no son individuos sino tipos, del mismo modo que las situaciones en que se encuentran son situaciones típicas: por ej., son objeto de injusticia o son amenazados por graves peligros, se les repara la injusticia o se salvan de la amenaza.

Los personajes no actúan en sentido estricto sino que viven sucesos cuyo sentido último es de carácter moral. El invariable 'final feliz' —otro rasgo impuesto por la poética ficcional feérica— cumple la función de satisfacer una demanda primordial de justicia, un juicio ético que no se funda en la evaluación de las acciones humanas sino en el sentimiento de que las cosas deberían ocurrir siempre de una cierta manera —'buena', 'justa'—, de que el mundo debería ser distinto de como es en la realidad. Jolles (1972, pp. 240 y s.) se refiere a este sentimiento como propio de una "moral ingenua", que no se pregunta por conductas sino por sucesos, y lo identifica con la "actividad espiritual" que determina la organización del cuento de hadas. En éste, en efecto, todo sucede —por lo menos al final— como debería suceder de acuerdo con esa "moral ingenua" (y como normalmente no sucede en el mundo de nuestra experiencia, que dentro de esa misma óptica es sentido como "inmoral"). Ello explica todos los rasgos examinados hasta aquí: la atemporalidad, la ausencia de todo particularismo, el total desfase de la verosimilitud genérica y la verosimilitud absoluta, la presencia jamás cuestionada de lo *imposible* junto a lo *posible*, la aceptación de lo maravilloso como obvio sin que se plantee en ningún momento la necesidad de explicarlo y, por último, el hecho de que tanto lo *posible* como lo *imposible* presentados como *fácticos* respondan a formas codificadas de representación que llevan la marca de su carácter imaginario.

Podría pensarse que hay contradicción en afirmar, como lo acabo de hacer, que el tipo de modificación propio de la poética ficcional feérica es la combinación $P \Rightarrow F + I \Rightarrow F$, es decir, que a todos los objetos y hechos de referencia (hadas y brujas, príncipes y campesinos, metamorfosis, luchas con monstruos fabulosos, etc.) se les adjudica el carácter de lo efectivamente existente o acaecido, y sostener, a la vez, que el mundo ficcional feérico no es producto de una pretensión de representar el mundo real ni, mucho menos, esa parcela de la realidad constituida por todos los hechos de la historia de la humanidad —lo *fáctico* en sentido estricto.

Aclaremos que la fórmula de modificación aquí propuesta sólo quiere significar que la fuente ficcional del relato —el narrador— nunca pone en duda la existencia u ocurrencia de los seres y sucesos a que se refiere, pero precisamente el hecho de que la existencia u ocurrencia de tales seres y sucesos no le plantee interrogante alguno, es lo que marca implícitamente a esa facticidad como imaginaria: el receptor sabe que el mundo de lo *fáctico* —su mundo— no es así pero acepta el que el cuento de hadas le propone, como un gratificante sustituto imaginario de un orden de cosas que él siente "ingenuamente inmoral". Los participantes de la situación comunicativa ficcional, el productor y el receptor del cuento de hadas, realizan una "actividad espiritual" que se ejerce en dos direcciones: "por una parte toma el mundo y lo comprende como una realidad que rechaza, que no corresponde a la ética del suceso; por otra parte presenta y acepta otro mundo en el que se satisfacen todas las exigencias de la moral ingenua" (Jolles 1972, p. 241). Es por ello que el narrador ficcional feérico se aparta desde un comienzo del ámbito de lo cotidiano y renuncia a cualquier forma de particularismo realista: "espacio histórico, tiempo histórico se aproximan a la realidad inmoral, destruyen el poder de lo maravilloso obvio y necesario" (Jolles 1972, p. 244).

9.4. LO POSIBLE Y LO IMPOSIBLE EN LAS FICCIONES FANTASTICAS

En las ficciones fantásticas nos encontramos con la situación inversa: los *imposibles* no se dejan encasillar, como hemos visto, dentro de las formas de manifestación de lo sobrenatural aceptadas por la mentalidad comunitaria pero, además, conviven de modo inexplicable, explícita o implícitamente tematizado como tal, con *posibles* que sí se integran en el espectro de posibilidades que forman parte de la noción de realidad, históricamente determinada, del productor y sus receptores.

La modificación $P \Rightarrow F$ suscita aquí la ilusión de que el mundo ficcional es , al menos en parte, representación directa del mundo de nuestra experiencia. Caillois (1967, "Prefacio") describe plásticamente esta situación cuando, refiriéndose a los fantasmas y vampiros del universo fantástico, puntualiza: "Evidentemente, son también seres imaginarios, pero esta vez la imaginación no los sitúa en un mundo imaginario, pues los hace ingresar en el mundo real. No los concibe confinados en Broceliandia o en Walpurgis, sino atravesando las paredes de los departamentos alquilados mediante la intervención de un escribano o en un comercio de baratijas de barrio. Con sus manos transparentes llevan a su boca el vaso de agua colocado por la enfermera en la cabecera de un enfermo".

Los imposibles fantásticos se ubican siempre en un contexto de causalidad que obedece a leyes rigurosas y bien conocidas, en el marco de la 'normalidad' cotidiana, de la "realidad inmoral" que el cuento de hadas anula simbólicamente. Y así como los imposibles feéricos tienen la función de suprimir el 'desorden' —el orden 'injusto'— del mundo cotidiano y de restablecer un orden ideal, en consonancia con las exigencias ético-ingenuas de la mentalidad comunitaria, los imposibles fantásticos cumplen una función en cierto modo opuesta: la de atacar, amenazar, arruinar el orden establecido, las legalidades conocidas y admitidas, las 'verdades' recibidas, todos los presupuestos no cuestionados en que se basa nuestra seguridad existencial (por más que se los pueda sentir "inmorales").

El marco de 'normalidad', el contexto de causalidad en que se apoyan todas las acciones cotidianas de un hombre de nuestra época y cultura, puede estar directamente representado en el texto —como lo da por sentado Caillois en la citada descripción del ambiente en que irrumpen los seres fantásticos— o bien, como lo plantea acertadamente Barrenechea (1978, pp. 94 y ss.), puede estar tan sólo evocado a través de ciertos detalles de la narración, puede ser un trasfondo implícito que suscita la confrontación *in absentia* de un mundo acorde con nuestra noción de realidad y el de los imposibles que no se dejan explicar como resultado de ninguna forma de causalidad conocida o al menos comunitariamente aceptada.

Bessière apunta certeramente a uno de los rasgos distintivos sustanciales de las ficciones fantásticas cuando rechaza la tesis de Todorov, para quien "lo fantástico es la vacilación experimentada por un ser que no conoce más que las leyes naturales frente a un suceso aparentemente sobrenatural" (Todorov 1972, p. 34) y, refiriéndose a los personajes del *Manuscrito encontrado en Zaragoza*, corrige: "Alvaro y Alfonso conocen las leyes naturales, así como admiten las leyes sobrenaturales —el problema para ellos es dar un asidero al suceso que parece escapar a estas dos legalidades a la vez y que, para ser fantástico, no es sobrenatural" (Bessière 1974, p. 56). Lo "sobrenatural" debe entenderse aquí en el sentido de lo incomprensible codificado, aceptado como verdad de fe por la mentalidad comunitaria (ya sea que se funde en sistemas religiosos, teológicos, en creencias populares de amplia difusión, etc.). Las ficciones fantásticas lo emplean tan sólo para extraer de él una imaginería consagrada pero sin presentarla como legítima ni denunciarla como ilusoria. Diablos, fantasmas, vampiros, apariciones, representan, según Bessière (1974, p. 37), los límites de un universo conocido. Es por ello que cumplen la función de introducir a lo "absolutamente nuevo", que no tiene ninguna relación con lo cotidiano. Lo sobrenatural, así entendido, "encuadra y designa lo otro a lo que se opone y no explica".

9.5. POSTULADOS FANTASTICOS PERO NO SOBRENATURALES

Las reflexiones de Bessière sobre la función de lo sobrenatural en las ficciones fantásticas coinciden notablemente con las de uno de los máximos maestros del género, Jorge Luis Borges, quien en el prólogo a *La invención de Morel* de A. Bioy Casares hace un comentario que resulta mucho más iluminador que la mayoría de las definiciones propuestas en la copiosa bibliografía sobre el tema:

> Las ficciones de índole policial —otro género típico de este siglo que no puede inventar argumentos— refieren hechos misteriosos que luego justifica e ilustra un hecho razonable; Adolfo Bioy Casares, en estas páginas, resuelve con felicidad un problema acaso más difícil. Despliega una Odisea de prodigios que no parecen admitir otra clave que la alucinación o que el símbolo, y plenamente los descifra mediante un solo postulado fantástico pero no sobrenatural [. . .]. Básteme declarar que Bioy renueva literariamente un concepto que San Agustín y Orígenes refutaron, que Louis Auguste Blanqui razonó y que dijo con música memorable Dante Gabriel Rossetti [. . .]. En español son infrecuentes y aun rarísimas las obras de imaginación razonada (Borges, *Prólogos*, pp. 23 y s.).

La caracterización de las ficciones policiales coincide con la propuesta por Todorov: se trata, para este autor, de un subtipo de lo "extraño", de la presentación de sucesos anómalos, aparentemente imposibles e incomprensibles, que parecen amenazar el orden asumido como normal pero que, en última instancia, reciben una explicación racional que se integra sin dificultades dentro de ese orden.

Al referirse a "una Odisea de prodigios que no parecen admitir otra clave que la alucinación o que el símbolo" Borges cubre una esfera conceptual que corresponde, en Todorov, a 1) lo "extraño puro", es decir, lo que puede explicarse racionalmente por el estado psicopatológico de quien 'vive' los sucesos imposibles (*cf.* 1972, pp. 59-62) y 2) la "alegoría", es decir, el caso de aquellas formas ficcionales en las que los imposibles se ubican en el sentido literal del discurso pero en las que el texto provee señales de que dicho sentido es tan sólo vehículo de un sentido segundo que, como en la fábula, puede ser de carácter moral (*cf.* 1972, pp. 77 y ss.)[19].

---

19. No creo, sin embargo, como Todorov, que la mayoría de los textos que permiten una lectura "alegórica" dejen por ello de ser fantásticos. Al respecto habría que distinguir —y así lo admite en parte el mismo Todorov (1972, pp. 80 y ss.)— diferentes tipos de discurso simbólico según las relaciones entre los dos niveles de sentido.

En lo que sigue Borges define lo fantástico de un modo al parecer irreconciliable con las categorías de Todorov, introduciendo una de esas paradojas que le son tan caras: lo imposible que sólo se puede pensar como posible en tanto producto de un desvarío de los sentidos o en tanto significante de un significado acorde con nuestros criterios de realidad, es *des-cifrado* por Bioy, despojado de su carácter de cifra, enigma o secreto, puesto a la luz, explicado, "mediante un solo postulado fantástico pero no sobrenatural". Si en conformidad con esta premisa quisiéramos definir el tipo ficcional fantástico, del que el relato de Bioy parece ser, en efecto, un claro exponente, llegaríamos a la siguiente tautología: *fantástica es toda ficción en la que lo imposible sólo admite una explicación fantástica.* ¿Pero es realmente una tautología? ¿No es ésta, simplemente, otra manera de decir que las ficciones fantásticas se caracterizan por el hecho de que los imposibles propuestos por ellas desafían al receptor a explicarlos pero simultáneamente le niegan toda posibilidad de reducirlos a cualquier forma de legalidad natural o sobrenatural ajena a la del propio universo ficcional?

Un planteo detallado del problema se hallará en el cap. VI de este libro: "Predicación metafórica y discurso simbólico". Me limitaré a indicar aquí que es conveniente deslindar los siguientes tipos básicos: a) con clave incluida en el texto (caso extremo: moraleja); 2) sin clave incluida pero con un sentido segundo controlado por el texto mismo; 3) sin clave y sin un sentido segundo claramente fijado por el texto pero con algunas señales que remiten a él y ayudan a organizarlo; 4) sin clave y sin ninguna señal evidente de que exista un segundo nivel de sentido sistemáticamente organizado. En este último caso sólo cabe hablar de "simbolismo" en el sentido muy amplio de que toda obra literaria contiene —al menos en potencia— muchos más mensajes que los intencionalmente codificados por el autor. Tal vez podría introducirse aquí una distinción entre una intención simbolizadora semiconsciente, como la que Borges elogia (*Cf.* "El primer Wells", en *Otras Inquisiciones*, p. 698), y la total ausencia de simbolismo intencional, a pesar de lo cual un lector avezado puede descubrir en el texto "síntomas" o "indicios" de fragmentos de mensajes no conscientemente codificados.

A primera vista, parecería que sólo en 3) y 4) pueden producirse los efectos propios de las ficciones fantásticas. Sin embargo, en la medida en que en ninguno de los cuatro tipos el sentido simbólico puede llegar a anular totalmente el sentido literal (como sí parece ocurrir en el caso del proverbio, que es parangonable al de la metáfora muerta), en la medida en que el sentido literal —o parte de sus componentes— sigue subsistiendo en tensión con el sentido simbólico vehiculizado por él (del mismo modo que subsisten en la metáfora los rasgos del "concepto superficial" no comunes con el "concepto profundo"), teóricamente también 1) y 2) pueden corresponder a ficciones fantásticas.

Lo que impide que ciertas formas ficcionales del tipo 1) puedan ser consideradas fantásticas —como es el caso de la fábula— no radica en la mera presencia de una moraleja, ya que ésta nunca 'borra' el sentido literal e, incluso, puede ser ignorada o rechazada por el lector en beneficio de una interpretación simbólica divergente, como el mismo Todorov lo señala a propósito de los cuentos de hadas moralizantes de Perrault (1972, pp. 81 y s.). Lo que diferencia a una fábula de un relato fantástico es, por ej., el no cuestionamiento de la coexistencia de diversos mundos dentro del mundo ficcional a que alude el texto en su literalidad, así como muchos otros rasgos incompatibles con los exigidos por la poética ficcional fantástica.

Sin embargo, al describir así a la obra de Bioy —e indirectamente a sus propias ficciones— Borges va un poco más lejos. Descifrar conforme a un postulado fantástico, producir "obras de imaginación razonada", es esforzarse, como lo hace el mismo Borges, por prolongar, con hipótesis de apariencia impecablemente racionalista, con pseudoargumentaciones y pseudoexplicaciones explícitas o implícitas, la búsqueda de una explicación en última instancia inhallable fuera del mundo ficcional fantástico.

El postulado de que se vale Bioy para "descifrar" lo imposible es el mismo que subyace a buena parte de la narrativa borgeana: la idea del tiempo cíclico, de la repetición infinita de la misma constelación cósmica en virtud de la cual cada elemento del universo es a la vez todos y ninguno, idéntico a todos en los que se repite sin término y, por ello mismo, carente de identidad individual. Esta idea se ubica, para decirlo a la manera de Borges, en el terreno de esa disciplina "fantástica" que es la metafísica. No se trata, empero —y esto es lo que la vuelve apta para suscitar los interrogantes irresolubles propios de la literatura fantástica—, de una idea ampliamente admitida en el ámbito cultural del productor y sus receptores (como sí parece serlo la concepción contraria de un tiempo en progresión lineal, en el que nada puede repetirse en forma idéntica y en el que cada individuo histórico sólo es igual a sí mismo). Importa señalar, además, que Borges —en conformidad con lo que se dijo más arriba acerca del uso de lo sobrenatural en las ficciones fantásticas— utiliza los sistemas metafísicos y teológicos y las creencias religiosas (vigentes o no vigentes dentro de su propia comunidad cultural) como meros arsenales de "postulados fantásticos" que, al no ser ni legitimados ni denunciados como engañosos, sugieren una dimensión desconocida que ellos mismos no pueden explicar. Desde este punto de vista su narrativa se puede considerar como paradigma del género.

9.6. TIPOS DE MODIFICACIONES ADMITIDOS POR LA POETICA FICCIONAL FANTASTICA

Una vez analizados los presupuestos culturales en que se fundan las ficciones fantásticas así como la naturaleza de los posibles y los imposibles exigidos por su poética, pienso que ha quedado en claro cómo deben ser aplicados los criterios 2) y 3) para que tengan verdadero valor definitorio. Ahora sabemos, en efecto, qué mundos son los que deben coexistir en dichas ficciones y en qué consiste el cuestionamiento de tal coexistencia. Sólo nos queda por examinar, aplicando el criterio 1), cuáles son los tipos de modificación de los que resulta la convivencia problematizada —ligada a una interrogación sin respuesta— de esos distintos mundos.

Ya anticipé algo al respecto al referirme a la conveniencia de tomar en cuenta, para la descripción de las clases de modificaciones, una categorización de los objetos de la percepción según su pertenencia al ámbito del sueño, el deseo, la imaginación, etc. (*Cf. supra*, p. 131). Allí señalé cómo un *imposible* puede ser modificado en *fáctico* (como ocurre normalmente en las ficciones feéricas) o bien en *posible* (como ocurre frecuentemente en las ficciones fantásticas). Dentro del sistema clasificatorio de Todorov sólo este último caso parecería tener cabida dentro del género "fantástico puro", que él define tomando como criterio básico la vacilación (opcional) del personaje y/o la vacilación (obligada) del "lector implícito" —y a través de él del "lector real"— entre una "explicación natural" o "racional" de los sucesos juzgados imposibles (pura coincidencia, error de percepción, demencia, sueño, etc.) y una "explicación sobrenatural" (el suceso ocurrió realmente según una causalidad desconocida) (Todorov 1972, pp. 44 y 73) o, en otra formulación concurrente con la anterior, entre lo "real" (ocurrió) y lo "ilusorio" (ocurrió pero se lo interpretó inadecuadamente) o lo "imaginario" (no ocurrió, sólo es producto de una imaginación alterada) (pp. 47-48), todo lo cual parece resumirse en la fórmula de la "visión ambigua" de los sucesos juzgados imposibles (p. 44). Si quisiéramos traducir esta definición a los términos de nuestro sistema clasificatorio, deberíamos decir que la combinación típica de la ficción fantástica es P $\Rightarrow$ F (o P $\Rightarrow$ P, en cuyo caso la modificación puede consistir en el mero cambio de grado de lo posible) + I $\Rightarrow$ P.

9.6.1. El tipo Pv $\Rightarrow$ Prv. + I $\Rightarrow$ Prv: "La noche boca arriba" de J. Cortázar

"La noche boca arriba" ofrece un ejemplo nítido de la combinación mencionada en el parágrafo anterior. En este relato confluyen dos historias que, vistas cada una por separado, no contienen ningún elemento que se oponga a la concepción de realidad de un hombre de nuestra época y cultura. En una de ellas un hombre del s. XX se accidenta con su motocicleta y es internado en un hospital; en la otra un "moteca" es perseguido por los aztecas para ser sacrificado en el teocalli. Las dos series de sucesos, juzgadas independientemente, se ubican en nuestra categoría Pv ("posible según lo verosímil"): la historia del motociclista se organiza sobre la base de posibles que se relacionan fácilmente con el mundo de la experiencia de cualquier habitante de una ciudad moderna; la del antiguo americano (cuyo nombre inventado sugiere ya la identidad con el otro, el de la *moto*) elabora posibles igualmente verosímiles pero relacionables con nuestro conocimiento histórico del pasado.

Lo *imposible* que viene a desbaratar el entramado causal de ambas series, lo *imposible* irreductible a cualquier forma de legalidad conocida —tanto natural como sobrenatural—, es presentado aquí no como *fáctico* sino como un Prv, como una posibilidad poco verosímil ("según lo relativamente verosímil") y, además, inquietante: la de que un mismo individuo sea protagonista de las dos historias simultáneamente, posibilidad del todo contraria a nuestra concepción y vivencia del tiempo.

El personaje mismo —a través de la voz narrativa que asume su óptica— niega semejante posibilidad pero no propone la más natural y acorde con nuestra experiencia (que los elementos del mundo remoto y horripilante pertenecen a una pesadilla que es consecuencia de un accidente de tránsito efectivamente ocurrido), sino sugiere otra igualmente inquietante y transgresiva de nuestra noción de realidad: que sus experiencias de motociclista accidentado han sido un sueño y que lo real es su persecusión y sacrificio a manos de los aztecas, lo cual implica la inversión de las relaciones temporo-vivenciales consideradas normales, esto es, que sólo se puede vivir el presente, mientras que el pasado remoto sólo puede ser imaginado o soñado.

Puesto que el destinatario de la explicación del personaje (que es en primera instancia el "lector implícito" o receptor presupuesto por el discurso narrativo[20] y a través de él el receptor real competente) no encuentra en el relato ningún indicio que le permita distinguir con claridad quién experimenta qué y cuándo, qué es lo real y qué lo soñado, tampoco se ve compelido a aceptar o a rechazar semejante explicación que, en el fondo, no pasa de ser un "postulado fantástico" más, que sólo designa lo desconocido sin explicarlo. En virtud de este postulado y de las reiteradas ambigüedades del discurso del narrador, nada de lo referido en él —ni siquiera lo *posible*— llega a adquirir el carácter de lo efectivamente acaecido.

La progresiva imbricación de las dos series de sucesos mencionados y los crecientes intercambios y con-fusiones de los universos correspondientes acarrean como consecuencia la desverosimilización retrospectiva de los elementos que juzgados por separado parecían *posibles según lo verosímil.* Los tipos de modificación efectuados por el productor y propuestos al receptor para su correalización se pueden representar, por tanto, en la siguiente fórmula combinatoria:

$$Pv \Rightarrow Prv + I \Rightarrow Prv$$

El cuento de Cortázar es interesante, además, por otro detalle: la "visión ambigua" que constituye para Todorov el rasgo distintivo fundamental de las ficciones fantásticas se obtiene aquí a través de una voz que no es la de ningún personaje del universo narrado, hecho que contradice una de las tesis de este autor.

Al examinar las características propias del discurso fantástico Todorov señala que en él el narrador "habla por lo general en 1ª persona" (Todorov 1972, p. 100). Sostiene, asimismo, que el caso típico —y más apto para crear

---

20. G. Prince (1973) lo llama "narratario" (*Cf.* nota 3) y propone una clasificación de sus principales variedades que proporciona una excelente base analítica para completar la descripción de los tipos literarios ficcionales. Un estudio con aspiración a la exhaustividad debería incluir, en efecto, no sólo la descripción del narrador ficcional y de los objetos y hechos de referencia de su discurso, sino, además, la del receptor presupuesto por el narrador, esto es, aquella instancia a la que se dirigen de manera inmediata sus eventuales preguntas retóricas, sus argumentaciones para persuadir de la autenticidad de lo narrado, sus disculpas, sus juicios de valor, sus reflexiones metalingüísticas, metanarrativas, metaficcionales, etc. Esta instancia actúa como un puente hacia el receptor real quien, según sus condicionamientos individuales, puede asumir total o parcialmente —o no asumir en absoluto— el rol de lector que el texto le fija.

la ambigüedad es el de un narrador "representado" o "narrador-personaje" (que él identifica sin razón aparente con alguien que dice "yo"), ya que éste tendría la ventaja de reunir dos condiciones óptimas para suscitar la vacilación requerida por el género: por una parte gozaría de la credibilidad de que está siempre investida la instancia narrativa y, por otra parte, tendría la visión limitada y subjetiva de quien vive los sucesos o es testigo de ellos. En su opinión, un narrador "no-representado" (exterior a la historia) trasladaría el relato al ámbito de lo maravilloso, "ya que no habría motivo para dudar de su palabra" (p. 101). Toda esta argumentación se basa en algunas confusiones que conviene disipar:

- El uso de la 1ª persona no siempre es señal de que el narrador forma parte del universo narrado, ya que la fuente ficticia del discurso puede decir "yo" para referirse a sí misma en tanto pura instancia narrativa y no en tanto protagonista o testigo de los sucesos a que alude.
- La "visión ambigua" no depende necesariamente del hecho de que el narrador esté presente o ausente de la historia sino del hecho de que la fuente ficticia del discurso adopte o no el "punto de vista" correspondiente al personaje. Lo determinante no es la "voz" sino el "modo" narrativo.

G. Genette (1972, pp. 65-282) introduce los términos "voz" y "modo" para designar con ellos dos órdenes de problemas que se pueden sintetizar respectivamente en las preguntas ¿quién habla? y ¿quién ve (o vive) los sucesos?

Quien habla puede ser, en efecto, alguien que quede fuera del universo narrado y que, no obstante, perciba y presente los sucesos como si estuviera ubicado en la conciencia de uno de los personajes. Es éste precisamente el caso de "La noche boca arriba" que, de acuerdo con la nomenclatura propuesta por Genette, se puede caracterizar como un relato con "focalización interna" pero procedente de un narrador "heterodiegético". Quien dice la historia no es ni el motociclista ni el moteca sino la voz de un tercero que no llega a erigirse en persona, que se limita casi exclusivamente a verbalizar lo que cada uno de ellos percibe, siente o piensa y que, con frecuencia, incorpora a su discurso fragmentos de los "discursos interiores" de ambos en la forma del "indirecto libre".

No se puede decidir, sin embargo, si, conforme a otra distinción establecida por Genette (1972, pp. 206 y ss.), estamos ante una narración con "focalización interna fija" (centrada en la conciencia de un solo personaje) o con "focalización interna variable" (que se centra alternativamente en el ángulo de visión de dos o más personajes), ya que no es posible discernir si se trata de las vivencias de dos personajes entre los que se producen inexplicables intercambios o de dos estados de conciencia de un mismo personaje (sueño – realidad o sueño dentro del sueño), cuyas fronteras tampoco son nítidas.

Cortázar logra en este texto una ambigüedad que Todorov erigiría en paradigma de lo "fantástico puro" y lo logra a través de un narrador "no-representado" que, por ser tal, no nos exime, sin embargo, de "dudar de su palabra". Al recoger esta expresión de Todorov para refutarla quiero significar tan sólo que la voz narrativa vehiculiza las confusas sensaciones de un foco vivencial sin proveer ninguna información que nos permita explicarlas o ubicarlas en un mundo determinado.

9.6.2. El tipo $P \Rightarrow F + I \Rightarrow F$: "La metamorfosis" de F. Kafka

La argumentación de Todorov contiene, además, otro supuesto tan objetable como los que "La noche boca arriba"nos ayudó a discutir: dar por sentado que cuando no hay motivo para dudar de la palabra del narrador (cuando éste es "heterodieguético" y no asume el ángulo de visión del personaje), esto es, cuando no hay "percepción ambigua" de los sucesos juzgados imposibles, estamos necesariamente en el ámbito de lo "maravilloso" (aquél en que se ubican las ficciones feéricas).

El examen contrastivo de las poéticas ficcionales fantástica y feérica nos permitió reconocer que las fronteras entre ambas están dadas por la diferente naturaleza de los posibles e imposibles exigidos por ellas y por el respectivo cuestionamiento y no-cuestionamiento de esos imposibles o, lo que es lo mismo, de su convivencia con posibles. Uno de los rasgos distintivos de las ficciones fantásticas no es, por tanto, el hecho de que el suceso juzgado imposible esté presentado de tal manera que no se pueda saber si ocurrió realmente o no —vale decir, que se nos proponga la modificación $I \Rightarrow Prv$ en lugar de $I \Rightarrow F-$, sino el hecho de que su ocurrencia, posible o efectiva, aparezca cuestionada explícita o implícitamente, presentada como transgresiva de una noción de realidad enmarcada dentro de ciertas coordenadas histórico-culturales muy precisas. Ello implica que una combinación de modificaciones del tipo $P \Rightarrow F + I \Rightarrow F$ es tan apta para una ficción feérica como para una ficción fantástica. La diferencia radica en que la poética feérica sólo admite este tipo mientras que la fantástica, como se ha visto, también admite el tipo canonizado por Todorov: $P \Rightarrow F (o\ P) + I \Rightarrow P$.

Un claro ejemplo de ficción fantástica que responde a la fórmula $P \Rightarrow F + I \Rightarrow F$ es *La metamorfosis* de Kafka, que Bessière (1974, p. 58) excluye del género considerándola "una especie de fábula" en oposición a Todorov (1972, pp. 199-203), quien explica "la ausencia de vacilación" como resultado de una supuesta evolución del relato fantástico en nuestro siglo.

La historia de Gregorio Samsa es referida por un narrador ausente de ella que, si bien por momentos asume la óptica del protagonista, posee un ángulo de visión más amplio que el de cualquiera de los personajes, lo que le permite proporcionar un volumen de información mayor del que le correspondería a cada uno de ellos y a todos en conjunto. No hay motivo, pues, para "dudar de sus palabras" en el sentido arriba anotado.

El imposible más saltante de la historia —la metamorfosis misma— es presentado desde la primera frase como un hecho fáctico, como un suceso ciertamente incomprensible pero sobre cuya ocurrencia real no cabe la menor incertidumbre:

> Al despertar Gregorio Samsa una mañana, tras un sueño intranquilo, encontróse en su cama convertido en un monstruoso insecto.

Como para salir al encuentro de cualquier duda —del protagonista, que acaba de preguntarse qué le ha sucedido, y del lector implícito—, el narrador se apresura a declarar: "No soñaba, no" y prosigue con una minuciosa descripción del escenario que tiene la función de persuadir de la fidelidad fáctica de su relato y de ubicarlo en un mundo que, al menos desde un punto de vista material externo, corresponde exactamente al mundo de la experiencia de una comunidad socio-cultural históricamente precisable:

> Su habitación, una habitación de verdad, aunque excesivamente reducida, aparecía como de ordinario entre sus cuatro harto conocidas paredes. Presidiendo la mesa, sobre la cual estaba esparcido un muestrario de paños —Samsa era viajante de comercio—, colgaba una estampa ha poco recortada de una revista ilustrada y puesta en un lindo marco dorado. Representaba esta estampa una señora tocada con un gorro de pieles [. . .].

El suceso imposible que, como señalé más arriba (p. 134), no se deja explicar por ninguna forma de causalidad —ni natural ni sobrenatural— que tenga vigencia para cualquiera que pueda reconocer en ese escenario su mundo de todos los días, no suscita, empero, el menor asombro en el protagonista y es visto por los demás personajes con más repugnancia, fastidio y hasta cólera —según los casos— que el esperable terror ante lo desconocido. Podría pensarse que este rasgo aproxima el relato al tipo ficcional en el que se ubica el cuento de hadas. En éste, en efecto, el portento es algo obvio, que se acepta sin sorpresa ni inquietud: ni los personajes ni el narrador ni, consecuentemente, el receptor por él presupuesto ni a través de éste el receptor real (adulto, competente) se plantean en ningún momento la necesidad de explicarlo. Para los personajes, para el narrador y, por tanto, para el lector implícito, el portento es lo natural; para el productor y el receptor reales es un sustituto gratificante de lo que ocurre en la realidad "inmoral", un medio simbólico de restablecer la justicia. Puesto que la poética ficcional feérica exige que el personaje no se asombre del portento —del *imposible* presentado como *fáctico*—, el receptor competente, familiarizado con las leyes del género, no sólo no siente esa falta de asombro como extrañante sino que la espera, la da por supuesta.

Todo lo contrario ocurre con *La metamorfosis*. Todorov (1972, p. 200) recuerda una frase de Camus que sintetiza admirablemente el modo de recepción que este texto nos impone: "nunca nos asombraremos lo suficiente de esa falta de asombro".

Que la transformación de Gregorio Samsa en insecto sea presentada por el narrador y asumida por los personajes sin cuestionamiento, es sentido por el receptor como otro de los *imposibles* de la historia, si bien de orden diverso

149

que la metamorfosis misma. Puesto que la metamorfosis constituye una transgresión de las leyes naturales, el no-cuestionamiento de esta transgresión se siente a su vez como una transgresión de las leyes psíquicas y sociales que junto con las naturales forman parte de nuestra noción de realidad[21]. Lo "siniestro" de la historia, la extrañeza e inseguridad suscitadas por lo inexplicable, la "conmoción (intelectual y emocional) ante el orden violado" (Barrenechea 1978, p. 94) se desplaza, por ello, de una transgresión —la que al comienzo pareció decisiva— a otra cuya presencia intolerable se dibuja cada vez más nítida a medida que progresa el relato: la paulatina adaptación de los personajes al suceso imposible —con toda una gama de reacciones cada vez más anómalas en relación con los patrones de conducta previsibles según nuestros criterios de realidad— se erige en el *imposible* que atenta más virulentamente contra el orden asumido como normal.

Todorov reconoce en este movimiento de adaptación algo transgresivo: "en *La metamorfosis* se trata de un acontecimiento chocante, imposible, pero que, paradójicamente, termina por ser posible" (1972, p. 203). No obstante, no saca las conclusiones adecuadas cuando, para delimitar las fronteras de este tipo de ficción respecto del "género maravilloso", afirma: "Lo sobrenatural está presente y no deja sin embargo de parecernos inadmisible" (*loc. cit.*).

Puesto que con "sobrenatural" Todorov alude a la metamorfosis misma, su explicación para el efecto fantástico del texto no es del todo correcta: todavía más inadmisibles que el suceso que viola las leyes de la naturaleza son las reacciones humanas suscitadas por él. Cabría seguir preguntándose, sin embargo, por qué resultan inadmisibles, por qué no se las acepta como una convención del género análoga a la de las ficciones feéricas, por qué el texto fija una forma de recepción dominada por el criterio de la verosimilitud absoluta, por qué, en definitiva, la inexplicable transformación de Gregorio Samsa no nos impide relacionar su mundo con el nuestro y esperar que los personajes se comporten en armonía con las leyes psíquicas y sociales conforme a las cuales interpretamos y evaluamos las conductas ajenas y orientamos las propias.

Todorov se aleja de la respuesta adecuada al dar por sentado que el universo ficcional de este relato —y en general el universo kafkiano— representa un "mundo al revés" en el que lo fantástico deja de ser la excepción para convertirse en la regla y en el que, por lo tanto, todo "obedece a una lógica onírica, cuando no de pesadilla, que ya nada tiene que ver con lo real" (1972, pp. 204 y s.).

Si este mundo no tuviera nada que ver con lo real, no nos asombraríamos de la falta de asombro de sus criaturas, no experimentaríamos sus reacciones como desviantes ni podríamos distinguir siquiera posibles de imposibles. No

---

21. H. Glinz (1973), cuya definición de realidad es el soporte de todas estas reflexiones, distingue entre una "realidad de las ciencias naturales" (pp. 123 y s.), una "realidad social" (pp. 121 y s.) y una "realidad de los estados y procesos psíquicos" (pp. 124-126) y muestra cómo el lenguaje interviene —en diferentes grados y con efectos de diverso alcance— en la estructuración de cada una de ellas.

sería pertinente, tampoco, hablar de la coexistencia de diversos mundos ni, en consecuencia, de su cuestionamiento. Todo sería normal en su anormalidad, acorde con una verosimilitud genérica que constituiría la exacta inversión de la verosimilitud absoluta.

Si el mundo representado en *La metamorfosis* no se relacionara inmediatamente con el de nuestra experiencia, este relato quedaría fuera del ámbito de las ficciones fantásticas y sería tan sólo "una especie de fábula", como lo entiende Bessière (1974, p. 58). Todorov ve con claridad que el texto no se deja encasillar dentro del tipo ficcional de la fábula o de la alegoría pero no logra explicar coherentemente el carácter fantástico que le atribuye. Por su parte, Bessière se funda en una premisa correcta cuando sostiene que en el relato propiamente fantástico "la norma es inmediatamente problematizada" pero, a mi entender, no la aplica bien al texto de Kafka cuando lo excluye de dicho género con el argumento de que la familia de Gregorio representa un "universo de la norma" que es "ciego a lo insólito" y que "no cuestiona la evidencia de su propio límite" (*loc. cit.*).

Que los personajes no cuestionen su propia norma ni, en última instancia, su propia noción de realidad, no implica que el texto mismo no la cuestione. Se trata, simplemente, de un cuestionamiento no representado en el interior del mundo ficcional, que surge, según la acertada distinción introducida por Barrenechea (1978, p. 89), de la permanente confrontación *in absentia* de este universo "ciego a lo insólito", enrarecido, deshumanizado, con un modelo de realidad que se sugiere fragmentariamente a través de algunas reacciones más o menos 'normales' de los personajes (como el pánico de la madre, la inicial mezcla de temor y compasión de la hermana, la ternura y preocupación de Gregorio por ella, etc.).

El cuestionamiento de la convivencia de estos dos mundos se produce, empero, en una doble dirección: el modelo de realidad subyacente hace aparecer las conductas de los personajes como transgresivas de un orden asumido como normal pero, a su vez, el universo enrarecido que la ficción presenta como *fáctico*, denuncia ese modelo subyacente como ilusorio, propone implícitamente la revisión de las nociones mismas de realidad y normalidad. Desde este punto de vista *La metamorfosis* es un relato fantástico en sentido estricto pero es también algo así como la contracara de las ficciones feéricas: mientras que en éstas la realidad "inmoral" es anulada simbólicamente mediante su sustitución por un mundo "como debería ser", en Kafka esa misma realidad "inmoral" aparece intensificada hasta adquirir proporciones monstruosas y se erige así en el medio simbólico de destruir la ilusión de que este mundo podría ser, o a veces es, "como debería ser".

10. LAS CONDICIONES DE FICCIONALIZACION Y EL STATUS DE LOS REFERENTES EN LOS TEXTOS LITERARIOS FICCIONALES

El caso de las ficciones fantásticas y de los tipos ficcionales relacionables con ellas sirvió para ofrecer un ejemplo de aplicación de las categorías conceptuales y las pautas clasificatorias propuestas en este trabajo. Sólo resta precisar que dichas pautas se basan en el supuesto de que los textos clasificables como ficciones literarias tienen ciertas propiedades que posibilitan el análisis de sus componentes según el tipo de modificación operada en ellos. Dedicaré las últimas reflexiones a la explicitación de ese supuesto, para lo cual será necesario abordar dos problemas cuyo tratamiento fue en un caso soslayado y en el otro dejado en suspenso: el primero de ellos es el de determinar qué condiciones debe reunir un texto literario para que en él puedan producirse las modificaciones en virtud de las cuales se constituye como ficcional; el segundo, estrechamente vinculado con el anterior, es el de definir la naturaleza de los actos de referencia comprendidos en el texto literario ficcional así como el status de los correspondientes referentes y sus relaciones con la realidad.

10.1. LOS LIMITES DE LA FICCION LITERARIA

El primero de los problemas aludidos se puede sintetizar en la siguiente pregunta: ¿cuáles son los límites de la ficción literaria?

Uno de esos límites es relativamente fácil de fijar y fue considerado ya (*cf. supra*, p. 103): está formado por todos aquellos textos en que el autor no registra el discurso imaginario de *otro* sino que sostiene su propio discurso asumiendo todas las reglas semánticas y pragmáticas que correlacionan palabras o frases con el mundo de nuestra experiencia (ensayos, autobiografías, memorias, cartas y, en general, aquellos textos que por poseer ciertas cualidades cuya definición es bastante problemática y entre las que se cuenta el 'estilo', han accedido al rango de literatura por el consenso de editores, críticos y lectores coetáneos del productor o de generaciones posteriores).

El otro límite de la ficción parece estar formado por aquellos textos en los que no tiene sentido hablar de modificaciones modales de los objetos y hechos de referencia por cuanto las palabras y frases no pueden ser correlacionadas ni con el mundo de lo fáctico ni con ningún modelo de realidad sino que se limitan a autodesignarse.

Para algunos autores como K. Hamburger (1962) y T. Todorov (1972) este segundo límite coincide con lo que de modo algo vacilante suele ser caracterizado como "lírica" o "poesía". No es éste por cierto el lugar para discutir la propiedad de la clasificación de las obras literarias en los tres grandes géneros de la lírica, la épica y el drama, ni para examinar la ambivalencia de un término que como "lírica" designaba en la antigüedad textos de muy variado carácter, ligados a ciertos metros y originariamente acompañados de música, mientras que a partir del s. XVIII suele asociarse a un discurso de carácter predominantemente monológico y subjetivo.

Con todo, aun cuando se acepte la clasificación mencionada, no resulta fácil, como el propio Todorov tiene que admitirlo (1972, pp. 74 y s.), excluir en bloque, del ámbito de la ficción, a la "lírica", la "poesía" o comoquiera que se llame al gran género en cuestión. Dentro de él sólo parece evidente que deben ser excluidos ciertos textos –a los que suele llamarse "herméticos" o "absurdos"– que no ostentan pretensión alguna de coherencia en referencia y predicación y que, por ello mismo, no mimetizan, no representan, no remiten a ningún esquema conceptual de organización de complejos de experiencias (cf. Cap. VII).

Tales textos no tienen el carácter a la vez reproductor, reductor y subjetivo que es propio de los modelos creados por el hombre con propósitos científicos o artísticos. Al respecto señala Landwehr (1975, pp. 196 y s.) que la condición para la ficcionalización de un modelo constituido en el "juego con signos" –esto es, en la manipulación y modificación de códigos lingüísticos– es que el que "juega" lo correlacione con la realidad en una comunicación reflexiva consigo mismo o bien que lo exprese para que también un receptor lo coteje con el mundo exterior o con su concepción del mundo. El modelo se vuelve ficcional si, en su desviación respecto de las reglas lingüísticas vigentes en el momento y en la situación de la recepción, se lo acepta como constitución de una 'nueva' realidad. Si tan sólo se lo categoriza como desviante sin que se lo pueda correlacionar con el mundo exterior o con algún modelo interior del mundo, no es ficcional.

Para K. Stierle, cuya delimitación de esta frontera de la ficción coincide, a pesar de sus diferentes premisas epistemológicas, con la practicada por Landwehr, la condición de la ficcionalidad es la ligazón del texto al esquema comunicativo del enunciado. Stierle reduce así el carácter representativo o modélico de un texto a su inteligibilidad: los textos ficcionales "deben ser comprensibles en el sentido exacto que da Wittgenstein al concepto de comprender como un 'saber qué acaece si (la frase) es verdadera' " (Stierle 1975 a, p. 99). Desde esta perspectiva sólo pueden ser considerados ficcionales los textos integrados predominantemente por frases cuyo significado sea inteligible, aun cuando no se sepa si son verdaderas o no (*Cf.* Wittgenstein[9] 1963 [1921], 4.024). El límite de la ficción "está dado por la preponderancia del esquema del enunciado sobre las posibilidades de estructuraciones indiferentes al enunciado. Cuando dominan estas últimas surgen instauraciones poéticas que se designan a sí mismas sin remitir a un correlato noético" (Stierle, *loc. cit.*).

10.2. NATURALEZA DE LAS REFERENCIAS Y LOS REFERENTES EN LAS FICCIONES LITERARIAS

El concepto de la ligazón al esquema del enunciado le permite a Stierle, por una parte, excluir del campo de la ficción todos aquellos textos "no comprensibles" en el sentido arriba anotado, cuya referencialidad es sobre todo reflexiva (lo que llama Todorov algo impresionistamente "pura combinación semántica" o "combinación de palabras, no de cosas" (1972, pp. 75 y 76), rasgo que él extiende indebidamente a la poesía en general); por otra parte, le permite además diferenciar la situación comunicativa de los textos literarios ficcionales respecto de los textos "pragmáticos": en éstos el esquema lógico de la frase, es decir, el sentido que ella posee independientemente de su uso en una situación comunicativa determinada, es correlacionado, al ser usado, con un hecho particular al que la frase hace precisamente referencia. En el texto ficcional, en cambio, el esquema de sentido aparece *como si* estuviera correlacionado con un hecho particular pero en realidad le corresponde, como referente, una clase vacía, una entidad igualmente esquemática, igualmente conceptual.

Esta manera de plantear el problema de la referencia en la ficción parece estar próxima a la sugerida por T. van Dijk, quien subsume los enunciados ficcionales en la clase de las "afirmaciones contrafácticas", para las cuales postula un sistema referencial que "no existe en la realidad empírica sino tan sólo como 'imagen mental' (representación imaginativa) o en términos más formales: quizás incluso como una mera representación semántica" (van Dijk 1972, p. 290).

Sobre la base de estos presupuestos cabe preguntarse, una vez más, si, como sostiene Searle, hay textos ficcionales que no están constituidos exclusivamente por lo que él considera "pseudorreferencias" —lo que Stierle define como referencias a entidades conceptuales y van Dijk como referencias a imágenes mentales o representaciones semánticas—, sino que en ellos pueden coexistir, en diferentes proporciones, "pseudorreferencias" y "referencias reales" (referencias a objetos y hechos pertenecientes al mundo de lo fáctico).

Ya al comienzo de este trabajo anticipé una respuesta negativa, cuya fundamentación se puede completar ahora a la luz de los nuevos elementos de juicio surgidos en el curso de la reflexión.

Si se admite, como creo que ha quedado en claro, que los enunciados de toda ficción literaria no son directamente atribuibles al autor sino que éste se limita siempre a registrar el discurso de una 'voz' o eventualmente una 'persona' distinta de él y que construye dicho discurso según las normas de una particular poética de la ficción que regula, entre otras cosas, cómo ha de ser la 'voz' o la 'persona' que habla conforme al género literario correspondiente, no parece aceptable suponer que el autor simula realizar actos de referencia cuando el texto alude, por ej., a Don Quijote o al país de Broceliandia, ni tampoco que realiza actos de referencia reales cuando en una frase aparece, por ej., el nombre de Napoleón o el de París.

Es indudable, por cierto, que los ejemplos mencionados ilustran dos fenómenos diferentes pero el modo como Searle caracteriza la diferencia se funda en un equívoco que es preciso despejar: no es que el autor a veces realice efectivamente y otras veces 'haga como si' realizara actos de referencia creando a los referentes mediante la simulación misma; es el productor ficcional del texto (el narrador, el yo lírico, el personaje dramático) quien realiza esos dos actos de referencia que el autor tan sólo imagina y fija verbalmente.

¿Cómo definir entonces la diferencia que resulta del hecho de que el productor ficcional se refiera a París o a Broceliandia, a Napoleón o al hada Melusina? Pienso que se puede intentar una respuesta más adecuada que la de

Searle siguiendo la vía de reflexión que abre Stierle (1975 b, pp. 362 y s.) al postular que *todas* las referencias de un texto literario ficcional son pseudorreferencias, pero no en el sentido de referencias simuladas por el autor sino en el sentido de autorreferencias que se presentan en la forma de pseudorreferencias.

Stierle parte de la hipótesis de que el lenguaje se puede utilizar de dos maneras básicas: en función referencial, como por ej. en descripciones o narraciones, y en función autorreferencial, que es aquella que se manifiesta en los textos que tematizan las condiciones de uso de sus propios términos. En este segundo caso, que es, por ej., el de los textos científicos, los conceptos son desligados de su relación referencial y son remitidos a sí mismos, vueltos reflexivos, a consecuencia de lo cual no funcionan simplemente como esquemas de organización de experiencia sino que sirven a la organización de nuevos esquemas de organización de experiencia. Los textos literarios ficcionales representan una variedad de este tipo, ya que en ellos los conceptos que integran el esquema de sentido de la frase no se relacionan referencialmente con hechos particulares sino que, vueltos reflexivos, sirven a su vez a la constitución de esquemas conceptuales. La abstración resultante de este proceso —que se caracteriza porque en él queda de lado la especial situación de uso de los conceptos— es superada, sin embargo, mediante su utilización pseudorreferencial: en las ficciones literarias los conceptos son usados *como si* mantuvieran su normal relación referencial, remiten a ellos mismos con la apariencia de remitir a entidades extratextuales no esquemáticas. La utilización pseudorreferencial de la lengua, propia de los textos literarios ficcionales y, en particular, de las ficciones narrativas, se diferencia, por tanto, de la simple utilización referencial, en el hecho de que las condiciones de referencia no son asumidas como elementos extratextuales ya dados, sino que son creadas por el texto mismo.

Se puede concluir entonces, completando el razonamiento de Stierle, que en el texto literario ficcional el esquema de sentido de la frase es correlacionado *siempre*, al ser usado por el productor a través de una fuente de lenguaje ficticia, con esquemas conceptuales, pero que éstos a su vez pueden ser correlacionados o no, según los casos, con objetos y hechos particulares pertenecientes al mundo de lo fáctico. Cuando esta segunda correlación es posible, la realidad —ese horizonte último al que remite el horizonte inmediato de la poética reguladora de la ficción— se incorpora a la cerrada unidad del mundo ficcional en la forma de un equivalente ficcional de ella misma. Así, si en una ficción literaria se habla, por ej., de las guerras napoleónicas, al esquema de sentido de las frases en cuestión les corresponde como referente un equivalente ficcional del mencionado hecho histórico, esto es, no un hecho fáctico sino una entidad de carácter esquemático-conceptual que se constituye como tal en virtud de sus relaciones con todos los demás objetos y hechos de referencia del texto.

El que no todo receptor esté en condiciones de reconocer tras la aparente referencia real la remisión a un esquema conceptual, no invalida la distinción.

La recepción de las ficciones literarias es un fenómeno sumamente complejo, que abarca una amplia gama de reacciones ante las modificaciones propuestas en el texto. La ausencia de un grado mínimo de competencia en el receptor conduce al total fracaso de la comunicación, al no reconocimiento de la ficción como tal. Un grado mayor de competencia, aunque todavía bastante bajo, correspondería al caso de un receptor capaz de reconocer el carácter ficcional del texto pero no la poética particular en que se sustenta, y que se limita a identificarse con los personajes y participar afectivamente de sus experiencias en la oscura conciencia de que 'eso no está ocurriendo realmente' pero podría ocurrir. Un grado considerablemente alto de competencia sería, en cambio, el de un receptor capaz de percibir nítidamente el texto en su textualidad, de no perderlo de vista en tanto factor desencadenante de la ilusión y de entenderlo como producto de la aceptación o negación de ciertas convenciones literario-ficcionales que ocupan un lugar preciso dentro de una serie histórica. Menciono estos tres casos a modo de ejemplo, sin pretensión alguna de sistematicidad (se podría construir una escala con un número x de grados y conforme a x criterios). Sólo importa aquí tener presente que cada ficción literaria es un desafío a la capacidad del receptor, que ésta se desarrolla constantemente en el entrenamiento en la lectura reflexiva y que es una de las tareas de la ciencia literaria dar pautas orientadoras para la reflexión y contribuir con ellas al incremento de esa capacidad.

SEGUNDA PARTE

SOBRE LA POESIA Y EL LENGUAJE POETICO

VI

PREDICACION METAFORICA Y DISCURSO SIMBOLICO
Hacia una teoría de dos fenómenos semiótico-literarios*

Para Lía Schwartz Lerner

1. INTRODUCCION

Con frecuencia se afirma que toda composición poética es una "gran metáfora", un "símbolo" o una "alegoría". Igualmente extendido es el uso indistinto de términos como "ambiguo", "bivalente", "plurívoco", "connotativo", "simbólico" o "metafórico" para caracterizar al lenguaje poético en oposición al lenguaje 'normal'. La verdad de tales afirmaciones está en relación directa con su vaguedad: todas son correctas si tomamos los términos en cuestión como más o menos equivalentes y si entendemos, por tanto, que con ellos se alude al conocido hecho de que el mensaje del texto poético no se agota en su literalidad.

Nuestro propósito es utilizar "metáfora" y "símbolo" (y respectivamente "metafórico" y "simbólico") en un sentido restringido y designar con ellos dos tipos de fenómenos semiótico-literarios —frecuente pero no exclusivamente representados en el ámbito de la poesía— en los que el sentido literal[1] (o 'superficial') exige el tránsito a un sentido no-literal (o 'profundo'). Hablar de dos tipos supone el reconocimiento de un parentesco y, a la vez, de rasgos distintivos. El principal esfuerzo de este trabajo estará encaminado al establecimiento de dichos rasgos. El procedimiento que pondremos en práctica para cumplir este objetivo comprenderá dos pasos. En primer lugar procuraremos

___

*   Publicado originalmente en *Lexis*, Vol. I, número 1, 1977.

1. Por "literal" entendemos cualquiera de los significados codificados por el diccionario o, desde una perspectiva funcionalista, cualquiera de los usos contextuales habituales de un lexema.

elaborar dos modelos teóricos de metáfora y símbolo. Con ese fin, describiremos comparativamente las relaciones entre el sentido literal y el sentido no-literal en uno y otro caso, así como los procesos de descodificación correspondientes. En segundo lugar pondremos a prueba el valor explicativo de los modelos aplicándolos a la descripción de textos poéticos.

Una observación de M. Black que en el estado actual de las investigaciones sobre la metáfora podría parecer obvia y una vieja distinción entre metáfora y alegoría, que se remonta a Quintiliano y ha sido asumida a través de siglos por la mayor parte de los manuales de retórica —incluido el más reciente de Lausberg (Lausberg 1967)—, han estado en el origen de las presentes reflexiones.

A propósito de los ejemplos inequívocos o "paradigmas" de metáforas afirma Black[2]: "En general, cuando hablamos de una metáfora relativamente simple, nos referimos a un enunciado u otra expresión en la que *algunas palabras* están usadas metafóricamente mientras que las restantes están usadas no-metafóricamente. Todo intento por construir un enunciado entero con palabras usadas metafóricamente da como resultado un proverbio, una alegoría o un enigma. Ningún análisis preliminar de metáfora podrá cubrir satisfactoriamente un ejemplo tan trillado como 'de noche todos los gatos son pardos'. Y los casos de simbolismo (en el sentido en que el castillo de Kakfa es un 'símbolo') requieren, también, un tratamiento aparte" (Black 1962, p. 27).

De la cita anterior se pueden derivar algunas conclusiones interesantes. Una de ellas, reconocida ya implícitamente por Aristóteles[3] y explícitamente por Quintiliano[4], fue casi olvidada durante siglos y puesta nuevamente de actualidad por la moderna teoría de la metáfora en lengua inglesa (entre cuyos principales exponentes se cuentan, junto con M. Black, I. A. Richards y M. Beardsley): que la metáfora es un fenómeno contextual, que el cambio de significado que afecta al lexema o los lexemas utilizados metafóricamente —es decir, el tránsito de un significado literal a otro no-literal— resulta de la interacción entre el significado literal de dicho lexema o lexemas y el de los demás lexemas que integran una frase y que por esta razón es preferible no hablar de metáfora (en el sentido de "palabra metafórica") sino de frase o enunciado metafórico.[5]

---

2. Citamos siempre en español. Todas las traducciones son nuestras excepto cuando utilizamos una traducción española publicada.

3. Aristóteles observa un estrecho parentesco entre metáfora y enigma (en *Poética*, 22, 1458 a 21-30, y todavía más claramente en *Retórica*, III, 1405 b 4-6, donde afirma que todas las metáforas "son enigmas") y señala a propósito de este último que lo típico de él es "unir lo imposible" (*Poética, loc. cit.*). *Cf.* Lieb 1964, pp. 93-95.

4. "Las metáforas no pueden ser experimentadas sino en el contexto del discurso. En efecto, se ha insistido suficientemente . . . en el hecho de que las palabras aisladas no tienen en sí mismas valor alguno" (Inst. VIII, 3, 38).

5. En el ámbito alemán es H. Weinrich quien acoge y formula esta misma idea del modo

Otra conclusión que se desprende de la anterior, es que un lexema adquiere un significado metafórico en determinados contextos en cuyo interior se opone a otro u otros lexemas tomados literalmente. Este hecho ha sido puesto de relieve, con la más variada terminología, en la mayoría de los estudios sobre la metáfora aparecidos en los últimos decenios. Según el marco teórico adoptado en cada caso la mencionada oposición es caracterizada como "atribución autocontradictoria"[6], "predicación contradictoria" o "contradeterminación"[7], afirmación de "algo imposible" conforme a los significados "usuales" de las palabras relacionadas[8], "no-pertinencia" semántica[9], "quiebra de la congruencia semántica"[10], "no-solidaridad" léxica[11], "incompatibilidad semán-

más radical: En la frase de Verlaine *Votre âme est un paysage choisi* "ninguna de las seis palabras de la frase coincide con la metáfora, sino toda la frase —y, en una interpretación lata, todo el texto de la poesía— es la metáfora... Palabra y contexto forman en conjunto la metáfora" (1967, p. 5). Análogas definiciones reaparecen en trabajos alemanes de los últimos años: "Una metáfora es un elemento lingüístico independiente cuyo contexto señaliza que ha asumido una nueva función designativa" (Ingendahl 1971, p. 34).

6. "Metáfora es una atribución significante que es o indirectamente autocontradictoria u obviamente falsa en su contexto..." "No hay metáfora a menos que algunas características claramente centrales asociadas a la palabra estén excluidas por el contexto" (Beardsley 1958, pp. 142 y 150).

7. Las dos nociones proceden de Weinrich: "La metáfora es una predicación contradictoria" (1963, p. 337); "Se produce un efecto de sorpresa y una tensión entre el significado propio de la palabra y la significación (*Meinung*) inesperada impuesta por el contexto. Llamaremos a este proceso CONTRADETERMINACION puesto que la determinación efectiva del contexto está orientada contra la expectativa de determinación de la palabra. Con ayuda de este concepto la metáfora se puede definir como una palabra en un contexto contradeterminante" (1967, p. 6). *Cf.* además Weinrich 1968, pp. 100-101.

8. "... de acuerdo con el concepto actual [de metáfora] (en un sentido lato), hay metáfora siempre que haya un pasaje del texto con la siguiente calidad:
a) Entre 'partes' del pasaje existen relaciones sintácticas tales que se afirma algo imposible en caso de que todas las palabras 'signifiquen' lo que usualmente 'significan' en la lengua.
b) Entre el pasaje y su 'contexto' existen relaciones sintácticas o semánticas tales que el pasaje es 'incompatible' con su 'contexto' en caso de que en el pasaje se afirme algo imposible (algo que ya por el 'significado' del pasaje sea imposible)" (Lieb 1964, p. 31).

9. "... en su sentido primero [el término metafórico] es no-pertinente mientras que el sentido segundo le devuelve su pertinencia. La metáfora interviene para reducir la desviación creada por la no-pertinencia" (Cohen 1966, p. 114).

10. Noción utilizada por Leisi (1975, pp. 71 ss.).

11. "La solidaridad [léxica] no excluye que los lexemas solidariamente determinados puedan ser usados con lexemas que no correspondan a la solidaridad respectiva; pueden

tica"[12], "combinación de signos percibida como inusual y anómala"[13], "forma reglada de anomalía semántica" o "quiebra de la 'isotopía' del discurso"[14], "distorsiones del material léxico" o, incluso —en un vocabulario muy a tono con el tema—, "pequeños 'escándalos' semánticos"[15].

Las definiciones de muchos modernos manuales de retórica son un fiel reflejo de esta situación: la disparidad, por no decir el caos terminológico imperante, encubre un amplio consenso, al menos en lo que atañe a la descripción del punto de partida del proceso metafórico. Baste como ilustración el siguiente ejemplo: "Toda metáfora consta de dos elementos: texto y desviación del texto ('deviation'). Se trata de un acoplamiento de sentidos ajeno al ámbito del texto y, por ende, anómalo, que aparece señalizado por un 'salto' en el contenido (Lausberg), una 'laguna semántica' (Bateson), 'una violación del patrón predecible' (Leech). La desviación existente entre el texto y el sustituyente metafórico —o, en otros términos, entre el 'receptor de la ima-

ser empleados con tales lexemas pero en este caso se manifiesta precisamente la no-solidaridad de los términos unidos sintagmáticamente y de este modo su uso se vuelve 'metafórico' " (Coseriu 1967, p. 302).

12. "La metáfora. . ., a condición de que sea una metáfora viva y que libere una imagen, aparece de inmediato como ajena a la isotopía del texto en que está insertada. La interpretación de la metáfora sólo es posible en virtud del rechazo del sentido propio cuya incompatibilidad con el contexto orienta al lector u oyente hacia el proceso particular de la abstracción metafórica: la incompatibilidad semántica desempeña la función de una señal que invita al destinatario a seleccionar entre los elementos de significación constitutivos del lexema aquellos que no son incompatibles con el contexto" (Le Guern 1973, p. 16).

13. "La metáfora es un supersigno lingüístico que resulta de la combinación, percibida como inusual y anómala, de otros signos; pero esta combinación anómala de signos está estructurada de tal manera que no tiene el efecto de bloquear la comunicación, sino que cumple una función comunicativa específica que no parece poder ser sustituida mediante otro tipo de organización lingüística" (Köller 1975, p. 6).

14. "La metáfora es un acto lingüístico de una acción lingüística que se puede definir, en líneas generales, como una forma reglada de anomalía semántica. . . La anomalía semántica se produce cuando un lexema es empleado contra las normas aceptadas de su uso. El uso de un lexema está determinado por el uso de otros lexemas que están relacionados entre sí de tal modo que crean un contexto en cuyo segmento vacío entra el lexema en cuestión y lo llena en forma específica. . . La anomalía semántica es, por tanto, función de un contexto que está asegurado por el hecho de que llena la expectativa generada por las condiciones pragmáticas de un tipo de texto. . . El segmento correspondiente a la metáfora designa en principio una quiebra de la 'isotopía' del 'discurso' y marca, así, un segmento que queda en suspenso" (Stierle 1975 a, pp. 152-153). Para la noción de isotopía véase Greimas 1966, pp. 69 ss.

15. Los sintagmas metafóricos "son sentidos de inmediato por el lector como distorsiones del material léxico. La atención es atraída hacia el mensaje mediante estos pequeños 'escándalos' semánticos. Formalmente la metáfora se retrotrae a un sintagma en el que aparecen contradictoriamente la identidad de dos significantes y la no-identidad de dos significados correspondientes" (Dubois et al. 1970, p. 106).

gen' y el 'donador de la imagen' (Weinrich) o entre el tenor ('tenor') y el vehículo ('vehicle') (Richards)— se puede interpretar de diversas maneras" (Plett 1975, p. 83).

La oposición entre el lexema metafórico y su contexto es igualmente el punto de partida para la clasificación sintáctica de la metáfora propuesta por Brooke-Rose en un trabajo que es ya casi un clásico en la materia (Brooke-Rose 1958)[16]. También nosotros tendremos que partir de la mencionada oposición para delimitar los dos tipos de fenómenos semióticos que hemos convenido en llamar metafórico y simbólico respectivamente. En lo que sigue nos referiremos a ella con el término *quiebra de la isotopía*, que es el utilizado por Stierle (Stierle 1975 a), cuyo modelo de metáfora hemos asumido en buena parte.

La observación de Black nos permite extraer una conclusión más (la sustancial para nuestro propósito): que cuando todos los elementos de una frase o de una unidad de rango superior exigen el tránsito de un sentido literal a un sentido no literal estamos en presencia de un fenómeno emparentado pero a la vez diferente del metafórico y que, por tanto, "requiere tratamiento aparte". Hemos llegado, así, al momento adecuado para recordar a Quintiliano, quien señala que una metáfora continuada (en una o más frases enteras) da por resultado una alegoría (*Inst.* IX, 2, 46) y distingue las alegorías "totales" o puras (nosotros podemos precisar: en las que no hay quiebra de la isotopía) de las alegorías "mixtas" (en las que hay quiebra de la isotopía) (*Inst.* VIII, 6, 47). La acotación de que las primeras son mucho menos frecuentes en la oratoria que en la poesía (*ib.*) parece sugerir que la diferencia entre ambos tipos y, en consecuencia, la diferencia entre "metáfora" y "alegoría" no es sólo de orden cuantitativo, como la entiende Lausberg[17].

En nuestro trabajo renunciaremos a delimitar los subtipos de secuencias 'integralmente metafóricas' que las retóricas clasifican, no siempre de modo coherente, bajo los rubros de proverbio, enigma o alegoría. Subsumiremos a todos bajo el concepto global de "discurso simbólico". Reservaremos, en cambio, "metáfora" para aquellos casos en que la quiebra de la isotopía de la frase es el punto de partida para el tránsito de un significado literal a un significado no-literal, un proceso que si bien afecta a todos los componentes de la frase, se focaliza en un lexema o lexemas (precisamente aquel o aquellos que quiebran la isotopía y que por ello mismo deben ser reinterpretados en un sen-

16. *Cf.* Lüdi (1973, pp. 51-52), quien ha llamado la atención sobre la unanimidad existente acerca de la función del contexto a pesar de las divergencias terminológicas e, incluso, de las divergencias teóricas en la descripción de los demás aspectos del proceso metafórico. Quien desee seguir la historia de la noción de metáfora desde Aristóteles hasta nuestros días y verificar en ella ciertas constantes como ésta de la que nos ocupamos ahora, encontrará excelentes síntesis críticas en Meier (1963) y en Lieb (1964).

17. Lausberg 1967, Vol. II, p. 238: "La alegoría es al pensamiento lo que la metáfora es a la palabra aislada. . . La relación de la alegoría con la metáfora es cuantitativa; la alegoría es una metáfora continuada en un frase entera (a veces más)".

tido capaz de restituirla)[18]. Black llama "foco" al lexema utilizado metafóricamente y "marco" a los demás componentes de la frase. Como los demás representantes de la teoría de la "interacción" metafórica, Black parte del supuesto de que el cambio de significado del foco requiere la participación integral del marco y que, además, se produce una determinación recíproca de foco y marco. Si aceptamos esta premisa y la complementamos con la hipótesis de que a cualquier tipo de metáfora —independientemente de la estructura sintáctica en que se manifieste— se le puede adjudicar una estructura predicativa, podremos establecer una jerarquía en lo que concierne al grado de participación de los elementos del marco en el cambio de significado del foco. Esta precisión nos permitirá demostrar que las posiciones maximalistas basadas en la teoría de la interacción —como la de Weinrich, que pretende extender la noción de contexto metafórico al texto integral de una poesía (cf. nota 5)— entrañan una peligrosa simplificación. Una estructura predicativa se manifiesta como una relación de determinación o especificación entre por lo menos dos unidades conceptuales. Si llamamos "concepto-objeto" o "especificado" a aquel del que se predica algo y "concepto determinante" al que especifica al "concepto-objeto", diremos que la estructura predicativa de la metáfora se manifiesta con toda nitidez cuando el "concepto-objeto" está representado en la frase por el sujeto gramatical y el "concepto determinante" por el predicado gramatical (Köller 1975, pp. 170-178). Este es el caso de *el cielo disparó sus arcabuces*, un ejemplo sobre el que volveremos más adelante. Sin embargo, cualquier otro tipo de realización metafórica se puede retrotraer a una estructura predicativa implícita. Por ejemplo, la metáfora *mar de Amor* (de la que igualmente nos ocuparemos más adelante), reposa en la predicación presupuesta "el amor es un mar"[19]. Si aceptamos, al menos provisoriamente, la validez de este supuesto, entonces podremos concluir que la interacción entre foco y marco está a su vez focalizada en los dos elementos de la frase que integran la predicación metafórica explícita o presupuesta. En el caso más simple ésta tiene lugar entre el significado literal del lexema que quiebra la isotopía (concepto determinante) y el significado literal del lexema especificado por él (concepto-objeto) y que forma parte de la isotopía de la frase. Este último es el marco inmediato. Los demás componentes de la frase constituyen el marco mediato de la predicación metafórica. Esta distinción nos parece sustancial para la explicación de ejemplos particularmente complejos que a primera vista parecen invalidar la hipótesis de que es posible marcar una frontera entre un 'texto simbólico' y un 'texto con predicaciones metafóricas'.

18. Abraham (1973, p. 2) hace una restricción similar a la que proponemos aquí: "Utilizo 'metáfora' en el sentido de 'transferencia de significado' y reduzco este concepto amplio que abarca alegoría, símil, símbolo, etc., aplicándolo sustancialmente a la utilización no-literal de palabras en frases o partes de frases".

19. Comparable con este planteo, si bien menos congruente en su desarrollo, es la tesis del mismo Weinrich sobre la metáfora como "predicación contradictoria" (*Cf.* nota 7).

De momento mantendremos nuestra diferenciación inicial: la predicación metafórica tiene como punto de partida una quiebra de la isotopía frásica. Cuando no hay tal quiebra y, sin embargo, todos los elementos de la frase o de una unidad de rango superior exigen el tránsito de un sentido literal a un sentido no-literal estamos ante lo que hemos convenido en llamar discurso simbólico. Semejante distinción debe ser considerada como una delimitación provisoria, esquematizadora, que tendrá que ser corregida y precisada a través de la confrontación con ejemplos literarios concretos. Partimos, como Black, de "paradigmas", es decir, de dos tipos ideales cuyos rasgos contrastantes aparecen particularmente nítidos. Esta simplificación preliminar tiene un valor operacional: el análisis comparativo de esos tipos ideales nos ayudará a establecer en qué medida la diferencia que se presenta como la más obvia, como la de más fácil verificación —la oposición discontinuo/continuo— se funda en dos sistemas de relaciones diferentes y no en la diferente extensión de las manifestaciones de un mismo sistema[20]. Una vez puesto en claro este problema podremos ocuparnos de casos no-paradigmáticos, es decir, de las realizaciones literarias particulares que no parecen ajustarse del todo a las características de los tipos ideales.

Antes de proceder a la comparación de nuestros paradigmas de predicación metafórica y discurso simbólico se hace necesaria una aclaración terminológica. Hasta aquí hemos hablado indistintamente de sentido literal y de sentido no-literal. En lo que sigue utilizaremos denominaciones diferentes según que se trate de una relación metafórica o de una relación simbólica.

En el caso de la metáfora llamaremos *concepto superficial* al significado literal del lexema o los lexemas que quiebran la isotopía de la frase y *concepto profundo* al significado capaz de restituir la isotopía. Como veremos más adelante, el concepto superficial provee indicios para hallar el concepto profundo, vale decir, un significado nuevo (no codificado) que armonice con el contexto de la frase. Adoptamos estos términos apoyándonos en una observación marginal de Stierle[21], quien utiliza, en cambio, sistemáticamente "sustituyente" y

---

20. El punto de partida de nuestra delimitación puede parecer similar al de Todorov (1974, p. 112): "Llamaré a la primera clase de simbolismo lingüístico, en la que se parte de una proposición con su sentido intacto, *simbolismo proposicional*; y a la segunda clase, en la que se parte de una palabra que ha anulado el sentido de la proposición inicial, *simbolismo léxico*". Diferimos, sin embargo, radicalmente en el desarrollo de los respectivos modelos. Para Todorov la "alegoría total" de Quintiliano es simplemente un conjunto de palabras metafóricas, un caso de simbolismo léxico extendido. Le niega al texto horaciano citado por Quintiliano como un ejemplo de "alegoría total" (véase más adelante, p.182) el carácter de simbolismo proposicional "pues no hay ninguna aseveración sobre naves reales que nos permita, secundariamente, compararlas con el estado" (p. 117). Para nosotros se trata, en cambio, de un claro ejemplo de discurso simbólico, pues dentro de nuestro marco teórico no es relevante que la nave en cuestión sea "real" o no lo sea, ni que los enunciados del texto puedan ser sometidos o no a la prueba de la verdad.

21. Stierle 1975 a, p. 154: "La relación entre el sustituyente y el sustituido metafóricos no

"sustituido". Preferimos evitar esta terminología para no crear la sensación de que consideramos el proceso metafórico como la 'sustitución' de un significado por otro[22].

En el caso del símbolo llamaremos *pictura* al sentido literal del discurso y *subscriptio* al sentido no-literal. Tomamos estas designaciones de Link (Link 1975, *passim*), quien a su vez las adopta de las modernas investigaciones sobre emblemática (en particular, las de Schöne, *cf.* por ej., Schöne, 1964): *pictura* es en el emblema el nombre correspondiente a la representación gráfica y *subscriptio* el de la leyenda que adjudica un sentido especial a la imagen. Link parte del supuesto de que el emblema representa el tipo estructural más simple de lo que él llama "símbolo literario": aquel en que la subscriptio, es decir, el sentido no-literal (o 'profundo', si queremos mantener el paralelismo con el proceso metafórico) está hecho explícito en el texto. En el extremo opuesto se ubicarían aquellos símbolos literarios en los que la subscriptio no está realizada ni total ni parcialmente en el texto sino sólo vagamente sugerida. Si queremos poner estas ideas en correlación con nuestra delimitación preliminar, diremos que nuestro paradigma de discurso simbólico es el equivalente de este último tipo. Más adelante veremos en qué medida es posible incluir subtipos en el modelo básico. Que asumamos los términos empleados por Link no implica, sin embargo, que hagamos nuestro el presupuesto de que la pictura del símbolo literario sea siempre una 'pintura' o 'imagen' o, dicho de otro modo, que el sentido literal o 'superficial' del discurso sea siempre transferible a una representación gráfica. Si, a pesar de ello, adoptamos la terminología en cuestión es porque creemos que, aun prescindiendo del elemento icónico constitutivo del emblema, su parentesco estructural con el discurso simbólico resulta evidente.

2. LA CONSTRUCCION DE LOS MODELOS

Tras estas aclaraciones estamos en condiciones de analizar las relaciones entre el concepto superficial y el concepto profundo metafóricos, así como las relaciones entre pictura y subscriptio para proceder de inmediato al cotejo de los resultados. En esta fase de la investigación partiremos de los modelos relacionales de Stierle (Stierle 1975 a) y Link (Link 1975) respectivamente. En la fase siguiente (la comparación de los procesos de descodificación) nos basaremos parcialmente en Stierle para la descripción del proceso metafórico y le opondremos nuestro propio modelo de descripción del proceso simbólico.

es una relación entre lexema superficial y lexema profundo sino entre concepto superficial y concepto profundo".

22. Véase una excelente exposición crítica de las viejas teorías "sustitutorias" de la metáfora en Ricoeur 1975, pp. 63-86.

2.1. CONCEPTO SUPERFICIAL (CS) Y CONCEPTO PROFUNDO (CP) EN LA METAFORA

Según el tipo de relación entre el concepto superficial y el concepto profundo se pueden distinguir tres tipos básicos de metáfora. El caso más simple es el de la existencia de rasgos comunes entre CS y CP. Un segundo tipo es el que Aristóteles llama "analogía": "Llamo relación de analogía a la que se da cuando un segundo término es al primero lo que el cuarto es al tercero. Se empleará, por tanto, el cuarto en lugar del segundo o el segundo en lugar del cuarto. . . Así, por ejemplo, la copa se relaciona con Dionisio como el escudo con Ares. Se dirá, entonces, que la copa es "el escudo de Dionisio" y que el escudo es "la copa de Ares" " (*Poética*, 21 1457b 16-22). La simple relación entre el CS y el CP, basada en la presencia de rasgos comunes, se vuelve aquí una compleja relación entre relaciones. Tales relaciones pueden ser relaciones del mundo natural empíricamente aprehensibles o pueden estar fijadas por una convención cultural. Un tercer tipo está representado por aquellas metáforas en las que una connotación ligada al CS es transferida al CP[23]. Cabe distinguir aquí

23. La noción de connotación utilizada aquí –que es, por lo demás, la que asumimos a lo largo de nuestro trabajo– aparece explicitada en un esclarecedor estudio de Stierle sobre la semiótica de la connotación (Stierle 1975, pp. 131-151). Sintetizamos a continuación algunas de sus principales tesis: 1) Una teoría de la connotación no puede abarcar la totalidad connotativa de un objeto semiótico. Stierle se limita, en consecuencia, a la esfera del texto –entendido como acción verbal–, dejando aun aquí de lado las connotaciones del nivel de la sustancia de la expresión (las modalidades individuales del acto de habla) como las connotaciones producidas libremente por la subjetividad del receptor. Sólo se pueden describir de modo sistemático las connotaciones que forman parte del sentido controlado por el texto mismo, lo que implica el supuesto ideal de una mínima distancia hermenéutica entre emisor y receptor. 2) El modelo adoptado por Barthes (primero en 1957, p. 200, luego en 1964, pp. 130-132) sobre la base de la definición de Hjelmslev de la semiótica connotativa (una semiótica "cuyo plano de la expresión está representado por el plano del contenido y el plano de la expresión de una semiótica denotativa", 1963, p. 119) es excesivamente simplificador. Para referirse al sistema secundario –a aquel que tiene por significante un sistema de significación– Barthes habla indistintamente de connotación, de sistema connotado o de semiótica connotativa. Para evitar esta ambigüedad es preciso distinguir tres niveles: a) El sistema connotante, que puede estar constituido por la totalidad de los niveles del sistema primario de la denotación o por uno solo de ellos (como es el caso del anagrama). Este sistema no es el plano de la expresión del sistema de connotación sino más bien el ámbito de los elementos connotativos. b) El sistema connotativo, formado por los elementos que se distinguen, en su carácter de connotadores, de los demás elementos del sistema denotativo. c) El sistema connotado, es decir, la unidad designada por los elementos connotativos o connotadores. 3) La totalidad del sistema connotado es más que la suma de los elementos connotativos. Es tarea del receptor establecer la diferencia entre ambos niveles y construir el sistema designado por los connotadores. Estos últimos pertenecen a la vez a dos sistemas pero no están relacionados entre sí en forma sistemática sino siguen tan sólo la ley de la recurrencia. 4) Según la 'dirección' en que se produzca la connotación se pueden distinguir dos tipos de connotaciones: horizontales y vertica-

dos subtipos: aquel en que la connotación está habitualmente ligada al CS y aquel en que la connotación surge de modo ocasional desde una perspectiva subjetiva. Este segundo subtipo corresponde a las metáforas que suelen ser caracterizadas como "afectivas", "alejadas" o "audaces". La gran complejidad de la mayoría de las metáforas —en contraste con el esquematismo de las construidas ad hoc para ilustrar una tipología— deriva de las variadas posibilidades combinatorias que se dan dentro de cada clase, así como de la combinación de las tres clases entre sí.

2.2. PICTURA (P) Y SUBSCRIPTIO (S) EN EL SIMBOLO

Para deslindar en qué medida las tres clases de relaciones mencionadas son transferibles a las relaciones entre la pictura (P) y la subscriptio (S), partiremos, como lo hemos anunciado, del esquema estructural propuesto por Link (Link 1975, pp. 18-19). Según este autor, en todo símbolo se pueden distinguir tres tipos de relaciones:

- Relaciones inmanentes a P y a S, es decir, relaciones "sintagmáticas", que conciernen al ordenamiento de los elementos de P (p_1, p_2, p_3, etc.) y de S (s_1, s_2, s_3, etc.);
- Relaciones de proyección o reproducción entre los elementos de P y los elementos de S (a p_1 le corresponde s_1, a p_2 le corresponde s_2, etc.);
- Relaciones de relaciones del siguiente tipo: p_1 es a p_2 como s_1 es a s_2, es decir, la relación entre dos elementos de P es equivalente a la relación entre dos elementos de S correlativos de los anteriores. En esta relación compleja reposa el isomorfismo existente entre P y S.

Si bien las tres clases de relaciones están estrechamente vinculadas entre sí —determinadas relaciones generadoras de isomorfismo resultan de la interacción de relaciones sintagmáticas y de proyección— la clase decisiva, la que constituye a un discurso poético en símbolo, la que organiza su compleja unidad, es la tercera. La condición para que haya símbolo no es que los elementos del discurso estén organizados de una cierta manera ni tampoco que a un elemento aislado se le pueda atribuir un sentido distinto del literal. La condición básica

---

les. Las primeras son no-marcadas. Crean una probabilidad del sistema que es confirmada por la denotación, la que a su vez modifica connotativamente la probabilidad. El usuario competente las percibe en la forma de una sensación de familiaridad con un ámbito semiótico común al productor y al receptor del texto (así, el "érase una vez" con que comienza el cuento de hadas, connota el género al que pertenece el texto y crea un horizonte de probabilidades que serán actualizadas —o no— en el nivel de la denotación). Las connotaciones verticales son, por el contrario, marcadas. Su factor constitutivo es la improbabilidad del elemento connotativo en relación con el sistema denotativo primario. Las connotaciones verticales quiebran la probabilidad del sistema generada por las connotaciones horizontales (la metáfora es un caso especial de connotación vertical).

es que el discurso permita una lectura literal y por lo menos otra no-literal y que los elementos de ambas lecturas estén articulados conforme a un mismo esquema básico de relaciones. Como veremos más adelante, esto no implica que todas las relaciones entre los elementos de una lectura se correspondan con todas las relaciones entre los elementos de la otra. Para que haya isomorfismo basta que haya una correspondencia parcial.

De lo anteriormente expuesto se deduce que el modelo aristotélico de la analogía, que en el caso de la metáfora representa tan sólo una variante —uno de los tres tipos básicos posibles— es en el caso del símbolo el principio organizador, la *conditio sine qua non*. Por el contrario los tipos de relaciones en que se apoyan las otras dos variantes metafóricas desempeñan una función subsidiaria en el mecanismo del símbolo. En efecto, entre un elemento de la pictura y un elemento de la subscriptio pueden existir rasgos comunes (en el sentido de una intersección semántica); también es posible que un elemento de la pictura transfiera a un elemento de la subscriptio una connotación habitual-convencional u ocasional subjetiva. Sin embargo, estas correspondencias aisladas (que han sido caracterizadas más arriba como relaciones de proyección o reproducción) no son condición suficiente para crear la duplicidad de lectura. Lo decisivo es que los elementos correspondientes ocupen una posición equivalente dentro de un sistema de relaciones equivalente.

2.3. DESCODIFICACION DE LA METAFORA

En la descodificación de la metáfora se pueden distinguir dos fases (Stierle 1975 a, pp. 172-176): la construcción y la intelección de la relación metafórica. El punto de partida de la primera fase es la percepción de una quiebra de la isotopía de la frase. Se produce entonces un movimiento circular que va del contexto al lexema metafórico y de éste al contexto. El contexto aísla el elemento que quiebra la isotopía y, a la vez, aporta las condiciones que debe llenar el elemento que ha de restituir la isotopía. De este modo se hace posible la construcción de un concepto profundo cuya validez debe ser confirmada por la estructura semántica del lexema anómalo, lo que implica un movimiento de retorno del lexema metafórico al contexto. Con el tránsito del concepto superficial (CS) al concepto profundo (CP) se inicia la segunda fase —la más compleja de todo el proceso—, consistente en la aprehensión sincrética de ambos conceptos, en el descubrimiento de la compatibilidad de lo incompatible. En sucesivos movimientos de ida y retorno (del CP al CS y viceversa) el receptor aísla, por una parte, los rasgos comunes o redundantes y, por otra parte, redistribuye los rasgos no comunes instaurando una nueva relación entre un primer plano y un segundo plano. Este proceso, que ha sido frecuentemente caracterizado como "filtraje doble"[24] o como superposición sémica con "doble focalización" (Stanford 1936, p. 105), se realiza de distinto modo en el nivel del CS y del CP

24. Véase el modelo del doble filtro en Bühler 1950, pp. 392-395.

respectivamente. Mientras que en el CS los rasgos no-comunes se muestran suspendidos o vueltos difusos, en el CP aparecen como 'dados juntamente' con los demás. Por otra parte, los ragos comunes a ambos conceptos resultan relevados, perspectivizados, en virtud de su duplicación; por el contrario, los rasgos no-comunes del CP (los 'dados juntamente') aparecen, respecto de los duplicados, en un segundo plano. A este segundo plano pueden pasar, además, con el carác-ter de elementos connotados, los rasgos del CS vueltos difusos en el proceso de 'filtraje'[25].

2.4. DESCODIFICACION DEL SIMBOLO

En la descodificación del símbolo el punto de partida para la construcción de la relación simbólica, es decir, para la adjudicación de una subscriptio a la pictura, es la sensación —relativamente vaga o relativamente clara— de que el mensaje del texto no se agota en su sentido literal o superficial, aun en el caso de que ninguno de los elementos del discurso pueda ser caracterizado como semánticamente anómalo. Esto implica, por cierto, que el texto contiene ciertas señales indicadoras de una duplicación del nivel del discurso que serán percibidas en mayor o menor grado conforme al mayor o menor grado de "distancia hermenéutica" (Stierle 1975 a, p. 136) entre el emisor y el receptor del mensaje. Sólo la existencia de una distancia hermenéutica mínima —la posesión común de una suma de tradiciones, convenciones, experiencias, juicios e intereses y de una suma de códigos correspondientes— garantiza el reconocimiento de las señales y, a partir de ellas, la elaboración de una hipótesis de lectura 'profunda' acorde con la intencionalidad del discurso. Respecto de este último problema, podemos verificar ya un cierto paralelismo entre las condiciones de recepción del símbolo y de la metáfora. Parece oportuno recordar aquí que todas las definiciones de metáfora —desde la aristotélica ("tras-

---

25. Respecto de este último aspecto —función de los rasgos no-comunes en la intelección de la relación metafórica—, la mayoría de los modelos analíticos propuestos se muestran, en nuestra opinión, algo simplificadores. El interesante intento de Rastier (1972, pp. 80-106) por definir la metáfora partiendo de la noción de "isotopía vertical" no logra superar la tendencia generalizada hacia el esquematismo. Los puntos más discutibles de su teoría son, por una parte, pretender limitar el fenómeno metafórico a un solo tipo de isotopía: la constituida por la redundancia de los "semas nucleares centrales", y, por otra parte, dar por sentado que entre los "semas nucleares periféricos" de los dos "sememas" interrelacionados se establece una relación disyuntiva. De acuerdo con lo primero, quedarían fuera de consideración todas las metáforas basadas en la transferencia de una connotación. De acuerdo con lo segundo, habría que admitir que los rasgos no-comunes de uno de los "sememas" superpuestos (el que nosotros llamamos concepto superficial) quedan simplemente anulados, lo que supone, implícitamente, un retorno a la vieja teoría de la metáfora como sustitución de un significado por otro, teoría que ignora el aspecto dinámico, creativo, potenciador de sentido del proceso metafórico (precisamente aquello que lo convierte en instrumento privilegiado de la lengua poética).

lación de un nombre ajeno") hasta las múltiples definiciones modernas basadas en nociones como anomalía, incompatibilidad, no-pertinencia, contradicción, quiebra de la isotopía, contradeterminación, etc.— sólo tienen validez desde la perspectiva del pensamiento conceptual y a partir de la premisa de que el receptor posee una capacidad de reflexión metalingüística. Es esta capacidad la que hace posible percibir la incompatibilidad y, a la vez, adjudicarle un valor informativo[26], lo que deriva en el esfuerzo por restituir la compatibilidad mediante las operaciones descriptas más arriba. Recién en esta etapa final del proceso desempeña un rol central la capacidad hermenéutica del receptor: el éxito de las operaciones de reinterpretación de la predicación metafórica depende de las posibilidades que tenga el receptor de ubicarse en el horizonte de las experiencias, de los intereses, de las valoraciones y de las convenciones asumidas por el emisor.

En el símbolo la función señalizadora está a cargo de aquellos elementos del discurso que resultan menos esperables o de aparición menos probable y que, por ello mismo, producen un efecto de "extrañamiento"[27]. Este extrañamiento, que tiene la misión de poner en tela de juicio la validez de la interpretación literal (a la que podemos llamar 'lectura superficial') y de provocar, a través de la vacilación, una respuesta constructiva en el receptor —la búsqueda de una nueva interpretación que resuelva el extrañamiento—, es parangonable al provocado, en el caso de la metáfora, por el lexema o los lexemas semánticamente incompatibles con su contexto. Sin embargo, los mecanismos de extrañamiento operantes en la pictura del símbolo abarcan una amplia gama de posibilidades que van desde la presencia aislada del detalle raro o insólito hasta la presencia recurrente del detalle obvio, banal, aparentemente innecesario o redundante. Tanto en uno como en otro caso, el bajo grado de probabilidad

26. En ausencia de la capacidad de reflexión metalingüística caben dos conductas posibles: rechazar la predicación metafórica como un sinsentido (es decir, no reconocer su valor informativo) o aceptarla como un modo normal de expresión. En efecto, para los niños y para el pensamiento mítico-arcaico la mayoría de nuestras figuras retóricas no son tales: en virtud de la tendencia a animizar los objetos, a materializar relaciones y fenómenos no perceptibles sensorialmente y a establecer formas peculiares de causalismo, frases como *el mar ruge* o *la golondrina trae el verano* no tienen nada de anómalas (*Cf.* Köller 1975, pp. 222-235).

27. Calcamos el término del ruso *ostranenie* y del alemán *Verfremdung*. En los escritos de los formalistas rusos (especialmente en Sklovskij) suele designar el procedimiento artístico consistente en desmecanizar la percepción habitual de un objeto mediante una presentación más o menos distorsionada. La noción, que tiene muchos puntos de contacto con el concepto aristotélico de lo "extraño" (ξενικόν; *Cf. Poética* 1458 a 18-23 y *Retórica* III, 2, 1404 b 36), fue asumida por Brecht en sus escritos teóricos sobre el teatro, en los que considera algunos mecanismos de *Verfremdung* como, por ej., presentar hechos habituales como si no lo fueran o, a la inversa, presentar sucesos únicos y especiales como si se tratara de una costumbre generalizada (*Cf.* Brecht 1948, § 67). Brecht ve en la *Verfremdung* uno de los medios más eficaces para rescatar al espectador del éxtasis en que lo sumerge el teatro "ilusionista" y suscitar en él una actitud crítica ante lo representado.

o esperabilidad de los elementos extrañantes va ligado a un alto grado de potencia connotativa. Estos elementos desencadenan el proceso de construcción de la relación simbólica y, a la vez, actúan en él como ejes de orientación. Del modo como se relacionan entre sí y de las connotaciones ligadas a ellos resulta un modelo parcial de subscriptio que el receptor debe completar mediante un procedimiento analógico. Completar no significa, empero, adjudicar a todas y cada una de las unidades de la secuencia un sentido pictural y un sentido subscripcional. Como se ha señalado más arriba, la estructura del símbolo reposa en una correspondencia parcial de relaciones entre elementos de los dos niveles del discurso. Una parte de las unidades textuales sólo interviene en la construcción de la 'lectura superficial'. Y ahora podemos hacer la siguiente precisión: la 'lectura superficial' no es la pictura misma sino más bien el lugar en que ésta se manifiesta (la pictura se constituye en tal sólo a partir del momento en que se la puede relacionar con una subscriptio). Otra parte de las unidades textuales se comporta, dentro del proceso de construcción de la relación simbólica, como se comporta el contexto de la metáfora en relación con el lexema o los lexemas anómalos: dichas unidades aíslan los elementos de la pictura y aportan las condiciones que deben llenar los elementos correspondientes de la subscriptio. Con el tránsito de la pictura a la subscriptio está dado ya el primer paso para la intelección de la relación simbólica. En esta fase se producen fenómenos similares a los descriptos a propósito de la aprehensión sincrética del concepto superficial y del concepto profundo metafóricos. La diferencia estriba en un mayor grado de complejidad derivada del hecho de que en el símbolo no se superponen dos conceptos ligados a un foco lexemático sino dos complejos conceptuales ligados a un discurso total y articulados entre sí según el tipo de relación más complicada: la "analogía" o relación de relaciones.

3. LA APLICABILIDAD DE LOS MODELOS

Para poner a prueba la validez de las observaciones precedentes y, en última instancia, la validez de nuestra hipótesis inicial —que es posible marcar los límites entre el fenómeno metafórico y el simbólico— analizaremos a continuación un par de ejemplos que parecen resistirse a su inclusión en uno de los dos modelos estructurales esbozados hasta aquí y ofreceremos, finalmente, un ensayo de interpretación de un texto que, a nuestro juicio, puede ser considerado como paradigma de discurso poético simbólico.

Partiremos de un ejemplo que nos permitirá ahondar en la problemática de las relaciones entre el lexema metafórico y su contexto y que nos servirá de introducción a la discusión de un caso límite: aquel en que la relación entre foco y marco metafóricos (en el sentido de Black) parece invertida por la desproporcionada extensión del foco respecto del marco o, dicho de otro modo, aquel en que toda una poesía parece presentarse como una amplia metáfora a excepción de un par de elementos aislados.

3.1. LA QUIEBRA DE LA ISOTOPIA Y LAS RELACIONES ENTRE EL FOCO Y EL MARCO METAFORICOS: EL ROMANCE 27 DE GONGORA[28]

Tomemos un pasaje de un romance de Góngora que ofrece una versión burlesca de la historia de Hero y Leandro. La tempestad que hace sucumbir a Leandro en sus esfuerzos por cruzar a nado el estrecho que lo separa de la torre en que lo aguarda la amada es descripta en los siguientes términos:

> . . . el enemigo cielo
> disparó sus arcabuces,
> se desatacó la noche
> y se orinaron las nubes.
> Los vientos desenfrenados
> parece que entonces huyen
> del odre donde los tuvo
> el Griego de los embustes.
> El fiero mar alterado
> que ya sufrió como yunque
> al ejército de Xerxes,
> hoy a un mozuelo no sufre.

Para no alargar en exceso el análisis nos limitaremos a examinar la frase *el enemigo cielo disparó sus arcabuces*. A partir de ella intentaremos precisar dónde se ubica la quiebra de la isotopía y, concomitantemente, qué factores determinan que ciertos elementos ofrezcan mayor resistencia a la reinterpretación semántica y asuman, por ello, la función de marco metafórico aun cuando estén minoritariamente representados.

Para poner en claro el primer problema nos apoyaremos una vez más en los planteos de Stierle (1975 a, p. 166). Señala este autor que la isotopía de una frase que contenga elementos metafóricos puede darse tanto en el nivel del "sustituido" (es decir de lo que hemos convenido en llamar concepto profundo) como en el nivel del "sustituyente" (nuestro concepto superficial). Cuando la isotopía se da en el plano del sustituido, la porción metafórica aparece como una quiebra de la isotopía de la que forman parte todos los demás constituyentes de la frase. En cambio, cuando hay más de una porción metafórica en la frase, la regla de isotopía exige el tránsito de la isotopía frásica en el plano del sustituido hacia una isotopía en el nivel del sustituyente. En este caso se hace necesario un contexto mayor que incluya a la frase: recién en este contexto

---

28. Las citas de los textos de Góngora analizados en el presente trabajo están tomadas de Luis de Góngora y Argote, *Obras Completas*, ed. de J. Millé y Giménez e I. Millé y Giménez, Madrid, 1972.

es que la isotopía secundaria en el nivel del sustituyente aparece como una quiebra de la isotopía primaria en el nivel del sustituido.

El enemigo cielo disparó sus arcabuces es ilustrativo del segundo de los fenómenos descriptos. A primera vista, parecería que es *cielo* el elemento anómalo, en la medida en que quiebra la isotopía resultante, por una parte, de la recurrencia del clasema 'animado' en *enemigo* y *disparó* y, por otra parte, de la recurrencia de ciertos componentes semánticos, comunes a todos los demás elementos de la frase, que podrían incluirse en el campo asociativo de la "guerra"[29]. Sin embargo, en el contexto del pasaje citado se percibe claramente que la porción metafórica no es *cielo* sino todo el resto de la frase. El tema del pasaje es, en efecto, una tempestad nocturna en el mar: los conceptos "cielo", "noche", "vientos", "mar", constituyen los núcleos sobre los que se articula la isotopía primaria. En este trasfondo la isotopía generada por *el enemigo. . . disparó sus arcabuces* —plano de la actividad guerrera de un adversario que ataca— aparece como una isotopía secundaria que quiebra la isotopía primaria de la que forma parte "cielo". Para eliminar la anomalía se hace necesaria, por tanto, la reinterpretación de todos los elementos de la frase cuyos significados no son compatibles con "cielo". Con tal fin habrá que buscar los respectivos conceptos profundos en la esfera de los "fenómenos meteorológicos". Obsérvese, por lo demás, que en este ejemplo —como en tantos otros— no es posible adjudicar individualmente a cada lexema un concepto superficial y un concepto profundo. El predicado *disparó sus arcabuces* sólo puede ser descodificado en bloque. Una dificultad adicional consiste en que el sentido profundo de este predicado no se puede construir tan sólo sobre la base de operaciones semánticas en sentido estricto. Para descifrar adecuadamente esta metáfora, el receptor debe estar en condiciones de ubicarse en un horizonte pragmático que incluya, por una parte, las experiencias ligadas a la observación del cielo en una noche tormentosa y, por otra parte, las experiencias ligadas al funcionamiento de un arma de fuego. Recién en este contexto será posible descubrir una analogía entre la detonación de un arcabuz y el ruido de un trueno, así como entre la relación "detonación" —"salida de una bala capaz de producir la muerte" y la relación "trueno" —"aparición de un rayo capaz de producir la muerte". En este contexto pragmático es posible descubrir además otro importante rasgo de nuestro ejemplo: el verbo *disparó* designa, en el nivel del concepto profundo, no una relación de acción, sino una relación de contigüidad. En efecto, el cielo no es el verdadero actor de la acción sino el lugar donde se producen trueno y rayo.

Reconsideremos ahora el problema de la quiebra de la isotopía desde la perspectiva de las relaciones entre el foco y el marco metafóricos. En la introducción habíamos señalado que entre foco y marco tiene lugar un proceso de influencia —o determinación— recíproca. Cabe precisar ahora que el grado de incidencia de un elemento sobre el otro es diverso. El marco tiene una fuerza determinativa mayor o, dicho de otro modo, ofrece mayor resistencia

---

29. Para la noción de "campo asociativo" véase Coseriu 1971, pp. 196-197.

al cambio de significado. En nuestro texto, los elementos resistentes, los que mantienen más firmemente sus significados literales (*cf.* nota 1) son *cielo, noche, nubes, vientos, mar*. Son estos elementos los que generan la isotopía primaria y los que fijan las condiciones para la reestructuración semántica de todos los demás elementos no compatibles con ellos.

Nuestro texto contradice la teoría, formulada por Baumgärtner, de que el elemento dominante en la frase es el verbo y que éste tiene la capacidad de transferir al sujeto rasgos semánticos o de suprimir aquellos rasgos semánticos del sujeto que no armonizan con él (Baumgärtner 1969, p. 37)[30]. Con razón señala Köller (1975, p. 189) que esta teoría no tiene ningún valor heurístico para el esclarecimiento de los problemas que plantea la comprensión de la predicación metafórica. En efecto, si siguiendo a Baumgärtner se supone que en la frase *el cielo disparó sus arcabuces* el predicado actúa sobre el sujeto de modo tal que éste, para estar en consonancia con él, cambia el clasema 'inanimado' por 'animado', se puede llegar, cuando más, a construir una paráfrasis interpretativa que no dice nada sobre el verdadero contenido informativo de la frase (o sobre la intención comunicativa del emisor): "el cielo, que en este caso es considerado animado, disparó sus arcabuces". Como lo observa acertadamente Köller (1975, p. 190) la noción de transferencia semántica sólo se puede aceptar si se parte del hecho de que en todo proceso metafórico las transferencias semánticas se producen en dos direcciones: del "concepto determinante" (o foco) al "concepto-objeto" (o marco inmediato, conforme a la distinción establecida en nuestra introducción) y viceversa; y que además se produce otro tipo de transferencia, que opera sobre los elementos constitutivos de la metáfora y tiene como punto de partida los presupuestos de emisor y receptor sobre el ordenamiento de la realidad. Esto último es particularmente importante para nuestro ejemplo, en el que dichos presupuestos cumplen un rol decisivo en el establecimiento de la isotopía primaria. Hay que señalar, empero, que hasta ahora sólo hemos hecho hincapié en una de las dos direcciones en las que se produce la transferencia: en la que va de "cielo", "noche", "nubes" y "mar" hacia todos los demás elementos del texto en los que se produce el tránsito de un concepto superficial a un concepto profundo que sea compatible con "cielo", "noche", "nubes" y "mar". La transferencia en la dirección contraria es, sin embargo, claramente perceptible: los predicados metafóricos de nuestro texto inciden sobre los respectivos sujetos animizándolos.

Parecería que, llegados a este punto, incurrimos en una contradicción con todo lo dicho a propósito de la mayor resistencia de dichos sujetos al cambio de significado, lo que implicaría, además, poner en tela de juicio la distinción entre foco y marco. Esta distinción mantiene, empero, su validez si se logra demostrar que la transferencia de sentido inverso (del foco al marco) desempeña una función secundaria en el proceso de reestructuración semántica global de la frase. Stierle explica el fenómeno de un modo mucho más convincente que Baumgärtner, y que, además, tiene la ventaja de poner en evidencia

---

30. La misma idea reaparece en Oomen 1973, pp. 17 ss.

su carácter subsidiario: "Hay formas metafóricas en las que un sustituyente genera secundariamente un sustituyente ligado a él, que se superpone implícitamente a un sustituido explícito. El ejemplo más sencillo de esta posibilidad es la metáfora verbal" (Stierle 1975 a, pp. 170-171). Aplicado a nuestro texto: el predicado sustituyente "disparó sus arcabuces" (el significado superficial del predicado) genera un sujeto sustituyente· acorde con él (del tipo de "soldado" o "guerrero") que se superpone implícitamente a "cielo". En el proceso de descodificación de toda la frase este último· significado mantiene, sin embargo, la primacía: lo denotado sigue siendo el cielo empíricamente observable, mientras que el sustituyente secundario tiene el status de una débil connotación. Otro tanto puede afirmarse de la metáfora adjetiva representada en nuestro texto por el lexema *enemigo*. También en este caso el concepto superficial ligado al adjetivo (que contiene el clasema 'animado') genera un concepto superficial secundario en el sustantivo modificado por él: en *cielo* se establece así, por una doble vía, una relación metafórica secundaria. El carácter subsidiario de tal relación se hace evidente cuando se intenta parafrasear el contenido informativo primario de la frase. Si lo reducimos a una glosa que se limite a dar cuenta de la información en el nivel· denotativo[31] se lo podría traducir así: "en el cielo tormentoso, de aspecto temible, aparecieron rayos y sonaron truenos". Todos los componentes de la frase original han desaparecido aquí a excepción de "cielo". ¿En qué se funda su resistencia a la reinterpretación? ¿Por qué en el texto de Góngora "cielo", "noche", "nubes", "vientos" y "mar" son los elementos semánticamente más estables, los que obligan a que se reinterprete todos los demás en el sentido adecuado para restituir la isotopía de la que ellos forman parte?

En opinión de Köller, la relativa resistencia de algunos componentes de la frase metafórica podría explicarse por su mayor concretez o sensorialidad respecto de los demás: los abstractos serían más susceptibles de reinterpretación que aquellos conceptos que corresponden a objetos empíricamente verificables (Köller 1975, p. 190). La restringida validez de tal explicación se hace, empero, notoria cuando el mismo autor señala que los concretos suelen ser más aptos que los abstractos para ser utilizados metafóricamente y que la potencia especificadora y explicativa del concepto determinante (es decir, del foco metafórico) radica generalmente en el hecho de pertenecer al ámbito de las experiencias sensoriales del emisor y receptor (Köller 1975, p. 195).

En nuestro texto tanto los sujetos como los predicados de las tres primeras

---

31. Nos basamos en la siguiente definición de Stierle: "La metáfora denota un segmento denotativo vacío, connota una denotación capaz de llenar ese segmento vacío y connota, además, una connotación de dicha denotación, en la medida en que su homología sémica parcial con la denotación presuponible indica una perspectiva en la que aparece la denotación" (Stierle 1975 a, p. 143). Conforme a esta distinción, nuestra glosa sólo incluye la denotación capaz de llenar el segmento denotativo vacío. Deja de lado la compleja relación de connotaciones que hace que la metáfora cumpla una función comunicativa que no puede ser llenada por cualquier otro tipo de organización lingüística. A esto se alude cuando se afirma que la metáfora es 'intraducible'.

frases o, dicho con Köller, tanto los conceptos-objetos como los conceptos determinantes son igualmente 'concretos y sensoriales'. "Disparar arcabuces", "bajarse los calzones" (*se desatacó la noche*) y "orinarse" corresponden a acciones tan empíricamente observables como los objetos cielo, noche y nubes. La mayor estabilidad semántica de los sujetos respecto de los predicados no se funda, por tanto, en su carácter intrínseco sino en factores contextuales de diverso orden: el contexto verbal inmediato, el contexto temático de la poesía, el conjunto de las convenciones literarias ligadas al género y a la época –incluidos allí los procedimientos de metaforización típicos de la época en general y del autor en particular–, los presupuestos acerca de la intención comunicativa del poeta y, finalmente, todos los presupuestos sobre el ordenamiento de la realidad. Baste señalar, a propósito de los factores contextuales más inmediatos, que la relación de "cielo", "noche" y "nubes" con "vientos" y "mar" colabora en forma decisiva a la formación de una isotopía primaria ubicada en la esfera de los fenómenos naturales. No se trata, sin embargo, de una mera cuestión numérica. Es importante tener presente que "vientos" tiene un status diferente del de los demás elementos de la serie. En efecto, en la frase *los vientos desenfrenados parece que entonces huyen* el predicado no puede ser considerado metafórico en sentido estricto por el carácter atenuante y mediatizador del *parece que*. Por otra parte, la predicación metafórica implícita en *desenfrenados* no tiene potencia suficiente para generar un sustituyente secundario correspondiente a "vientos" por su carácter relativamente convencional. Cabe preguntarse, por último, si en el caso de "mar" tendría alguna incidencia la mayor iconicidad del concepto-objeto respecto de sus conceptos determinantes ("fiero", "alterado", "sufre"). Pero, como ya se ha indicado, semejante hipótesis es difícilmente verificable.

3.2. UN CASO LIMITE: EL SONETO 247 DE GONGORA COMO DISCURSO SIMBOLICO CON PREDICACIONES METAFORICAS O DISCURSO SIMBOLICO CON 'CLAVE'

En el texto gongorino que citamos a continuación la relación entre foco y marco metafóricos se presenta bajo una forma excepcionalmente compleja, que plantea graves dificultades para su clasificación dentro del esquema teórico expuesto en 1 y 2:

> Aunque a rocas de fe ligada vea
> con lazos de oro la hermosa nave
> mientras en calma humilde, en paz süave
> sereno el mar la vista lisonjea,
>
> 5   y aunque el céfiro esté (porque le crea),
> tasando el viento que en las velas cabe,
> y el fin dichoso del camino grave
> en el aspecto celestial se lea,

> he visto blanquëando las arenas
> 10   de tantos nunca sepultados huesos
> que el mar de Amor tuvieron por seguro
>
> que dél no fío si sus flujos gruesos
> con el timón o con la voz no enfrenas,
> ¡oh dulce Arión, oh sabio Palinuro!

¿Estamos ante un entramado casi ininterrumpido de múltiples metáforas (o predicaciones metafóricas) 'emparentadas'? ¿Es esto una única frase metafórica compleja que sólo difiere de otras frases metafóricas por la desmesurada extensión del foco respecto del marco? ¿Es éste un caso especial de símbolo con la subscriptio parcialmente realizada en el texto (*cf.* Link 1974, pp. 177-180 y 1975, pp. 22-28) o, dicho de otro modo, es un símbolo con 'clave' incluida? ¿Tiene algún valor explicativo caracterizarlo como un híbrido o como la "alegoría mixta" de que hablaba Quintiliano? Veamos si el examen de los diferentes niveles de sentido coexistentes en el texto y de su modo de articulación nos permite arrojar alguna luz sobre estos interrogantes.

Si hacemos una primera lectura que atienda a los significados literales de los componentes del texto, descubriremos una extensa isotopía resultante de la recurrencia de múltiples rasgos semánticos incluibles, de uno u otro modo, en el campo asociativo de la "navegación". Comprobaremos, asimismo, que, excepción hecha de unos pocos elementos levemente anómalos (como la animización de "mar" (v. 4) y "céfiro" (v. 5), el uso del verbo *leer* en el sentido metafórico-convencional —casi lexicalizado— de "adivinar" o "inferir" (v. 8) y el uso a la vez literal y sinecdóquico de *huesos*: "restos mortales de hombres" y "hombres" respectivamente), sólo los significados literales de *fe* (v. 1) y de *amor* (v. 11) son incompatibles con todo el resto.

Una paráfrasis de esta isotopía nos ayudará, por una parte, a hacer explícitos los presupuestos implícitos en el esquema lógico subyacente al discurso y, por otra parte, a esclarecer en qué condiciones se produce la interrupción de la isotopía "náutica" en los segmentos correspondientes a *fe* y *amor*. El primero de los objetivos mencionados tiene relevancia para la construcción de una segunda lectura que, como veremos, se hará imprescindible. El segundo objetivo representa un primer paso en el análisis de las relaciones entre una isotopía primaria y una isotopía secundaria desigualmente manifestadas en el texto.

He aquí la paráfrasis: "Aunque esté a mi disposición una nave que por su belleza incite a navegar y que, por estar bien fondeada, parezca garantizar la seguridad del embarque; aunque el mar esté en calma, sople un viento propicio para zarpar y el aspecto del cielo permita presumir que no habrá tempestades que hagan zozobrar a la nave, no me animo a hacerme a la mar en las condiciones normales de navegación pues son muchos los que han muerto en naufragios por no haber contado con riesgos imprevisibles. Sólo navegaría si me condujera el timonel más hábil del mundo o alguien dotado de poderes especiales para dominar a la naturaleza".

Veamos ahora en qué medida los dos únicos elementos totalmente ajenos a esta isotopía —y que por eso mismo fueron dejados de lado en la paráfrasis— pueden ser reinterpretados en el sentido requerido por ella. Ambos están incluidos en un sintagma preposicional que tiene función especificadora (o determinadora) respecto de un nombre: *rocas de fe, mar de amor*. La relación de especificación es aquí una relación de identificación de lo incompatible. La estructura subyacente es la ecuación "rocas" = "fe" resp. "mar" = "amor". Estamos, pues, ante un tipo metafórico que se puede subsumir en la clase de metáforas que los manuales de retórica suelen designar como metáforas *in praesentia* y cuya característica es que tanto el concepto superficial como el concepto profundo se manifiestan léxicamente —si bien de modo parcial— en la cadena sintagmática. Este tipo metafórico (el de las metáforas 'de genitivo') tiene una complejidad adicional respecto del tipo clásico de metáfora *in praesentia* (aquel en que se establece una relación de especificación con ayuda de la cópula "ser"). La complejidad consiste en que el elemento sintácticamente especificador puede —y suele— ser el especificado dentro de la relación metafórica y viceversa. Si aplicamos nuevamente la terminología de Köller diremos que en estos casos no siempre resulta a primera vista claro cuál es el concepto determinante y cuál es el concepto-objeto. Para *rocas de fe* cabrían, teóricamente, dos posibilidades: tomar "rocas" como concepto-objeto y reinterpretar "fe" o, a la inversa, tomar "fe" como concepto-objeto y reinterpretar "rocas". Como puede apreciarse, sólo en el primer caso llegaríamos a un significado profundo correspondiente a la isotopía de la "navegación". En el proceso de descodificación intervienen, sin embargo, diversos factores de orden predominantemente pragmático, que nos obligan a rechazar esta posibilidad y a construir la relación metafórica en la dirección inversa. Precisamente aquí entra en juego uno de los factores que han sido objeto de discusión a propósito del otro texto de Góngora analizado más arriba: la diferente capacidad metaforizadora de concretos y abstractos. El ejemplo de *rocas de fe* parece confirmar la hipótesis de que en la predicación metafórica la potencia especificadora de cada elemento es proporcional a su grado de sensorialidad. En efecto, no se ve en qué medida el abstracto *fe* podría especificar metafóricamente el concreto *rocas*, es decir, hacernos percibir de un modo más nítido o más intenso o diferente del usual —o, como diría Aristóteles, "ponernos ante los ojos" (*cf. Retórica*, III, 11, 1411 b 24-25)— determinadas propiedades que adjudicamos a las rocas sobre la base de nuestras experiencias sensoriales. En la construcción de la relación metafórica la especificación en la dirección contraria se nos impone como la más natural: todo nuestro saber pragmático respecto de las rocas (por ejemplo, su extrema resistencia a ser penetradas, quebradas o movidas de su sitio) nos facilita el descubrimiento de una analogía inédita entre el objeto empíricamente observable y el no aprehensible sensorialmente. El resultado de este proceso es que uno de los componentes de "fe" que podría caracterizarse como 'estabilidad', 'alto grado de resistencia a la destrucción' aparece no sólo relevado en virtud de su duplicación sino, a la vez,

iconizado, "puesto ante los ojos", "visto como"[32] una propiedad sensorialmente verificable.

Todo lo observado hasta aquí es igualmente válido para *mar de amor*.
Sólo es preciso tener en cuenta una complejidad adicional: el hecho de que
Amor aparezca como nombre propio, crea la sensación engañosa de que se
trata de una designación geográfica por su analogía con otros nombres marinos que presentan la misma estructura sintáctica superficial (como *Mar de
Coral, Mar del Norte*, etc.). Sin embargo, en el proceso de descodificación semejante posibilidad se muestra fácilmente descartable. En su lugar se impone
la representación animizadora de un "amor-dios" —en cuyo trasfondo se insinúa la concepción pagana de Eros— que a su vez entra en relación metafórica
con un concepto profundo correspondiente a la experiencia humana del amor
como una fuerza ni explicable racionalmente ni controlable con la voluntad.
La aparición de este concepto determina un cambio de dirección sustancial
en el ensamblaje de todas las unidades de sentido del texto: al poner en evidencia que el elemento sintácticamente especificado, *mar*, es el especificador
dentro de la relación metafórica y que, por tanto, su significado literal pertenece al plano del concepto superficial de la metáfora de genitivo, pone simultáneamente en evidencia que la isotopía de la "navegación" es una isotopía
secundaria, ubicada, como "mar", en el nivel del concepto superficial. Esto
implica el reconocimiento complementario de que la isotopía primaria —aquella respecto de la cual la isotopía de la "navegación" representa una quiebra—
se manifiesta léxicamente tan sólo a través de *fe* y *Amor*, los únicos elementos
no integrables en nuestra primera lectura del soneto. Retrospectivamente se
reconoce, además, cuál de los posibles significados literales de *fe* está actualizado en el texto. De su relación isotópica con la metáfora del "amor-dios"
—cuya fuerza incontrolable y destructiva se expresa a su vez en la metáfora
del "amor-mar"— surge claro que *fe* está usado aquí en el sentido quasi-técnico
que tenía ya su antepasado *fides* en el léxico erótico de los poetas latinos[33].
La *fides* de Catulo y de los poetas elegíacos posteriores, como la *fe* de Garcilaso de la Vega (por ejemplo Egl. I, v. 130) designa aquello que garantiza la
permanencia de la relación amorosa, el confiar y ser a su vez confiable, el compromiso solemne de fidelidad, la palabra dada bajo la advocación divina. Recién
ahora entendemos del todo el sentido profundo de *rocas de fe*.

Todavía no hemos explicado, sin embargo, por qué razones estamos tan
fácilmente dispuestos —y considerémonos, para este efecto, lectores 'ideales',
con una distancia hermenéutica mínima respecto del poeta— a tomar "amor"
como el concepto clave del texto y a reinterpretar la extensa isotopía de la
"navegación" en un sentido acorde con él. En el proceso que nos llevó a "ver
el amor como mar" —y no a la inversa— no sólo intervinieron nuestros presupuestos sobre el ordenamiento de la realidad, ni sólo nuestras experiencias

---

32. Sobre esta noción *cf.* Hester 1967, p. 21.

33. Un excelente estudio de este campo léxico se hallará en Reitzenstein 1912.

respecto de los fenómenos anímicos y de los fenómenos —directamente observables— del mundo físico. El factor decisivo para que descodifiquemos *mar de Amor* en la dirección señalada es la existencia, previa a la acuñación —y a la recepción— de esta metáfora particular, de todo un campo metafórico que nos es familiar por sus múltiples realizaciones a lo largo de la historia literaria de Occidente[34]. Sólo sobre el trasfondo de las tradiciones metafóricas de la antigüedad clásica, tan intensamente revitalizadas por la poesía renacentista y barroca, la isotopía primaria del soneto gongorino se delínea con entera nitidez. Antes de intentar construirla creemos por tanto útil recordar algunos hitos fundamentales en la fijación del campo de las metáforas "náuticas", así como algunos ejemplos que por su estrecho parentesco con nuestro soneto nos permitirán alcanzar la distancia hermenéutica mínima que, como hemos visto, garantiza la adecuada descodificación de todo texto metafórico o simbólico. El temor del mundo antiguo por la navegación, fundado en las circunstancias precarias en que se realizaba la empresa, siempre ligada al riesgo del naufragio, se manifiesta frecuentemente en la literatura griega y latina con dos coloraciones afectivas opuestas: admiración o repudio ante la osadía del hombre que desafía los peligros del mar. Representativa de la primera es la célebre canción coral de la *Antígona* de Sófocles que exalta el cruce del mar como una de las grandes hazañas de la humanidad en su lucha por dominar a la naturaleza hostil (vv. 332 ss.). La misma audacia es, en cambio, drásticamente censurada por Horacio en su Oda I, 3, dedicada a Virgilio, y en múltiples pasajes de su obra en los que se refleja una concepción religiosa típicamente latina: el cruce del mar es considerado como una violación de los límites impuestos al hombre por la divinidad. La presencia constante de este topos en la literatura clásica favoreció la fijación de la ecuación "navegación" = "empresa muy riesgosa, que requiere suerte y prudencia para no sucumbir", que sirvió así de base para la elaboración de innumerables metáforas tomadas de la esfera náutica y aplicables a todas las experiencias humanas particularmente difíciles. Un caso paradigmático: de Heracles, arquetipo de existencia esforzada y azarosa, nos dice un coro sofocleo que está sometido a los vaivenes del "trabajoso mar de la vida" (*Traquinias*, vv. 112 ss.).

En el mundo helénico y helenizado se volvió muy corriente hablar de una nave para referirse a la *polis*, a la *res publica*, al estado. La imagen de una frágil nave a merced de las olas se utilizó repetidamente en la poesía griega para representar las penurias de la comunidad en momentos de conmoción política. Todavía más corriente es el uso metafórico, tempranamente lexicalizado, de los términos κυβερνήτης ("timonel") y κυβερνάω ("timonear") en el sentido de "dirigente", "estadista" y "dirigir", "gobernar" respectivamente, de donde proceden, a través de los calcos latinos *gubernator* y *gubernare*, nuestros térmi-

---

34. Sobre la noción de "campos metafóricos" o "campos de imágenes" (*Bildfelder*) y sobre la influencia de la tradición imaginística literaria en la delimitación de los campos y, concomitantemente, en el proceso de recepción de la metáfora véase Weinrich 1958, pp. 508-521 y 1967, pp. 3-17.

nos *gobernador, gobernar* y derivados. Cicerón empleó con frecuencia esta metáfora vuelta banal —o 'muerta'—, así como la comparación del estado con una nave y de las convulsiones políticas con tempestades marinas. De este modo preparó el terreno para que la enigmática Oda I, 14 de Horacio (que a su vez tiene como lejano modelo un fragmento de Alceo), en la que el poeta apostrofa a una nave conjurándola a que no se deje arrastrar por el oleaje y no se aleje del puerto, fuera interpretada ya en la antigüedad en un sentido simbólico. Precisamente este texto es citado por Quintiliano como ejemplo típico de "alegoría total" o "metáfora continuada": "la alegoría . . . se manifiesta frecuentemente en metáforas continuadas, como es el caso de 'oh nave, ¿nuevas olas te llevarán de nuevo al mar? Ay, ¿qué haces? ¡Ubícate firmemente en el puerto!' y de toda esta oda de Horacio, en la que el poeta dice nave en lugar de república, oleaje tempestuoso en lugar de guerras civiles y puerto en lugar de paz y armonía" (Inst. VIII, 6, 44). A propósito de esta misma poesía, Fraenkel (1974, pp. 186-187) ha señalado un detalle que no carece de interés para la interpretación del texto de Góngora: que la personificación de la nave sugiere la imagen de una nave-mujer, asociación propiciada por el género gramatical de *navis*. En esto sigue Horacio una larga tradición. También para los griegos las naves eran "femeninas" ($\overset{c}{\eta}\,\nu\alpha\tilde{\upsilon}\varsigma$); por ello es que las naves griegas llevaban nombres de mujeres y que los poetas las personificaron como mujeres (*Cf.* por ej. Aristófanes, *Los Caballeros*, vv. 1300 ss.). Y Virgilio, probablemente apoyado en modelos helenísticos, hace que las naves de Eneas se metamorfoseen en ninfas marinas (*Eneida*, IX, vv. 117 ss.).

Este mismo campo metafórico fue muy productivo en el ámbito de la poesía clásica con temas eróticos. "Mar" se convierte allí en cifra de "crueldad", "indiferencia", "insensibilidad". Con frecuencia se reprocha al amante desdeñoso haber sido "engendrado por el mar" (*Cf.* por ej. Ovidio, *Heroidas* VII, vv. 38-39 y Catulo, c. 64, v. 155). Asimismo, en las versiones grotescas que de las cuitas amorosas ofrece Plauto, las meretrices faltas de sentimientos e insaciables en su codicia son caracterizadas como un "mar" en el que el jovencito enamorado, como el mercader, ve naufragar todos sus bienes —y suplementariamente su cordura (*Cf.* por ej. *La venta de los asnos*, vv. 134-135 y *El hombre malhumorado*, vv. 568 ss.).

El entrecruzamiento de las dos esferas, la náutica y la erótica, se muestra en toda una serie de términos claves de la lírica amorosa latina como *aestus*, *aestuosus, aestuare*, que designan metafóricamente los efectos aniquiladores de la pasión y que se aplican, igualmente, al movimiento del agua en ebullición y a la agitación violenta de las olas del mar. Usos de este tipo —y otros similares— son tan frecuentes que su ejemplificación se volvería enfadosa. Recordemos tan sólo un pasaje ovidiano que nos parece de particular interés pues ilustra cuán estrechamente estaban vinculadas ambas esferas y, por la misma razón, cuán fácil y naturalmente podía producirse el tránsito de una a otra dentro de un mismo texto. En la epístola XVI de las *Heroidas*, dirigida por Paris a Helena, Ovidio pone en boca de Paris las siguientes palabras: "la diosa de Citeres prometió que un día te tendría en mi lecho. Fue ella mi guía cuando atravesé en mi nave fereclea, desde las costas del Sigeo, por caminos inseguros, los mares inmensos; ella me dio suaves brisas y vientos propicios, pues, nacida del mar, tiene gran poder sobre el mar. ¡Que ella me siga prestando su ayuda! ¡Que serene la marejada (*aestum*) de mi pecho como serenó la del piélago y guíe mis deseos a su puerto!" (vv. 20-26)[35].

Volvamos ahora al texto de Góngora. Pero antes de reinterpretar la isotopía que se nos ha revelado como secundaria, observémosla nuevamente a la luz de la tradición metafórica que acabamos de evocar. Recién ahora estamos en condiciones de encontrar una explicación adecuada para la presencia de ciertos elementos levemente anómalos cuya función no quedó en claro en nuestra primera paráfrasis del texto. Allí intentamos explicar la belleza de la nave como un incentivo para navegar y el hecho de estar bien amarrada como una garantía para la seguridad del embarque. Resulta evidente, sin embargo, que ambos factores no son incentivos o, para ser más precisos condiciones ideales de navegación en la misma medida en que lo son el mar en calma, los vientos propicios y el cielo despejado. En el entramado lógico del discurso ambos detalles parecen cumplir un rol más decorativo que estrictamente funcional. Todavía menos funcional es, no obstante, la referencia a los lazos de oro con que está amarrada la nave. En nuestra paráfrasis habíamos subsumido este detalle —por demás insólito de acuerdo con nuestra experiencia pragmática— en el más general de la belleza. Si ahora ponemos todos estos elementos poco 'económicos' en relación con otros a los que se les puede adjudicar un grado relativamente bajo de anomalía (como, por ej., la animización de *mar* (v. 4) y de *céfiro* (v. 5) y, muy particularmente, la ambivalencia del sintagma *aspecto celestial*, descifrable como "aspecto del cielo" o, en sentido metafórico-convencional, "aspecto de suprema belleza") descubriremos en todos ellos un cercano parentesco con los elementos extrañantes que cumplen una función señalizadora en el símbolo. Si además hacemos el experimento complementario de eliminar de nuestra lectura los dos únicos lexemas irreductibles a un sentido "náutico", se confirmará la hipótesis de que todos los elementos mencionados poseen, independientemente de su relación con *fe* y *Amor*, un alto grado de potencia connotativa en virtud de su bajo grado de esperabilidad o probabilidad. Hay que admitir, por cierto, que el descubrimiento de su capacidad connotativa y simbólico-señalizadora está condicionado por nuestro conocimiento de las tradiciones literarias en que el texto se apoya. ¿Pero no es esta distancia hermenéutica mínima la condición básica para la descodificación de cualquier texto con intención simbólica? Los modelos clásicos nos han enseñado que las naves pue... ser "femeninas", que la mujer amada puede ser un "mar" más peligroso que el mar, que el hombre enamorado lleva una "marejada" en su

---

35. Sobre la productividad del campo metafórico de la "navegación" en la cultura occidental antigua y moderna —aplicado en particular a la conducción del estado y, en general, a circunstancias vitales azarosas— véase Lausberg 1975, p. 213. Sobre la historia de este mismo campo metafórico aplicado a la composición de una obra literaria véase Curtius 1955, pp. 189-193.

alma, que su pasión puede hacerlo "naufragar" o, en circunstancias propicias, "llegar al puerto". Todo ello nos permite reconocer, en la belleza "femenina" de la nave "enjoyada" con lazos de oro, en la humanización de un mar que "con aire recatado" (*calma humilde*, v. 3) deleita la vista y de un céfiro que "alienta a creer en su buena disposición", así como, por último, en la "celestialidad" de un aspecto que hace abrigar esperanzas, un esquema elemental de subscriptio susceptible de ser completado mediante un razonamiento analógico.

Sobre la base de cualquiera de las relaciones connotadas por los elementos señalizadores (como, por ej., el mar en calma es para el navegante como la actitud benévola —o la falta de resistencia— de la dama para el hombre enamorado) podemos construir sin dificultad un cierto número de relaciones complementarias (como, por ej., el oleaje violento es para el navegante como la pasión desmedida para el enamorado o el naufragio es para el navegante como la no-correspondencia o la infidelidad de la mujer amada para el enamorado). Lo que no podemos hacer es adjudicar a todas las relaciones detectables en la esfera "náutica" una relación correspondiente en la esfera "erótica". Pero ya se ha visto que éste es precisamente uno de los rasgos distintivos del símbolo: el isomorfismo de pictura y subscriptio resulta de una correspondencia parcial de relaciones entre elementos de ambos niveles. El intento de atribuir a todas y cada una de las unidades del texto gongorino un sentido pictural y un sentido subscripcional —o, si partimos del supuesto de que se trata de una única metáfora extendida, un concepto superficial y un concepto profundo— resultaría infructuoso. Justamente en este aspecto nos parece ver una de las razones más convincentes para optar por describir nuestro soneto como un discurso simbólico. Por cierto que no queda excluida, al menos teóricamente, la posibilidad de describirlo de acuerdo con el modelo del proceso metafórico. Pero semejante intento plantearía tal cúmulo de problemas, que se revelaría o antieconómico o sencillamente impracticable. En efecto, la gran complejidad que nuestro análisis de la frase metafórica *el enemigo cielo disparó sus arcabuces* puso al descubierto, resultaría potenciada en el soneto gongorino hasta un grado imprevisible y, por tanto, de muy difícil —si no imposible— descripción. Si tenemos presente que la descodificación en bloque de un predicado metafórico de apariencia tan simple como *disparó sus arcabuces* es ya una tarea algo laboriosa, bien podemos figurarnos qué complicaciones entrañaría considerar todo el texto de Góngora, a excepción de *fe* y *Amor*, como un gigantesco foco metafórico y proceder, en consecuencia, a descodificarlo globalmente, en forma analítico-sintética. Por lo demás, no se trataría tan sólo de un problema de tipo cuantitativo. Lo que hace que una empresa tal parezca condenada al fracaso es no sólo el elevado número de los elementos que integran el supuesto foco metafórico sino, además, su pertenencia a diferentes niveles metafóricos: así, por ej., habría que considerar *se lea* (v. 8) como una metáfora de segundo grado, es decir, como el especificador de un extenso especificado que a su vez es metafórico (todo el resto del foco). Otro tanto habría que hacer con todas las unidades textuales que sin pertenecer directamente a la isotopía de "fe" y "amor" son levemente anómalas respecto de la isotopía "náutica".

No creemos necesario abundar en la enumeración de dificultades. Nos parece que lo dicho basta para confirmar que el modelo metafórico resulta inadecuado para explicar la estructura global del soneto de Góngora. Quedaría en pie, sin embargo, la siguiente objeción: ¿cómo resolver el problema que se deriva del hecho de que en las dos predicaciones metafóricas implícitas en los sintagmas *rocas de fe* y *mar de Amor* los respectivos conceptos determinantes (o focos metafóricos) forman parte de la extensa isotopía manifestada superficialmente en el texto? ¿cuál es el status de los demás elementos de dicha isotopía respecto de los conceptos-objeto "fe" y "amor"? Así como en la introducción señalamos la necesidad de distinguir un marco inmediato de un marco mediato, podemos ahora, analógicamente, distinguir un *foco inmediato* o *foco* en sentido estricto (correspondiente a los conceptos determinantes "rocas" y "mar") de un *foco mediato* o *entorno del foco*, cuya compleja estructura es susceptible de ser analizada, como acabamos de verlo, conforme al modelo de discurso simbólico. Dentro de esta hipótesis sólo restaría poner en claro qué rol cumplen en el discurso simbólico las dos predicaciones metafóricas en cuestión.

Si partimos del supuesto de que los elementos extrañantes poseen suficiente potencia connotativa como para desencadenar el proceso de construcción de la relación simbólica y funcionar en él como ejes de orientación, entonces hay que admitir que las dos metáforas son redundantes. Esto no implica, sin embargo, que sean superfluas. Su rol es parangonable al de las inscripciones de los emblemas barrocos o al del texto que acompaña a las modernas imágenes publicitarias. A propósito de estas últimas señala Barthes que el mensaje lingüístico puede cumplir, respecto del mensaje icónico, una función de "anclaje". El texto sirve para fijar la "cadena flotante" de los significados contenidos potencialmente en la imagen, de dos modos diferentes: por una parte, ayuda a identificar los objetos, "a elegir el nivel de percepción adecuado"; por otra parte, guía la interpretación en el nivel del mensaje simbólico, "constituye una suerte de tenaza que impide que los sentidos connotados proliferen. . . hacia regiones demasiado individuales" (Barthes 1964, p. 44). La última afirmación es particularmente relevante para todos los casos de símbolo literario con la subscriptio parcialmente realizada en el texto, es decir, para los casos en que fragmentos del sentido profundo del discurso se manifiestan léxicamente en la cadena sintagmática. En el soneto de Góngora los dos lexemas incompatibles con todos los demás facilitan tanto el reconocimiento de los elementos extrañantes de la pictura como la descodificación de las connotaciones ligadas a ellos. Su presencia en el texto garantiza que en la construcción de la subscriptio intervengan predominantemente aquellas connotaciones que forman parte del sentido controlado por el texto mismo (lo que implica, naturalmente, la existencia de una mínima distancia hermenéutica entre emisor y receptor). El resultado es un símbolo nítido, de fácil comprensión, que ofrece al lector una clave interpretativa unívoca y de este modo lo constriñe a descartar todas las connotaciones no reductibles a la nueva isotopía instaurada por la clave. El esfuerzo hermenéutico es en estos casos, básicamente, una tarea raciocinadora que deja muy escaso margen a la producción de asociaciones subjetivas.

Teniendo en cuenta todos estos factores podemos construir una nueva hipótesis de lectura que se relacione con nuestra primera paráfrasis como la subscriptio del texto con su pictura. No tenemos la intención de 'traducir' el soneto de Góngora a un lenguaje 'normal' sino, tạn sólo, de ofrecer un modelo posible de descodificación de su sentido profundo. Puesto que la estructura del símbolo —como se ha señalado repetidas veces— reposa en la correspondencia parcial de pictura y subscriptio, nuestra segunda paráfrasis debe dejar de lado, forzosamente, todas las unidades de la secuencia textual no ubicables a la vez en los dos niveles. Incluye, en cambio, algunos elementos que no han sido obtenidos directamente a partir de las unidades de sentido manifestadas en el texto, sino a partir de los presupuestos implícitos en ellas. Esta aclaración concierne, sobre todo, a nuestra glosa del terceto final, en el que se hace referencia a Palinuro, el diestro timonel de la *Eneida* y a Arión, el gran poeta y músico griego cuya existencia fue rodeada ya en la antigüedad de un halo de leyenda y a quien se le atribuían portentos análogos a los de Orfeo (de él cuenta Herodoto, I, 23-24, que fue salvado del mar por un delfín al que logró subyugar con su canto). Partimos del supuesto de que en el texto de Góngora ambas figuras representan paradigmas de conducta exitosa en situaciones difíciles. Y puesto que para el pensamiento antiguo —y podemos conjeturar que también, o tanto más, para Góngora— el poder del artista radica en la feliz combinación de la inspiración ("estar penetrado del espíritu divino") con la sólida posesión de una técnica, se nos sugiere, no sólo a través de Palinuro, sino también a través de Arión, que la capacidad para salir airoso de toda empresa ligada a riesgos se funda en la experiencia y el saber: sólo triunfa en el amor quien conoce el "arte de amar".

Ofrecemos a continuación una versión posible de subscriptio que incluye entre barras la referencia a algunos de los elementos correlativos de la pictura:

"Aunque la mujer que amo parezca constante en sus sentimientos /nave bien amarrada/ y parezca poseer la cualidad más valiosa en el amor: la fidelidad /amarrada con lazos de oro a rocas de fe/; aunque ella se muestre bien dispuesta ante mis pretensiones amorosas /mar en calma/, aunque me incite sutilmente a amarla /suave viento propicio/ y aunque la expresión benévola de su bello semblante /aspecto celestial/ me dé a entender que me corresponderá plenamente y me será leal /final feliz de la navegación/, no me amino a iniciar una relación amorosa /temor de zarpar/, pues son muchos los que han sido infelices /náufragos/ por haberse dejado llevar irreflexivamente de su pasión /excesiva confianza en el mar de Amor/. Sólo me animaría a amar si tuviera la sabiduría necesaria para controlar y moderar racionalmente la violencia de mis afectos /serenar la marejada como Arión o Palinuro/."

3.3. UN DISCURSO SIMBOLICO SIN 'CLAVE': 'GACELAS HERMANAS' DE JOSE MARIA EGUREN[36]

En el extremo opuesto del tipo de texto simbólico que acabamos de analizar se ubica una clase de textos —frecuentemente representada en la poesía moderna— en la que los elementos extrañantes señalizan una duplicación del nivel del discurso sin proveer una clara orientación para la construcción del sentido profundo. Puesto que las connotaciones ligadas a ellos ni están "ancladas" en una determinada isotopía por unidades-claves (del tipo de *fe* y *Amor*) ni forman un sistema de recurrencias suficientemente extenso como para delinear un esquema de subscriptio más o menos nítido, el proceso de descodificación se hace sobre la base de un número muy limitado de relaciones analógicas entre elementos de ambos niveles y en el establecimiento de las analogías intervienen asociaciones producidas libremente por la subjetividad del receptor. En casos así el lector —incluso nuestro hipotético lector ideal— puede llegar a descodificar una información mayor, menor o simplemente diferente de la que el poeta se propuso codificar en su texto.

El mencionado poema de Eguren nos permitirá ilustrar lo dicho:

"Gacelas hermanas"

¡Gacelas hermanas!
Eran dos; en el bosque sombrío,
las vi en la mañana.

Luego reclinadas
en los dulces helechos hermosos,
las vi por la playa.

Ya tiernas, livianas
por los viejos caminos huían
del cuerno de caza.

Luego en la montaña
al oculto dios campesino
oraban, oraban.

Y en la tarde blanca,
las vi muertas en claro de bosque
¡gacelas hermanas!

El texto se presenta como una serie de pequeñas escenas que tienen por protagonistas a dos gacelas y que se ubican en diferentes momentos de una secuencia temporal. El yo lírico es a la vez yo-narrador. El discurso poético quiere ser entendido como relato en la medida en que reproduce una estructura dimensionada en el tiempo, en la que los elementos están en relación de 'antes'

---

36. Tomamos el texto de José María Eguren, *Obras Completas*, ed. de R. Silva-Santisteban, Lima 1974, p. 115.

y 'después': cada escena, que coincide con los límites de cada estrofa, está con la precedente en relación de posterioridad. La primera y la última escena fijan la secuencia entre los puntos limítrofes *mañana* y *tarde*. La breve 'historia' comienza en la mañana y concluye en la tarde con la muerte de las gacelas. La insistencia del yo lírico-narrador en mostrarse como testigo presencial de cada escena (*las vi*) crea la sensación —que una lectura más atenta revelará engañosa— de que la intención del texto es tan sólo transmitir una experiencia, real o imaginariamente vivida, en relación con dos gacelas. Sin embargo, una de las señales más notorias de que el mensaje de la poesía no se agota en el nivel de lo narrado es la tendencia antropomorfizadora que se manifiesta a lo largo de todo el texto y se sugiere ya a partir del título: "Gacelas hermanas". Su enfática repetición al comienzo de la primera estrofa acrecienta la potencia connotativa del especificador "hermanas", que aplicado a "gacelas" no resulta anómalo pero sí poco esperable, ya que subraya un tipo de relación que sólo para los humanos o desde una óptica humana representa algo más que un mero hecho biológico. La misma tendencia antropomorfizadora se deja entrever —si bien de modo más tenue y sólo solo el trasfondo de las connotaciones liberadas por "hermanas"— en el peculiar relieve que adquiere la noción de dualidad en la frase *Eran dos*. Esta frase connota la pertenencia del discurso al ámbito del *Märchen* (o "cuento de hadas") pero, a la vez, quiebra el horizonte de probabilidades creado por la connotación. Evoca y a un mismo tiempo disloca la fórmula narrativa *Erase una vez dos gacelas...* o *Eran dos gacelas que...* El concepto "dos", que en la fórmula canónica desempeñaría sólo función especificadora dentro de la primera información transmitida por el texto, se vuelve aquí materia de información independiente. En *Eran dos gacelas que...*, *dos gacelas* es la parte del enunciado que contiene la información nueva para el lector; en *Eran dos*, las gacelas se dan por conocidas (pertenecen al contexto precedente), mientras que "dos" es el elemento nuevo, que aporta una información más sobre ellas[37]. El resultado inmediato de esta reestructuración de la

---

37. "Todo enunciado se compone de dos partes. La primera de ellas, usualmente designada como *tema*, es la parte del enunciado que se refiere a un hecho o hechos ya conocidos por el contexto precedente o a hechos que se pueden considerar como aceptados y que por ello no contribuyen, o contribuyen mínimamente, a la información suministrada por el enunciado emitido. La otra parte, usualmente llamada *rema*, contiene la información nueva que debe ser transmitida por el enunciado y, así, enriquece sustancialmente el conocimiento del oyente o lector. (Como ya se ha observado, algunos lingüistas norteamericanos usan los términos 'topic' y 'comment' respectivamente.)" (Vachek 1966, p. 89). Conforme a la definición precedente podemos precisar nuestra caracterización del siguiente modo: en la fórmula canónica *eran dos gacelas que...*, *dos gacelas* es el rema o *comment* del enunciado con que se inicia el *Märchen*. Eguren modifica la fórmula dividiendo el enunciado preliminar en dos enunciados independientes: 1) *¡Gacelas hermanas!* 2) *Eran dos.* En el enunciado 2) el sujeto tácito "gacelas" se vuelve tema o *topic* mientras que "dos" se vuelve rema o *comment*. La dislocación del clisé narrativo no se reduce, empero, al fenómeno que acabamos de describir. Igualmente desviante respecto de la fórmula tradi-

fórmula evocada es que el receptor registra la noción de dualidad de un modo mucho más intenso.

A través de ella y en la reiterada referencia implícita a la unión constante de las gacelas (las dos reposan, las dos huyen, las dos oran, las dos mueren juntas) se nos sugiere nuevamente un tipo de vinculación más humana que animal: la vida compartida en "pareja", la comunidad humana más reducida e íntima. Si, por el contrario, se hubiera hablado de tres o más gacelas, habría quedado reforzado el rasgo 'animal' en virtud del connotado "manada".

La tendencia antropomorfizadora culmina en el *oraban, oraban* de la cuarta estrofa. El clasema 'humano' implícito en este verbo nos pone ante la disyuntiva de adjudicarle un sentido metafórico difícil de establecer —dada la naturalidad con que el verbo se inscribe en su contexto— o entenderlo literalmente, como lo haríamos si se tratara de un *Märchen*, donde es 'normal' —es decir, una convención del género admitida como tal por el receptor— que los animales se comporten como hombres[38]. Sin embargo, en la medida en que los demás elementos del texto crean y simultáneamente frustran las expectativas que este género suscita en el lector, queda en pie la indecisión y, con ella, la extrañeza. Otro tanto nos ocurre con el *oculto dios campesino* al que se dirige la plegaria de las gacelas. ¿Debemos entenderlo como parte de un enunciado metafórico que abarca toda la cuarta estrofa? Todo el resto del poema, el supuesto marco de la supuesta metáfora, no nos provee la orientación adecuada para descodificarla: "gacelas en un bosque", "gacelas que reposan en la playa", "gacelas que huyen del cazador", "gacelas que mueren", he aquí una serie de unidades de sentido perfectamente compatibles entre sí pero lo bastante inconexas como para no permitirnos formar con ellas una isotopía compactamente estructurada en cuyo trasfondo la estrofa en cuestión se percibiera como una nítida quiebra y pudiera ser reinterpretada en forma satisfactoria. El contexto carece de la fuerza determinativa necesaria para desencadenar y dirigir la construcción de la relación metafórica en toda la estrofa.

¿Es este "dios oculto" una aparición fabulosa-normal como los geniecillos favorables o malévolos del *Märchen*? Nuevamente la indecisión y la extrañeza.

cional es el valor de pasado —concluido y no repetible en relación con el 'ahora' del yo-narrador— que está implícito en *eran*. A propósito del estilo del *Märchen* señala Lüthi: "La fórmula 'era una vez' no pretende en modo alguno subrayar que lo narrado pertenece al pasado, sino busca sugerir, por el contrario, que lo que fue una vez tiene la tendencia a repetirse siempre." (Lüthi 1968, p. 31). En nuestro poema *eran dos* implica, si se prescinde de todo lo que sigue, "ya no son dos" y si retrospectivamente se proyecta el final en el comienzo implica, todavía más radicalmente, "ya no son, ya no existen dos gacelas".

38. "Mientras que en la leyenda y en la saga los hombres se espantan o al menos se admiran cuando los animales comienzan de pronto a hablar, en el *Märchen* ocurre exactamente lo contrario. El animal montaraz puede asustar al héroe del cuento pero en cuanto empieza a hablar, todo el temor se disipa. Y si en algunos relatos aislados el héroe dice en tales casos: '¿Qué? ¿Es que tú puedes hablar?' esto se sale por completo del auténtico estilo de *Märchen*". (Lüthi 1968, p. 29).

Pero, además, si el dios es un dios, ¿no es lo normal que no esté a la vista? ¿no es redundante decir que está oculto? ¿en qué sentido oculto? ¿materialmente oculto tras un árbol como un genio de *Märchen*? ¿oculto a los sentidos corporales como suele estarlo un dios? ¿oculto para las gacelas? ¿para los demás? El texto no permite respuestas olaras. Es simplemente extrañante y por eso mismo incita a la búsqueda de un sentido simbólico para todo el discurso poético y no sólo para la 'anomalía' difícil de categorizar de la cuarta estrofa.

Al mismo efecto colaboran otros elementos cuya función señalizadora es mucho menos notoria y sólo se percibe cuando la lectura integral de la poesía nos permite proyectar retrospectivamente sobre ellos la información final: la muerte de las gacelas.

Respecto del carácter narrativo del texto habíamos observado que las escenas representan momentos sucesivos de una magnitud temporal reducida cuyos puntos limítrofes son "mañana" y "tarde". Una vez que sabemos que al momento final de la secuencia le corresponde el suceso "muerte", podemos entender las etapas anteriores como "previas a la muerte". En relación con esta subestructura, un elemento de la primera escena, *bosque sombrío*, que alude al mismo ámbito en que morirán las gacelas, asume retrospectivamente un valor ominoso. A él contribuye en forma decisiva la ambivalencia propia de *sombrío*: "sombreado" y, en sentido metafórico-lexicalizado, "siniestro", "tétrico". El texto no favorece la desambiguación. Ambos significados se manifiestan con igual fuerza y liberan la cadena de connotados "oscuridad" - "temor" - "muerte". Sin embargo —y aquí reside la peculiaridad—, el escenario en que se produce la muerte no es "oscuro-siniestro" sino "claro-tranquilizador". Al *bosque sombrío* de la mañana le corresponde, en la última escena, el *claro de bosque en la tarde blanca*, que no sólo implica un cambio en la ubicación temporal y espacial, sino, sustancialmente, un cambio cualitativo-valorativo. La caracterización inicial de la tarde como "blanca" sensorializa una atmósfera de amortiguada luminosidad en la que los colores y las formas de los objetos se vuelven menos rotundos que bajo la luz meridiana. En este contexto el sintagma *claro de bosque* adquiere una especial capacidad connotativa: no se lo registra simplemente como "lugar libre de vegetación" (con el presupuesto implícito de que por estar libre de vegetación permite entrada a la luz) sino, sobre todo, como "lugar suavemente iluminado" (con el mismo tipo de claridad de la "tarde blanca"). Además, por su relación contrastiva con el bosque matinal "oscuro-ominoso-terrible" del comienzo, genera connotados adicionales como "ausencia de temor" - "paz" - "restitución de la armonía perturbada por el presagio". ¿Se nos sugiere que la muerte de las gacelas es una liberación, el tránsito a un estado más puro, un reencuentro con su ser más auténtico, un regreso al mundo 'platónico' de las ideas perfectas, de la belleza perfecta?

Obsérvese, por otra parte, que el poeta no nos dice *en el. . .* o *en un. . .*, sino *en claro de bosque*, como si se tratara de un ámbito ni determinable ni identificable entre otros de la misma especie, como si fuera algo así como el arquetipo de todos los claros de bosque designables. Si nos dejamos llevar —y en este poema parece inevitable— por la pendiente de las asociaciones subjetivas (o, en el mejor de los casos, intersubjetivas), esta estrofa egureniana nos conduce hasta aquel célebre *El aire se serena / y viste de hermosura y luz no usada*... con que Fray Luis de León nos describe el primer paso en el movimiento ascensional del alma hacia lo absoluto: la percepción de una realidad transfigurada, "sólo hermosura" y "sólo luz", una hermosura y una luz jamás "gastadas" por los sentidos corporales.

La calma soberana de las gacelas, su distanciamiento del "mundanal ruido" —para seguir expresándonos con términos de Fray Luis— encuadra muy bien dentro de este movimiento subliminar del texto hacia la desmitificación de la muerte como algo terrorífico. Su calma se revela a través de un gesto sintomático: están *reclinadas en los dulces helechos hermosos*, refugiadas en la imperturbabilidad vegetal de los helechos, cómodamente instaladas en un ámbito de pura belleza indiferente a las inquietudes de los hombres. En este aspecto la imagen de la huida es aun más elocuente —y también más extrañante—: no hay ninguna alusión a un desordenado apresuramiento nacido del terror; sólo se pone de relieve la gracia de sus movimientos (*tiernas, livianas*). La escena de la plegaria tampoco nos sugiere una oración motivada por el miedo, con el anhelo de buscar en el dios la salvación, sino tan sólo una actitud de serena concentración (*oraban, oraban*).

A la atmósfera de paz, belleza y armonía que emana de cada aparición y de cada acción de las gacelas, se le opone un único elemento desarmónico y perturbador: el *cuerno de caza* que anuncia la llegada del cazador y, con él, la irrupción de la violencia en un mundo que la desconoce y que, por eso mismo, está indefenso ante ella. Este contraste nos permite integrar la "cadena flotante" de connotaciones observadas hasta aquí en una relación de oposición correlativa de él: al par de elementos de sentido "mundo de las gacelas" versus "mundo de los cazadores" podemos adjudicarle, en el nivel de la subscriptio, el par isomórfico "vida contemplativa" versus "vida activa". A partir de aquí podemos aventurar una hipótesis de lectura parcialmente isomórfica de la lectura correspondiente al nivel narrativo-descriptivo del texto. Debe quedar en claro, por cierto, que se trata de una hipótesis entre muchas posibles y que todas corren el riesgo de adentrarse en aquellas regiones "demasiado individuales" de que nos habla Barthes (*Cf. supra*, p. 185).

Estas gacelas humanizadas o, si se quiere, espiritualizadas de Eguren se nos insinúan como arquetipos de una forma de existencia más intensa y más rica, que permite el máximo desarrollo de las potencialidades privativamente humanas pero que, a la vez, condena al aislamiento de las minorías y a la confrontación con un medio hostil en el que predominan valores de orden pragmático (cuya manifestación más directa y brutal es precisamente la caza).

Al hablar de minorías —tal vez habría que decir élites— incorporamos en nuestro intento de descodificación la red de connotaciones ligadas a las nociones "hermanas" y "dos" respectivamente. La primera de ellas tiene como posibles connotados "vinculación afectiva", "semejanza espiritual" (es decir, "comunidad de sentimientos, intereses, experiencias, presupuestos y valoraciones sobre la realidad"), "análogas condiciones de existencia", "análogo itinerario vital", etc. "Dos" connota, por su parte, "núcleo social mínimo", "trato frecuente", "conocimiento mutuo", "intensa relación afectiva", etc. De todo ello podemos conjeturar que a través de las gacelas se nos sugiere un tipo de vinculación particularmente estrecho, el único propicio para la comunicación más profunda, para la mutua compenetración (como la que se da entre amigos íntimos, hermanos dilectos o amantes). Las "dos" gacelas "hermanas" comparten un destino común como sólo pueden hacerlo los hombres o, más exactamente, ciertos hombres. Su plegaria al "dios que no se deja ver" puede entenderse como el fervoroso culto a un ideal de vida que permanece escondido, es decir, desconocido o incomprensible, para todos los demás. "Dos" es el número de la pareja pero también el de la "minoría mínima", de la soledad compartida, de las afinidades selectivas. La muerte de las gacelas se nos aparece, así, como la consecuencia natural de la entrega mutua y de la consagración conjunta a un ideal existencial incompatible con el de las mayorías: al excluir a todos los demás de su comunidad de dos se excluyen a sí mismas del mundo. Es normal, entonces, que la muerte no se sugiera como un final traumático sino como una liberación, el hallazgo definitivo de la paz.

3.4. UN PARADIGMA DE DISCURSO SIMBOLICO: "RETRATO DEL SOLDADO DESCONOCIDO" DE ALBERTO PIMENTA

Con los dos análisis precedentes hemos incursionado en la problemática de las fronteras del símbolo. A través de Góngora y de Eguren hemos podido reconocer, respectivamente, casos límites de nitidez y de vaguedad. Ambos textos se han revelado, además, igualmente atípicos respecto del modelo ideal que esbozamos en la parte teórica de este trabajo para oponerlo al modelo de funcionamiento de la metáfora. Allí recalcamos que los elementos señalizadores del símbolo no eran caracterizables en términos de anomalía semántica o quiebra de la isotopía si queríamos alcanzar una fórmula de validez general. Por ello habíamos preferido subsumirlos en la categoría de los procedimientos de extrañamiento. Ahora bien, el soneto de Góngora nos ha demostrado que la quiebra radical de la isotopía puede tener una función decisiva para la clarificación del sentido profundo del símbolo y el poema de Eguren nos ha puesto ante un extraño caso de quiebra o anomalía semántica 'a medias', sólo registrable según que nos ubiquemos o no en el nivel de recepción correspondiente al *Märchen*.

Puesto que hasta aquí nos hemos esforzado en subrayar las limitaciones de todo modelo de análisis y sus dificultades de aplicación cuando se pasa del terreno de las especulaciones teóricas al de las realizaciones literarias particulares, nos parece oportuno cerrar estas reflexiones con el examen de un texto que se ajusta idealmente al modelo propuesto y que, por lo mismo, puede ser considerado como ejemplo arquetípico de discurso simbólico cerrado y coherente, que ni ostenta su sentido profundo ni lo escamotea con los mecanismos propios de la metáfora. En él los connotados de los elementos extrañantes forman un sistema de recurrencias suficientemente extenso como para que un lector capaz de ubicarse en el horizonte de los presupuestos ideológicos del autor esté en condiciones de construir una hipótesis de lectura profunda que por estar sustentada en un amplio número de relaciones de proyección y de relaciones generadoras de isomorfismo no corre el riesgo de salirse en demasía de los límites del sentido controlado por el discurso. Se trata del texto, mencionado en el título, del poeta portugués Alberto Pimenta[39]:

retrato do soldado desconhecido

cortou uma árvore. cortou os ramos da árvore.
deitou fora. ficou com o tronco. cortou um
pedaço do tronco. descascou. começou a escu
lpir o rosto do soldado desconhecido. alisou a
testa. cavou os olhos. contornou as bochechas.
achou que não estava parecido. continuou a esc
ulpir. enrugou a testa. cavou mais os olhos. afu
ndou as bochechas. achou que não estava parec
ido. fez um buraco na testa. outro na bochecha.
achou irreconhecível. disfarçou os buracos. re
puxou a testa. alisou as bochechas. cavou de
novo os olhos um mais fundo que o outro. ac
hou que não estava parecido. continuou a escul
pir. achatou alisou afundou. acabou-se-lhe a ma
deira. ficou só com uma cavaca na mão. deitou fora.

(cortó un árbol. cortó las ramas del árbol. las tiró. se quedó con el tronco. cortó un pedazo de tronco. lo peló. comenzó a esculpir el rostro del soldado desconocido. alisó la frente. cavó los ojos. contorneó las mejillas. encontró que no estaba parecido. siguió esculpiendo. arrugó la frente. cavó más los ojos. ahondó las mejillas. encontró que no estaba parecido. hizo un agujero en la frente. otro en la mejilla. le pareció irreconocible. tapó los agujeros. emparejó la frente. alisó las mejillas. cavó de nuevo los ojos uno más hondo que el otro. encontró que no estaba parecido. siguió esculpiendo. acható alisó ahondó. se le acabó la madera. se quedó con una astilla en la mano. la tiró.)

Un primer contacto con el texto no nos permite descubrir ninguna fisura en su ensamblaje semántico. Ninguna expresión desviante, ningún fragmento

39. En: *Os entes e os contraentes*, Coimbra 1971, p. 92. A continuación del texto portugués reproducimos la versión española de J. L. Rivarola, publicada en el suplemento cultural de "La Prensa" de Lima del 29 de agosto de 1976. A él remitimos para la información bibliográfica correspondiente. Todas nuestras referencias al texto se basan en esta traducción. Por razones de economía renunciamos a reproducir fielmente la disposición tipográfica del original.

de enunciado incompatible con el resto, ninguna anomalía interpretable como metáfora, ninguna 'figura retórica' si exceptuamos la reiteración, a modo de estribillo, de la frase *encontró que no estaba parecido.* Un texto simple, repetitivo, redundante, que describe las sucesivas fases de una acción presumiblemente artística con un detallismo casi enfadoso. Pero precisamente en este detallismo se perfila la intención de desconcertar al lector, de hacerlo poner en tela de juicio la validez de su primera lectura e incitarlo a buscar un sentido más 'trascendente' de acuerdo con sus presupuestos sobre las condiciones que debe llenar un mensaje que se presenta como literario ya por el solo hecho de aparecer formando parte de un libro de 'poesía' (en el sentido amplio —aristotélico— del término).

El bajo grado de probabilidad de los elementos extrañantes —en el que se funda su alta potencia connotativa— se manifiesta aquí en la quiebra sistemática, no de la isotopía del discurso, sino de las expectativas generadas en el lector a partir del título. La más elemental de ellas es que el texto pretende retratar, es decir, sensorializar, evocar, explicar o, sencillamente, verbalizar el complejo de nociones y presupuestos afectivo-valorativos que se nos ha transmitido bajo el rótulo de "soldado desconocido". Sin embargo, ya las primeras líneas del texto procuran demostrar que no se trata de eso sino de describir el intento fallido de un escultor por representar plásticamente al "soldado desconocido" (¿una entidad ideal o un individuo concreto? Más adelante volveremos sobre esto). Pero, además, el título crea otras expectativas dependientes no ya del contexto verbal inmediato sino del amplio contexto histórico-político-cultural en que se inserta la poesía. En el marco de las "modernas mitologías" —para utilizar aquí una noción tán lúcidamente examinada por Barthes— "soldado desconocido" connota usualmente una constelación de juicios de valor como "patriotismo", "sacrificio generoso por el bien de la comunidad", "muerte anónima pero gloriosa", "acreedor de memoria y gratitud perennes", etc. "Soldado desconocido" es uno de esos símbolos colectivos o "mitos" que por su carácter apelativo —por su capacidad de movilizar reacciones afectivas en los más amplios sectores sociales— se prestan idealmente a una utilización manipulativa. Como muchos otros símbolos similares puede ser empleado con éxito por una ideología que exalta la actividad bélica al servicio de la patria, independientemente de los medios aplicados y los fines perseguidos, como una de las máximas virtudes cívicas. El título de la poesía de Pimenta puede hacer creer, por tanto, que el texto se propone suscitar las emociones usualmente ligadas a los mencionados juicios de valor presuponibles en él. Pero ya las primeras líneas frustran tales expectativas y crean, así, una primera sensación de extrañeza. A cambio de lo probable encontramos la descripción pormenorizada —casi diríamos fatigante— de una labor artesanal: alguien prepara el material para esculpir el rostro del "soldado desconocido", realiza varios intentos por lograr la expresión adecuada, fracasa todas las veces y renuncia finalmente a la tarea que se había propuesto. Los repetidos fracasos conducen, paralelamente, a la total destrucción del material empleado. De la madera de un árbol sólo queda una astilla inservible. El gesto de tirarla es demostrativo de su inutilidad y de la renuncia del escultor.

A lo largo de la descripción se multiplican los procedimientos de extrañamiento que obligan paulatinamente al lector a buscar un segundo sentido complementario o correctivo del literal, en vista de que éste se va mostrando cada vez más insatisfactorio y hasta absurdo a pesar de la compacta homogeneidad del discurso.

Extrañante es, ante todo, la exposición minuciosa de los preliminares del acto mismo de esculpir. La insistencia y el detallismo con que se sensorializa la preparación del material asombran por su aparente gratuidad. Lo obvio, poco significativo, intrascendente, adquiere un relieve antinatural. La recurrencia de la información aparentemente superflua nos fuerza a aguzar nuestra capacidad receptiva y a descubrir tras cada detalle trivial algo de inquietante. Reparamos, así, en el aspecto "destructivo" de las acciones cuidadosamente enumeradas y reiteradas: *cortó, cortó, tiró, cortó, peló.* Paralelamente percibimos que el aspecto "constructivo" de las mismas acciones (el intento de modelar una imagen) pasa a segundo plano. Esta sensación inicial se acrecienta al leer las descripciones de los sucesivos intentos, en los que se acumulan expresiones que connotan repetidamente el carácter "destructivo-agresivo" de los procedimientos del escultor. Observemos algunas de ellas:

cavó los ojos
cavó más los ojos
hizo un agujero en la frente. otro en la mejilla.
cavó de nuevo los ojos uno más hondo que el otro.

La capacidad connotativa de *cavó los ojos* es todavía relativamente baja. En efecto, si se piensa en la realidad anatómica de las cavidades oculares, la frase puede parecer bastante natural. En la variación intensificadora *cavó más los ojos* adquiere ya una resonancia siniestra tanto a consecuencia de su reiteración como de su proximidad con *ahondó las mejillas*, donde el verbo *ahondó* resulta por su reducida esperabilidad altamente connotativo. Sobre el trasfondo de *contorneó las mejillas* (un enunciado esperable de acuerdo con nuestros presupuestos sobre las características de un rostro humano normal y de los procedimientos que debe utilizar un escultor para reproducirlas en un material duro), la acción de "ahondar" aparece doblemente extrañante: por una parte porque no corresponde a nuestros presupuestos sobre la configuración y, concomitantemente, la modelación de mejillas y, por otra parte, porque está en oposición, si no en contradicción, con la acción previa de "contornear". No obstante, dentro del proceso "escultórico", el grado de improbabilidad de "ahondar" no es todavía tan alto como el de "agujerear". En *hizo un agujero en la frente. otro en la mejilla* culmina la tendencia extrañante manifestada en los enunciados anteriores y se condensa la cadena de connotados "destrucción" - "agresión" - "desfiguración". La imagen del agujero en la frente y en la mejilla sensorializa a su vez, connotativamente, los estragos producidos en un rostro por la entrada de balas. A la luz de las asociaciones liberadas por esta frase la asimetría implícita en *cavó de nuevo los ojos uno más hondo que el otro* nos sugiere, nuevamente, el efecto destructivo de armas: el "ojo cavado más hondo" connota ya, con mucho mayor claridad que todos los enunciados anteriores referidos a este mismo proceso, "ojo destrozado".

Respecto de las observaciones precedentes podría objetarse que todos los detalles que hemos caracterizado como extrañantes tendrían una explicación natural si partimos del supuesto de que lo que la poesía intenta tematizar es el intento fallido de un escultor por representar a un soldado herido, desfigurado, sin rostro (tanto en el sentido metafórico de "anónimo" como en el sentido literal de "vuelto irreconocible por los impactos de armas"). ¿Se nos sugeriría, entonces, que sólo una representación plástica con tales rasgos correspondería fielmente a la noción de "soldado desconocido"? Semejante hipótesis podría encontrar algún respaldo en la frase *acható alisó ahondó*, en la que la ausencia de los objetos que acompañaban a estos verbos en enunciados anteriores parecería connotar el esfuerzo del escultor por modelar un rostro en el que frente, ojos y mejillas ya no sean discernibles. Que la intención comunicativa del texto no se agota aquí surge, sin embargo, con toda claridad del 'ritornèllo' *encontró que no estaba parecido* con su variante *le pareció irreconocible*. En este motivo radica el principal recurso de extrañamiento de todo el texto, ya que contiene un elemento que está en contradicción flagrante con la noción misma de "soldado desconocido": el escultor fracasa porque su obra "no se parece", es decir, no es copia fiel de un modelo, lo que implica el presupuesto de que el objeto de representación no es un ente abstracto —el arquetipo necesariamente sin rostro de todos los caídos anónimamente en la guerra— sino un individuo concreto con rasgos definidos. Y si el presunto escultor (reparamos ahora que el texto no lo menciona como tal) renuncia a su cometido, no es porque no logre expresar plásticamente un rostro "vuelto irreconocible" sino precisamente por lo contrario: porque "le parece irreconocible". ¿El "soldado desconocido" es entonces un "soldado conocido"? A través de esta discordancia se nos obliga a reconocer que el sentido literal del texto es un sin-sentido en tanto no lo pongamos en relación con un segundo sentido, diferente pero a la vez isomórfico del literal, capaz de dar cuenta del valor informativo de la contradicción. La construcción de la subscriptio está facilitada en este caso por el número relativamente amplio de elementos señalizadores y por la recurrencia en ellos del mismo tipo de connotaciones. De acuerdo con los connotados dominantes en el texto y de acuerdo con las relaciones entre los elementos connotadores podemos adjudicar a algunas de las unidades de sentido en el nivel de la pictura otras tantas unidades correlativas en el nivel de la subscriptio. Una vez fijado un cierto número de correspondencias más o menos nítidas, intentaremos elaborar una hipótesis de lectura integral que no podrá ser tan exhaustiva y 'exacta' como la del soneto de Góngora pero sí mucho menos fragmentaria y subjetiva que la del poema de Eguren. Enumeramos a continuación las correlaciones que nos proveerán la base para la descodificación global del texto:

"escultor" = "aparato estatal (y/o militar) que decide impunemente sobre la
    suerte de sus ciudadanos"

"árbol" = "pueblo utilizado como material de guerra"

"esculpir" = "modelar la conducta de los ciudadanos en consonancia con los propios fines belicistas y, concomitantemente, destruirlos, enviarlos a la muerte"

"parecido" = "grado de proximidad al ideal de soldado, concebido como instrumento dócil (acrítico, aético) y eficaz (valiente, infatigable) para alcanzar la victoria militar"

"insatisfacción por no hallar el parecido" = "insatisfacción del aparato estatal (y/o militar) por no lograr de sus soldados el máximo de eficiencia combativa"

"desaparición progresiva de la madera usada para esculpir" = "progresiva aniquilación moral y física de la masa de combatientes"

"astilla tirada" = "soldado muerto desechado como cosa inútil por el aparato estatal"

Como se puede ver, para establecer los elementos subscripcionales nos hemos apoyado en dos principios organizadores diferentes. Por una parte hemos tomado en cuenta las relaciones entre los elementos picturales y los presupuestos implícitos en ellas. Así, por ej., en la relación "escultor" - "árbol" presuponemos que la actividad del escultor consiste en usar cualquier objeto tomado como material a su arbitrio, en transformarlo, deshacer y rehacer su forma, cambiar la naturaleza y la funcionalidad que tenía antes de ser "material para esculpir" en una nueva naturaleza y una nueva funcionalidad o, por último, negarle la condición de "material para esculpir" y restituirlo a su condición anterior de simple objeto, destruyéndolo parcial o totalmente. Presuponemos, pues, una relación dialéctica de construcción y destrucción en la que cualquiera de los dos factores puede ser finalmente el dominante. Por otra parte, hemos procedido a sustituir sistemáticamente la ideología usualmente ligada a la noción de "soldado desconocido" por una contra-ideología antibelicista. Esta segunda operación no es en modo alguno arbitraria. Su objetividad está garantizada por la insistente recurrencia en el texto de las connotaciones analizadas más arriba y cuya función, como hemos podido comprobar, es poner de relieve que la actividad de este escultor (el de la pictura) es "sólo-destructiva" y "nada-constructiva": el "árbol empleado para modelar una imagen de soldado" y, por tanto, el "soldado vuelto material de guerra" (su correlato subscripcional) es usado, progresivamente desintegrado y finalmente abandonado por inútil cuando sólo queda un ínfimo resto de su condición previa al acto de convertirse en material.

Las correlaciones que acabamos de fijar configuran un esquema parcial de subscriptio que completaremos a continuación integrando en nuestra hipótesis de lectura nuevas correlaciones —y nuevos connotados, especialmente juicios de valor— inferibles de las primeras. Pero, antes de hacerlo, es preciso tener en cuenta que para lograr una descodificación satisfactoria, es decir, que no traicione la intención comunicativa del texto (entendido como una acción ligada a una situación particular), debemos poder ubicarnos en el horizonte de las experiencias, juicios e intereses de su emisor. Con este fin será útil recordar que Pimenta prefirió emigrar de su país antes que hacer el sérvicio militar y convertirse, así, en instrumento de la guerra colonialista librada por Portugal en sus posesiones africanas. A la luz de este hecho surge aun más transparente el carácter denunciador de su poesía. Tomando en consideración todas estas premisas, el mensaje global resultante de las relaciones simbólicas verificadas en el texto podría resumirse así:

"Utilizar al pueblo con fines bélicos imperialistas es simple abuso —o uso en sentido estricto. Luchar y morir por la patria no es glorioso sino absurdo si la lucha carece de toda legitimación moral. El 'soldado desconocido', usualmente aceptado como símbolo de 'holocausto generoso y constructivo', de 'noble renuncia al derecho a la vida por el bien de la patria' es uno de los 'mitos' más frecuente y eficazmente utilizados por los sistemas totalitarios y belicistas para manipular la opinión pública y presentar bajo una cobertura agradable una realidad siniestra: mutilaciones y muertes carentes de sentido. El intento por representar icónicamente al 'soldado desconocido' conforme a las convenciones establecidas por la ideología militarista es descabellado (y aquí llegamos al punto en que podemos resolver la contradicción que nos planteaba el texto en nuestra primera lectura). Es descabellado no porque se trate de una abstracción, de un arquetipo que, como tal, carece de rasgos identificadores, sino, sobre todo, porque 'soldado desconocido' es una metáfora tramposa, un sustituto amable de 'muerte mísera y absurda', un modo pérfido de designar una realidad negativa como si se tratara de una realidad positiva, un eufemismo parangonable al más célebre de los acuñados en nuestro siglo: *campos de concentración* por 'lugar de exterminio masivo'[40]. El referente de la designación embellecedora no es otra cosa que el resultado del proceso de transformación de un ser humano en un despojo."

Ahora estamos en condiciones de extraer de la aparente incongruencia entre el título y el texto una información adicional. En nuestra primera aproximación al texto habíamos observado que el título suscita expectativas que resultan frustradas ya desde un comienzo. Nuestra conjetura inicial había sido: el texto se presenta como "retrato" y no lo es. Ahora podemos rectificarla: este texto es el único retrato legítimo del "soldado desconocido", en la medida en que describe (retrata) un proceso de progresiva desfiguración y aniquilamiento (la transformación de un árbol, un elemento con vida, en una astilla inservible, en un mínimo resto de materia sin vida y sin funcionalidad). Es, además, un retrato por su disposición tipográfica, que evoca la forma predominante de fotos y cuadros. A la luz del sentido profundo del texto esta disposición —que cumple la función adicional de obligar al lector a deslindar las unidades de sentido presentadas como un continuo indiferenciado y fomentar así

---

40. Sobre la función del eufemismo en los sistemas totalitarios *cf.* Thöming 1973, pp. 189-191.

una lectura creativa— se nos revela como un producto de la tendencia a estructurar un discurso poético multidimensionado: el rectángulo representaría la proyección, en el nivel gráfico, de la idea anunciada en el título[41]. Y esta idea es sometida, a su vez, a lo largo del texto, a un proceso de análisis crítico, de desintegración y de paralela reconstrucción sobre la base de nuevas premisas éticas. Con medios simbólicos la poesía desenmascara la ideología subyacente a un símbolo colectivo, pone de relieve su capacidad manipulativa y reemplaza el retrato por un anti-retrato despojado de todos los valores positivos tendenciosamente connotados por el símbolo convencional.

De acuerdo con el modelo de Barthes (*Cf.* nota 23), estaríamos aquí en presencia de un sistema semiológico terciario: el "mito", concebido como signo cuyo significante es a su vez un signo (es decir, la relación de un significante con un significado), devendría en este texto significante de un significado tercero. Pero, además —y en esto reside la peculiaridad artística y la capacidad denunciadora y esclarecedora de la poesía de Pimenta—, en este último nivel el significado del texto contradice el significado del "mito" tematizado en él. Barthes denuncia la imposición, a través de la "mitología de la era burguesa", de una información tendenciosa, que se vuelve tanto más efectiva cuanto más se oculta en la connotación recurrente de un mismo concepto. El texto de Pimenta representa la contracara positiva de ese mismo fenómeno pragmático y ratifica así, de modo ejemplar, la siguiente observación de Stierle:

> Barthes no cuenta con la posibilidad contraria: que se puede tematizar el análisis exhaustivo de todos los aspectos de un concepto mediante su diferenciación. Mientras que una posibilidad está determinada por el rol dominante del concepto respecto de sus manifestaciones connotativas, la otra está determinada por el rol dominante de dichas manifestaciones respecto del concepto. El concepto en su carácter abstracto —es decir, la perspectiva opuesta a la asumida por Barthes— se puede revitalizar, se puede volver objeto de una experiencia reflexiva en tanto se lo descompone en los distintos aspectos de su manifestación. En la realización de esta tarea —en la labor de establecer un número imprevisible de matices dentro de conceptos aparentemente dados como obvios y de posibilitar de este modo la reflexión sobre ellos— se podría ubicar la función positiva de una literatura ficcional que no confirma una ideología sino que la destruye (Stierle 1975, p. 151).

---

41. El que otros textos de Pimenta presenten una disposición gráfica similar no invalida la especial capacidad connotativa que se deriva, en este caso particular, de la correspondencia entre el nivel gráfico (pictórico) y el semántico (pictural-subscripcional).

VII
¿QUIEN HABLA EN EL POEMA?

El tema condensado en nuestra pregunta inicial es algo espinoso. Claro está que solo lo es desde la perspectiva de los avances sustanciales que se han hecho en la reflexión sistemática sobre la literatura de las últimas tres décadas. Para quienes siguen permaneciendo al margen de esos avances —como para la vieja crítica biografista— el problema de decidir si un poema es el discurso del autor o de una voz distinta de la suya no se plantea. Para ellos es el poeta quien dice lo que dice en el poema y punto. Esta creencia, hoy juzgada ingenua, les permite, por supuesto, usar los textos como documentos fieles que testimoniarían las vicisitudes internas y externas del creador: sus amores, sus penas, sus alegrías, sus viajes, sus enfermedades, etc.

Este fácil biografismo ha desaparecido de todos los estudios teórico-literarios más o menos actualizados pero, en buena parte, ha sido sustituido por una postura de signo contrario no menos simplificadora: el temor de aparecer ingenuos lleva a los investigadores a leer *todo* texto poético como el discurso de alguien que *no* es el autor.

Puesto que el enorme y sofisticado desarrollo de la narratología en los dos últimos decenios, ha impuesto en los ambientes académicos que pretenden estar al día ciertas distinciones categoriales como parte del ABC de los estudios literarios, quienes se dedican a la poesía han asumido fácil y dócilmente algunas de esas distinciones y las han extrapolado a un terreno bastante más complejo que el de la narrativa. Como cualquiera que se aprecie de informado se avergonzaría de confundir el autor con el narrador de una novela, se ha supuesto que otro tanto debía hacerse indiscriminadamente con toda la poesía en bloque: si el texto de la novela no es enunciado directo del autor sino que éste se vale para contar de un narrador, entonces, el texto del poema tampoco puede ser enunciado directo del poeta sino, antes bien, de una instancia ficticia, de un "yo lírico" o "hablante lírico".

1. TEXTO POETICO Y FICCIONALIDAD

Pero, antes de entrar en debate, quiero dejar en claro la noción de ficcionalidad que se presupondrá en toda la argumentación: un texto es ficcional si emana de un productor ficticio y/o si se dirige a un receptor ficticio y/o si se refiere a objetos y hechos ficticios. Ficticios son todos aquellos objetos y hechos a los que un individuo adjudica transitoriamente y en forma intencional una modalidad distinta de la que tiene vigencia para él —y para otros individuos de su mismo ámbito cultural— en determinado momento histórico.

Según Todorov, el texto poético queda fuera del campo de la ficción en la medida en que no relata nada, no designa sucesos, no *representa* sino que, por lo común se limita a verbalizar impresiones o sentimientos. En su opinión sería adecuado afirmar que así como la frase novelesca no es verdadera ni falsa, la frase poética no es ficticia ni no ficticia (Todorov, 1978, p. 16).

Si bien esta posición se apoya en algunas intuiciones correctas, implica una serie de equívocos que conviene aclarar.

En primer lugar, cabe recordar que un número no desdeñable de textos poéticos de la tradición literaria occidental son representativos en el más estrecho sentido del término, esto es, sus zonas de referencia constituyen un mundo en el que ciertos personajes se encuentran en determinadas situaciones y ejecutan determinadas acciones. Puesto que Todorov —a diferencia de lo que se sostiene en este libro (*Cf.* Cap. II y IV)— identifica implícitamente a la poesía con la lírica, dejo de lado los múltiples ejemplos de poesía narrativa (que él contaría probablemente dentro de la "épica") y me limito a recordar la obra poética de José María Eguren, uno de cuyos rasgos más personales es precisamente la abundancia en ella de esbozos de personajes y de situaciones quasi dramáticas. He aquí un caso particularmente nítido, en el que el poema delínea una escena propia de la literatura fantástica con una extraña criatura —un disfraz animado— como figura protagónica:

EL DOMINO

Alumbraron en la mesa los candiles,
moviéronse solos los aguamaniles,
y un dominó vacío pero animado,
mientras ríe por la calle la verbena,
se sienta, iluminado,
y principia la cena.

Su claro antifaz de un amarillo frío
da los espantos en derredor sombrío
esta noche de insondables maravillas,
y tiende vagas, lucífugas señales
a los vasos, las sillas
de ausentes comensales.

Y luego en horror que nacarado flota,
por la alta noche de voluptad ignota,
en la luz olvida manjares dorados,
ronronea una oración culpable, llena
de acentos desolados,
y abandona la cena.

En segundo lugar, resulta fácil demostrar con ejemplos que el carácter representativo del texto no es, si por tal se entiende la mímesis de acciones y de caracteres de que hablaba Aristóteles, requisito indispensable para que se instaure la ficción. Es preciso puntualizar, por lo demás, que los términos *representación* y *representativo* suelen usarse en un sentido bastante lato e impreciso que abarca desde la noción aristotélica de mímesis hasta el mero concepto de "referencialidad". El propio Todorov y muchos autores, los utilizan a veces para caracterizar textos de tipo descriptivo-narrativo en cuyas zonas de referencia se constituye un mundo analógicamente relacionado con el mundo real[1]; ocasionalmente designan asimismo con ellos una cualidad opuesta a la de aquellos textos cuyos signos no parecen remitir a nada exterior a ellos mismos, textos "opacos", "intransitivos" —como se los suele describir metafóricamente— en los que el lenguaje se reifica con una pérdida parcial o total de su capacidad comunicativa. En este segundo sentido *representativo* se aplicaría a todo texto que trascienda la condición de mero objeto verbal cerrado en sí mismo y que, por consiguiente, permita construir una referencia cualquiera; mediante la negación de esta cualidad (con el término *no-representativo*) Todorov caracteriza, a mi entender de modo indebido, dos tipos de discurso que presentan propiedades bien diferenciadas: el poético, en el que los signos son a la vez vehículo y contenido del mensaje[2] y el discurso ininteligible del esqui-

---

1. "... el carácter representativo rige una parte de la literatura, que resulta cómodo designar con el término *ficción*, en tanto que la *poesía* no posee esta aptitud para evocar y representar (por otra parte, esta oposición tiende a esfumarse en la literatura del siglo XX). No es casual que en el primer caso, los términos empleados corrientemente sean: personajes, acción, atmósfera, marco, etc., es decir, términos que designan también una realidad no textual." (Todorov 1972, p. 74).

2. "En la actualidad se está de acuerdo en reconocer que las imágenes poéticas no son descriptivas, que deben ser leídas al puro nivel de la cadena verbal que constituyen, en su literalidad, ni siquiera en el de su referencia. La imagen poética es una combinación de palabras, no de cosas, y es inútil, y hasta nocivo, traducir esta combinación en términos sensoriales. Vemos ahora por qué la lectura poética constituye un obstáculo para lo fantástico. Si al leer un texto, se rechaza toda representación y se considera cada frase como una combinación semántica lo fantástico no podrá aparecer." (Todorov 1972, pp. 75-76). Señalemos de paso que es altamente improbable que alguien haya supuesto que la imagen poética pueda ser una "combinación de cosas". Lo que está en juego no es una oposición entre palabras y cosas sino entre signos que sólo significan y signos que, además de significar, refieren. Del hecho de que en los textos poéticos el significante adquiera un relieve particular Todorov parece inferir, en un "salto mortal" argumentativo, la ausencia de referentes. Por nuestra parte creemos que solo la ruptura sistemática de la coherencia lineal y/o global en el texto poético vuelve infructuoso el esfuerzo del receptor por construir una referencia (véase *infra* en el texto). Este problema es independiente del relativo al estatuto de los objetos, propiedades y relaciones a los que el texto poético refiere, los cuales, como se verá, pueden ser ficticios o no. En caso de serlo, las proposiciones tienen como referentes hechos modificados en su modalidad (por ej. hechos posibles presentados como fácticos) o, para decirlo según otro modelo teórico (van Dijk 1980 a, p. 63 y *passim*), hechos solo existentes en algún mundo posible alternativo a nuestro mundo real.

zofrénico, en el que la ausencia de toda coherencia entorpece la referencia y hace con ello imposible todo intento de descodificación[3].

Desde mi perspectiva la única condición ineludible para que se pueda hablar de ficción o no-ficción no es la constitución mimética de un mundo —esto es, el carácter *representativo* en el primero de los sentidos anotados—, sino la inteligibilidad del texto, puesto que de ella depende, como se precisará más adelante, el reconocimiento de las modificaciones practicadas en los constituyentes de la situación comunicativa. Admito, sí, que un poema hermético, cuya clave apenas puede intuirse, no puede llamarse ni ficcional ni no-ficcional. Pero no es éste el caso de un poema o de un texto en prosa en el que sólo se manifiesten emociones o pensamientos. Un buen ejemplo de prosa no representativa y sin embargo ficcional son las reflexiones de Cortázar a propósito de la corrección de pruebas para la imprenta del *Libro de Manuel* (Cortázar 1973). En ellas un desplazamiento temporal de la situación de enunciación basta, como veremos enseguida, para ficcionalizar todo el discurso. Es evidente desde un comienzo que dos de los constituyentes de la situación comunicativa, el productor y el receptor, están inmodificados. El productor es el propio Cortázar quien, en el rol de escritor, evalúa la propia obra y reflexiona libremente —casi a la manera de una "asociación libre"— sobre sí mismo y sus circunstancias inmediatas y pasadas. Su destinatario, implícito e innominado a trechos, vuelto explícito y hasta con nombre propio en algunos pasajes (como cuando contesta irritado a "la señora Silvina Bullrich", p. 28) es el común denominador de sus lectores —desde los amigos y admiradores a los críticos y detractores de su persona y de su obra—, una instancia de contornos algo difusos pero susceptible de encarnarse en cualquier individuo real en cuyas manos caiga el texto, incluido el propio Cortázar en su rol auto-receptivo:

> "Sólo los demás descubren nuestras obsesiones más secretas, pero un escritor que se relee críticamente puede alguna vez ser también los demás" (p. 31).

El tercer constituyente, las zonas de referencia del texto, da asimismo la impresión de no haber sufrido modificación alguna: Cortázar se refiere a un libro suyo, a los acontecimientos históricos de que nació, a la circunstancia histórica y personal correspondiente al momento en que corregía las pruebas de imprenta, a las extrañas coincidencias entre realidad y ficción, a sus recuerdos, sentimientos, ideas políticas y artísticas. En suma: Cortázar se refiere a un variado repertorio de hechos y objetos efectivamente existentes *en un*

---

3. "Un discurso que no refiere, que no permite la construcción de representaciones es un discurso que no encuentra su justificación fuera de sí mismo, un discurso que no es más que discurso. Todos los que se han interesado en los esquizofrénicos han repetido, siguiendo a Bleuler: "El paciente tiene la intención de escribir pero no de escribir *algo*" (. . .). Numerosos enfermos (. . .) hablan pero no dicen nada *(reden aber sagen nichts)*. Escribir es para el esquizofrénico un verbo intransitivo, él habla sin decir nada. Lo que es, a la vez, la apoteosis y el fin del lenguaje" (Todorov 1978, p. 84). [Mía la traducción].

momento dado. Enfatizo la precisión temporal pues de ella depende el desliz del texto desde una pretendida fidelidad fáctica hacia el ámbito de la ficción: el que Cortázar haga como si lo escribiera simultáneamente con la corrección del *Libro de Manuel* cuando en realidad, como él mismo lo declara, lo hizo una semana más tarde sobre la base de unas notas de viaje, y en un lugar, una coyuntura vital y un estado anímico necesariamente diferentes, trae como consecuencia que unos objetos y hechos *fácticos* se transformen en *posibles* presentados como *fácticos* en virtud de un artificio verbal que el autor pone al descubierto y a la vez justifica:

> "Tiempo de escritura: No se trata de mentir por razones estéticas y pretender que esto nace paralelamente con la corrección de pruebas del *Libro de Manuel*, pero a la vez sería bueno entenderse porque la intención de escribirlo nació apenas me puse a trabajar el lunes por la noche, bajo un aguacero que me obligó a buscar el primer lugar tranquilo en Avignon, lo que no era fácil a esa hora y con ese tiempo [...]. Por eso creo poder afirmar que de alguna manera empecé a escribir simultáneamente estas páginas, puesto que tomé notas para hacerlo apenas terminara con las galeras y sin salirme del tiempo del libro, de su último contacto conmigo antes de convertirse en un hecho irrenunciable y con tapas. Y así el extrañamiento sigue tan presente como en esas horas en que todo volvía a darse, cada escena del libro y cada gesto de sus habitantes, pero ahora de otro modo, de la palabra ya impresa al ojo del lector, de criaturas tan mías a este irónico y despiado corrector de pruebas [...]" (pp. 15-16).

El desplazamiento temporal de unos hechos efectivamente acaecidos, el pretender que los ocurridos una semana atrás ocurren en el presente y que los que ocurren hoy —el acto de escritura en su casa de Saignon— ocurrieron siete días antes en Alta Provenza, dentro de su auto-rodante y bajo la lluvia, es explícitamente tematizado por Cortázar, quien de este modo provee a su texto de instrucciones de lectura:

> "Madre querida, qué manera de llover, nadie se enojará si hablo en presente puesto que ya he explicado que esto nació simultáneamente con la corrección de pruebas (ha pasado exactamente una semana y estoy otra vez en las colinas y en Fafner, viendo a las ocho de la mañana las ruinas de Les Baux y aguantándome un mistral de las polainas; si esto dura toda la noche el Ródano se va a desbordar y yo me ahogo en la panza del dragón, [...]" (p. 17).

El comentario metaficcional que a modo de interpolación interrumpe el discurso narrativo le permite al escritor fusionar tiempos y amalgamar lo vivido con lo imaginado sin traicionar al lector con una mentira embellecedora ("No se trata de mentir por razones estéticas...").

Recordemos, por otra parte, que tanto en prosa como en poesía la modificación del productor o del receptor del texto acarrean su ficcionalización independientemente del hecho de que sus zonas de referencia constituyan o no un mundo con vida propia. Así, una mera expresión de sentimientos puesta en boca de un hablante ficticio o dirigida a un destinatario ficticio constituye un texto tan ficcional como cualquier otro de tipo representativo.

Con todo, es preciso admitir que la observación de Todorov tiene validez para una buena parte de la poesía lírica a la cual, en efecto, no se le puede ni adjudicar ni negar fácilmente la condición de ficcional. Las razones de este fenómeno son, empero, de otro orden de las señaladas por dicho autor. Para comprenderlas mejor es conveniente recordar un rasgo propio del discurso ficcional que ha sido puesto de relieve, desde diversas perspectivas teóricas y con diversa terminología, por casi todos los estudiosos del tema. Cuando se habla de la duplicación o del desdoblamiento de los roles de productor y receptor o cuando se menciona el fenómeno del *double-bind* ("doble conexión") se alude al hecho de que, pragmáticamente, el discurso ficcional se define por la simultaneidad contradictoria de dos situaciones que disponen cada una de su propio sistema deíctico: una situación interna de enunciación con locutor (es) y destinatario (s) entra en conflicto con una situación externa de recepción, en la que el destinatario (el lector real) se ve privado de una relación directa con el locutor real (el autor) (Warning, 1979).

El teatro constituye la ejemplificación típica de este fenómeno: la situación de los personajes que dialogan en el interior del drama coexiste contradictoriamente con la situación dialógica del espectador, quien recibe el mensaje de un locutor ausente (el autor) a través del texto dramático.

La simultaneidad conflictiva de situaciones enunciativas se puede describir, asimismo, poniendo especial énfasis en la posición del productor del discurso. El grado de complicación varía según los tipos discursivos. Así, en la narrativa se pueden distinguir por lo menos tres situaciones de enunciación simultáneas y opuestas: 1) la del autor que en tal o cual fecha, en tal o cual circunstancia de su vida, en tal o cual lugar y de tal o cual manera escribe por ej. una novela; 2) la del narrador que cuenta los sucesos siendo o no un personaje de la historia y 3) la situación de los personajes que dialogan en el interior de la historia. Por lo común, la única situación tematizada por el texto es la de los personajes dialogantes. La situación de escritura queda por definición fuera de él. Y la situación narrativa en el sentido de las circunstancias concomitantes del acto de narrar, raramente resulta especificada. Sólo cuando el narrador se incluye a sí mismo en la historia su posición puede ser materia de interés (solo en este caso puede darse que se especifique —pero no. es forzoso que ocurra— en qué momento y en qué circunstancias narra lo vivido). Cuando en cambio, el narrador es una voz anónima, la convención novelística suele ignorar las circunstancias del acto narrativo, del mismo modo que pasa por alto que narrar lleva tiempo.

En un relato no ficcional la situación del autor y la del narrador son una y la misma: el autor narra lo que sabe o lo que vivió. En la ficción novelesca el sujeto del escrito —el autor— *imagina* unos personajes y unos sucesos a los que el sujeto de la narración —el narrador— *se refiere* familiarmente. El autor, ser real, *construye* unas figuras humanas y unas trayectorias vitales que sólo existen dentro del universo de su obra. El narrador, ser ficcional, *conoce* esas figuras, *está enterado* de lo que les ocurre, *sabe* con frecuencia lo que piensan y lo que sienten. El autor imagina y registra por escrito el discurso del narrador en un momento, un lugar y una coyuntura vital reales. El narrador sostiene su discurso —narra la historia— en una circunstancia que por lo común no se precisa pero que generalmente se ubica en un momento posterior al de los sucesos narrados. Hay que aclarar aquí que mientras que la situación del narrador en tanto tal (esto es, independientemente de su posible status de personaje) sólo adquiere relieve propio en un relato que a su vez contiene otro relato, la situación enunciativa de los personajes es casi siempre explicitada de modo más o menos minucioso.

Este último rasgo no tiene nada de sorprendente cuando se consideran las diferencias sustanciales entre un texto literario ficcional y un discurso pragmático ligado a una circunstancia concreta. Por la teoría de los actos de habla sabemos que el éxito de la comunicación depende en amplia medida de la adecuación del discurso a la situación particular en que aquél se produce. Sabemos igualmente que en los casos en que el efecto del discurso no es totalmente controlable en razón de que el destinatario no comparte el "aquí y/o el "ahora" del productor, se procura evitar eventuales lagunas y malentendidos dotando al texto de un carácter especialmente estructurado y completo. El ejemplo más simple es tal vez la conversación telefónica, cuyo éxito solo está garantizado cuando el hablante incluye en su discurso todas las informaciones que en la comunicación "cara a cara" transmitiría mediante mímica y gestos. Otro tanto ocurre con el discurso epistolar, que por una convención fundada en la necesidad, se abre (o se cierra) con indicación expresa del lugar y la fecha de escritura y que, además, debe tener presentes —y resolver los conflictos— entre los sistemas deícticos temporales y espaciales del destinador y el destinatario respectivamente.

Ahora bien, en sentido estricto el texto de una ficción 'habla' en una especie de vacío situacional: no se vincula ni con la situación del autor en el acto de escribirlo ni con la del lector en el acto de leerlo. Todo lo que en la comunicación pragmática está dado de antemano, debe ser construido por el texto mismo en relación dialógica con el lector. Precisamente, una de las maneras de generar las condiciones de comprensión, de crear un marco situacional en el que lector y texto puedan converger, es delinear la situación interna de enunciación con nitidez suficiente como para que se perciba su relación contradictoria con la situación de escritura. Esta contradicción, que en el teatro representado adquiere la contundencia de lo visto y oído y que en la narrativa se pone de relieve —entre otras cosas— por las capacidades de conocimiento suprahumanas del narrador (frente a las muy humanas limitaciones del autor), no se perfila ni siempre ni con igual claridad en el ámbito de la poesía. Es aquí donde radica la dificultad que Todorov atribuye falsamente a un supuesto déficit mimético y que lleva a la mayoría de los investigadores a dejar el "caso" de la poesía como un fenómeno incatalogable en relación con la categoría ficcional o bien a dar simplemente por sentado que entra en bloque dentro de dicha categoría y a deducir de esta premisa indemostrada la existencia de un "yo lírico" o "hablante lírico" distinto del autor.

Por mi parte, no tengo inconveniente en aceptar la presencia de un hablante desgajado del poeta a condición de que el texto del poema construya inequívocamente una situación interna de enunciación a todas luces irreconciliable con la situación de escritura.

Trilce III constituye un buen ejemplo de lo que digo:

> LAS PERSONAS mayores
> ¿a qué hora volverán?
> Da las seis el ciego Santiago,
> y ya está muy oscuro.
>
> Madre dijo que no demoraría.
>
> Angelita, Nativa, Miguel,
> cuidado con ir por ahí, por donde
> acaban de pasar gangueando sus memorias
> dobladoras penas,
> hacia el silencioso corral, y por donde
> las gallinas que se están acostando todavía,
> se han espantado tanto.
> Mejor estemos aquí no más.
> Madre dijo que no demoraría.
>
> Ya no tengamos pena. Vamos viendo
> los barcos ¡el mío es más bonito de todos!
> con los cuales jugamos todo el santo día,
> sin pelearnos como debe ser:
>
> han quedado en el pozo de agua, listos,
> fletados de dulces para mañana.
>
> Aguardemos así, obedientes y sin más
> remedio, la vuelta, el desagravio
> de los mayores siempre delanteros
> dejándonos en casa a los pequeños,
> como si también nosotros
>   no pudiésemos partir.
>
> Angelita, Nativa, Miguel?
> Llamo, busco al tanteo en la oscuridad.
> No me vayan a haber dejado solo,
> y el único recluso sea yo.

Resulta aquí evidente que la voz que en aparente diálogo con sus hermanos pequeños expresa la inseguridad y los temores de un niño en ausencia de los padres, no es la que le corresponde a un poeta adulto que, en situación de escribir un poema, da forma artística a su sentimiento —infantil y adulto— de integral desamparo. En este caso el texto poético contiene todos los elementos necesarios para que el lector pueda reconocer la circunstancia particular de la que nace el discurso y la identidad y coyuntura vital del hablante y sus inter-locutores presupuestos. Ello a su vez le permite contrastar esa circunstancia con la que, por razones extratextuales, identifica con el acto de escritura. De la dis-cordancia entre ambas se desprende la figura de un "hablante lírico", de una instancia textual vuelta persona cuyo discurso ficticio mediatiza la palabra ver-dadera del poeta: César Vallejo no registra en el blanco de la página la directa expresión verbal de su vivencia sino el discurso verosímil —nunca dicho o, al menos, ni así ni ahora— de un Vallejo-niño sólo existente en el espacio interme-dio entre la imaginación y la memoria. El que escribe no es el mismo que habla en el poema.

Pero ¿podría decirse otro tanto del comienzo de *Trilce* LVI?:

> Todos los días amanezco a ciegas
> a trabajar para vivir; y tomo el desayuno,
> sin probar ni gota de él, todas las mañanas.

¿O de "Los nueve monstruos"?

> I, desgraciadamente,
> el dolor crece en el mundo a cada rato,

¿O del siguiente comienzo de otro de los *Poemas Humanos*?

> Me viene, hay días, una gana ubérrima, política,
> de querer, de besar al cariño en sus dos rostros,
> y me viene de lejos un querer
> demostrativo, otro querer amar, de grado o fuerza,
> al que me odia, al que rasga su papel, al muchachito,
> a la que llora por el que lloraba,
> . . .

En tales textos y en todos los semejantes a ellos (que hacen indudablemente una parte importante de lo que suele entenderse por poesía lírica) no hay nin-gún indicio que obligue a suponer que el César Vallejo que escribe el poema no es el mismo que dice "Todos los días amanezco a ciegas" o "el dolor crece en el mundo a cada rato". No hay ninguna razón intra- ni extratextual que impida entender los enunciados como actos de habla del propio poeta, esto es, como manifestaciones directas de su real sentir en el instante de escribir el poema. Decir que estos textos emanan de un "yo lírico" no es más que un modo meta-fórico de aludir a una verdad de perogrullo: al hecho de que Vallejo, como to-do poeta, no emplea en ellos los recursos normales de la comunicación cotidia-na sino un lenguaje que resulta de la aplicación de un código estético particular. Audacias metafóricas, saltos temáticos, conexiones lógicas imprevisibles —en suma, los rasgos propios del texto lírico— no son aquí señales de la existencia de una voz ficticia sino expresión estética no mediatizada de cierta visión del mundo: las marcas distintivas de un discurso no-pragmático y sin interlocutor definido pero que, a pesar de ello, forma parte del aquí y el ahora del poeta en situación de escribir.

La coincidencia entre la situación interna de enunciación y la situación de escritura que es, como se señaló, condición para que el poema se lea como directo discurso del poeta, se puede presuponer en todos los casos en que el texto contenga enunciados de carácter general o bien sea expresión de pensamientos o sentimientos no ligados a una determinada coyuntura vital. Cuando, por el contrario, el texto incluye precisas indicaciones espacio-temporales o cualquier alusión a personas o cosas concretas, el lector no siempre podrá decidir —como sí suele hacerlo con una novela— si está ante enunciados reales del poeta o ante un discurso ficcional. Tal es el caso de un poema como "Heces" de Vallejo, perteneciente a *Los heraldos negros*:

> Esta tarde llueve, como nunca; y no
> tengo ganas de vivir, corazón.
>
> Esta tarde es dulce. Por qué no ha de ser?
> Viste gracia y pena; viste de mujer.
>
> Esta tarde en Lima llueve. Y yo recuerdo
> las cavernas crueles de mi ingratitud;
> mi bloque de hielo sobre su amapola,
> más fuerte que su "No seas así!"
> . . . .

El lector no tiene aquí modo de verificar ni la concordancia ni la discordancia entre el momento y el lugar tematizados en el texto y el momento y el lugar del acto de escritura. En otras palabras: no es posible comprobar (a menos que se obtuviera información directa del autor) si la tarde limeña y la lluvia de las que habla el texto, constituyeron la circunstancia real en que Vallejo lo escribió. Es por ello que en casos como éste el lector competente suele dejar de lado, como irrelevante, el presunto carácter autobiográfico de los enunciados poéticos y los lee como 'autónomos' (lo que, cuando se trata de enunciados representativos, en última instancia significa: ficcionales) o bien como manifestación figurada —enmascarada en una anécdota— de una emoción verdadera del poeta. Por comodidad, o simplemente por imposibilidad de hacer con él otra cosa, el poema es dejado en una especie de limbo, indiferente tanto a la ficción como al acto de habla real.

Formalmente *Trilce* LXI representaría el mismo caso, ya que el texto se refiere inequívocamente a una situación particular, con indicación explícita de lugar y de tiempo:

> Esta noche desciendo del caballo,
> ante la puerta de la casa, donde
> me despedí con el cantar del gallo.
> Está cerrada y nadie responde.

El poyo en que mamá alumbró
al hermano mayor, para que ensille
lomos que había yo montado en pelo,
por rúas y por cercas, niño aldeano;
el poyo en que dejé que se amarille al sol
mi adolorida infancia. . . ¿Y este duelo
que enmarca la portada?

Dios en la paz foránea,
estornuda, cual llamando también, el bruto;
husmea, golpeando el empedrado. Luego duda
relincha,
orejea a viva oreja.

Ha de velar papá rezando, y quizás
pensará se me hizo tarde.
Las hermanas, canturreando sus ilusiones
sencillas, bullosas,
en la labor para la fiesta que se acerca,
y ya no falta casi nada.
Espero, espero, el corazón
un huevo en su momento, que se obstruye.

Numerosa familia que dejamos
no ha mucho, hoy nadie en vela, y ni una cera
puso en el ara para que volviéramos.

Llamo de nuevo, y nada.
Callamos y nos ponemos a sollozar, y el animal
relincha, relincha más todavía.

Todos están durmiendo para siempre,
y tan de lo más bien, que por fin
mi caballo acaba fatigado por cabecear
a su vez, y entre sueños, a cada venia, dice
que está bien, que todo está muy bien.

La no coincidencia entre la situación de escritura y la de enunciación es aquí, sin embargo, evidente, de acuerdo con nuestro conocimiento convencional de los marcos respectivos[4]. Sabemos, en efecto, que es posible —y normal en ciertos contextos como por ejemplo una transmisión radial "en directo"— que un sujeto refiera oralmente una acción al mismo tiempo que la ejecuta, pero consideramos imposible que el mismo sujeto que realiza una acción la narre simultáneamente por escrito: no se puede escribir "Esta noche desciendo del caballo" en el momento en que uno baja efectivamente del caballo. Aun cuando las acciones narradas hayan ocurrido efectivamente, el hecho de que se las relate en presente, como si estuvieran ocurriendo, abre una brecha entre quien escribe el texto y quien narra en el texto. Por su apariencia poco 'natural' y por su notoria presencia en la novela del siglo XX, este tipo de discurso, que corres-

4.　Sobre la noción de *marco* véase van Dijk 1980 a, pp. 157 y 235-237.

ponde a la categoría genettiana de la "narración simultánea" (Genette 1972, pp. 230-231), se puede considerar marcado como literario y ficcional. La ficcionalidad del poema surge ya de este rasgo, que hace del narrador una instancia ficticia; el conocimiento adicional de que la experiencia narrada (el viaje a la casa paterna con el doloroso hallazgo de que toda la familia ya no existe) no es un hecho biográfico en sentido estricto sino la libre elaboración de la vivencia del desemparo, no modifica el estatuto del discurso ya que, como se señaló más arriba, seguiría siendo ficcional aunque el hecho referido en él se hubiera producido realmente en un momento anterior al de la situación de enunciación. El carácter ficticio de las zonas de referencia se añade redundantemente, por así decirlo, al carácter ficticio de la fuente del discurso.

Cuando, por el contrario, el texto poético refiere algún acontecimiento personal en la forma no-marcada de la "narración ulterior" (Genette 1972, pp. 229 y 232), esto es, ubicando el suceso, por medio del pretérito, en un tiempo anterior al del acto narrativo, el desdoblamiento escritor-narrador no se producirá, a menos que los objetos y hechos de referencia se puedan reconocer como ficticios. *Trilce* XXVIII ilustra esta modalidad con su característica alternancia —posible y frecuente en cualquier tipo de relato— de narración en pasado y comentario en presente:

> HE ALMORZADO solo ahora, y no he tenido
> madre, ni súplica, ni sírvete, ni agua,
> ni padre que, en el fecundo ofertorio
> de los choclos, pregunte para su tardanza
> de imagen, por los broches mayores del sonido.
>
> Cómo iba yo a almorzar. Cómo me iba a servir
> de tales platos distantes esas cosas,
> cuando habráse quebrado el propio hogar,
> cuando no asoma ni madre a los labios.
> Cómo iba yo a almorzar nonada.
>
> A la mesa de un buen amigo he almorzado
> con su padre recién llegado del mundo,
> con sus canas tías que hablan
> en tordillo retinte de porcelana,
> bisbiseando por todos sus viudos alvéolos;
> y con cubiertos francos de alegres tiroriros,
> porque estánse en su casa. Así, qué gracia!
> Y me han dolido los cuchillos
> de esta mesa en todo el paladar.
>
> El yantar de estas mesas, así en que se prueba
> amor ajeno en vez del propio amor,
> torna tierra el bocado que no brinda la
>   MADRE,
>   hace golpe la dura deglución; el dulce
> hiel; aceite funéreo, el café.

Cuando ya se ha quebrado el propio hogar,
y el sírvete materno no sale de la
tumba,
la cocina a oscuras, la miseria de amor.

Puesto que el *ahora* del primer verso se puede entender, por su combinación con el pretérito perfecto, en el sentido de "recientemente" o "hace un rato", no hay, en principio, ninguna dificultad para interpretar lo narrado como enunciados verdaderos del autor. Sin embargo, en la medida en que no es posible saber si el almuerzo solitario, sin madre ni padre, o el almuerzo en compañía de una familia ajena ocurrieron realmente poco antes de escribir el poema (ni si se trata de dos experiencias o de una sola), el texto queda, al igual que "Heces", en una suerte de tierra de nadie entre los dominios de la ficción y de la no-ficción.

La misma posición neutral, la misma indeterminación caracteriza a un amplio grupo de textos poéticos —sobre todo del siglo XX— que son, seguramente, los que Todorov tuvo a la vista para sustentar su tesis sobre el estatuto independiente de la poesía en relación con las categorías *ficcional* y *no ficcional*. En ellos domina de manera total un tipo de organización semántica que en el poema que acabamos de examinar solo aflora intermitentemente en pasajes como "ni padre que, en el fecundo ofertorio / de los choclos, pregunte para su tardanza / de imagen, por los broches mayores del sonido".

El rasgo más saltante de la frase citada es lo que, de un punto de vista intuitivo, podría caracterizarse como escasa inteligibilidad o, en términos algo más técnicos, como falta parcial de coherencia y entorpecimiento de la referencia. De todo el conjunto solo podemos inferir, al menos a la primera lectura, que el padre está ausente como la madre y que su función en la mesa —aquello que tanto se extraña en el almuerzo solitario— es cumplir con un ritual difícil de precisar al que parecen estar vinculados unos choclos y alguna pregunta de contenido indefinible. El resto son vagas asociaciones óptico-auditivas que apuntan a algo huidizo, a una presencia fantasmal *(su tardanza de imagen, los broches mayores del sonido)*.

Cuando esta tendencia a la desintegración de las conexiones entre proposiciones y partes de proposiciones se acentúa al punto que la lectura competente del crítico no puede ir más allá de la determinación de cierto tópico global (como "amor", "muerte", "desamparo", "sentimiento del absurdo", etc.) ya no tiene sentido plantearse si el texto es ficcional o no: en la medida en que las frases no pueden ser correlacionadas ni con hechos de nuestro mundo real ni con hechos de otros mundos posibles alternativos sino que parecen limitarse a autodesignarse, la imposibilidad de construir una zona de referencia vuelve inútil cualquier intento por verificar si se han producido o no modificaciones en ella.

Esta frontera de la ficción ha sido señalada, desde diferentes marcos epistemológicos, por algunos de los autores que han trabajado en la delimitación del discurso ficcional. Así, J. Landwehr sostiene que la condición para la ficcionalización de un modelo constituido en el "juego con signos" —esto es, en la manipulación de códigos lingüísticos— es que el que "juega" lo correlacione con la realidad en una comunicación reflexiva consigo mismo o bien que lo exprese para que también un receptor lo coteje con el mundo exterior o con su concepción del mundo. El modelo se vuelve ficcional si, en su desviación respecto de las reglas lingüísticas y pragmáticas vigentes en el momento y en la situación de la recepción, se lo acepta como constitución de una 'nueva' realidad. Si tan solo se lo categoriza como desviante sin que se lo pueda correlacionar con ningún mundo posible, no es ficcional. (Landwehr 1975, pp. 196-197).

Para K. Stierle, cuya demarcación coincide, a pesar del instrumental conceptual totalmente diferente, con la practicada por Landwehr, la condición de la ficcionalidad es la ligazón del texto al esquema comunicativo del enunciado. Stierle reduce así el carácter representativo o modélico de un texto a su inteligibilidad: "La ligazón de los textos ficcionales al esquema del enunciado significa que éstos deben ser comprensibles en el sentido exacto que da Wittgenstein al concepto de comprender como un 'saber cuál es el caso si (la frase) es verdadera' " (Stierle 1975, p. 99). Independientemente del hecho de que la verdad de una frase ficcional es de un orden distinto al de la verdad de una frase sobre la realidad, resulta claro que desde esta perspectiva sólo pueden ser considerados ficcionales los textos integrados predominantemente por frases cuyo sentido sea inteligible. La precisión adverbial indica que no quedan excluidos aquellos textos ubicables en la zona fronteriza entre una constitución textual ligada al esquema del enunciado y una constitución según principios dominantes no ligados a dicho esquema. Trazar líneas divisorias implica, por lo tanto, aceptar el carácter aproximativo de toda decisión relativa a una cuestión de grado: "el límite de la ficción está marcado aquí por la preponderancia del esquema del enunciado sobre las posibilidades de estructuraciones indiferentes al enunciado. Cuando dominan estas últimas surgen construcciones poéticas que se designan a sí mismas sin remitir a un correlato noético" (Stierle, *loc. cit.*).

La segunda parte de la cita nos ubica en el terreno exacto dentro del cual las afirmaciones generales de Todorov sobre la poesía adquieren una validez limitada: allí se intenta especificar, en efecto, las condiciones bajo las cuales un texto poético cesa de ser categorizable como ficcional o no-ficcional. El análisis de textos particulares nos confronta, sin embargo, con dificultades que una definición con las características mencionadas no puede contemplar. Especialmente complicado resulta, por ejemplo, decidir cuándo domina un tipo de constitución textual sobre otro y, en directa relación con ello, cuándo un poema deja de ser inteligible en el sentido arriba anotado.

2. COHERENCIA TEXTUAL

2.1. MECANISMOS QUE ASEGURAN LA COHERENCIA

Sin pretensión de agotar el problema, pienso que puede ser útil sustituir la noción de inteligibilidad por la de coherencia, señalar algunos de los mecanismos que aseguran esta propiedad del discurso y, finalmente, considerar en qué medida la institución literaria puede liberar al discurso poético de las constricciones vigentes en la comunicación cotidiana, instaurando de este modo tipos de coherencia que le serían propios.

La propiedad aludida —que en algunos modelos lingüísticos y psicológicos también es designada con términos como *cohesión* o *conectividad*— se reconoce intuitivamente en el hecho de que cada frase de una secuencia se interpreta en relación con otras frases de esa misma secuencia (van Dijk, 1980 a, p. 147). Entre los diversos fenómenos en los que se manifiesta la coherencia de un texto conviene, para nuestro propósito, retener los siguientes:

1) La *conexión* es la interdependencia semántica de las frases por parejas. El uso de conectivos (tales como conjunciones, adverbios sentenciales o partículas) no crea la conexión sino, antes bien, la presupone al hacerla explícita. Dos proposiciones son conectables con un conectivo cuando denotan hechos relacionados en el mismo mundo posible o en mundos accesibles o relacionados. Pero esta relación no es condición suficiente: en última instancia la conectividad de dos hechos denotados es que ambos se vinculen con el mismo *tópico de discurso o conversación* (van Dijk 1980 a, pp. 92-93 y 219-220).

2) Intuitivamente podemos reconocer que un discurso es "acerca" de algo. Después de leerlo o escucharlo, por lo común nos es posible decir cuál es su *tema* o cuáles son sus *temas* principales. A menudo producimos asimismo discursos (o partes de discursos) cuya función es expresar el *tema* de otro discurso, como por ej. es el caso de los resúmenes o títulos. Esta noción precientífica corresponde bastante aproximadamente a la cubierta por los términos *tópico de discurso* o *macroestructura semántica*, definible como "una proposición vinculada por el conjunto unido de proposiciones expresadas por la secuencia" (van Dijk 1980 a, p. 203).

Así como la conexión (junto con la identidad referencial de parte de los objetos denotados) es uno de los fenómenos más representativos de una forma de coherencia que podría llamarse *lineal* o *local*, la presencia de un tópico de discurso (o de varios tópicos alternativos) es lo que asegura la *coherencia global* de una secuencia de frases. Esta última parece constituir la condición mínima indispensable para la aceptabilidad de un texto. En efecto, como se señaló más arriba, dos hechos sin aparente relación directa pueden conectarse a partir del tópico de discurso. Y, a la inversa, cuando el tópico no se puede reconstruir, las diversas formas de coherencia lineal no son suficientes para dotar al texto de un sentido satisfactorio. Así, la siguiente secuencia parece inaceptable en casi todos los contextos comunicativos, por más que puedan reconocerse ciertas relaciones semánticas entre las frases por pares:

Ayer fui a una corrida de toros. Los toros son animales mamíferos. Los mamíferos se alimentan de la leche de la madre. La madre es el primer amor de todo ser humano. No es humano explotar al prójimo. La explotación de recursos minerales es la principal fuente de riqueza de nuestro país. La riqueza no hace la felicidad. . .

3) El texto precedente cumple, como acaba de indicarse, con algunos requisitos de coherencia lineal. Uno de ellos es el mantenimiento parcial de la *identidad referencial* y la *homogeneidad* de las relaciones de *diferencia y cambio*: cuando introducimos un individuo nuevo en el universo del discurso, ese individuo debe estar relacionado con al menos uno de los ya presentes en él. Lo mismo vale para propiedades asignadas a individuos o a relaciones entre propiedades (van Dijk 1980 a, pp. 147-148).

4) El requisito anterior está directamente asociado con la distribución de la información en la secuencia y, de modo particular, con el encadenamiento de los *tópicos sentenciales*. En el nivel de la estructura de la frase se puede distinguir entre lo que se dice y aquello de lo cual se dice algo o, desde otro punto de vista, entre lo ya conocido (o presupuesto por alguna frase anterior) y lo no conocido. Esta distinción, a la vez semántica y pragmática, es la que en lingüística suele designarse con los términos *tema-rema* o *tópico-comentario* (o *foco*). Esta estructura binaria se relaciona esencialmente con los referentes de los sintagmas. En general, a un sintagma se le asigna la función de tópico si su referente es un objeto ya identificado por el oyente o una propiedad convencionalmente atribuida a dicho objeto. La situación se complica cuando hay varios elementos enlazados. En tales casos el establecimiento de las funciones de *tópico* y *comentario* depende del tópico del pasaje o del discurso en general (van Dijk 1980 a, pp. 188 y 193).

5) Del punto anterior se desprende que toda información nueva se integra normalmente en la ya conocida y que ésta puede ser explícita o implícita. Al respecto cabe señalar algunas restricciones. Una de ellas es que el discurso natural denota tan solo aquellos hechos que son *pragmáticamente pertinentes*, por ej. lo que el hablante piensa que el oyente debe saber. El grado de exhaustividad informativa depende del nivel de descripción, el cual a su vez depende del tópico de discurso. Un discurso que para el nivel que le corresponde resulta excesivamente exhaustivo erosiona la cohe-

rencia tanto como un discurso que proporciona menos información de la necesaria para comprender el conjunto como un todo (van Dijk 1980 a, p. 173). En relación con esto último hay que tener presente otra restricción: cuando los hechos no mencionados son condiciones o consecuencias necesarias de los hechos referidos, consideramos que constituyen una información implícita; hay, en cambio, una verdadera laguna informativa y, con ello, un atentado contra la coherencia, cuando lo silenciado —indispensable para la interpretación de frases subsiguientes— no está presupuesto en lo referido.

2.2. LA COHERENCIA EN LOS TEXTOS LITERARIOS

Ya se anticipó, antes de pasar revista a los fenómenos de coherencia observables en el discurso natural, que las constricciones en que ellos se fundan pueden volverse inoperantes en el contexto particular de la comunicación literaria. Sobre todo en la poesía contemporánea —pero también en algunas formas de la narrativa del siglo XX— podemos encontrar secuencias de oraciones no conectadas o solo parcial y vagamente conectadas en el nivel local pero a las que es posible atribuirles cierto tópico global. A la inversa, también pueden darse discursos poéticos localmente conectados o, cuando menos, quasi-conectados por recurrencias léxicas o de otro tipo y carentes, no obstante, de un tópico de discurso capaz de abarcar el conjunto. Puede ocurrir asimismo que no se distinga con claridad si los sintagmas se refieren a los mismos individuos o a individuos diferentes, a individuos ya presentes en el universo discursivo o a individuos aún no identificados. En casos extremos, no resulta posible ni siquiera construir algún referente ni, en consecuencia, detectar tópicos sentenciales ni determinar qué información falta o sobra según el nivel descriptivo.

Si se toman como parámetro las frases y discursos aceptables para el intercambio cotidiano y las operaciones que llevan a ellos, es evidente que los tipos de textos literarios mencionados serán juzgados como incoherentes. Sin embargo, la amplia labor crítica realizada en torno a las obras literarias de mayor complejidad testimonia más bien la presuposición contraria, ya que la interpretación de un texto 'difícil' no es sino la búsqueda de conexiones no visibles y la constitución hipotética de una macroestructura semántica. La adjudicación de una coherencia local y/o global es, pues, un "acto de invención" más o menos laborioso y audaz según los casos, en el que el lector competente impone un diseño en la masa informativa, movilizando para ello no sólo su conocimiento de la lengua y del mundo, sino también de los distintos códigos estéticos operantes en el texto.[5]

El solo intento interpretativo —al que todo lector experimentado se senti-

---

5. La idea de que la coherencia literaria es "invención" del "organismo receptor" aparece bien fundamentada en Mignolo 1978, pp. 273-277. Véase además Mignolo 1975 y 1976.

rá constreñido cuando se le propone un texto como literario– supone ya la aceptación de que en literatura no hay discurso totalmente incoherente ni, por lo tanto, ininteligible. ¿Cuál es, entonces, el límite de la ficción? ¿El punto en que el discurso se vuelve mínimamente coherente? Pero, además, ¿según qué clase de coherencia?

Parece que las respuestas a estos interrogantes no pueden pasar de vagas aproximaciones mientras no se realicen estudios exhaustivos sobre los tipos y grados de coherencia según los tipos de discurso literario y los códigos estéticos en que éstos se fundan. Con todo, de momento puede resultar útil trabajar con la hipótesis de que la ficción deja de ser posible allí donde la "invención" de la coherencia no se apoya en ninguno o casi ninguno de los mecanismos que aseguran la coherencia del discurso en general. En tales casos, la elaboración de un tópico global y de tópicos parciales es, más que un conjunto de inferencias, un esfuerzo imaginativo y, por ello mismo, puede dar lugar a resultados muy distintos y hasta contradictorios según la intuición y la capacidad asociativa de cada lector.

2.2.1. Estudio de Trilce XIV

La mayoría de los poemas de *Trilce* nos permitiría ejemplificar esta situación. Veamos uno breve, *Trilce* XIV:

> CUAL mi explicación.
> Esto me lacera de tempranía.
> Esa manera de caminar por los trapecios.
> Esos corajosos brutos como postizos.
> Esa goma que pega el azogue al adentro.
> Esas posaderas sentadas para arriba.
> Ese no puede ser, sido.
> Absurdo.
> Demencia.
> Pero he venido de Trujillo a Lima.
> Pero gano un sueldo de cinco soles.

A la primera lectura llama la atención la presencia de deícticos *(esto, esa, esos,* etc.) cuya referencia queda indeterminada y la de conectivos *(cual, pero)* que no cumplen su función habitual de expresar ciertas relaciones semánticas entre pares de proposiciones.

El primer verso propone un segundo término de comparación cuyo primer término no está explícito ni implícito: "[X es] cual mi explicación". Pero, además, no es posible saber ni el contenido de la explicación ni sus condiciones o consecuencias ni en qué medida los enunciados siguientes están vinculados al acto de explicar. El sentido no se vuelve más claro mediante el cambio de puntuación que algunos críticos sugieren:

> Cual mi explicación,
> esto me lacera de tempranía.

La supuesta corrección solo restaura el esquema bipartito de la comparación pero no permite llenar cabalmente los lugares correspondientes a los dos términos en juego, dada la vaguedad referencial de *esto*. *Esto* puede interpretarse, en efecto, como un deíctico que solo refiere cuando va acompañado de una señal del hablante que ayude a identificar algún objeto de su contorno, en cuyo caso la mera base del discurso es incapaz de dotarlo de un referente. Asimismo puede entenderse como un elemento catafórico, que remite en forma condensada a todo lo que viene después en el texto y cuyo sentido queda aún por descifrar: "me lacera esto, a saber, esa manera de caminar. . ., esos corajosos brutos. . ., esa goma. . ., etc.".

En los enunciados siguientes abundan los deícticos pero todos ellos quedan en una nebulosa referencial por falta de un contexto verbal suficiente que supla en el texto escrito la información gestual propia de la información "cara a cara". La reiteración de un adjetivo demostrativo al comienzo de cada frase no sirve, pues, para identificar los objetos enumerados sino para crear una ilusión de conectividad: no podemos saber ni a qué manera de caminar específica ni a qué brutos ni a qué goma se alude, sino tan solo que se trata de objetos vagamente relacionados entre sí a través de una probable vinculación común con la experiencia de sufrimiento del sujeto hablante (*esto me lacera*).

La dificultad se acrecienta por el hecho de que las frases constituyen proposiciones truncas cuyo sentido se puede completar tentativamente al menos de dos modos: ya sea presuponiendo para cada una de ellas el predicado inicial *(me lacera)* o bien interpretando las subsiguientes frases unimembres *(Absurdo. / Demencia.)* como predicados de toda la secuencia. Semejante ambigüedad no es, por cierto, exclusiva de la poesía moderna. En el habla cotidiana e incluso en textos escritos de carácter argumentativo puede manifestarse también la intención de mantener la vaguedad de las ideas o de los actos de habla. Sin embargo, en tales casos la exigencia de interpretabilidad mínima es indudablemente más estricta que en ciertos tipos de discurso literario (van Dijk 1980 b, 129). En nuestro texto la ambigüedad es extrema no solo por el carácter lagunoso de la información sino porque resulta casi imposible —al menos de acuerdo con los significados normales de las palabras— representarse los objetos, propiedades y relaciones mencionados en los vv. 3-7 e integrarlos en algún marco cognoscitivo. No se ve, en efecto, cómo se podría incluir en nuestro conocimiento convencional de situaciones y posibles ordenamientos de hechos, elementos tan extraños, tan dispares y hasta autocontradictorios como cierta manera de caminar haciendo equilibrio, unos animales de apariencia falsa (¿o en desacuerdo con el contexto?), un objeto imprecisable formado por dos materiales conocidos (goma y azogue) en una relación insólita, una parte del cuerpo humano en una posición contraria a la que nuestra experiencia le puede adjudicar y un objeto de naturaleza conceptual o verbal-conceptual (la idea de "lo que no puede ser" o la expresión *no puede ser*) acompañado de una predicación en la que se afirma la propiedad cuya negación lo define *(no puede ser – sido)*.

La imposibilidad de integrar estos elementos —cuya descripción misma es ya incierta— en una de las estructuras conceptuales constituidas por convención y experiencia, tiene por consecuencia que los vv. 8-9 se puedan entender como una adecuada caracterización del conjunto de objetos y relaciones mencionados en vv. 3-7. Paradójicamente solo las palabras que designan o connotan la falta de coherencia son capaces de restituir la coherencia en la porción textual en que se encuentran: *Absurdo* es el discurso y lo que intenta nombrar. Su lógica es la de la *demencia*.

Tras esta fugaz concesión al 'buen sentido', los dos versos finales desbaratan, en el momento mismo de su surgimiento, el tenue entramado de conexiones interproposicionales y lo hacen —nueva paradoja— a través de un elemento conectivo por excelencia: la conjunción adversativa *pero*. Ella sirve usualmente para introducir hechos o estados de cosas que contrarían las expectativas de lo que se considera normal, esto es, lo que ocurre las más de las veces en la mayor parte de los mundos normales posibles. Asimismo se puede emplear para presentar hechos que contradicen los propósitos o deseos de alguien cuyo punto de vista se menciona explícitamente o se presupone. Si bien los matices pueden ser muy variados, el valor que parece mantenerse constante en todos los usos de *pero* es el de una oposición o contraste frente a ciertas expectativas que se derivan de nuestro conocimiento convencional del mundo. Precisamente, lo que no parece respetarse en Trilce XIV es el carácter convencional, intersubjetivamente verificable de las expectativas a las que se opondrían los hechos mencionados en las cláusulas adversativas. No se dispone, en efecto, de ningún marco cognoscitivo que nos permita establecer —sin apelar a experiencias subjetivas intransferibles— qué presuposiciones vinculadas a la enumeración de cosas y relaciones 'absurdas' de los vv. 3-7 serían contrariadas por dos datos biográficos del sujeto hablante, cuya conexión semántico-pragmática tampoco es muy clara (migración a Lima y monto actual de su sueldo).

Después de todo lo dicho, parecería que estamos ante un texto indescifrable, que no admite más aproximación que la que corresponde a una palabra reificada, que ha dejado de trascenderse. Sin embargo, como se señaló más arriba, la ausencia de las usuales conexiones discursivas no impide en este caso —ni en todos los similares— que los lectores iniciados en la poesía de Vallejo le adjudiquen al poema un tópico global y hasta tópicos parciales consistentemente interrelacionados. La diferencia entre esta tarea interpretativa y la que exige cualquier otro texto cuya coherencia sea evidente, se muestra, empero, en la variedad y hasta incompatibilidad de las hipótesis acerca de la macroestructura semántica y sus diversas articulaciones. La prueba más cabal de que allí donde las operaciones semánticas normales están obstaculizadas, cada intérprete "inventa" una forma particular de coherencia, se puede hallar fácilmente, con solo confrontar algunas opiniones autorizadas sobre el mismo poema. Por ejemplo, sobre el tema global:

[1]   Trilce 14 debe ser visto como un poema clave, si no del libro entero, sí cuando menos para iluminar la actitud del *yo narrativo*, frente al acontecer imaginario que se resume en la poética general de *Trilce* [. . . . .] Si por ésta ["mi explicación"] se sobreen-

tiende la representación imaginativa de la realidad, merced a la palabra poética, podemos inferir que, de la misma manera o con tanta intensidad como su poesía, la toma de conciencia de la realidad lastima al yo narrativo.

(Escobar 1973, pp. 135-134)

[2] Este breve poema expresa rabia y dolor. Su motivo central es la aberración fundamental del oficialismo burocrático [...] [En nota:] Es muy probable que, en el fondo, el disgusto del poeta haya sido promovido por sus penurias financieras y la incertidumbre de su futuro. Se sabe que regresó a Lima en Marzo de 1921 y que solo en Junio "es nombrado profesor accidental de la sección primaria del colegio Guadalupe", según nos informa Ernesto More en su folleto *Los pasos de Vallejo*, Lima, s. f., p. 26.

(Neale-Silva 1975, p. 555)

O sobre cualquiera de los tópicos sentenciales, por ej., el de la frase *Esa manera de caminar por los trapecios:*

[3] [...] la versión de este verso sería "esa manera de caminar por los trapecios" manteniendo el equilibrio: ¿Pero qué equilibrio? El indispensable para no caer en el abismo, para no precipitarse en el vacío.

(Escobar 1973, pp. 136-137)

[4] A partir del verso 3, se hace patente un olímpico desdén por todo lo que es acomodaticio y falso. Vallejo debió de sentir profundo desprecio por el "trapecista" que puede cambiar de pensamiento o de lealtad, sin cargo de conciencia, según lo que dicte el interés personal [...] La palabra *trapecios* la emplea Vallejo en varias ocasiones para indicar lo variable y cambiadizo, el paso de un extremo a otro.

(Neale-Silva 1975, pp. 556-557)

O sobre los dos últimos versos y el desconcertante conectivo que los introduce:

[5] El final del poema es característico: la afirmación repentina de otra certidumbre, también inevitable pero de índole familiar, biográfica, nos ofrece un ejemplo más de esas conclusiones que no concluyen nada:
> *Pero* he venido de Trujillo a Lima.
> *Pero* gano un sueldo de cinco soles.

(Coyné 1957, pp. 117-118)

[6] La introducción de cada una de esas oraciones con el relacionante *pero*, denota su función adversativa respecto de todo el discurso anterior. Insufla un aliento sarcástico que orea la imagen elabora-

> da en los nueve versos precedentes, como si pretendiera despojar-
> la de grandilocuencia y reducirla a lo exiguo del derecho reconoci-
> do al hombre concreto.
>
> (Escobar 1973, p. 138)

[7] En los últimos siete versos recién comentados hay, sin duda, una actitud de arrogancia y una severísima condenación de un medio envilecido. Pero esta actitud apolínea la contrarrestan lue- go dos tristes consideraciones: nada puede el provinciano en la capital, ni caben protestas demasiado violentas cuando se tiene que resguardar un sueldo, por misérrimo que sea.

> (Neale-Silva 1975, p. 558)

Los pocos pasajes citados bastan para comprobar cuán disímiles —e inclu- so contradictorias— pueden ser las propuestas de lectura de distintos intérpre- tes en relación con un mismo poema. Así, mientras que [1] describe el tópico de discurso en un nivel de abstracción bastante alto y poniendo de relieve un probable sentido poetológico, [2] ofrece una paráfrasis concretizadora y bio- grafista que en parte completa y en parte 'traduce' el texto sobre la base de da- tos históricos no derivables de él. La misma oposición entre una exégesis que trabaja con conceptos generales y otra que tiende a establecer equivalencias particularizadoras se aprecia al cotejar [3] y [4]. Las divergencias pueden ser incluso del orden de la negación de sentido para una determinada porción tex- tual, como se ve en [5], frente a la adjudicación de un sentido 'evidente', que a su vez puede variar de un intérprete a otro, como surge de [6] y [7].

La libertad y, con ella, la inseguridad interpretativa que el texto propi- cia, se muestra no solo en la diversidad de las paráfrasis efectuadas por distin- tos lectores, sino también en las varias —y a veces vacilantes— explicaciones alternativas que para un pasaje puede proponer un mismo lector. Así, el se- gundo verso de nuestro poema suscita en uno de sus exégetas el siguiente co- mentario:

> El sentido podría ser cualquiera de los que aquí apuntamos o todos
> ellos conjuntamente: 1) "Esto es lo que me lacera desde mi juventud";
> 2) "Esto es lo que me hiere por ser pueril"; 3) "Esto es lo que me hie-
> re por haberme creído muy hábil y despierto". De todos estos signifi-
> cados, nos inclinamos a favorecer el tercero, por creer que hay una opo-
> sición entre "tardanza" y "tempranía". "Tardanza" es lentitud de per-
> cepción causada por la vejez, como en *Tr. XXVII: [no he tenido] ni*
> *padre que... pregunte para su tardanza / de imagen, por los broches*
> *mayores del sonido.* "Tempranía", por el contrario, sería exceso de
> confianza, fatuidad de una juventud ingenuamente segura de sí misma.
>
> (Neale-Silva 1975, p. 556)

El procedimiento de conjeturar uno de los significados posibles de la ex- presión ambigua *de tempranía* basándose en otro fragmento poemático cuyo sentido es tan poco evidente como el del verso comentado, pone al descubierto la inevitable perplejidad de cualquier lector que intente comprender un texto en el que están ausentes —o soterrados— los fenómenos de coherencia característicos de todos los tipos 'normales' de discurso.

Trilce XIV se ubicaría, en consecuencia, dentro de esa franja textual integrada por todos los discursos poéticos cuya coherencia no se descifra sino que se crea en cada acto de lectura individual y que por ello mismo vuelve ociosa la pregunta sobre su relación con la ficción. Sin embargo, en la medida en que el sujeto de la enunciación asume explícitamente el discurso como propio a través de marcas deícticas personales *(mi explicación, me lacera, he venido, gano)* y en la medida en que este rasgo se combina con la alusión a dos hechos biográficos (en los que, como vimos, se apoya Neale-Silva para su interpretación), la tentación de identificar al enunciador con César Vallejo es grande: ¿quién si no él, podría decir *Pero he venido de Trujillo a Lima. | Pero gano un sueldo de cinco soles?* ¿Se podría catalogar entonces a *Trilce* XIV como un poema no ficcional?

La respuesta a tan seductores interrogantes debe fundarse en la aprehensión del poema como un todo. No se trata de aislar de él un par de frases relacionables con hechos conocidos de la vida del poeta e ignorar o minimizar la incidencia que tiene, para su interpretación, la pseudoconectividad o la ausencia de conectividad de esas frases con todas las restantes. La imposibilidad de establecer un tópico de discurso intersubjetivamente verificable trae como consecuencia ineludible que no se puedan hacer afirmaciones de validez general sobre la situación interna de enunciación en el texto. De ello se sigue que no tiene sentido preguntarse si hay o no coincidencia entre dicha situación y la situación de escritura o, lo que es lo mismo, si habla Vallejo o un *alter ego* lírico. La idiosincracia de un discurso tan extraño tal vez solo pueda expresarse mediante una metáfora: lo que habla en el poema es la escritura de Vallejo y, en ella y a través de ella, un concierto de voces naturales e impostadas que articulan un mosaico de palabras propias y ajenas.

TERCERA PARTE

CUESTIONES DE NARRATOLOGIA

VIII

VOCES Y CONCIENCIAS EN EL RELATO
LITERARIO-FICCIONAL*

1. LAS CATEGORIAS "VOZ" Y "FOCALIZACION"

Como lo sugiere el título, el problema que está en el centro de la atención es el establecimiento de claras fronteras y, a la vez, de interrelaciones y posibles interferencias entre el *origo* del discurso (entendido fundamentalmente como *voz*, a la que pueden corresponder o no, según los casos, rasgos concretizadores que la erijan en *persona*) y la conciencia en la que tienen lugar los procesos verbalizados (pensamientos, recuerdos de situaciones o discursos propios o ajenos, sentimientos, percepciones, sensaciones elementales, fenómenos ubicables en el umbral de lo verbalizable, etc.).

El punto de partida de la reflexión sobre la posibilidad y la conveniencia de distinguir estas dos esferas en la descripción de textos narrativos se remonta a la propuesta —ya clásica— de *Genette* (1972) de mantener estricta separación entre la *voz* y la *focalización*, categorías que, en su formulación más simplificada, se resumen respectivamente a través de las preguntas "¿Quién habla?" y "¿Quién ve (o vive) los sucesos?".

Ahora bien, en la medida en que tanto las críticas suscitadas por el modelo de Genette (por ej. Rimmon, 1976) como los más valiosos estudios narratológicos inspirados en él (señaladamente Bal,1977a, 1977b, 1981a y 1981b) han puesto en evidencia que las mencionadas preguntas sólo en apariencia son fáciles de responder y, sobre todo, de un modo que respete su rigurosa independencia, considero útil efectuar una rápida revisión de esas dos categorías genettianas, así como prolongar —y corregir cuando el caso así lo exija— la reflexión sobre la necesidad de llevar hasta sus últimas consecuencias el esfuerzo por mantenerlas sistemáticamente separadas.

Bajo el rubro de la *voz* Genette estudia las diversas relaciones existentes entre el sujeto de la enunciación narrativa y lo narrado (ubicación temporal del

---

* Ponencia presentada al Congreso sobre "Semiótica e hispanismo", celebrado en Madrid, junio de 1983. Fue publicada en *Lexis*, Vol. VII, Núm. 2, 1983.

narrador respecto de la historia, participación o no-participación en ella en calidad de actor y su ubicación en una jerarquía de niveles narrativos). Bajo el rótulo del *modo* incluye, en cambio, dos aspectos que, como se ha señalado repetidamente, no se integran de modo coherente dentro de una misma clase de fenómenos: la *distancia* (que corresponde a la vieja distinción platónica *diéguesis-mímesis* y a la más reciente *showing-telling* y que Genette define tomando como criterio la cantidad de información y el grado de presencia del informante) y la *focalización*, categoría que se presenta como una reelaboración correctiva de nociones por lo común manejadas con acierto intuitivo pero no suficientemente diferenciadas de otras similares pero correspondientes al plano de la voz, como es el caso de los conceptos usualmente asociados a los términos *punto de vista, perspectiva, visión, restricción de campo* u *omnisciencia.*

Más adelante me ocuparé en forma pormenorizada de la más controvertida de estas categorías: la *distancia*, ya que para ello estimo necesario esclarecer previamente qué entiende Genette por *focalización* y cuáles son sus aciertos y desaciertos en esta materia.

Hay que reconocer, como lo puntualiza M. Bal en los trabajos mencionados, que Genette no da en ningún momento una definición explícita del fenómeno en general y que, como por su parte acota S. Rimmon (1976, p. 58), la definición de los tres tipos de focalización ("cero", "interna" y "externa") es meramente ostensiva. Ambos críticos coinciden en poner de relieve que Genette no es consecuente con su propia premisa de mantener separadas *voz* y *visión* pero cada uno de ellos arriba a una conclusión distinta: Rimmon sugiere la imposibilidad de escindirlas totalmente y, más bien, la necesidad de delinear con precisión sus interrelaciones. Bal, por su parte, consagra todo su esfuerzo a demostrar la posibilidad de practicar una distinción sistemática y extenderla a otras esferas no contempladas por Genette.

Por mi parte, intentaré demostrar que si bien es preciso corregir y/o ampliar el modelo genettiano en aquellos puntos que han quedado difusos o lagunosos, es igualmente necesario indicar ciertas debilidades de las propuestas correctivas y reivindicar el valor de la mencionada tipología focalizativa —por asimétricos que sean los criterios empleados— para esbozar una clasificación del relato literario-ficcional.

Uno de los más interesantes aportes de M. Bal es la distinción *focalizador-focalizado*, que permite analizar el fenómeno de la focalización como el resultado de la acción de un sujeto sobre un objeto. La autora no es, empero, del todo consecuente en el mantenimiento de la dicotomía cuando propone entender el término *focalización* en el sentido amplio de "centre d'intérêt", noción que a su vez comprendería el resultado de la selección de los materiales temáticos incluidos en el relato, el modo de verlos y considerarlos y su forma de presentación (Bal, 1977 a, p. 119). En verdad, "centro de interés" es una definición adecuada para *focalizador* mas no para *focalización*, término ambiguo que alude tanto a la actividad de un sujeto como al resultado de dicha actividad. "Centro de interés" es, de otro lado, algo muy similar a lo que en términos lotmanianos llamaríamos *conciencia modelizante* (*Cf.* Lotman, 1978, pp.

17-36 y 1972, p. 38)[1]: esa instancia que organiza el continuo de los datos de la experiencia a través del filtro preclasificador constituido por la lengua en su carácter de sistema modelizador primario.

El hecho de que Genette descarte el tipo de narración llamada "omnisciente" del ámbito de la focalización —ya que habla en este caso de "relato no-focalizado"—, parecería demostrar que para él la actividad focalizadora sólo es atribuible a una conciencia modelizante tal y como ella funciona en la realidad: se trataría, por tanto, de una conciencia inevitablemente lingüística (si es que en este punto se sigue a Lotman) y, sobre todo, limitada, sólo capaz de aprehender lo aprehensible con categorías humanas. Por cierto que Genette no se pregunta quién —ni por qué medios no-humanos— registra los procesos interiores de la o las conciencia (s) modelizante (s) en que se centra un relato con "focalización interna", pregunta que lo llevaría al reconocimiento de una forma más sofisticada de omnisciencia.

Bal prescinde de planteos semejantes y, ubicándose desde un comienzo dentro de las convenciones ficcionales, parte del supuesto de que lo narrado, cualesquiera sean sus características, comprende un objeto previamente focalizado. El focalizador es, por tanto, la instancia que aprehende, selecciona, evalúa y presenta cierto material que puede pertenecer tanto al ámbito de lo 'perceptible' (objetos físicos) como al de lo 'imperceptible' (objetos psíquicos, interioridad del personaje); una instancia tal que, como se comprueba, está libre de todo tipo de restricción en su actividad modelizadora, se diferencia nítidamente del narrador a condición de que se entienda que éste es tan sólo la fuente lingüística de la que procede la verbalización de cierta manera de registrar, ordenar, estructurar y apreciar los más diversos fenómenos.

Una confrontación de estas ideas con lo que, en mi opinión, constituye el aporte más valioso de A. Banfield al tema del discurso indirecto libre, puede resultar particularmente esclarecedora, como la propia Bal parece reconocerlo[2].

En un trabajo dedicado a fundamentar epistemológicamente la diferencia entre "discurso y pensamiento representados" (es decir, las dos variantes de lo que ella considera "estilo sin narrador") y el tipo de discurso del narrador que ella designa como "percepción representada", A. Banfield introduce la oposición entre *conciencia reflexiva* y *conciencia no-reflexiva*, la que a su vez se apoya de modo inmediato en la distinción sartreana entre *conciencia tética* y *conciencia no-tética* (Banfield, 1981). De especial relevancia para el tema que nos ocupa es el reconocimiento de que hablar supone necesariamente una conciencia reflexiva de lo que se habla, mientras que percibir implica una conciencia espontánea de la percepción, i.e., un proceso psíquico que no se piensa a sí

1. Una exégesis del aparato conceptual lotmaniano se halla en el cap. III "La literatura como mímesis".

2. "The attraction of Banfield's position to me, apart from the thorough and rigorously logical thinking, is the distinction she draws between reflective and non-reflective consciousness, where I see a strong congeniality with the concept of focalization" (Bal, 1981 b, p. 207).

mismo y que, en consecuencia, no va acompañado de un interno discurrir a través de las imágenes acústicas de las palabras o de los conceptos asociados a ellas.

Aplicado a las convenciones ficcionales literarias, dentro de las cuales el pensamiento es "discurso interior", podría decirse que todos los fenómenos ubicables en el ámbito de la conciencia reflexiva se manifiestan en forma de discursos del personaje que el narrador puede referir de variadas maneras: desde la 'cita literal' (entendida como mera propuesta de literalidad de lo pensado o, lo que es lo mismo, como la formalidad de atribución inmediata de lo pensado a la 'voz interior') hasta el puro resumen conceptual en el discurso indirecto no-mimético o incluso en el discurso narrativizado[3]. En cambio, todo lo ubicable en el ámbito de la conciencia no-reflexiva se manifiesta exclusivamente en la forma del discurso del narrador pues lo que el personaje 've' (aprehende de modo espontáneo, sin reflexión sobre su propia actividad) no va acompañado de palabras: la ficción quiere que en este caso se respete el fenómeno de la no-verbalización propia concomitante.

Así planteadas las cosas, la noción de focalización de Bal, como ella misma lo admite, guarda estrecho parentesco con la "percepción representada", en la que Banfield ve la manifestación textual de la conciencia no-reflexiva del personaje. En apariencia la división es tajante y nítida: hablar supone reflexionar; focalizar supone no-reflexionar y, en consecuencia, no hablar. El focalizador, en tanto instancia perceptiva, carece de voz; esta última es patrimonio del narrador, quien verbaliza, en un acto propio de su conciencia reflexiva, una materia previamente focalizada sin participación de la reflexión ni del lenguaje que le es concomitante.

He hablado de apariencia porque una mirada más atenta a los procesos psíquicos que ahora nos ocupan nos revela que ni en la realidad ni en la ficción resulta fácil deslindar la pura percepción (algo semejante al registro mecánico de una cámara fotográfica) del conjunto de pre-conceptos, sentimientos y valoraciones que suelen acompañarla. A diferencia de la máquina, el hombre interpreta lo que ve, le adjudica un sentido y un valor, lo asocia a placer o disgusto, si bien en diferentes grados de conciencia reflexiva y con distinta intensidad según los casos. Las percepciones son algo más que la pura aprehensión de los objetos y sus comportamientos: es natural que se integren dentro de sistemas conceptuales y valorativos por cuanto se relacionan también con las cualidades de los objetos percibidos y las relaciones abstractas que éstos mantienen entre sí. Por cierto que en la ficción literaria se puede hacer caso omiso de la complejidad del proceso y reducir la visión a una suerte de descripción pictórica. Pero que por lo común no es así surge claro del hecho de que en la mayoría de los pasajes citados por quienes han estudiado los rasgos lingüísticos de la "percepción representada" (por ej. Brinton, 1980) suelen aparecer

---

3. Sobre las diferentes maneras de referir el discurso ajeno, véase Rojas 1980-1981 y el capítulo IX del presente libro "Semiótica del discurso referido".

fragmentos en estilo indirecto libre que parecen corresponder al trabajo de la conciencia reflexiva en torno a la percepción.

2. INCRUSTACION

Otra de las más importantes contribuciones de Bal a la ampliación y ajuste del modelo genettiano es la transferencia de la idea de *niveles narrativos* a las esferas de la voz y de la focalización respectivamente. También en este aspecto Bal es más consecuente y estricta que Genette en la separación: considera que hay *incrustación* (i.e., cambio de nivel) toda vez que una fuente de discurso cede la palabra a otra fuente de discurso y toda vez que un focalizador cede la visión a otro focalizador. Dado que parte del supuesto de que entre narrador y focalizador existe una relación jerárquica (independientemente del hecho de que ambas instancias puedan coincidir en una misma entidad personal) en la medida en que lo narrado —los enunciados del nivel inmediato inferior a aquel en que se ubica el acto de enunciación— comprende un objeto ya focalizado pero no viceversa, da por sentado que el cambio de voz supone cambio de focalizador mientras que puede haber cambio de focalizador sin cambio de voz.

Para que haya incrustación la transición de una a otra unidad debe estar asegurada por claras señales, las unidades en cuestión deben estar ordenadas jerárquicamente (en una relación de subordinante-subordinado) y deben pertenecer a la misma clase. En el caso de incrustación de discursos, la transición aparece asegurada por el discurso atributivo o por otro tipo de marcas (signos gráficos como dos puntos, guiones, separación de frases, atribución implícita en la frase del nivel superior, etc.) que funcionan como los introductores habituales del discurso directo o 'citado' (Bal, 1981a, p. 43). Considera Bal que sólo en este caso hay cambio de nivel —independientemente de que el discurso directo sea narrativo o no lo sea— mientras que en el discurso indirecto libre no lo hay (Bal, 1977a, p. 122) y, por cierto, tampoco en el discurso indirecto.

Uno de los aspectos en que su propuesta resulta poco convincente es la postulación de una simetría demasiado estricta entre incrustación de voz y de visión. Algo mecánicamente asume Bal que la presencia en un enunciado de un verbo que designa cualquier proceso mental de un personaje, implica un cambio de focalización. En mi opinión, resulta abusivo homologar las funciones de tales verbos con las de un *verbum dicendi*. Mientras que la presencia de este último por lo común obliga a suponer que no sólo cambia el sujeto de la acción verbal sino también que el producto de dicha acción —el discurso— es un hipodiscurso incrustado en el discurso que contiene el *verbum dicendi*, no ocurre otro tanto con un verbo como *recordar, desear, oír* o *ver*: en muchos casos el verbo en cuestión señala la presencia de un segundo focalizador pero no necesariamente el paso de un nivel a otro. Los textos con los que Bal trata de ilustrar incrustaciones focalizativas (1981a, pp. 46-47) son todos discutibles, ya que si bien hay más de un sujeto focalizador dentro de una misma frase, no puede afirmarse que el focalizador primero le 'ceda la visión' al segundo del mismo modo que en un discurso directo el hablante primero le 'cede la palabra' al segundo (lo que implica que el hablante primero no habla sino que se limita a re-producir un discurso ajeno sin asumirlo como propio ni comprometerse con él, *Cf.* Martínez-Bonati, 1978, p. 142). Así, en un ejemplo del tipo: *Entonces recordé que la víspera había oído en sueños un chirrido desagradable*, es verdad que hay dos focalizadores con la misma identidad personal (el yo que recuerda y el yo que oye en sueños), pero ello no permite afirmar que cada yo focalice —concretamente *oiga*— el chirrido de diferente manera. Sí habría una verdadera incrustación si el yo que recuerda, por ej. un adulto que reconstruye una experiencia de infancia, presentara la vivencia rememorada de un modo que correspondiera a su conciencia modelizante infantil y no a su actual conciencia adulta. Para que la transición esté asegurada y resulte nítida, el objeto focalizado debe estar presentado de tal forma que surja inequívocamente que es producto de una actividad modelizadora —perceptiva, interpretativa, evaluadora— diferente de la del focalizador primario.

La división en dos niveles y el paso de uno a otro es evidente —incluso sin que medie ninguna señal textual— cuando un focalizador primario extra- y heterodiegético, cuya actividad es verbalizada por un narrador con las mismas características, presenta el producto de la actividad perceptiva de un personaje cuyos procesos de conciencia están alterados por razones permanentes o coyunturales (demencia, debilidad mental, borrachera, situación traumática, etc.) y que, en consecuencia, no reconoce bien los objetos del mundo circundante, los percibe con un considerable grado de distorsión, no logra establecer relaciones coherentes entre ellos o no les adjudica el sentido adecuado. Así por ej., en el siguiente pasaje del cuento de J. Cortázar "La noche boca arriba" se pueden distinguir claramente la visión de un focalizador primario objetivo y anónimo que registra las experiencias externas e internas de un motociclista que a raíz de un accidente de tránsito es conducido a un hospital, y la visión del personaje, quien por efecto del fuerte trauma psico-físico vive buena parte de los sucesos como a través de una bruma, sin capacidad de identificar con precisión la naturaleza y funciones de personas y objetos:

> La ambulancia policial llegó a los cinco minutos, y lo subieron a una camilla blanda donde pudo tenderse a gusto. Con toda lucidez pero sabiendo que estaba bajo los efectos de un shock terrible, dio sus señas al policía que lo acompañaba.
>
> . . . .
>
> Lo llevaron a la sala de radio, y veinte minutos después, con la placa todavía húmeda puesta sobre el pecho como una lápida negra, pasó a la sala de operaciones. *Alguien de blanco, alto y delgado, se le acercó y se puso a mirar la radiografía. Manos de mujer le acomodaban la cabeza, sintió que lo pasaban de una camilla a otra. El hombre de blanco se le acercó otra vez, sonriendo, con algo que le brillaba en la mano derecha. Le palmeó la mejilla e hizo una seña a alguien parado atrás.* (Cortázar, 1964, pp. 170-171).

La verbalización del producto de la actividad focalizadora incrustada (aquí en cursiva) muestra a las claras la trasmutación del médico cirujano en una indeterminada figura blanca, la de la enfermera ayudante en la sensación táctil de manos femeninas en acción y la del bisturí en una mera cosa brillante.

En cambio de nivel es igualmente nítido en el siguiente fragmento del cuento de J. R. Ribeyro "Terra incógnita", en el que todo lo que pongo en cursiva representa la visión incoherente y confusa del protagonista, un culto profesor amante de la antigüedad clásica que sufre los efectos de una borrachera:

> Se entretuvo mirando las repisas cimbradas por el peso de la botellería, pero cuando quiso realmente implantar un sentido, un orden a lo que lo rodeaba se dio cuenta que nada comprendía, que no había entrado a ningún lugar ni nada había entrado en él [...] *Figuras cetrinas en saco blanco patinaban sobre las baldosas con platos en la mano, una sirena gorda surgió en un apartado acosada por una legión de perfiles caprenses, por algún sitio alguien secaba vasos con un trapo sucio, algo así como un chino hacía anotaciones en una libreta, alguien rió a su lado y al mirarlo vio que desde millones de años atrás afluían a su rostro los rasgos del tiranosaurio,* se llevó un vaso más a la boca buscando en la espuma la respuesta y *ahora la sirena era la Venus Hotentote lacerada por los tábanos, sátiros hilares se dirigían con una mano en la bragueta hacia una puerta oscura* [...] Dejó unos billetes y salió mirando escrupulosamente sus zapatos [...] . . . . (pp. 9-10).

En otros casos el tránsito de un nivel a otro aparece asegurado por la presencia de operadores modales epistémicos y/o valorativos o expresiones equivalentes que verbalizan la actitud de distanciamiento del focalizador primario en relación con el producto de la actividad perceptiva del focalizador secundario. Así, en el siguiente pasaje de *Pubis angelical* de M. Puig resulta evidente que el focalizador anónimo extra y heterodiegético que presenta a la protagonista de la historia ("el Ama") con la minucia objetiva de una cámara cinematográfica, le cede la visión pero dejando reiteradas señales de que lo que ella ve es el resultado de su estado anímico y de su fantasía desbordada:

> Volvió la mirada hacia el cuarto. El respaldo de la cama, de madera tallada policroma, terminaba en nubes y ángeles flotantes. *Uno de ellos, de mirada extraña, como de pez, parecía observar al Ama.* Esta a su vez lo miró fijo. *El ángel parecía pestañear, sus párpados bajaron y volvieron a subir, según impresión del Ama* (pp. 10-11; mía la cursiva).

Un ejemplo aún más drástico de separación entre el nivel de focalización englobante y el nivel englobado, así como de distanciamiento irónico-crítico del focalizador primario frente a lo que perciben, interpretan y presentan como auténtico personajes focalizados por él, es un curioso pasaje de *La guerra del fin del mundo* de M. Vargas Llosa (pp. 44-45) en el que alternan contrapuntísticamente dos visiones opuestas: fría, objetiva, totalizante la una, comprometida y limitada la otra. En él un focalizador y un narrador extra- y heterodieguéticos confluyentes en una misma entidad anónima e impersonal, cercana a la omnisciencia, ceden primero la visión —mas no la voz— a un focalizador intra- y homodieguético de carácter colectivo, los policías, quienes no identifican al protagonista (un fanático predicador) ni a sus seguidores sino que tan sólo ven:

> un enjambre de seres amorfos, arremolinados en torno a alguien que debía ser el que buscaban.

El discurso indirecto libre se infiltra de pronto en los mecanismos de la percepción representada, como muy frecuentemente suele ser el caso (*Cf. supra*, pp. 230-231);

> ¿Eran cien, ciento cincuenta, doscientos?

expresión correspondiente a la evaluación de la percepción, i.e., al trabajo de la conciencia reflexiva de los policías en torno a lo que están viendo con dificultad. Enseguida, el narrador-focalizador retorna a la representación de la percepción ajena y anticipa el previsible discurso jactancioso de los policías acerca de esa percepción:

> Todos mostraban —así lo contarían a sus mujeres, a sus queridas, a las putas, a sus compañeros, los guardias que regresaron a Bahía— unas miradas de inquebrantable resolución.

para desenmascarar de inmediato la falsedad de tal discurso e implícitamente el falseamiento de la percepción al acotar:

> Pero, en verdad, no tuvieron tiempo de observarlos ni de identificar al cabecilla [. . .]

A partir de este punto, el narrador-focalizador primario impone su propia visión y valoración correctivas en un estilo narrativo autoritario:

> [. . .] la turba se les echó encima, en un acto de flagrante temeridad, considerando que los policías tenían fusiles y ellos sólo palos [. . .].

3. TIPOS DE FOCALIZACION

A la luz de las reflexiones precedentes es posible redescribir con exactitud los tres tipos de focalización de que habla Genette y replantear sus criterios clasificatorios de un modo que permita salvar en parte las incongruencias señaladas por Bal. Considero que esta revisión, a la vez correctiva y reivindicativa, puede ser de utilidad, en la medida en que la tipología en cuestión no carece de valor para caracterizar técnicas narrativas ligadas a códigos estéticos epocales o a preferencias de autor.

Bal (1977a, p. 113) observa que la distinción entre "focalización cero" y "focalización interna" radica en la instancia focalizadora, la cual en el primer caso 've' más que el personaje y en el segundo caso exactamente tanto como él.

A esta diferencia de grado de conocimiento se opondría —sin relación alguna con ella— una diferencia en los objetos focalizados, que separaría la "focalización interna" de la "externa", ya que en aquélla el personaje 've' mientras que en ésta 'es visto' desde afuera. Así planteadas las cosas, y tal como el propio Genette las presenta, la asimetría es innegable. Sin embargo, el hecho de que Genette caracterice la clase de narración tradicionalmente llamada "omnisciente" como relato "no-focalizado", deja entrever que no se guía tan sólo por el inadecuado criterio de la "ciencia" del narrador —la que, indudablemente disminuye del primero al tercer tipo— sino que, como lo señalamos más arriba (*Cf. supra*, p. 229), sólo admite que haya focalización cuando el producto de la actividad focalizadora muestra las naturales limitaciones de una conciencia modelizante que opera con categorías humanas: "focalización interna" y "externa" tendrían como rasgo común que en el primer caso el personaje-focalizador no tiene acceso a las conciencias de los demás personajes y que en el segundo caso el focalizador primario impersonal y anónimo que ve a los personajes tampoco puede tomar conocimiento de sus motivaciones internas. Insisto aquí en que Genette no se plantea qué instancia suprahumana aprehende los procesos interiores del personaje-focalizador en los relatos con "focalización interna", quizás porque tal pregunta abriría la posibilidad de un *regressus ad infinitum* (¿quién focaliza al que focaliza al que focaliza. . .?). El hecho de que él considere que el único exponente puro de "focalización interna" es "el relato en 'monólogo interior' " (1972, pp. 209-210) parece confirmar esta presunción, ya que en él la ausencia fenoménica de un narrador extra— y heterodiegético convierte al focalizador primario en una mera presuposición sin manifestación textual alguna.

La idea genettiâna —contraria a la de Bal— de que es posible un relato no-focalizado se entiende mejor cuando se parte de una reinterpretación de la "focalización interna" aplicando algunas de las distinciones que la propia Bal introduce (en particular la noción de *incrustación*). En conformidad con ellas, un relato con "focalización interna" supondría la presencia efectiva o sólo presupuesta de un narrador-focalizador extradiegético que cede la visión a un focalizador intradiegético. Ello implicaría a su vez —para que haya incrustación en sentido estricto— que el personaje focalizado y erigido en focalizador secundario no sea llamado por su nombre y que sus pensamientos, sentimientos o percepciones no sean referidos sino representados o, lo que es lo mismo, presentados en su inmediatez. Toda vez que el trabajo de la conciencia reflexiva o no-reflexiva del personaje sea objeto de análisis o comentarios que no correspondan a una actitud introspectiva del propio personaje, salimos del ámbito de la "focalización interna" y entramos al de la "focalización cero". Cuando los procesos interiores son referidos, descriptos sumariamente, comentados o evaluados, el personaje deja de actuar como focalizador para convertirse en mero objeto de conocimiento de una instancia superior a él que coincide con la voz que narra sus vivencias a modo de informe o diagnóstico (el tradicional "narrador omnisciente"). La "focalización cero" supone, por tanto, una instancia focalizadora que, *stricto sensu*, no focaliza, i.e., no 'observa', no 'aprehende', sino que simplemente 'sabe' lo que el personaje experimenta. He aquí, en mi opinión, el rasgo básico que justifica el considerar este tipo de omnisciencia como exponente de la ausencia de focalización. La otra clase de 'omnisciencia' a que me referí más arriba (*Cf. supra*, pp. 229 y 236) y a la que, en verdad, no le cuadra un nombre tal, es la propia de una instancia que no 'sabe' independientemente de la observación, a la manera divina, sino que aprehende y presenta con la inmediatez de una cámara registradora una conciencia en acción. Puesto que la capacidad de percibir de modo directo lo imperceptible no tolera ninguna forma —ni explícita ni implícita— de motivación epistémica[4], la convención literario-ficcional admite en este caso, como lo demostraré más adelante, una fantasía irrealista mucho más drástica que la representada por la omnisciencia de la novela decimonónica, con la consecuencia paradójica de la obtención de una ilusión de realidad mucho más intensa.

En las antípodas de este procedimiento se encuentra el que Genette bautiza precisamente con el término antonímico de "focalización externa". En esta categoría quedarían incluidos todos los relatos o fragmentos de relatos en los que el material del discurso narrativo ha sido previamente modelizado por un focalizador sólo capaz de registrar objetos perceptibles, en consonancia con las reales posibilidades humanas. Tal es el caso del narrador-focalizador extra- y heterodiegético —él mismo impersonal e 'imperceptible'— de las novelas "a lo Dashiel Hammet" pero también el de cualquier focalizador intradiegético que, en tanto personaje, no puede focalizar los procesos de conciencia de otro personaje. Expresada sumariamente, la diferencia radicaría, por tanto, en que en un relato con "focalización interna" el personaje es visto en su interioridad mientras que él a su vez sólo es capaz de ver a los demás en sus comportamientos externos, visibles y audibles. En el relato con "focalización externa" tanto el personaje que ve a los demás personajes como la instancia extradiegética por la cual él es visto adolecen de la misma limitación.

De todo lo dicho se deduce que el relato con "focalización interna" implica la presencia de un focalizado 'imperceptible' (la conciencia del personaje) que a su vez funciona como focalizador de focalizados exclusivamente 'perceptibles'.

Si tenemos en cuenta las relaciones posibles entre el focalizador extradiegético y el focalizador intradiegético que constituye el objeto de observación del primero en el complejo tipo de la "focalización interna", descubriremos algunas variantes de interés.

En primer lugar, cabe distinguir entre una relación de identidad personal y una relación de no-identidad. El primer caso, contemplado por el propio Genette, es bastante frecuente en el relato autobiográfico cuando el narrador-focalizador extra- y autodiegético prescinde de todo su saber actual y se limita a presentar la cosmovisión propia de su yo en estadios anteriores de su desarrollo psíquico; puede decirse, por tanto, que el yo adulto focaliza la

---

4. Sobre esta noción véase M. Ron, 1981, pp. 20 ss. y en esta obra el cap. IX "Semiótica del discurso referido".

conciencia del yo infantil o adolescente, el que a su vez focaliza ciertos objetos de acuerdo con sus aptitudes del momento.

Un caso especialmente digno de atención es el del monólogo interior pues éste representaría, según Genette, la forma más estricta de "focalización interna". Su definición no es simple: se trataría, siguiendo a Genette, de un discurso en presente y en 1ª persona, ya que él excluye el indirecto libre como vehículo inmediato del flujo de conciencia. Semejante discurso no sería "relato" o "historia" sino una suerte de 'hablar' interior, de verbalización de percepciones, sentimientos y ráfagas de pensamientos actuales mezclados con recuerdos, fantasías pasadas o presentes, etc., con una organización sintáctica suficientemente incoherente y fragmentaria como para sugerir la simultaneidad y las complejas interacciones de procesos que se desarrollan en distintos estratos de la conciencia.

Puesto que el monólogo interior debe ser entendido como un caso —explícito o implícito— de incrustación de visión, la cual puede ser acompañada a su vez de una incrustación en el plano de la voz, según las relaciones entre el nivel englobante y el englobado se pueden distinguir las siguientes variantes: a) Hay un narrador-focalizador primario que lo introduce, para ceder visión y palabra interior al personaje y luego reaparecer una vez concluido el monólogo; b) el texto se abre con el monólogo en forma de "discurso inmediato", esto es, no mediatizado por un narrador-focalizador primario cuya presencia, sin embargo, se hace evidente más adelante, por lo cual hay que presuponerlo como introductor implícito; c) no hay una instancia primaria, en la que confluyan el narrador y el focalizador, que ceda visión y voz. La voz y la visión son del personaje, quien no se ve ni se describe a sí mismo. En este último caso, si bien no se descarta la existencia de un focalizador extradiguético que aprehende y presenta directamente, como a través de un cristal, una conciencia en acción, el sujeto primario de la visión sólo tiene el status de una entidad presupuesta por cuanto carece de manifestación textual, i.e., de una voz que verbalice su actividad focalizadora. Con todo, hay que preguntarse si aun en este caso extremo el narrador no tiene alguna forma de presencia virtual. Textos como la novela *El beso de la mujer araña* de M. Puig, constituida casi exclusivamente por el diálogo ininterrumpido de dos personajes a la manera de un libreto teatral o como el cuento "Fénix" de J. R. Ribeyro, integrado por fragmentos alternados de soliloquios de varios personajes, no precedidos de anuncio o aclaración alguna, dan la sensación de que la historia se cuenta sola, sin ninguna instancia mediadora. Sin embargo, no parece descaminado preguntarse quién pone título, quién reparte los discursos, quién los ordena, quién los separa con signos gráficos. Uno se siente tentado a identificar esta instancia con el autor, pero ello sólo sería válido a condición de que no se establezca la ecuación autor = sujeto biográfico. Independientemente de los nombres que se adopten para designarla —"autor implícito", "autor abstracto", "sujeto del escrito", etc.[5]— creo sumamente útil

5. Sobre este tema, así como sobre la fluctuación de los nombres y de las nociones a ve-

su inclusión en un modelo narratológico que aspire a la mayor exhaustividad posible. Puesto que dista mucho de haber acuerdo sobre las funciones que se le pueden o deben atribuir, propongo entenderla como el constructo teórico que resulta de la presuposición de la existencia de 'alguien' que orquesta la polifonía del relato literario, incluida la voz del narrador extradiegético cuando ella está presente. Los casos de relato "sin narrador" a la manera del "discurso inmediato" de que habla Genette, serían, en consecuencia, interpretables como relatos sin un narrador extradiegético introductor de los discursos 'externos' o 'internos' de los personajes, pero no carentes, empero, de una instancia de escritura de la que depende la ausencia —o el 'silencio'— del narrador y que, por lo tanto, asume la función de dar manifestación textual al focalizador primario.

4. LA CATEGORIA GENETTIANA DE "DISTANCIA"

Como lo indiqué al comienzo, la más cuestionada de las dos categorías incluidas por Genette en el rubro del *modo*, es la de *distancia*. Su punto de partida es la distinción platónica entre *diéguesis* y *mímesis* o, para decirlo en los exactos términos platónicos, entre la *diéguesis simple* y la *diéguesis a través de la mímesis* (*Cf. República* 392d ss.), la cual guarda estrecha relación con las dos técnicas narrativas que en la crítica anglo-americana reciben respectivamente los nombres de "telling" y "showing". Puesto que Genette confunde la *diéguesis mimética* de Platón con la *mímesis* aristotélica y atribuye indistintamente a ambas el sentido inadecuado de "imitación", rechaza la noción de "pura mímesis" o de "puro showing". Esta posición se muestra con particular radicalismo en un trabajo previo al que ahora nos ocupa (Genette, 1970) en el que lanza una tesis que en su formulación más sintética y provocativa reza: "Mímesis es diéguesis" (p. 198). Con ello quiere significar que sólo puede hablarse de *mímesis* (en el correcto sentido de "representar por medios verbales") en aquellos casos en que un hablante *relata* acciones ajenas o propias en lugar de ejecutarlas o bien refiere en las diversas formas del estilo indirecto discursos ajenos o propios en lugar de citarlos o pronunciarlos[6]. En su modelo narratológico Genette asume, empero, una actitud menos drástica: rechaza una oposición polar entre un "puro decir" y un "puro mostrar" y propone reconocer una gradación entre distintas formas de crear la ilusión de mostración directa a través del decir. Para ello distingue el *relato de sucesos* del *relato de palabras*. En el primer caso la mínima distancia, entendida como la forma capaz de crear la mayor ilusión de mímesis, estaría dada por un máximo de información y un mínimo de informador (lo cual, como ha sido señalado por Rimmon, 1976,

---

ces bastante divergentes cubiertas por ellos, compárense Booth, 1970, Schmid, 1973, Lintvelt, 1981 y Isbasescu Haulica, 1981.

6. Para una pormenorizada refutación de esta tesis véase en este libro el cap. III "La literatura como mímesis".

p. 49 y Bal, 1977a, p. 112, remite respectivamente a dos categorías ajenas al *modo*: la *duración* y la *voz*). En el caso del *relato de palabras*, la mínima distancia estaría representada por el discurso directo, que él llama —consciente de su propia contradicción— "imitado" o "citado", el grado intermedio correspondería al "discurso transpuesto" (que abarca todas las formas del estilo indirecto, desde las no-miméticas hasta el indirecto libre), y el máximo de distancia coincidiría con el "discurso narrativizado", i.e., con la reducción de la acción verbal a un suceso más.

Si bien con menor énfasis que en el trabajo sobre "Fronteras del relato" (Genette, 1970) subyace aquí nuevamente la idea de que el discurso directo, por mucho que lo llame "imitado", no mimetiza nada, sino que repite un discurso real — si es que ha sido efectivamente pronunciado— o bien constituye verbalmente un discurso ficticio.

Al respecto creo imprescindible aclarar que si bien el discurso directo de la ficción representa un caso muy distinto del de la cita literal en la praxis comunicativa cotidiana, no se lo puede considerar "perfecta imitación" en el sentido genettiano de "exacta repetición de sí mismo" o de "autorrepresentación". Si por *mímesis* de un discurso se entiende, en el sentido propiamente aristotélico, la representación del posible discurso de un posible carácter, esto es, la presentación no mediatizada por la palabra ajena de lo que una persona posible pudo haber dicho, entonces no se puede hablar de "imitación" de un objeto particular y concreto —así sea éste un discurso—, sino de presentación de un objeto que se propone como paradigma de una *clase* de objetos. Ello implica que a pesar de que no haya en la ficción un "original" que el discurso directo repita a la letra, la convención literario-ficcional (de Aristóteles en adelante) no admite que tal tipo de discurso sea recepcionado como un texto independiente de todo otro y recién constituido o autogenerado.

Cuando se habla de literalidad en relación con un texto literario ficcional, es evidente que no se trata de la *reproducción* (en sentido estricto) de un discurso efectivamente dicho sino de un modo particular de presentación de un discurso ficticio dentro del discurso igualmente ficticio de otro hablante. La única condición ineludible del discurso directo ficcional es la presuposición de la existencia de un discurso 'originario' y el mantenimiento, en la supuesta 're-producción', del sistema deíctico —personal y espacio-temporal— correspondiente al supuesto productor del texto referido. El uso de esta manera de referir constituye, en consecuencia, tan sólo una propuesta convencional de reproducción, así como una propuesta igualmente convencional de fidelidad a la palabra dicha. Es ello lo que hace posible la existencia de variedades que como el "discurso directo despersonalizado" (Voloshinov, 1976, p. 148) implican la contradicción de presentar una versión conceptualizada de discurso ajeno atribuyéndola de modo inmediato a la fuente lingüística original. Al proceder de este modo, el hablante que refiere adopta el comportamiento verbal de quien *re-produce*, de quien sólo 'presta su voz', cuando en verdad *produce* un discurso cuyo contenido es ajeno pero cuya textura verbal es propia. En relación con este último rasgo, el estilo directo despersonalizado no se diferencia en nada de las formas no-miméticas de estilo indirecto, las cuales se caracterizan precisamente por ofrecer modificaciones analíticas del contenido del discurso referido. Su inverosimilitud lingüística, que en la narrativa literaria se manifiesta en la total homogeneidad de la palabra del narrador y la palabra de los personajes, resultará más o menos notoria según el *verosímil genérico* correspondiente (*Cf.* Cap. V, pp. 115 y ss.). De ello se desprende que lo que venimos llamando —a falta de un mejor término— la literalidad del discurso directo, abarca un amplio espectro de posibilidades de reproducción (o pseudo-reproducción): puede implicar la necesidad de respetar cuidadosamente el verosímil lingüístico o, por el contrario, puede limitarse al aspecto puramente formal de la atribución del discurso a una fuente lingüística distinta de la primaria. Un interesante ejemplo del carácter convencional, variable y a veces sólo formal de la propuesta de literalidad en el entramado discursivo de la novela, se halla en el siguiente pasaje de *La vida exagerada de Martín Romaña* de A. Bryce Echenique:

> —Inés, tengamos un bebé —le decía, lleno de pasión, le rogaba llenecito incluso de inyección erectiva—. Nadie más maternal que tú, Inés.
> [. . .] pero Inés erre con erre de Cabreada en Castilla la Vieja terca.
> —Déjate de sentimentalismos, Martín. Un bebé no cabe en una mochila en ningún tipo de lucha marxista-leninista por el poder.
> Esto último es tan sólo una manera de contar las cosas, pero de gran utilidad si se desea ser muy breve, por la gran cantidad de connotaciones que trae. Lo explica todo.
> En fin, el bebé nunca llegó a París, [. . .] (p. 565).

En este texto el narrador del relato autobiográfico —alter ego del autor— tematiza el recurso que él mismo emplea para referir la réplica de su mujer a su demanda de tener un hijo dejando en claro que con el discurso directo no está refiriendo sus palabras exactas sino su postura ideológica en relación con el tema y que se trata, por ello mismo, de un modo económico de narrar un diálogo reiterado con distintas variaciones en distintas oportunidades.

Otro ejemplo todavía más radical de la posibilidad de que la propuesta de cita literal aparezca retroactivamente negada por quien se presenta en un comienzo como mero reproductor es el siguiente pasaje de *El jardín de al lado* de J. Donoso, en el que el narrador —autodiegético como en el caso anterior—, tras referir en forma de discurso directo una interminable serie de denuestos y reproches dirigidos a su mujer mientras ésta se ducha, acota de inmediato:

> Puedo, o puedo no haber dicho estas cosas —me inclino a creer más bien que no—, junto a la puerta del cuarto de baño, mi vejiga a punto de reventar, oyendo caer el agua de la ducha. En todo caso, como dicen que sucede en el momento justo antes de la muerte, todas estas acusaciones y defensas y protestas y quejas pasaron en aceleradísima sucesión por mi mente. Quizás haya dicho algunas, pero no expuestas como aquí, sino fragmentadas, interjecciones apenas emblemáticas de mi zozobra. Algo, sin embargo, debo haber dicho, porque Gloria dejó de tararear y cortó la ducha (p. 27).

El texto no sólo es interesante por poner en evidencia el carácter retórico del modo de presentación del propio discurso y por desenmascarar su condición de pseudo-cita como una forma de ficción dentro de la ficción sino, además, por tematizar en términos del verosímil lingüístico las relaciones entre procesos emotivos y su verbalización.

5. HACIA UNA NUEVA NOCION DE "DISTANCIA"

La reflexión sobre el problema de la literalidad y de la verosimilitud lingüística en relación con determinadas formas de referir discursos me ha hecho ingresar de lleno en el terreno de la *voz*, con lo cual parezco haberme apartado de la discusión en torno a la categoría genettiana de *distancia*. Sin embargo, como lo anoté más arriba (pp. 228 y 238-239), la interferencia de niveles descriptivos que, al menos en los planteos programáticos de Genette, debían mantenerse separados, procede de su propio modelo. No creo oportuno insistir aquí en el contraste entre intenciones y resultados sino, más bien, proponer una nueva manera de entender dicha categoría, que la saca del marco estrecho del *modo* —dentro del cual ciertamente no encuentra ubicación cómoda— y que la sitúa, sin temor de contaminaciones, en la zona de intersección de la *voz* y la *focalización*.

Algunas ideas no integradas en un verdadero sistema teórico pero sí muy sugerentes de W. C. Booth en torno a este tema (Booth, 1970) me han hecho pensar en la utilidad que podría tener —para la descripción de tipos literarios ficcionales— aplicar la metáfora de la distancia no ya a la mayor o menor proximidad con que el universo ficcional es puesto ante el lector implícito (y por su intermedio ante el lector real) sino a la ubicación del narrador y del focalizador extradiegéticos respecto de la actividad discursiva y focalizativa de sujetos intradiegéticos.

La distancia de que me propongo hablar se puede caracterizar, por tanto, en líneas generales, como el grado de identificación, en sentido literal, de una instancia con otra o bien, en un sentido más lato del término, próximo a aquél en que lo emplea Booth, como el grado de identificación o de oposición afectiva o intelectual en relación con formas de modelizar los datos de la experiencia o de emitir juicios sobre ellos.

5.1. La voz del narrador y sus relaciones con las voces de los personajes

Veamos, en primer término, cómo se plantea el fenómeno en el ámbito de la *voz*. Para ello comenzaré por examinar lo que acontece con las formas de discurso que, en contradicción con su propio sistema, Genette incluye dentro de su concepción modal de *distancia*.

Si se parte de las complejas y dinámicas interrelaciones entre el discurso

241

que refiere y el discurso referido y se acepta, con Voloshinov (1976, pp. 148 y ss.) que existen dos tendencias básicas (la una a marcar claras fronteras entre ambos y la otra a difuminar los límites por infiltración progresiva de uno cualquiera de los dos sobre el otro), se puede medir la distancia por el mayor o menor esfuerzo de la voz primaria —la que refiere— a separarse de la voz secundaria —aquella de la que supuestamente dimana el discurso referido.

El relato 'sin narrador' o "discurso inmediato", que para Genette representa la mínima distancia entre el universo ficcional y el lector, de acuerdo con mi propuesta representaría la figura inversa: la máxima distancia entre el narrador y lo narrado. Ello se expresa precisamente en la ausencia fenoménica del narrador introductor del discurso del personaje. El narrador, por así decirlo, deja 'solo' al personaje, 'se calla' para que éste y sólo éste asuma la palabra.

Si nos imaginamos algo así como una escala, el punto siguiente en el distanciamiento de la voz narrativa primaria estaría representado por el discurso directo. En él el narrador marca claramente las fronteras entre su discurso y el del personaje. En algunos casos, cuando se exagera el énfasis en el "discurso atributivo" y se insiste en dar relieve a los *verba dicendi* como *dijo . . . dijo . . . contestó . . . volvió a decir*, etc., se tematiza implícitamente la separación de las dos voces y sus respectivos niveles discursivos.

El indirecto configura un caso especial de distancia: en la medida en que no hay afán por separar los dos registros, la distancia parece menor que en el directo. Aquí el narrador se apropia de los discursos y quasi-discursos (sentimientos, pensamientos) del personaje y los vierte en su propio estilo y con su sola voz, sin intentar siquiera una cita fragmentaria. No hay la tendencia a marcar límites como en el discurso directo, pero tampoco se produce la copresencia de dos instancias discursivas de distinta jerarquía en un mismo nivel. Esto sólo ocurre en las formas en algún grado miméticas de discurso del narrador 'contaminado' por el del personaje y, sobre todo, en el indirecto libre[7].

En la última variante mencionada la distancia es mínima: un hablante primario, narrador de una acción verbal ajena (o propia pero anterior al ahora de la enunciación) adhiere lo más estrechamente posible al texto resultante de esa acción verbal pero sin cederle la palabra al sujeto que la ha ejecutado, sin permitir que éste diga *yo*. En una insólita constelación discursiva en que la cita no supone un no-hablar sino, por el contrario, la des-alienación de lo ajeno, el hablante que refiere cita parcialmente un texto incorporando el hablar de otro (o de sí mismo concebido como un 'otro') a su propio hablar.

5.2. El uso de las personas gramaticales

La distancia entre el narrador y lo narrado se puede medir también, siempre sin salirse del ámbito de la *voz*, según el uso de las personas gramaticales

---

7. Sobre estas formas de discurso referido y sobre el término "pseudo-directo" véase una extensa fundamentación y descripción en el cap. IX "Semiótica del discurso referido").

en el relato. No se trata aquí de repetir la confusión, suficientemente denunciada por Genette, de identificar el uso de la 1ª persona con el relato autobiográfico y de contraponerlo al uso de la 3ª como paradigma de relato no-autobiográfico. Está claro que antes de la opción de una persona gramatical se plantea, para el autor, la opción entre un narrador ausente de la historia (heterodiegético) y otro presente en ella, ya sea en calidad de personaje lateral (homodiegético) o de protagonista (autodiegético). Es igualmente claro que toda vez que el narrador dice *yo*, con este pronombre puede aludir a sí mismo en su calidad de personaje del mundo narrado o tan sólo en su calidad de narrador. Sin embargo, una vez hecha esta gran elección, la selección de las personas gramaticales puede revestir cierta importancia, como lo atestigua de modo particularmente radical el comienzo del cuento de J. Cortázar "Las babas del diablo":

> Nunca se sabrá cómo hay que contar esto, si en primera persona o en segunda, usando la tercera del plural o inventando continuamente formas que no servirán de nada. Si se pudiera decir: yo vieron subir la luna, o: nos me duele el fondo de los ojos, y sobre todo así: tú la mujer rubia eran las nubes que siguen corriendo delante de mis tus sus nuestros vuestros sus rostros. Qué diablos (Cortázar, 1959, p. 77).

En este texto, típico exponente de relato fantástico, el autor opta por un narrador autodiegético que, después de muerto, intenta reconstruir una experiencia que él mismo es incapaz de entender, incluida su actual forma de existencia-en-la-muerte. En las líneas citadas el autor se vale de la voz narrativa para tematizar la relevancia de la opción gramatical en relación con el género literario y para sugerir que el narrador ideal de lo inexplicable, el más acorde con el *verosímil fantástico* (*Cf.* Cap. V: "Ficcionalidad, referencia, tipos de ficción literaria", pp. 132-151), es en este caso un ente colectivo e impersonal, una monstruosa confusión de voces que iconiza la posibilidad del suceso imposible mediante la disolución de la identidad de todos los sujetos participantes en él.

Más allá de este valor específico que la reflexión cortazariana hace consciente al lector, la elección de la persona gramatical influye de modo decisivo en el tipo de relación que se establece entre el narrador-sujeto de la enunciación y los sujetos de sus enunciados narrativos. Veamos algunas de las posibles combinaciones y los respectivos efectos de distanciamiento o aproximación:

A) Cuando el autor opta por un narrador heterodiegético, todo enunciado directamente emanado de él que contenga un *yo* remite, a través de esta forma, al propio narrador en su calidad de tal. Queda excluido el uso de la 1ª persona para aludir a uno de los personajes del mundo narrado. En este caso, *yo* sólo puede aparecer en un hiponivel discursivo, cuando el narrador cede la palabra al personaje y éste se refiere a sí mismo. Restan, pues, las siguientes posibilidades:

1) El narrador se refiere a todos sus personajes (principales o laterales)

con el pronombre de 3ª persona (o por sus nombres o frases nomina-
les identificatorias).

2) El narrador se refiere a un solo personaje —el protagonista— con la 2ª
persona y a los demás personajes con la 3ª (Un ejemplo ilustre de este
procedimiento es *Aura* de C. Fuentes).

3) El narrador se refiere a más de un personaje con la 2ª persona, por lo
cual se ve forzado a emplear vocativos identificatorios para evitar confusiones o, como en el cuento de J. Cortázar "Usted se tendió a tu lado" (Cortázar, 1977), introduce una variante familiar (*tú*) y una variante de cortesía (*usted*).

B) Cuando el autor escoge un narrador homo- o autodieguético, éste a su vez
puede optar, para referirse a sí mismo, por cualquiera de las tres personas,
ya sea en forma exclusiva, ya sea alternándolas:

1) El narrador se refiere a sí mismo con la 1ª persona. Por ser éste el caso
más frecuente en el relato autobiográfico, es que se ha producido la
confusión entre el género y la especie.

2) El narrador se refiere a sí mismo en la 2ª persona, lo que la convención literaria y las reglas de verosimilitud más elementales exigen que
se entienda como "discurso interior" en forma de pseudo-diálogo consigo mismo. Un célebre ejemplo de esta situación, muy frecuente ya
en los diversos géneros de la literatura clásica griega y latina, es el poema catuliano con elementos narrativos *Miser Catulle. . .* (*Carmina*, 8),
que comienza precisamente con una autoapelación.

3) El narrador se refiere a sí mismo exclusivamente con la 3ª persona (o
con su nombre propio) a la manera de César en *La guerra de las Galias*,
o bien alterna el uso de la 3ª persona con el de la 1ª (y eventualmente
la 2ª). Un interesante ejemplo de alternancia de 3ª y 1ª persona es
precisamente el citado cuento de J. Cortázar "Las babas del diablo".
Vale la pena detenerse un instante en este texto porque en él la coexistencia de distintas formas de relación posicional entre el sujeto de
la enunciación y los sujetos de sus enunciados ilustra con excepcional nitidez las variaciones de distancia. Tras la incertidumbre inicial
sobre el modo de contar —que es, en definitiva, una incertidumbre
sobre el modo de referirse a sí mismo en tanto protagonista del suceso imposible—, el narrador utiliza indistintamente la 1ª persona del
singular y la 1ª del plural para autoaludirse tanto en su calidad de narrador como en su condición de personaje central de la historia narrada:

Como narrador:

De repente *me pregunto* por qué *tengo* que contar esto [. . .] (p. 78).
Y ya que *vamos* a contarlo *pongamos* un poco de orden [. . .] (p. 79).

Vamos a contarlo despacio, ya se irá viendo qué ocurre a medida que lo *escribo* (p. 79).
(Cortázar, 1964, mía la cursiva aquí y en las siguientes citas).

Como personaje:

Uno baja cinco pisos y ya está en el domingo, con un sol insospechado para noviembre en París, con muchísimas ganas de andar por ahí, de ver cosas, de sacar fotos (porque *éramos* fotógrafos, *soy* fotógrafo) (p. 79).

A escaso trecho de la declaración precedente, la cual, pese a la fluctuación entre singular y plural —que remite al cuestionamiento preliminar de una identidad estrictamente individual—, sindica al narrador autodiegético como fotógrafo y aúna los dos roles correspondientes en la 1ª persona, el yo narrativo se distancia abruptamente del yo-actor al referirse a este último no sólo en 3ª persona sino como si se tratara de un desconocido total, con indicación de nombre, apellido y profesión:

Roberto Michel, franco-chileno, traductor y fotógrafo aficionado a sus horas, salió del número 11 de la rue Monsieur-le-Prince el domingo siete de noviembre del año en curso [...] Llevaba tres semanas trabajando [...] (p. 80).

Una breve descripción de la situación en que comienza la historia incomprensible funciona a manera de zona de transición, que amortigua esta vez la brusquedad del retorno a la 1ª persona.

Pero el sol estaba también ahí [...] por lo cual nada *me impediría* dar una vuelta por los muelles del Sena y sacar unas fotos de la Conserjería y la Sainte-Chapelle. Eran apenas las diez, y *calculé* que hacia las once *tendría* buena luz [...].

El párrafo siguiente subraya, en cambio, la colisión de las dos formas de autorreferencia al presentarlas dentro de una misma unidad locutiva:

[...] para perder tiempo *derivé* hacia la isla Saint-Louis [...], *me recité* unos fragmentos de Apollinaire que siempre *me* vienen a la cabeza cuando paso delante del hotel de Lauzun (y eso que debería *acordarme* de otro poeta, pero *Michel* es un porfiado), y cuando de golpe cesó el viento [...] *me senté* en el parapeto y *me sentí* terriblemente feliz en la mañana del domingo (pp. 80-81).

Uno de los resultados de la observación del texto precedente es que en el grupo B (narrador presente en la historia) la distancia es nula con el uso de la 1ª persona, se instaura con la aparición de la 2ª y alcanza su grado máximo cuando se emplea la 3ª. El distanciamiento del sujeto hablante respecto de sí mismo como tema de su enunciado, implica una tendencia a la desidentificación o, lo que es lo mismo, a la desintegración del yo en roles que, como en el caso de 2), pueden mantener un débil nexo identificatorio a través de la relación autodialógica o que, como en el caso de 3), acentúan la división 'esquizoide' entre un yo observador y un yo observado.

Por cotejo contrastivo se descubre asimismo que en el grupo A, el hecho mismo de que el narrador esté ausente de la historia descarta la posibilidad de un grado cero de distancia (entendido como el establecimiento de una relación de identidad entre roles diferentes mediante el uso de una misma forma personal deíctica). Dentro de este grupo, la distancia no debe ser concebida, en consecuencia, en términos de la mayor o menor alienación del sujeto hablante sino como resultado de la constelación constituida por dicho sujeto (*yo implícito*) y los sujetos de sus enunciados en su carácter de participantes (*tú, usted, vosotros*) o no-participantes (*él, ellos*) de la comunicación.

En oposición al grupo B, aquí el orden de los tres casos (establecido en ambos grupos según el criterio jerárquico de la mayor frecuencia o 'normalidad') refleja un decrecimiento gradual de la distancia: mientras que en 1) ninguno de los personajes accede a una relación propiamente dialógica[8] con el narrador, en 2) el protagonista resulta privilegiado en relación con los demás —elevado a la condición de actor-narratario de su propia historia— y, finalmente, en 3) el movimiento de aproximación del narrador a los actores de su relato se extiende a más de una figura e incluye la posibilidad de distinguir entre una apelación respetuosa y por ello ligeramente más distante (*usted*) y otra familiar (*tú*) que, como en el aludido cuento de Cortázar, puede ir acompañada de expresiones de simpatía y afecto.

5.3. Distancia y focalización

Veamos ahora qué ocurre en el ámbito de la *focalización*. El primer malentendido que es preciso despejar es que lo que aquí importa no es que la instancia focalizadora 'sepa más, igual o menos' que el personaje, sino la calidad de su saber (esto es, que se trate de un focalizado 'visible' o 'invisible') y dónde se ubica en relación con las vivencias del personaje focalizado. Si extrapolamos a este campo la dinámica de las interrelaciones entre el hablante del discurso que refiere y el hablante del discurso referido, comprobamos, junto con algunas analogías estructurales llamativas, marcadas asimetrías en lo que concierne al grado de separación entre el sujeto y su objeto.

1) Es así como la máxima distancia —correspondiente en el plano de la voz a la ausencia fenoménica del narrador— sería atribuible aquí a un focalizador extra- y heterodieguético que sin completar los datos de la percepción con hipótesis ni valoraciones implícitas se limita a registrar, a la manera de una cámara, los comportamientos visibles y audibles de los personajes y que, por consiguiente, permanece 'ausente', es decir, ignorante de todo lo que ocurre en sus conciencias pero efectivamente presente en su calidad de focalizador.

2) Un grado menor de distancia correspondería a un focalizador sólo capaz de registrar las actividades externas de los personajes pero que las presen-

---

8. No en el sentido lato en que autores como M. Bajtín o W. C. Booth utilizan los términos diálogo y dialógico.

ta de un modo que supone una interpretación conjetural y/o evaluativa de los datos seleccionados y aprehendidos. Importa insistir en que en un caso semejante, la presencia de operadores modales epistémicos y/o evaluativos en el discurso del narrador no debe ser entendida como directo producto de la actividad focalizadora sino como su correlato verbal. Dicho de otro modo: los operadores modales en cuestión (como por ej. "parecía", "probablemente", "evidentemente", etc.) no son 'dichos' por el focalizador sino por el narrador, quien transfiere al medio verbal el complejo proceso perceptivo del focalizador. Esta división funcional no se modifica en el caso de que narrador y focalizador confluyan en una misma instancia personal ni tampoco cuando dicha instancia es a la vez un personaje de la historia. Precisamente, cuando el relato procede de un narrador-focalizador extra- y homodiegético, el tipo de distancia de que venimos hablando es el más frecuente (y el más verosímil) en relación con las vivencias ajenas. Así por ej., en el cuento "Los buenos servicios" de J. Cortázar (1959), la actividad focalizadora de Madame Francinet, que es a la vez narradora extra- y homodieguética de la historia, se caracteriza por la casi total ignorancia de los móviles de las conductas ajenas observadas por ella, así como por una ingenuidad conjetural que conduce a elaboraciones pueriles de lo visto y oído y, en última instancia, al falseamiento de la visión misma.

3) Un caso algo difícil de ubicar es el de un focalizador que sin colocarse simpatéticamente en el interior de la conciencia modelizante de los personajes por él focalizados, presenta sus vivencias a la manera de un desapegado 'diagnóstico' o de un informe psicológico que puede ser extremadamente superficial o más o menos moroso. Este tipo particular de aprehensión y presentación de focalizados 'no-visibles', que es atribuido tradicionalmente al narrador bajo el rótulo de la "omnisciencia", no recibe, ni en Genette (1972) ni en Bal (1977a y 1981b), una caracterización satisfactoria, a pesar de que ambos se afanen por evitar la confusión *voz-visión*. Genette niega que en este caso se pueda hablar de focalización (o, lo que es lo mismo, habla de "focalización cero") mientras que Bal (cuya concepción de que todo lo narrado supone un objeto previamente focalizado la obliga a descartar la existencia de un "grado cero" en el terreno de la visión) se limita a reinterpretar la categoría genettiana en el sentido de "focalizado de un modo difuso" (1981b, p. 205). En ambos autores no quedan claros, por tanto, ni la distinción focalizador-focalizado, ni cuál es el status de una instancia que 've' todo (lo 'visible' y lo 'invisible') pero sin asumir la visión ajena, esto es, sin pretender la directa aprehensión de lo inaprehensible en la realidad. En mi opinión, la distancia que separa a un focalizador tal de su objeto (cuando dicho objeto es la conciencia del personaje), es parangonable a la distancia —o más exactamente: a la extraña mezcla de cercanía y distancia— que caracteriza la posición del hablante que refiere un discurso ajeno en el estilo indirecto no-mimético. Aquí como allí no le interesa al sujeto (de la enunciación o la visión) marcar una rígida frontera entre su voz (resp. su visión) y la del otro, a través de un cambio de de nivel que erija al otro en sujeto (de la enunciación o de la visión). Y así como el discurso indirecto no mimético supone un hablante que se apropia

del discurso ajeno y lo vierte en el propio registro, de un modo análogo, la "focalización cero" o "difusa" supone un focalizador que se apropia de las vivencias del otro sin vivirlas desde la conciencia en que ellas tienen lugar. Existe todavía otro parentesco estrecho entre estas dos formas de apropiación de lo ajeno: el estilo indirecto —trátese de discursos dichos o pensados— es el epistemológicamente menos escandaloso o, lo que es lo mismo, el más acorde con una visión absoluta (no-literaria) de verosimilitud[9], ya que constituye la forma más corriente de referir palabras ajenas en la praxis comunicativa cotidiana por razones no sólo de comodidad sino también de limitación memorística. Cuando lo que se refiere son pensamientos o sentimientos de los personajes sin que el narrador explicite la fuente de semejante saber, el escándalo de su omnisciencia se disimula con el empleo del estilo indirecto y más aún con el de las formas menos miméticas y más resumidoras (del tipo de las que Genette llama "discurso narrativizado"). Tales formas son las más apropiadas para verbalizar una actividad focalizadora "difusa" por cuanto ellas le dan a lo narrado —y consecuentemente a lo focalizado, que es, como se indicó siguiendo a Bal, condición de lo narrado— cierto aire de vaguedad que deja margen a la conjetura de que la instancia aprehensora pudo acceder a lo directamente inaprehensible ('invisible') por el desciframiento conjetural de indicios externos o por la vía mediatizadora de discursos informativos.

4) Un grado de distancia todavía menor que los anteriores correspondería al caso de un focalizador que no se limita a 'saber' lo que acontece en la conciencia del personaje por él focalizado, sino que, para decirlo metafóricamente y de un modo que realza el escándalo epistemológico, se instala en el interior del personaje y vive desde la conciencia-objeto las vivencias del otro. La adherencia de su visión a la visión ajena no se produce, empero, en forma tal que la propia actividad modelizadora no deje trazas de sí: como en el caso del discurso directo en el nivel de la voz se advierten (en el texto que verbaliza la actividad focalizadora) claras señales de un cambio de nivel (*cf. supra*, p. 242). He aquí, por tanto, una analogía estructural que redunda, sin embargo, en una total asimetría en relación con la distancia entre sujeto y objeto. Mientras que en el plano de la voz el afán por marcar nítidamente fronteras entre el enunciado propio y el ajeno mediante el procedimiento de la incrustación, constituye el más drástico modo de distanciamiento —es decir, de no-compromiso con lo dicho por el otro—, la señalización del cambio de visión no implica el establecimiento de barreras entre una conciencia-sujeto y una conciencia-objeto sino, más bien, el ingreso de la primera en la segunda. Esta fantasía irrealista —verosímil, no obstante, dentro de las convenciones del relato literario-ficcional— sólo puede producir un efecto similar al del discurso directo cuando, como en el caso particular del fragmento de Vargas Llosa citado más arriba (p. 234), las señales de incrustación van acompañadas de operadores modales episté-

---

9. Sobre la oposición verosímil absoluto-verosímil genérico *cf.* Cap. V, pp. 115 ss.

micos y/o valorativos que tienen la función de ironizar, relativizar o incluso negar la validez del producto de la actividad de la conciencia-objeto.

5) Llegamos así al punto de la escala correspondiente al grado mínimo de distancia entre focalizador y focalizado 'invisible': el sujeto se identifica con el objeto, la conciencia aprehensora se instala en la conciencia aprehendida sin dejar señales manifiestas de que se ha producido un cambio de nivel. Podría decirse que aquí también el focalizador está 'ausente' pero de un modo muy distinto que en 1). Mientras que en el primer punto de la escala el focalizador está 'ausente' de la conciencia del personaje focalizado (es decir, incapaz de acceder a ella) pero claramente presente en tanto focalizador de objetos externos a la conciencia, aquí el focalizador está fenoménicamente ausente en su calidad misma de focalizador, si bien del mismo modo que en el caso del narrador no-manifiesto del discurso inmediato, se hace necesario presuponer su existencia. Su correlato, en el plano de la voz, es el monólogo interior no introducido ni comentado por una voz diferente de la que verbaliza el flujo de conciencia (*cf. supra*, pp. 237-238).

IX

SEMIOTICA DEL DISCURSO REFERIDO*

Para Ana María Barrenechea

1. INTRODUCCION

Desde que a fines del siglo pasado, en la polémica iniciada por Kalepky (1899) a propósito de algunas ideas de Tobler (1894) sobre gramática francesa, comenzó la discusión sobre el llamado luego en la tradición terminológica romanística "estilo indirecto libre"[1], no ha cesado de renovarse, a lo largo de lo que va del siglo, el debate sobre los problemas que plantean las diversas formas directas, indirectas y mixtas de referir discursos, debate que ha sido estimulado por el extraordinario campo de aplicación y experimentación que han encontrado dichas formas en la narrativa contemporánea. Sin embargo, en los últimos años ha habido una proliferación de estudios sobre el tema[2] que intentan aprovechar tanto los aportes de la lingüística más reciente como también los de la moderna semiótica narrativa, con el objeto de integrar los resultados a los que se había llegado, desde perspectivas predominantemente estilísticas, en contextos explicativos más generales, que permitan dar cuenta de la complejidad de los fenómenos en cuestión, los cuales rebasan las posibili-

---

* Escrito en colaboración con José Luis Rivarola y publicado originariamente en *Homenaje a Ana María Barrenechea*, editado por Lía Schwartz Lerner-Isaías Lerner, Madrid (Castalia), 1984.

1. El término fue introducido por Bally (1912). Según Bayerle (1972), antes de Kalepky, Behaghel (1878) había dado cuenta del fenómeno para cuya designación se impondría, decenios después, en la germanística el término "erlebte Rede". No nos ha sido posible verificar este dato. Para la historia de los términos *cf.* la bibliografía mencionada en la nota 2.

2. Predominan, sin embargo, los trabajos sobre el discurso indirecto libre (designado de diversos modos, según preferencias terminológicas y opciones explicativas). La inmensa bibliografía que se ha acumulado desde los comienzos de la discusión ha sido recogida, de modo bastante completo, por Steinberg (1971) y por Pascal (1977). Los trabajos más recientes se hallan comentados en McHale (1978). *Cf.* también Rojas (1980-1981).

dades de un acercamiento atrincherado en los criterios de una sola disciplina lingüística o literaria.

El presente trabajo no está animado por la pretensión totalizadora que podría sugerir su título: se trata más bien de ofrecer un conjunto de reflexiones sobre algunos aspectos que ocupan un lugar central en la discusión actual sobre las formas de reproducción y que consideramos sustanciales para la construcción de una semiótica del discurso referido. Si bien dedicamos un espacio notoriamente mayor a las formas de reproducción que englobamos en la denominación de "conjunciones discursivas" y, dentro de ellas, muy en especial, al discurso indirecto libre, nos ocupamos asimismo de formas no 'conjuntivas', como el discurso directo y el discurso indirecto, las cuales permiten plantear de modo privilegiadamente claro problemas como el de la literalidad, la verosimilitud y la ficcionalidad del discurso referido, que constituyen puntos fundamentales de un acercamiento semiótico al fenómeno. Somos conscientes del carácter provisional de algunos planteos y de la necesidad de fundamentar más ampliamente ciertas hipótesis. Creemos, sin embargo, que el avance presentado aquí puede contribuir a promover el diálogo sobre un tema que no ha despertado en el ámbito hispánico el interés que merece como punto de encuentro de fenómenos de orden diverso, cuyo esclarecimiento requiere un enfoque interdisciplinario.[3]

2. CONJUNCIONES DISCURSIVAS

Como hemos adelantado, entendemos por "conjunciones discursivas" aquellas formas de referir el discurso que se caracterizan por implicar la superposición de las acciones verbales de un hablante que refiere y de un hablante cuyo discurso es referido de modo que el resultado textual propone una polisemia enunciativa que el lector competente de textos literarios está en condiciones de reconocer y de integrar en el complejo entramado de discursos que suele darse en este tipo de textos. Por ende, en los segmentos textuales que contienen tales conjunciones se reconoce —en virtud de marcas verbales y/o indicios contextuales de diverso género— la presencia simultánea de dos actos de enunciación. Sin embargo:

a) A pesar de que el discurso que refiere está asegurado por marcas específicas, hay que asumir la convención de que el discurso referido aparece en una quasi-literalidad, es decir, que la superficie textual es en buena medida producto de la enunciación del hablante cuyo discurso se refiere.

3. La bibliografía en español es sumamente escasa. Se puede mencionar el modesto trabajo de Verdín (1970) sobre el indirecto libre y los de Domínguez de Rodríguez-Pasqués sobre el mismo tema en la novela argentina y en Asturias (1975 y 1976, respectivamente). El trabajo de perspectiva más amplia es el de Rojas (1980-1981).

b) Discurso que refiere y discurso referido están ubicados en el mismo nivel: no hay incrustración o cambio de nivel (*cf. infra*) discursivo como en el caso del llamado "discurso directo".

c) La co-presencia de·dos discursos no se recepciona como una contradicción sino como una adecuada forma de instaurar una dialogicidad discursiva cuya tensión conlleva resultados varios y debe ser interpretada diversamente según los casos.

Dentro de las distintas especies que subsumimos en el género de *conjunción discursiva*, mencionaremos, en primer término, al discurso indirecto libre, cuyo tratamiento particular queda reservado para apartados posteriores de este trabajo[4]. Adelantaremos aquí, no obstante, aún sin entrar en el detalle ni razonar nuestro planteo, que concebimos el estilo indirecto libre como el caso más señalado de imbricamiento, en la superficie textual, del discurso que refiere y el discurso referido, en la medida en que el primero se manifiesta fundamentalmente a través de marcas deícticas y el segundo abarca la casi totalidad de lo enunciado[5]; pero las marcas deícticas del discurso que refiere exigen, a su vez, en el proceso de recepción, ser convertidas en las correspondientes al hablante del discurso referido. Tiene lugar aquí, por consiguiente, un fenómeno de naturaleza metafórica: así como el lexema metafórico entra en conflicto con su contexto verbal inmediato y desencadena un proceso de reinterpretación conducente a la resolución de la incompatibilidad semántico-léxica y a la restitución de la isotopía semántica de la frase[6], del mismo modo las marcas deícticas del discurso que refiere entran en colisión —por razones que muchas veces se ha intentado especificar— con el resto de los enunciados (en el sentido de que la totalidad no puede ser atribuida a un solo y único hablante) y exigen su transformación deíctica con miras a restablecer la isotopía enunciativa. En los capítulos finales del trabajo intentaremos una aproximación a los valores comunicativos que derivan de esta metaforización.

Las demás especies de conjunción discursiva constituyen formas mixtas de referir interpretables como transformaciones combinatorias del discurso directo y del discurso indirecto.

---

4. Debe quedar claro, sin embargo, que no nos ocuparemos, sino ocasionalmente, de su fenomenología, amplia y reiteradamente presentada en la bibliografía. *Cf.* en particular McHale (1978) y Rojas (1980-1981).

5. Sólo en análisis textuales particulares —que no realizaremos en esta ocasión— se puede mostrar en qué casos y por qué, en el discurso indirecto libre, no sólo los deícticos pueden corresponder al discurso que refiere.

6. *Cf.* una amplia presentación de este asunto en el cap. VI "Predicación metafórica y discurso simbólico".

a) Discurso indirecto mimético[7].

El discurso indirecto que, como tal, no representa una conjunción discursiva, puede dar lugar, sin embargo, a la superposición fragmentaria de dos discursos. En verdad, lo que tradicionalmente se conoce como discurso o estilo indirecto incluye esta forma mixta, en la que asoma, en mayor o menor grado, la literalidad del discurso referido —en oposición al que sería el caso de un discurso estrictamente indirecto, que reproduce sólo contenidos del discurso referido sin atender a su individualidad verbal. Ya Lips (1926, p. 33), por ejemplo, para quien "el estilo indirecto despoja al discurso de todos sus elementos afectivos y al pensamiento de su forma personal", toma en consideración las infracciones a la estructura 'rígida' de la construcción de discurso indirecto y las ilustra con el siguiente ejemplo de Marivaux *(La vie de Marianne):*

> [le cocher] traversa la foule que s'ouvrit alors. . . pour livrer passage à Mme. Dutour, qui voulait courir après lui [le cocher], que j'en empêchait et qui me disait que, jour de Dieu, j'etais une petite sotte.

Estas 'infracciones', como la locución interjectiva del texto de Marivaux, determinan que, manteniéndose el esquema sintáctico del discurso indirecto (*verbum dicendi* + subordinada conjuncional), se produzca una conjunción discursiva, es decir, ocurra una modificación sustancial en el carácter del indirecto estricto, que sólo corresponde al discurso de quien refiere.

La cantidad de porciones literales podrá ser mayor o menor, estar o no destacada por medios gráficos. Pero difícilmente podrá pensarse ya en 'infracciones' cuando la literalidad aparece maximizada, como en el siguiente pasaje de C. Fuentes, en el que se puede comprobar, por lo demás, la frontera borrosa que separa a esta especie del estilo indirecto libre:

> . . .; la hija ya no se movió y miró con simpatía a la mujer del pelo teñido que permanecía de pie y les preguntaba si ya habían decidido cuál modelo escogerían. La madre dijo que no, no, aún no estaban decididas y por eso querían ver todos los modelos otra vez, porque también de eso dependía todo lo demás, quería decir, detalles como el color de las flores, los vestidos de las damas, todo eso.

> (C. Fuentes, *La muerte de Artemio Cruz*, p. 19)

b) Discurso pseudo-indirecto

Denominamos de este modo aquellos casos en los que un discurso se refiere en forma indirecta en lo que atañe a la transposición deíctica pero no en lo que respecta a la construcción sintáctica propia del discurso indirecto (*verbum dicendi* + subordinada conjuncional) o del discurso indirecto libre (ausencia de *verbum dicendi* y de conjunción subordinante). En efecto, en esta

---

7. Esta designación procede de McHale (1978, p. 279), quien habla de "indirect discourse, mimetic to some degree"; corresponde a lo que Voloshinov (1976, pp. 160-161) llama "modificación analítica de la textura".

forma de discurso referido el *verbum dicendi* ocurre en la construcción incidental característica del discurso directo: puesto que su presencia es una señal de que el discurso dentro del cual se inserta debe ser entendido como cita, al menos en el sentido de que existe identidad de origen de los sistemas personal y temporal en la producción y reproducción (*cf. infra*, pp. 264-265), resulta incompatible con la presencia simultánea de las marcas deícticas de un discurso que refiere. La contradicción se resuelve, como en el caso del discurso directo libre, mediante la conversión metafórica de dichas marcas en las del discurso referido. En verdad, el discurso pseudo-indirecto puede ser considerado como una variante del discurso indirecto libre: de hecho los segmentos textuales que lo contienen podrían ser interpretados como discurso indirecto libre, de no aparecer el *verbum dicendi*; la presencia de éste en posición incidental no sólo hace explícito el carácter referido del discurso sino que tematiza y de este modo enfatiza la propuesta de literalidad. Como en el discurso indirecto libre, el lector es invitado a entender los enunciados como resultado de la superposición de dos actos de enunciación.

Ejemplificamos el discurso pseudo-indirecto con pasajes de la novela *Respiración artificial* del argentino Ricardo Piglia, quien lo usa abundantemente y lo combina de manera tan eficaz como virtuosista con las otras formas de discurso referido. Son estas combinaciones las que permiten, justamente, reconocer la identidad de esta especie, contrastarla con las demás y observar el sutil mecanismo de transiciones que lleva de una a otra:

¿Molesto? dice el conde Tokray. De ningún modo, señor conde, le digo. ¿Cómo está usted, señor Tardewski? dice el conde. Muy bien, le digo, ¿Por qué no se sienta? Le voy a presentar a Emilio Renzi, sobrino del Profesor Maggi. Un minuto, dice. Los interrumpo sólo un minuto, dice el conde Tokray mientras se acomoda en la silla. Joven, muy honrado de conocerlo. El conde dijo que enseguida iba a retirarse porque nunca había podido acostumbrarse a trasnochar. En realidad, dijo, a veces pienso que me voy a dormir temprano porque el primer sueño es el más generoso y tengo siempre la esperanza de poder soñar con mi casa natal. ¿Sabe usted, me dice el conde, que he sido invitado por el cónsul ruso en Paraná a asistir a un cóctel en el que se festeja no sé qué inexpresivo aniversario? ¿Cree usted que debo ir? ¿No será una broma siniestra? Dijo que había recibido una invitación, en realidad una tarjeta oficial, donde se lo invitaba a un lunch en el consulado. Le confieso, dijo el conde, que me siento tentado a asistir, si bien temo que sea una broma o incluso una trampa. ¿Y sabe por qué, a pesar de todo, estoy tentado a ir? Porque hace más de cincuenta años que no me encuentro en un lugar donde más de dos personas vivas hablen en ruso. Escucho el idioma de mis antepasados en los sueños y a veces voy a ver los films soviéticos sólo para oir los diálogos, pero en ese caso tengo siempre la impresión de estar viendo una película filmada en Hollywood, digamos por Walt Disney, y doblada al ruso. *Tenía la ingrata sensación, dijo el conde, de que los rusos actualmente hablaban la lengua de Pushkin como si estuviera traducida del inglés.* Ninguno de ustedes puede imaginarse lo que es la música de nuestra lengua natal. Vesta fiave soglidatay krasavitsa novosti jvat, recitó el conde Tokray. Oh, las palabras de mi tierra, dijo, música inolvidable. *Otra cosa que lo hacía dudar sobre las verdaderas intenciones de esa invitación, dijo después, era que en la tarjeta habían escrito Señor Antón Tokray. Señor* Antón Tokray, eso me ha parecido una ofensa deliberada e inútil. Puedo asegurarles que si hubiera tenido la certeza de que en Rusia sería reconocido mi título de Conde, quizás, digo quizás, me hubiera decidido a regresar. *Lo había pensado más de una vez, dijo.* Más de una vez he pensado volver. Incluso, dijo, he pensado ¿en qué podría trabajar yo? Y he tenido una idea. Como guía en un Museo, pensó el conde que podría trabajar en Rusia de haber decidido regresar. Podría instruir a las jóvenes generaciones en el sentido y en el valor de los viejos monumentos que atesoran la historia de nuestra antigua patria rusa. He pensado, incluso, dijo el conde, que yo mismo me podría convertir en un Museo.

(R. Piglia, *Respiración artificial*, pp. 148-150)

Obsérvese en el pasaje transcrito cómo los segmentos en discurso pseudo-indirecto, que van subrayados en la transcripción, aparecen interrumpiendo secuencias en discurso directo, como una alternativa análoga en lo que respecta a la literalidad que los discursos directos proponen. Obsérvese asimismo cómo en el tercer caso el *verbum dicendi* funciona como un pivote sobre el que se articulan los dos enunciados proposicionalmente sinónimos, el uno en discurso pseudo-indirecto y el otro en discurso directo. El texto continúa con otros enunciados en discurso directo ("incluso, dijo. . ."), interrumpidos ("pensó el conde. . .") sólo por una secuencia que parece necesario interpretar como discurso indirecto.

Veamos a continuación el siguiente pasaje correspondiente al mismo episodio:

Yo también soy realista, dijo el conde; un zar, un rey, no son más que matices. Y ellos son realistas, han abandonado esas lamentables utopías inventadas por los *sans culottes*, les importa cada vez más la eficacia y la técnica. *Pero*, sin embargo, temo que esa invitación sea una trampa. Además ¿de qué me serviría concurrir? Podría recordar el sabor inolvidable del caviar, pero tendría que soportar, dijo, oír a mi bella lengua natal hablada como si fuera una traducción del inglés. **De todos modos, por lo que sabía, el cónsul ruso en Paraná no era una persona desagradable, lo había observado desde lo alto, una noche, en un teatro de Concepción del Uruguay, durante una representación dada el 9 de julio para el cuerpo diplomático con la presencia del Ballet Bolshoi.** *El conde había asistido, dijo, y desde el paraiso, mientras se emocionaba con la inmortal música de nuestro inmortal Tchaikovski, se había dedicado a enfocar con sus prismáticos al cónsul ruso.* Parece un hombre distinguido, algo opaque mais distingué. Creo que es ingeniero, dijo; son todos ingenieros ahora allá, dado que no hay más obreros, es un estado de ingenieros, soldados y burócratas y el cónsul pertenece al estamento de los ingenieros. Creo que es músico, pero sobre todo ingeniero. **En realidad el cónsul le parecía una persona bien.** Se llama Igor Suslov y si no recuerdo mal su madre era prima del sobrino de una hermana de mi abuelo paterno.

(R. Piglia, *Respiración artificial*, pp. 152-153)

Es interesante observar aquí cómo alternan el discurso directo, el discurso indirecto libre y el discurso pseudo-indirecto. Nótese que el segmento en discurso pseudo-indirecto se inicia con el nombre del personaje, hecho que no convierte al texto, sin embargo, en discurso sobre el personaje. Como veremos más adelante, esta posibilidad de que el nombre del personaje sujeto de la enunciación se incorpore como sujeto del enunciado es compartida por el discurso indirecto libre y es ajena, en cambio, al discurso indirecto conjuncional (*cf. infra*, pp. 268-269). Pero no sólo la correferencialidad del sujeto de *dijo* con *el conde* sostiene la propuesta de literalidad en el pasaje en cuestión: también, ciertamente, el *nuestro*, que no incluye al narrador homodieguético (Genette 1972). El pasaje continúa en discurso directo, sólo interrumpido, hacia el final, por un discurso indirecto libre.

Creemos que los textos citados y los análisis correspondientes confirman la identidad de esta especie de conjunción discursiva como una variante del discurso indirecto libre en la que simplemente se hacen explícitos, por medio del *verbum dicendi*, el carácter de referido y la propuesta de literalidad implícitos en aquél.

c) Discurso pseudo-directo

En la especie que denominamos de este modo un discurso contiene expresiones reconocibles como ajenas pero plenamente integradas a su sintaxis. Aquí la conjunción discursiva no se da entre dos auténticas acciones verbales, en la medida en que las expresiones incorporadas a modo de citas explícitas o implícitas no constituyen, en sentido estricto, fragmentos de un verdadero discurso, sino tan sólo patrones verbales y/o ideológicos característicos de ciertos tipos humanos o de ciertos grupos sociales. Estas quasi citas pueden ser presentadas a través de marcas específicas o por medio de recursos extrañantes que tienen por objeto ponerlas bajo una luz irónica, sugerir una crítica ideológica, llamar la atención sobre su carácter estereotípico o convertirlas en parodias de usos idiomáticos, modas expresivas, etc. En la lengua oral estas marcas y recursos extrañantes pueden ser marcas de relieve fonético como acentos secundarios, pausas fonéticas, silabilización, etc. En la lengua escrita, cualquier forma de relieve gráfico puede cumplir estas funciones indicadoras: comillas, separación en sílabas por medio de guiones, unión de las palabras de un sintagma por medio de guiones, diferente tipografía, signo de exclamación o de pregunta, etc. Hay que agregar también el *sic* como signo de literalidad[8].

He aquí, como ilustración, un texto de J. Cortázar en el que la parodia

---

8. Sobre las llamadas "formas de relieve", dentro de las cuales se incluyen las mencionadas, *cf.* Cisneros (1957).

de moldes expresivos ajenos se subraya mediante alteraciones de la norma ortográfica y la unión de un grupo de palabras por medio de guiones.

> Desde luego la crítica al uso koincide kategóricamente en que se vive un decenio de sublevación individual cuyas formas más grotescas suelen ser los *happenings* de toda naturaleza, y esa misma crítica no-vacila- en-reconocer que los artistas y los escritores tienen razones sobradas para sublevarse contra los hórdenes hestatuídos.

> (*La vuelta al día en ochenta mundos*, p. 118)

Trátese de parodia o no[9], en muchos casos, pese a la ausencia de indicaciones gráficas o de señales de cualquier otro orden, es posible determinar, a partir del conocimiento de los subsistemas (diatópicos, diastráticos, diafásicos) de un diasistema lingüístico o de las ideologías adjudicables a determinados tipos de individuos o grupos sociales, que algunas expresiones no son verosímilmente atribuibles como propias a la fuente primaria del discurso. A este fenómeno le dio Spitzer (1923) hace ya muchos decenios, el nombre de "motivación pseudo-objetiva" (*pseudo-objektive Motivierung*) y lo estudió como rasgo de estilo literario en *Bubu de Montparnasse* de Louis Philippe. A partir de la presencia de ciertas expresiones coloquiales en la sintaxis del narrador (del tipo *à cause de*), Spitzer señala muchos pasajes en los que se produce una mezcla entre el discurso del narrador y el de los personajes. Así, en

> Elle l'embrassa à pleine bouche. C'est une chose hygiénique et bonne entre un homme et sa femme, qui vous amuse un petit quart d'heure avant de vous endormir. (apud Spitzer 1923, p. 307).

según Spitzer la observación que se inicia con *c'est une chose* tiene la apariencia de un comentario del narrador pero está dicho con expresiones que convienen a una especie de "disculpa" introducida por los mismos personajes: "Así, esta modalidad narrativa apologética es expresión de una cosmovisión irónico-resignada: no se sabe si Philippe invoca la higiene y la "diversión" del beso más con resignación o más con ironía. El *vous* crea una atmósfera de comunidad entre la humanidad a la que se dirige, el autor y los personajes de su novela, en la que se disuelve el destino individual" (Spitzer 1923, p. 367, trad. nuestra).

Casi por los mismos años Bajtín y Voloshinov se ocupaban de este fenómeno como un caso paradigmático de interferencia de discursos. En Voloshinov (1976 [1930]) recibe el nombre de "discurso referido anticipado y diseminado" y es objeto de una caracterización bastante afín a la de Spitzer, pese a las divergencias terminológicas:

---

9. Naturalmente, hay casos en los cuales los usos paródicos pueden ser reconocidos sólo a través de factores de orden pragmático, ya que en el texto no hay ninguna indicacón sobre la superposición enunciativa. Nuestras observaciones aquí no pretenden abordar el complejo problema de la parodia que, por cierto, no sólo se da en el marco del discurso pseudo-directo. *Cf.* a este respecto Reisz de Rivarola (1977. esp. p. 30 y ss.).

La predeterminación del discurso referido y la anticipación de su tema en la narrativa, sus juicios y acentos, pueden subjetivizar y colorear de tal modo el contexto del autor con los tintes de su héroe, que el mismo contexto puede empezar a sentirse como "discurso referido", aunque de un tipo de discurso referido que mantiene intactas las entonaciones del autor. Al concluir la narración exclusivamente dentro de la esfera propia del héroe, no sólo en cuanto a sus dimensiones de tiempo y espacio sino también a su sistema de valores y entonaciones, se crea un tipo sumamente original de fondo aperceptivo para enunciados referidos, que nos permite hablar de una variante especial: el *discurso referido anticipado y diseminado* oculto en el contexto del autor, que podríamos decir que se convierte en enunciados directos y reales del héroe.

        (Voloshinov 1976, p. 166)

Análisis de pasajes procedentes de "Una historia enojosa" de Dostoievsky ilustran el complejo juego de entonaciones propio de los textos en que se intersectan el discurso irónico del autor-narrador y el discurso serio de los personajes. La peculiaridad de tales textos en relación con el discurso indirecto libre —considerado por Voloshinov (1976, p. 169) como "el caso más importante de fusión interferencial de dos actos de habla con distinta entonación"— parecería residir en el hecho de que el "discurso referido anticipado y diseminado" es un discurso narrativo contaminado de acentos ajenos pero que no llega a constituirse en un discurso que refiere otro discurso.

    Un ejemplo a nuestro entender bastante nítido de este fenómeno se encuentra en muchos pasajes de *La guerra del fin del mundo* de M. Vargas Llosa. En uno de ellos, el narrador extra- y heterodieguético (cf. Genette 1972) —que en este primer pasaje de la obra cede en parte la visión a un focalizador colectivo intradieguético[10]: los seguidores del Consejero— reproduce parcelas de las prédicas del Consejero en indirecto libre, intercalando comentarios que corresponden exactamente a la posición ideológica de los seguidores:

Hablaba de *cosas sencillas e importantes*, sin mirar a nadie en especial de la gente que lo rodeaba, o, más bien, mirando, con sus ojos incandescentes, a través del corro de viejos, mujeres, hombres y niños, algo o alguien que sólo él podía ver. Cosas que se entendían porque eran oscuramente sabidas desde tiempos inmemoriales y que *uno* aprendía con la leche que mamaba. *Cosas actuales, tangibles, cotidianas, inevitables, como el fin del mundo y el Juicio Final*, que podían ocurrir tal vez antes de lo que tardase el poblado en poner derecha la capilla alicaída. ¿Qué ocurriría cuando el Buen Jesús contemplara el desamparo en que habían dejado su casa? ¿Qué diría del proceder de esos pastores que, en vez de ayudar al pobre, le vaciaban los bolsillos cobrándole por los servicios de la religión? ¿Se podían vender las palabras de Dios, no debían darse de gracia? ¡Qué excusa darían al Padre aquellos padres que, pese

10. *Cf.* Genette (1972). Sobre la noción de focalización y el problema de los focalizadores *cf. infra* pp. 272-274 y en el cap. VIII "Voces y conciencias en el relato literario ficcional".

al voto de castidad, fornicaban? ¿Podían inventarle mentiras, acaso, a quien leía los pensamientos como lee el rastreador en la tierra el paso del jaguar? *Cosas prácticas, cotidianas, familiares, como la muerte, que conduce a la felicidad si se entra en ella con el alma limpia, como a una fiesta.* ¿Eran los hombres animales? Si no lo eran, debían cruzar esa puerta engalanados con su mejor traje, en señal de reverencia a Aquel a quien iban a encontrar. Les hablaba del cielo y también del infierno, *la morada del Perro, empedrada de brasas y crótalos,* y de cómo el Demonio podía manifestarse en innovaciones de semblante inofensivo.

(M. Vargas Llosa, *La guerra del fin del mundo*, pp. 16-17)

Puesto que la evaluación implícita en los enunciados subrayados no condice con la postura distante y objetiva que asume el narrador en otros casos, y puesto que tales acotaciones resultan reiterativas, cabe sospechar, si bien no directamente un subyacente fondo irónico, sí tal vez la intersección de un quasi-discurso 'fanático' (atribuible a quienes siguen con entusiasmo e ingenuidad la prédica) y un discurso paternalmente 'benevolente', característico de quien 'comprende' a distancia la adhesión apasionada de los oyentes del consejero, manteniendo su "exotopía"[11] a la manera de un antropólogo.

d) *El discurso directo libre*

Con el término *directo libre*[12] que, como se aprecia de inmediato, representa un calco del propuesto por Bally (*cf.* nota 1) para el "estilo indirecto no conjuncional", suele designarse una manera de referir que guarda estrecho parentesco con una variante del discurso directo cuyo rasgo distintivo es la ausencia de *verbum dicendi* introductor y, en general, de cualquier expresión interpretable como *discurso atributivo* (Prince 1978). Dicha variante que se podría caracterizar, en consecuencia, como un discurso directo no-regido[13], mantiene como única señal de su carácter de discurso referido e insertado como un cuerpo extraño en el discurso que lo refiere, la "entonación por diferenciación" (Verschoor 1959, p. 5) en el caso de la lengua hablada y la sola presencia de signos gráficos como comillas o guiones en el caso de la lengua escrita. El paso de un nivel discursivo a otro —el cambio de voz típico del discurso directo en todas sus variedades— ocurre aquí de modo abrupto, sin que medie entre ambos discursos ninguna zona de transición, no obstante lo cual el cambio y la demarcación de fronteras están asegurados por una señalización mínima pero

---

11. Sobre esta noción bajtiniana *cf.* Todorov (1981, pp. 145-172, esp. p. 153).

12. Según Ullmann (1957, p. 18), el término fue propuesto por Harmer (1954).

13. *Cf.* Rojas (1980-1981, pp. 32-33 y 38-39), para quien "regido" es el rasgo distintivo del discurso directo, en oposición al discurso directo libre, categoría esta última en la cual engloba todas las formas directas no-regidas independientemente de que estén señalizadas o no por signos gráficos y de que tengan un carácter fragmentario o constituyan discursos completos y extensos.

suficiente. El hecho de que sea mínima hace, sin embargo, que el directo no-regido sea poco apto para su utilización en la comunicación pragmática y muy eficaz, en cambio, para agilizar y volver más vívido el movimiento dialógico en las ficciones literarias.

La radicalización de la tendencia a prescindir de las marcas de incrustación culmina en el discurso directo libre. En él, en efecto, el discurso referido se reconoce única y exclusivamente a través de *shifters* indicadores de un cambio de la situación de enunciación que no están avalados, sin embargo, por ningún signo gráfico que permitiese, independientemente de ellos, identificar el texto en cuestión como una combinación de diferentes unidades locutivas en lugar de una sola. La "entonación por diferenciación" —rasgo que coadyuvaría a la identificación de los segmentos textuales incrustados si se empleara el procedimiento en la comunicación oral— carece, en esta manera de referir que es exclusiva de la lengua escrita literaria, de cualquier correlato gráfico. La ausencia de señales explícitas está compensada en algunos casos por la inclusión, en el discurso que refiere, de comentarios metadiscursivos que si bien no llegan a constituirse claramente en discursos atributivos participan en alguna medida de su carácter anunciador. Ambos rasgos —*shifters* no relevados por marcas formales pero apuntalados por la presencia de una suerte de discurso quasi-atributivo— confluyen en el siguiente texto:

> Preguntó por la mujer, tratando de dominar la náusea que le ganaba la garganta. Mientras lo llevaban boca arriba hasta una farmacia próxima, supo que la causante del accidente no tenía más que rasguños en las piernas. "Usté la agarró apenas, pero el golpe le hizo saltar la máquina de costado. . .". Opiniones, recuerdos, despacio, éntrenlo de espaldas, así va bien, y alguien con guardapolvo dándole a beber un trago que lo alivió en la penumbra de una pequeña farmacia de barrio. (J. Cortázar, *Final del juego*, p. 140).

De acuerdo con lo dicho, la frase entre comillas sería un caso de discurso directo no regido, mientras que *despacio, éntrenlo de espaldas, así va bien* constituiría un ejemplo de discurso directo libre levemente señalizado por *Opiniones, recuerdos*. Resulta casi superfluo insistir en el cercano parentesco de ambos tipos, razón por la cual es bastante difícil diferenciarlos cuando, como hace Rojas (*cf.* nota 13) se desecha el criterio de la presencia o ausencia de marcas gráficas como rasgo distintivo. El parentesco se manifiesta en el hecho de que su empleo en las ficciones literarias permite acumular un máximo de información en un mínimo de superficie textual, con lo que se logra una combinación difícil de imaginar en la comunicación pragmática: la de densidad informativa y economía de señales.

El texto citado ilustra, además, otro rasgo que parece típico del discurso directo libre: su fragmentarismo y/o brevedad, que se deriva de la necesidad de disimular su status de discurso incrustado dentro de una unidad locutiva de nivel superior. Si los segmentos textuales correspondientes a una situación enunciativa diferente pero no señalizados como tales estuvieran ocupados por un discurso completo y extenso, se destruiría uno de los efectos de sentido que consideramos específico del directo libre: crear la falsa expectativa de que los segmentos en cuestión forman un bloque con su contenido inmediato anterior o posterior, con el objeto de frustrarla a través de la colisión de los respectivos indicadores de enunciación. Resulta claro, en efecto, que la incompatibilidad de los indicadores en el interior de una pseudo-unidad locutiva se difuminaría considerablemente si la extensión del discurso referido en directo libre hiciera perder de vista su encuadre en el discurso que lo refiere y el abrupto choque de *shifters* en las zonas de juntura.

Después de todo lo dicho y, en particular, después de admitir que en el discurso directo libre se produce, al igual que en todas las variedades del directo, un cambio de nivel en lo que concierne a la voz, cabe preguntarse hasta qué punto es lícito seguir considerándolo como una especie de *conjunción discursiva*. Optamos por una respuesta semiafirmativa: si lo incluimos en dicho género es sólo en razón de su perfil formal engañoso y del peculiar valor semiótico que de él se deriva. El discurso directo libre representa, en verdad, una pseudo-conjunción discursiva: tras la apariencia de fusión interferencial de dos discursos se oculta un proceso de incrustación que sorprende y choca por la falta de toda señal anunciadora.

3. LITERALIDAD, VEROSIMILITUD, FICCIONALIDAD: EL DISCURSO DIRECTO Y EL DISCURSO INDIRECTO

Como lo señalamos al comienzo, uno de los rasgos tipificadores de las conjunciones discursivas es que los segmentos textuales en que ellas se realizan contienen una propuesta de lectura conducente a la restitución cuando menos parcial de la individualidad lingüística del discurso referido. Ante tales textos el lector competente reconoce y asume la convención, eminentementemente literaria, de que el discurso que. refiere presenta el discurso referido en una quasi-literalidad. La propuesta de reproducción literal puede abarcar tan sólo parcelas fragmentarias del discurso referido (como es el caso del discurso indirecto mimético o del discurso pseudo-directo) o bien puede abarcarlo en su casi totalidad (como creemos que es el caso del indirecto libre), excepción hecha, claro está, de las marcas de enunciación propias del discurso que lo refiere. Conjeturamos que es precisamente en atención a este rasgo que el discurso indirecto libre (DIL) ha recibido, en otra tradición terminológica introducida por G. Lerch (1922) y asumida por Voloshinov (1976), el nombre *uneigentlich direkte Rede* ("discurso inauténticamente directo" o "discurso quasi-directo"), nombre que sugiere el parentesco inmediato del DIL con el discurso directo y que subraya, por ello mismo, el factor de la literalidad.

Ahora bien, cuando se habla de literalidad en relación con un texto literario ficcional, es evidente que no se trata de la *reproducción* (en sentido estricto) de un discurso efectivamente dicho sino de un modo particular de presentación de un discurso ficticio dentro del discurso igualmente ficticio de otro hablante. Con *directo* o *literal* no se alude a un verdadero proceso de repetición sino tan sólo a una regla de lectura que podría glosarse así: "toda vez que aparezca un discurso atributivo (*cf.* Prince 1978) o señales contextuales equivalentes a él, los enunciados por él introducidos han de ser interpretados como si se tratara de la cita exacta de un discurso ajeno".

Llegados a este punto es necesario considerar los dos tipos de discurso referido, el discurso directo y el discurso indirecto no-mimético, que no constituyen conjunciones discursivas, y que representan casos paradigmáticos de literalidad y no-literalidad respectivamente, por lo cual pueden funcionar como elementos de control. Por lo demás, ellos permiten plantear, como se verá enseguida, algunos interrogantes en torno a la validez epistemológica del discurso referido en general, lo que, a su vez, nos servirá de punto de partida para caracterizar el modo de funcionamiento y el valor comunicativo del DIL en el marco de una teoría de la ficción literaria.

Al subrayar el carácter dinámico y complejo de las interrelaciones entre el discurso que refiere y el discurso referido, Voloshinov (1976, pp. 148 ss.) distingue dos direcciones básicas:

a) una tendencia a marcar límites rígidos entre ambos discursos con el fin de preservar la integridad del discurso referido y

b) la tendencia, exactamente opuesta, a borrar las fronteras y a contaminar el discurso referido con las entonaciones propias del discurso que lo refiere o bien a impregnar a este último de los matices afectivos y valorativos del discurso referido.

Voloshinov vincula la primera tendencia al uso excluyente del discurso directo y la segunda al predominio de formas mixtas de referir, entre las que destaca el DIL. Observa, además, en relación con la primera, la tendencia complementaria, típica del francés antiguo y medio y del ruso antiguo, a no tomar en cuenta la individualidad lingüística del discurso referido, esto es, a registrar y transmitir tan sólo su contenido conceptual.

Examinado desde la perspectiva de las exigencias de verosimilitud de una poética realista, este "discurso directo despersonalizado" (Voloshinov 1976, p. 148) implica una severa contradicción: la de presentar una versión conceptualizada de discurso ajeno atribuyéndola de modo inmediato a la fuente lingüística original. Al proceder de este modo, el hablante que refiere adopta el comportamiento verbal de quien *re-produce*, de quien sólo 'presta su voz', cuando en verdad *produce* un discurso cuyo contenido es ajeno pero cuya textura verbal es propia. En relación con este último rasgo, el estilo directo despersonalizado no se diferencia en nada de las formas no-miméticas de estilo indirecto, las cuales se caracterizan precisamente por ofrecer modificaciones analíticas del contenido del discurso referido. Su inverosimilitud lingüística, que en la narrativa literaria se manifiesta en la total homogeneidad de la palabra del narrador y la palabra de los personajes, resultará más o menos notoria según el verosímil genérico correspondiente (*Cf.* el cap. V "Ficcionalidad, referencia, tipos de ficción literaria", pp. 115 ss.). Así, en la tradición épica

263

occidental, de Homero en adelante, la ausencia de cualquier rasgo lingüístico individualizador entre el discurso del rapsoda-narrador y los parlamentos de los héroes —así como la indiferenciación de éstos entre sí—, no sólo no resulta extrañante sino que es lo exigido por el estilo monumental y formulístico propio del género. Muy distintas son, en cambio, las condiciones de recepción en la novelística contemporánea que, juzgada sobre el trasfondo de una tradición realista, ostenta la inverosimilitud lingüística de un discurso directo no acorde con las características personales y socioculturales del emisor como una torpeza del autor o una voluntaria marca de extrañamiento.[14]

De todo lo dicho se desprende que lo que venimos llamando —a falta de un mejor término— la literalidad del discurso directo (y, consecuentemente, de las conjunciones discursivas) abarca un amplio espectro de posibilidades de reproducción (o de pseudorreproducción): puede implicar la necesidad de respetar cuidadosamente el verosímil lingüístico o, por el contrario, puede limitarse al aspecto puramente formal de la atribución del discurso a una fuente lingüística distinta de la primaria. Un interesante ejemplo del carácter convencional, variable y, a veces, solo formal de la propuesta de literalidad en el entramado discursivo de la novela, se halla en el siguiente pasaje de *La vida exagerada de Martín Romaña* de A. Bryce Echenique:

> —Inés, tengamos un bebe —le decía, lleno de pasión, le rogaba llenecito incluso de inyección erectiva—. Nadie más maternal que tú, Inés.
> [. . . . .] pero Inés erre con erre de Cabreada en Castilla la Vieja terca.
> —Déjate de sentimentalismos, Martín. Un bebe no cabe en una mochila en ningún tipo de lucha marxista-leninista por el poder.
> Esto último es tan sólo una manera de contar las cosas, pero de gran utilidad si se desea ser muy breve, por la gran cantidad de connotaciones que trae. Lo explica todo.
> El fin, el bebe nunca llegó a París, [. . .] (p. 565).

En este texto el narrador del relato autobiográfico —alter ego del autor— tematiza el recurso que él mismo emplea para referir la réplica de su mujer a su demanda de tener un hijo, dejando en claro que con el discurso directo no está refiriendo sus palabras exactas sino su postura ideológica en relación con el tema y que se trata, por ello mismo, de un modo económico de narrar un diálogo reiterado con distintas variaciones en distintas oportunidades.

Este ejemplo extremo —así como, en general, todos los subsumibles en la categoría del discurso directo despersonalizado— corrobora en un aspecto e invalida en otro las ideas de Hilty sobre el DIL, al que él llama "estilo reflector" (*style réflecteur*) (Hilty 1973). Este autor reconoce acertadamente, en efecto, que la única condición ineludible del discurso directo "no es la reproducción pura y textual sino la identidad de origen de los sistemas personal y temporal en la producción y en la reproducción" (p. 41), lo que, planteado

---

14. En esta línea se ubican, por ejemplo, *Paradiso* de J. Lezama Lima o *Casa de campo* de J. Donoso.

en nuestros términos, equivaldría a decir que en el estilo directo la propuesta de literalidad puede reducirse al sistema personal y temporal del discurso referido. Resulta insostenible, sin embargo, postular, como lo hace Hilty, que el "estilo reflector" se diferencia del directo sólo por poseer una tendencia más acusada a "abreviar y modificar las palabras reproducidas", tendencia que alcanzaría su máxima expresión en el estilo indirecto (*loc. cit.*)[15]. Aparte del hecho de que "abreviar y modificar" no es una manera adecuada de aludir al mayor o menor alcance de la propuesta de literalidad en el ámbito de la ficción —por cuanto no hay un original que se abrevie y modifique—, creemos que, incluso si se acepta la posibilidad de caracterizar los tipos de discurso referido según el mayor o menor grado de transformación sufrida por un supuesto original, se llegaría a una conclusión contraria a la de Hilty: puesto que el "estilo reflector", a diferencia del directo, supone la necesaria trasposición del sistema personal y temporal del discurso referido, debe ostentar mayor número de rasgos lingüísticos y/o ideológicos individualizadores que el directo pues en ausencia de ellos dejaría de reconocérselo como "reflector" de un discurso ajeno, imbricado en el discurso primario, y se confundiría con este último.

4. EPISTEMOLOGIA DEL DISCURSO REFERIDO

El problema de la literalidad —en el sentido específicamente literario-ficcional en que lo hemos planteado aquí— no sólo se conecta con el de la verosimilitud lingüística sino también, desde una perspectiva más amplia, con el de la epistemología del discurso referido. Este último problema se puede analizar a su vez en dos grupos de interrogantes que incluiremos, siguiendo una propuesta clasificatoria de Ron (1981), bajo los rótulos *motivación epistémica* y *motivación semiótica* respectivamente. El primero alude a la necesidad de satisfacer todas las preguntas relacionadas con la posibilidad de que un discurso efectivamente dicho o sólo pensado sea captado por una conciencia distinta de la del emisor. El segundo abarca el conjunto de preguntas y respuestas en torno al proceso de fijar (en la memoria, por escrito o por otros medios) y de transmitir (oralmente o por escrito) un discurso ajeno.

La convención literaria de representar todo pensamiento en forma de discurso —sea éste coherente y ordenado como en el soliloquio tradicional o incoherente y caótico como en el monólogo interior del siglo XX— plantea, sobre todo y del modo más agudo, interrogantes del primer tipo. A su vez la literalidad o no-literalidad del discurso referido se vincula fundamentalmente con interrogantes del segundo tipo.

Un cuento de Borges, "Funes el memorioso", que, como señala acertadamente Martínez-Bonati (1980-1981, p. 10), "ofrece una indirecta parábola de

---

15. Error similar se encuentra en Bayerle (1972).

la epistemología narrativa", contiene una iluminadora reflexión sobre la eficacia literaria y la validez epistemológica del discurso directo y del indirecto no-mimético, entendidos ambos como paradigmas de reproducción exacta y versión abreviada del discurso ajeno respectivamente. He aquí el pasaje:

> Arribo, ahora, al más difícil punto de mi relato. Este (bueno es que ya lo sepa el lector) no tiene otro argumento que ese diálogo de hace ya medio siglo. No trataré de reproducir sus palabras, irrecuperables ahora. Prefiero resumir con veracidad las muchas cosas que me dijo Ireneo. El estilo indirecto es remoto y débil; yo sé que sacrifico la eficacia de mi relato; que mis lectores se imaginen los entrecortados períodos que me abrumaron esa noche.
>
> (J. L. Borges, *Obras Completas*, pp. 487-488)

El discurso indirecto —trátese de discursos dichos o pensados— es, como bien lo intuye Borges, el epistemológicamente menos escandaloso, el menos vívido y efectivo para crear la ilusión de realidad pero, a cambio de ello, el más "veraz" —vero-símil—, ya que constituye la forma más corriente de referir el discurso ajeno en los usos no-literarios de la lengua. Especialmente en la lengua oral el estilo directo no tiene mucha cabida por razones que no resultan difíciles de comprender: la cita literal supone un cambio de nivel discursivo y, por ello mismo, un esfuerzo adicional del hablante primario, quien se ve obligado a quebrar la línea de su discurso para incluir un cuerpo extraño en el normal desarrollo de su acto enunciativo. Esta quiebra debe estar suficientemente señalizada, no sólo por el *verbum dicendi*, sino por características melódicas distintas de las del propio enunciado. Puesto que desempeñar dos roles no parece concordar con la ley del mínimo esfuerzo que suele regir los actos de comunicación oral, sólo se recurre al discurso directo cuando hay un interés especial en mantener exactas las palabras de otro, ya sea para evitar malosentendidos, para deslindar responsabilidades, para conservar una determinada coloración afectiva o por cualesquiera otras razones que muevan a adoptar una postura testimonial. Como, por otra parte, la posibilidad de la reproducción fiel está severamente limitada por la capacidad memorística de quien cita oralmente, el procedimiento sólo alcanza a fragmentos breves de discurso ajeno. Sólo en el caso de que éste haya sido registrado —por escrito, en cinta magnetofónica o por otros medios de fijación artificial— se hace factible una cita extensa. También desde este punto de vista el estilo indirecto resulta no sólo más normal, sino, como lo subraya el texto borgeano, más "veraz", más acorde con las prácticas comunicativas no-literarias.

En los relatos literario-ficcionales lo más común es que el narrador que cede la palabra a los personajes no haga ninguna referencia a los problemas vinculados con el proceso de fijación y conservación de los discursos que él mismo reproduce. Esta falta de motivación semiótica, de la que el lector medio no llega a tomar conciencia o que, cuando más, acepta como parte del verosímil genérico, está en franca contradicción con una noción absoluta de verosimilitud. Es a este aspecto —implícitamente tematizado por Borges— al que alude Martínez-Bonati cuando sostiene que el *Amadís* y la novela medieval en general, con su predominio del "telling" sobre el "showing", es más verosímil que el *Quijote* y, más aún, que la novela realista moderna (Martínez-Bonati, 1980-1981, p. 11).

La verosimilitud absoluta del discurso novelístico se ve aun más seriamente afectada cuando lo que se reproduce son pensamientos o sentimientos de los personajes. Puesto que tales procesos interiores no *son* discursos sino que son *comunicables* en forma de discurso, el uso del estilo indirecto sería, siguiendo el razonamiento de Martínez-Bonati, el más natural, el más digno de credibilidad. Puede ocurrir, en efecto, que el narrador dé una motivación semiótica, que explique cómo sabe lo que el otro pensó (por ej., porque se lo contó) o bien –lo que es más frecuente cuando el narrador no aparece en la historia como un personaje más– que no dé explicación alguna. Si bien en este último caso la instancia narrativa aparece implícitamente investida de una omnisciencia sólo aceptable en el plano del verosímil genérico, es más notoria aun la falta de motivación semiótica –y con ella la ausencia de verosimilitud absoluta– cuando los pensamientos o sentimientos del personaje son presentados con el discurso directo o el indirecto libre. El uso del indirecto le da, en cambio, a lo narrado, cierto aire de vaguedad que deja margen a la conjetura de que el narrador pudo enterarse de lo directamente inaprehensible por la vía mediatizadora de discursos ajenos.

La máxima transgresión del verosímil absoluto o, para decirlo en los términos de Martínez-Bonati, el verdadero "escándalo epistemológico" del discurso novelístico moderno no es la omnisciencia de ese tipo de narrador, tan frecuente en la novela decimonónica, que ofrece apretadas 'radiografías espirituales' de sus personajes; más inverosímil aún pero, paradójicamente, más convincente y eficaz para activar la imaginación del lector es "la fingida percepción inmediata de lo inmediatamente imperceptible (la interioridad o la soledad ajenas)" (Martínez-Bonati 1980-1981, p. 15).

Como se ha sugerido, el estilo indirecto es el menos apto para producir la ilusión de inmediatez por cuanto al usarlo el narrador puede crear la sensación de que resume o refunde discursos *sobre* las experiencias del personaje. En el extremo opuesto –por su realismo genérico y su irrealismo absoluto– se encuentra el monólogo interior o "discurso inmediato", como lo llama Genette, que se caracteriza por la desaparición de la instancia narrativa, cuya voz es sustituida por el quasi-discurso –caótico, elíptico, a modo de mímesis de conglomerado experiencial– de la conciencia del personaje.

5. EL DISCURSO INDIRECTO LIBRE

Dentro de este campo de las "fantasías irrealistas" capaces de producir una intensa ilusión de realidad se ubican asimismo, si bien en posiciones en las que el escándalo epistemológico es menos notorio, el soliloquio tradicional en forma de discurso directo (tipo *pensó* + texto con la sintaxis y el orden temático de un discurso para el exterior) y, finalmente, el discurso indirecto libre a condición de que se lo utilice para representar procesos interiores. Curiosamente, ésta es la única posibilidad contemplada por Martínez-Bonati (1980-1981, p. 6) cuando afirma que el DIL "consigna una experiencia imposible: la directa aprehensión de la interioridad ajena" y que por ello sólo se desarrolla en la ficción como una de esas "fantasías cognoscitivas y lingüísticas".

Si bien el DIL no parece tener cabida, en efecto, fuera del ámbito de la comunicación literaria, las razones de semejante limitación poco tienen que ver con el carácter "interior" o "exterior" del discurso referido. Su frecuente utilización en escenas de corte dramático en las que domina por completo el dialogar a todas luces externo de los personajes, sólo interrumpido por breves acotaciones descriptivas, ha dado precisamente origen, dentro de la narrativa más reciente, a importantes modificaciones en la estructura sintáctica del DIL. Una de ellas es, por ejemplo, la incorporación del nombre del personaje (o una expresión identificadora equivalente) al enunciado referido.

> ¿Iban a esperar a los otros, Sargento? Sería de nunca acabar y el práctico Nieves arroja su cigarrillo, los otros no volverían, si se fueron no querían visitas y éstos se irían al primer descuido. *Sí, el Sargento sabía*, sólo que era de balde pelearse con las madrecitas. (M. Vargas Llosa, *La casa verde*, pp. 15-16. Subrayado nuestro.)

> *Pero el cabo no se estaba burlando, mi capitán* y fíjese, había un remedio que no fallaba, una pomada que se echaban los urakusas, le traería un botellón, mi capitán, y *el capitán quería que* le hablaran en cristiano, quiénes eran los urakusas. *Sólo que cómo iba a hablarle en cristiano el cabo* si así se llamaban los aguarunas, ésos que vivían en Urakusa, . . . (*Ibid.* p. 36. Bastardilla nuestra.)

En las frases subrayadas la presencia del nombre propio no acarrea como consecuencia la destrucción del indirecto libre, esto es, la transformación del discurso *del personaje* en discurso *sobre el personaje*[16]. Es interesante observar, por lo demás, que las expresiones *el Sargento, el cabo, el capitán* son todas formas apelativas correspondientes a la perspectiva del interlocutor: el *Sargento* es tal para el práctico Nieves, *el cabo* es tal para el capitán y *el capitán* es tal para el cabo. Ellas cumplen la función de identificar la fuente de la que procede cada enunciado evitando así cualquier ambigüedad que hubiera podido resultar del uso de pronombres. Al no haber *verbum dicendi*, que hace imposible en el indirecto conjuncional este rasgo del indirecto libre por la sencilla razón de que después de él el nombre propio está marcado como una tercera persona diferente del autor del enunciado referido (*Cf.* * *El Sargento dijo que sí, que el Sargento sabía. . .*), queda abierto el camino para que cualquier expresión identificadora pueda asumir, como el pronombre de tercera persona, un valor anafórico de transposición (yo (discurso directo) > él (discurso indirecto)).

Otra modificación que, como la anterior, se deriva de la utilización del DIL para representar diálogos, consiste en introducir el enunciado referido mediante

---

16. Bally (1914, p. 408) parece haber pensado lo contrario.

el nombre del personaje de quien procede (o mediante un simple pronombre cuando no hay dificultad para identificarlo), a modo de sintético discurso atributivo:

> Los ponían en unas hamacas que no eran de yute sino de culebras y ahí se daban gusto con ellos y la Madre Patrocinio ¿ya estaban hablando de supersticiones?, y ellos no, no, ¿y se creían cristianos?, nada de eso, madrecita, hablaban de si iba a llover. (M. Vargas Llosa, *ibid.*, p. 17.)

Como se puede observar, ni la segunda intervención de la Madre Patrocinio ni la subsiguiente respuesta de los interpelados exige ya una nueva advertencia, ya que el solo sentido del diálogo permite la identificación.

De un modo similar al de los nombres y pronombres introductores, también los vocativos pueden servir para establecer las diferentes direcciones de la relación dialógica. Tal es el caso del comienzo de uno de los textos arriba transcriptos:

> Pero el cabo no se estaba burlando, mi capitán y fíjese, había un remedio que no fallaba, . . .

Este ejemplo es especialmente interesante por cuanto el vocativo *mi capitán* aparece acompañado por un modo verbal inusual en el DIL, el imperativo *fíjese*. El hecho de que esta forma no haya sido traspuesta al imperfecto de subjuntivo se debe a que su función se limita aquí a focalizar la atención del interlocutor en el enunciado siguiente. El empleo de la forma normal para reproducir órdenes en DIL, a saber *que se fijara*[17], habría anulado el valor formulístico y fático de la expresión en su versión directa.

Los vocativos permanecen como tales cuando van unidos a la forma traspuesta de un auténtico imperativo, esto es, con valor de orden. Cuando no es el caso, pueden mantenerse o bien quedar encubiertos —potencialmente presentes, descifrables— tras el sujeto sintáctico de la frase. He aquí un ejemplo de ambas posibilidades:

> . . . y ellas no gritan pero tironean y sus cabezas, hombros, pies y piernas luchan y golpean y vibran y el práctico Nieves pasa cargado de termos: que se apurara, *don Adrián*, ¿no se le quedaba nada? No, nada, cuando *el Sargento* quisiera. (Vargas Llosa, *ibid.*, p. 19. Bastardilla nuestra.)[18]

17. El imperativo del estilo directo se transforma en *que + imperfecto de subjuntivo* en el indirecto libre. Cuando aparece la construcción *que + presente de subjuntivo* se trata de un fragmento de discurso directo o de un discurso directo libre intercalado en el DIL, como en el siguiente texto: "La madre Angélica alza la cabeza: que hagan las carpas, Sargento, un rostro ajado, que pongan los mosquiteros. . ." (*cf. supra* en el texto). Aquí la madre Angélica pide al sargento dar una orden a sus subalternos. *Que hagan, que pongan* son subordinadas que funcionan como objeto directo de un *verbum dicendi* elidido.

1'. En discurso directo la respuesta de don Adrián habría sido: "No, nada, cuando quiera, Sargento".

La utilización del DIL en pasajes en que las acciones verbales de los personajes son parte sustancial de los sucesos narrados, permite acortar la distancia entre el plano de la descripción y el de la narración en sentido estricto. Probablemente en razón de su mayor grado de artificio, el DIL parece admitir más fácilmente que otras formas de reproducción que se rompa la continuidad de los discursos referidos para intercalar acotaciones destinadas a recrear visualmente la escena dialógica. Así ocurre en el siguiente ejemplo:

> Los guardias y el práctico Nieves se sientan en el suelo, se descalzan, el Oscuro abre su cantimplora, bebe y suspira. La Madre Angélica alza la cabeza: que hagan las carpas, Sargento, *un rostro ajado*, que pongan los mosquiteros, *una mirada líquida*, esperarían a que regresaran, *una voz cascada*, y que no le pusiera esa cara, ella tenía experiencia.
> (*Ibid.*, p. 11. Bastardilla nuestra.)

Semejante procedimiento resulta particularmente apto para crear la ilusión de una realidad 'puesta ante los ojos' —*showing*— y para representar la simultaneidad de acciones verbales y no-verbales. Tal sucede en el siguiente texto, en el que por momentos se borran las fronteras entre la acotación escénica atribuible al narrador primario y el discurso ajeno referido por él:

> El Sargento arroja el cigarrillo, lo entierra a pisotones, qué más le daba, muchachos, que se sacudieran. Y en eso brota un cacareo y un matorral escupe a una gallina, el Rubio y el Chiquito lanzan un grito de júbilo, negra, la corretean, con pintas blancas, la capturan y los ojos de la madre Angélica chispean, bandidos, qué hacían, su puño vibra en el aire, ¿era suya? que la soltaran, y el Sargento que la soltaran pero, Madres, si iban a quedarse necesitaban comer, no estaban para pasar hambres. (*Ibid.*, pp. 11-12.)

La separación entre descripción ambiental y relato de acciones verbales queda indeterminada en el caso de la presentación visual de la gallina: *lanzan un grito de júbilo* se puede entender como una sintética referencia a un enunciado del que sólo se precisa su función emotiva —lo que Genette (1972, pp. 190-191) llamaría "discurso narrativizado" o McHale (1978, p. 258) "sumario dieguético")— o bien como discurso atributivo respecto de *negra* y *con pintas blancas*. Ambas expresiones se pueden identificar, en efecto, con el jubiloso grito antes aludido por el narrador o con otros tantos gritos de los personajes que se añaden a él en la forma del discurso directo libre; pero igualmente es posible interpretarlas como descripciones de la instancia narrativa primaria, que quiebran en dos puntos la línea discursiva del relato de sucesos para sugerir, mediante dicha ruptura, la quasi-simultaneidad de acciones y percepciones, así como la relación entre el desplazamiento del objeto focalizado por la conciencia de los personajes y la modificación del correspondiente proceso perceptivo.

Los textos que acabamos de considerar —y muchos otros que una mirada atenta podría hallar a cada paso en casi cualquier novela de nuestros días— muestran a las claras que el DIL es tan eficaz para representar la interioridad del personaje como sus conversaciones con otros personajes. Es precisamente en atención a esta doble capacidad que algunos autores, como por ej. Banfield y todos los que siguen su modelo de DIL, distinguen dentro de éste dos variedades a las que llaman respectivamente "discurso representado" y "pensamiento representado" (*Cf.* Banfield 1978 y 1981). El hecho de que Martínez-Bonati reconozca tan sólo la segunda de estas variedades e identifique globalmente al DIL con ella no constituye, según creemos, un simple caso de error u omisión. Su intento de explicar el exclusivo desarrollo de esta forma dentro de la ficción literaria interpretándola como representación de lo imposible de aprehender en la realidad —el pensamiento ajeno— responde a una intuición correcta en relación con un rasgo observado repetidamente desde los comienzos de la discusión sobre el tema y descripto siempre con cierta vaguedad y subjetivismo.

Su formulación más categórica —y la más influyente en trabajos posteriores con la misma orientación— se encuentra en Lorck (1921), quien utilizó el término *erlebte Rede* ("discurso vivenciado", "discurso que constituye una experiencia de quien lo refiere") para aludir a lo que él consideraba la cualidad más notoria de este extraño modo —extraño fuera de la literatura— de transmitir enunciados ajenos. Lorck distingue tres formas básicas de reproducción que llama respectivamente "discurso dicho" (*gesprochene Rede*, que corresponde a la cita), "discurso vivenciado" (nuestro DIL) y "discurso referido" (*berichtete Rede*, que corresponde a las modalidades indirectas de reproducción). El DIL no sería *stricto sensu* una variedad de "discurso referido" sino una singular manera de representar la huella mnémica de un discurso, la vívida impresión de palabras en una conciencia, la *vivencia* de enunciados ajenos:

> El autor puede hacer hablar u oír hablar a sus personajes. . . . Cuando él oye hablar a sus personajes, se trata de una vivencia del autor, de una vivencia de la que él se acuerda y que para él es pasada.
> (Lorck 1921, p. 13; nuestra la traducción.)

Lorck atribuye la ausencia de esta forma en los usos no-literarios de la lengua a su carácter quasi-monológico: quien intentara transmitir de este modo un discurso, daría la sensación de hablar consigo mismo en olvido del interlocutor o de ser víctima de alucinaciones (p. 8).

Como puede apreciarse, lo que aquí está en juego es algo que podríamos seguir caracterizando como 'interioridad', mas no la del personaje cuyo discurso se refiere sino la de quien refiere el discurso: la de la instancia narrativa (que Lorck no llega a distinguir del autor).

No menos sintomáticas —y en última instancia próximas a la verdad— que la aparentemente falsa apreciación de Martínez-Bonati son algunas redefiniciones últimas del DIL que, como la siguiente, se apoyan en el sofisticado modelo y en la terminología de Banfield:

> El discurso representado puede igualmente ser llamado pensamiento representado o discurso filtrado a través de los pensamientos de un personaje. (Brinton 1980, p. 369, nuestra la traducción.)

El aspecto más cuestionable de la afirmación precedente es, como en el caso de Martínez-Bonati, la implícita equiparación del tipo DIL con uno de sus subtipos, hecho que se deriva asimismo de la intuición, a nuestro entender acertada, de que esta manera de referir discursos es bastante afín al soliloquio y refleja en alguna medida el procesamiento de los enunciados ajenos —o propios pero pertenecientes al pasado— en la conciencia de quien los refiere. La confusión radica en atribuir a la conciencia de un personaje el 'filtrado' de los enunciados. Hay, por cierto, casos en los que el DIL se utiliza para representar el recuerdo de un discurso en la memoria de un personaje. Pero esto no es *pensamiento representado* sino, como lo reconoce el mismo autor de la cita, *discurso representado en el interior del pensamiento del personaje*, pensamiento que a su vez puede ser *representado* en el sentido de Banfield (DIL) o bien citado (discurso directo) o bien tan sólo referido (discurso indirecto). Estamos, pues, ante un típico ejemplo de incrustación: el narrador primario refiere el discurso interior de un personaje que a su vez focaliza (esto es, vuelve a 'oír' mentalmente) el discurso de otro personaje que a su vez ha focalizado (esto es, pensado) un determinado tema y lo ha manifestado externamente en enunciados dirigidos a un interlocutor.

En los casos más frecuentes, en los que el *discurso representado* no está incrustado en la conciencia reflexiva —convencionalmente discursiva— de un personaje sino simplemente forma parte del relato de acciones verbales del narrador primario, podría quizás afirmarse (a condición de que se acepte en lo sustancial la tesis de Lorck) que dicho discurso aparece 'filtrado' por la conciencia del narrador, a la vez 'oído' y referido por él. Desde este punto de vista, la diferencia principal con las demás formas de reproducción y en particular con aquellas que no constituyen conjunciones discursivas residiría en el hecho de que los segmentos textuales en DIL parecen llevar la marca de la existencia de una conciencia perceptiva que ha registrado y reconstruye, en el ahora de la narración, la imagen acústica del discurso que la voz refiere. En el discurso directo y en el discurso indirecto, en cambio, el hecho de que el narrador haya oído previamente lo que reproduce o que de algún modo lo sepa de antemano (por relato de terceros o por simple omnisciencia) no pasa de ser una presuposición, una de las tantas en que se funda la institución novelística y que por lo común no se tematizan.

6. FOCALIZACION Y DISCURSO REFERIDO

En los planteos precedentes hemos asumido parcialmente la terminología y algunas de las distinciones conceptuales practicadas por M. Bal en su revisión del modelo de Genette (Bal 1977a y 1981)[19].

19. No nos ha sido posible consultar Bal 1977b.

De particular interés nos parece la distinción *focalizador-focalizado* que permite analizar el fenómeno de la *focalización* —categoría genettiana un tanto difusa— como el resultado de la acción de un sujeto sobre un objeto. El focalizador, instancia que aprehende, selecciona, aprecia y presenta cierto material que puede pertenecer tanto al ámbito de lo 'perceptible' (objetos físicos) como al de lo 'imperceptible' (interioridad del personaje), se diferencia nítidamente del narrador si se entiende que éste es tan sólo la fuente de que dimana la verbalización de cierta manera de ver las cosas.

Otra categoría que consideramos especialmente útil y adoptamos aquí desde un comienzo para caracterizar el fenómeno de la conjunción discursiva, es la de *incrustación* o cambio de nivel que Bal toma de Genette, quien distingue diferentes niveles narrativos con sus respectivos narradores y narratarios pero sin separar la instancia narrativa propiamente dicha —la voz— de la instancia focalizadora. Bal es más consecuente y estricta en la separación: considera que hay cambio de nivel toda vez que una voz cede el paso a otra voz y toda vez que un focalizador cede la 'visión' a otro focalizador. Dado que parte del supuesto de que entre narrador y focalizador existe una relación jerárquica (independientemente del hecho de que ambas instancias puedan coincidir en una misma entidad personal) en la medida en que lo narrado —los enunciados del nivel inmediato inferior a aquel en que se ubica el acto de enunciación— comprende un objeto ya focalizado pero no viceversa, da por sentado que el cambio de voz supone cambio de focalizador mientras que puede haber cambio de focalizador sin cambio de voz.

Para que haya incrustación la transición de una a otra unidad debe estar asegurada por claras señales, las unidades en cuestión deben estar ordenadas jerárquicamente (en una relación de subordinante-subordinado) y deben pertenecer a la misma clase. En el caso de la incrustación de discursos, la transición aparece asegurada por el discurso atributivo o por otro tipo de marcas (signos gráficos como dos puntos, guiones, separación de frases, atribución implícita en la frase del nivel superior, etc.) que funcionan precisamente como los introductores habituales del discurso directo o 'citado' (Bal 1981, p. 43). Considera Bal que sólo en este caso hay cambio de nivel —independientemente del hecho de que el discurso directo sea narrativo en sentido estricto o no lo sea— mientras que en el DIL no lo hay (Bal 1977, p. 122) y, por cierto, tampoco en el discurso indirecto. Uno de los aspectos en que su propuesta resulta poco convincente es la postulación de una simetría demasiado estricta entre incrustación de voz y de visión. Algo mecánicamente asume Bal que la presencia en un enunciado de un verbo que designa cualquier proceso mental de un personaje implica un cambio de focalización. En nuestra opinión, resulta abusivo homologar las funciones de tales verbos con las de un *verbum dicendi*. Mientras que la presencia de este último por lo común obliga a suponer que no sólo cambia el sujeto de la acción verbal sino también que el producto de dicha acción —el discurso— es un hipodiscurso incrustado en el discurso que contiene el *verbum dicendi*, no ocurre otro tanto con la presencia de un verbo como *recordar, desear, oír* o *ver*: en muchos casos el verbo en cuestión señala

273

un cambio de focalizador pero no necesariamente el paso de un nivel a otro. Para que la transición esté asegurada y resulte nítida, el objeto focalizado debe estar presentado de tal forma que surja inequívocamente que es producto de una manera de focalizar —percibir, seleccionar, evaluar— diferente de la del focalizador primario. Incluso Bal admite implícitamente que la presencia de un focalizador segundo dentro de lo focalizado por un focalizador primero no siempre supone un forzado cambio de nivel. Así, en una frase como "Ella buscaba atraer con la mirada a su novio, hundido en el fondo de un sillón", Bal considera que el novio hundido en el fondo del sillón es 'visto' a la vez por el focalizador-personaje ("ella") y por el focalizador primario que focaliza al focalizador-personaje. Llama a este fenómeno "visión o focalización transpuesta" y lo parangona con el DIL (Bal 1977), en la medida en que el focalizador primario —a semejanza del hablante primario en el DIL— asume la visión del personaje sin cederle la focalización y, por tanto, sin que se produzca un cambio de nivel. Como quedó sugerido ya en relación con la función señalizadora de los verbos que designan procesos de conciencia, estimamos que este caso es más frecuente de lo que Bal deja entrever y que se aplica a buena parte de los supuestos ejemplos de incrustación que ella menciona.

7. VOZ Y FOCALIZACION EN EL DISCURSO INDIRECTO LIBRE

A la luz de las categorías que acabamos de comentar es posible intentar una caracterización más ajustada del fenómeno descrito por Lorck. Examinado desde las perspectivas, diferentes pero complementarias, de la voz y la focalización, el DIL, entendido como exponente paradigmático de conjunción discursiva, se nos muestra como el más señalado caso de imbricamiento, no sólo del discurso que refiere y del discurso referido, sino además de las focalizaciones correspondientes a un focalizador primario y a un focalizador focalizado.

La copresencia de dos instancias de distinta jerarquía en un mismo nivel resulta especialmente nítida en lo concerniente al *origen* del discurso: un hablante primario, narrador de una acción verbal ajena (o propia pero anterior al ahora de la enunciación) adhiere lo más estrechamente posible al texto resultante de esa acción verbal pero sin cederle la palabra al sujeto que la ha ejecutado, sin permitir que éste diga *yo*. En una insólita constelación discursiva en que la cita no supone un no-hablar sino, por el contrario, la des-alienación de lo ajeno, el hablante que refiere cita parcialmente un texto incorporando el hablar de otro (o de sí mismo concebido como un 'otro') a su propio hablar. Así planteadas las cosas, la metáfora de la "voz dual", frecuente a partir de Pascal (1977), adquiere un sentido más claro: con ella se quiere significar que un hablante (el sujeto del discurso referido) habla a través de otro hablante fagocitario a quien le pertenecen las marcas de enunciación (el sujeto del discurso que refiere).

En lo que toca a la focalización, la imbricación se produce de un modo similar pero algo más complejo que en la esfera de la voz. El objeto focalizado por el focalizador primario —coincidente con el hablante primario en una misma entidad personal— es en todos los casos un proceso mental que, por ser tal, tiene a su vez un focalizado propio (el tema del *pensamiento* o del *discurso*).

Dicho proceso puede quedar sin manifestación exterior (en cuyo caso su verbalización representa convencionalmente lo aún-no-verbalizado) o bien se manifiesta en un discurso 'externo' dirigido a alguien. Propio del DIL es que el focalizador primario parece limitarse a 'percibir' ese proceso mental —'mudo' o 'elocuente'— y a adherir a él del mismo modo que la voz primaria adhiere al discurso del otro en el que se verbaliza la actividad de su conciencia. El focalizador primario 'oye' el discurso 'externo' o 'interno' del focalizador focalizado sin distanciarse de la forma de aprehensión del mundo en que se sustenta el contenido del discurso (ya sea que se trate de afirmaciones, de hipótesis, de juicios de valor, etc.). Precisamente en virtud de ese rasgo no puede haber distanciamiento irónico en el interior mismo del pasaje en DIL sino sólo en el contexto inmediato. Dentro de los segmentos textuales en DIL siempre hay estrecha adhesión a la palabra y a la ideología subyacente a ella que se originan en el hablante-focalizador de quien procede el discurso referido y focalizado por el hablante-focalizador primario.

A partir de estos presupuestos creemos oportuno retomar las nociones de *motivación epistémica* (ME) y *motivación semiótica* (MS) (*cf. supra*, p. 265) para replantear en términos más exactos una concepción del DIL que nos ha parecido tan sugerente como difusa: Ron (1981, p. 26) considera que los segmentos textuales en DIL deben ser leídos como juego verbal mimético (*i.e.* ficcional) con ME y/o MS sin dar otra explicación que la relativamente trivial de que la emisión de un enunciado presupone un emisor al igual que pensar un pensamiento supone un pensador y percibir una percepción un perceptor. Nuestra hipótesis es que en tales pasajes se manifiestan siempre al menos dos sujetos hablantes (o pensantes) y percipientes. Cuando se trata de discursos 'exteriores' habría doble motivación semiótica implícita: el personaje dijo lo que el narrador dice junto con él y a la vez reproduce como oído (por lo cual habría, además, motivación epistémica simple). Cuando se trata de discursos 'interiores' el personaje percibe-piensa un objeto determinado y el narrador percibe-'oye' dicho pensamiento (doble ME) a la par que lo reproduce en forma de un texto que incluye el texto del pensamiento (pseudo MS doble pues no hay dos efectivos hablantes sino solo uno, el que refiere). Dicho de un modo más simple, el DIL sugiere el 'filtrado' de los discursos o experiencias interiores del personaje a través de otra conciencia perceptiva, así como su comunicación a través de una voz que corresponde a esa segunda conciencia perceptiva pero que acoge dentro de sí la voz del otro, de donde resulta una simbiosis perfecta de lo 'oído' con lo referido. El narrador 'oye' y reproduce a la vez, 'vivencia' y relata lo vivenciado por el otro.

275

Por todas estas anomalías en relación con el verosímil absoluto es que semejante discurso carece de toda validación epistemológica si se lo considera desvinculado de su metatexto literario y parangonado con relatos no-literarios de acciones verbales.

CUARTA PARTE

ANALISIS DE TEXTOS

X

UN TEXTO POETICO.
DE LA ELEGIA LATINA A LA *POESIA ESCRITA* DE
JORGE EDUARDO EIELSON O EL *MAR DE AMOR*
NUEVAMENTE ENTONADO*

Hace ya bastante tiempo el siempre acerado y proteico espíritu crítico de Ortega y Gasset desviaba por unos instantes su atención del objeto central de sus reflexiones —el amor— para poner en evidencia la frivolidad de quienes creen resolver los más complejos problemas literarios, y culturales en general, con sólo rotularlos:

> Pasa con la metáfora como pasa con la moda. Hay gentes que cuando han calificado algo de metáfora o de moda creen haberlo aniquilado y no ser menester mayor investigación. ¡Como si la metáfora y la moda no fuesen realidades del mismo orden que las demás, dotadas de no menor consistencia y obedientes a causas y a leyes tan enérgicas como las que gobiernan los giros siderales!

> Ortega y Gasset, [12]1959, p. 102

De las enérgicas leyes que gobiernan los giros metafóricos me ocupé en otra oportunidad en la que, curiosamente, hice un poco a la inversa de Ortega: en medio de una larga reflexión semiótico-literaria —por cierto más ardua y menos apasionante que la que enmarcaba la observación del maestro— me detuve a medio camino para hablar del amor, del mar y de la historia de esta vieja unión en la tradición occidental (*Cf.* cap. VI, "Predicación metafórica y discurso simbólico", pp. 181-183). Me propongo ahora retomar el excurso de entonces para completarlo, emanciparlo de su carácter subsidiario y hacer de él algo así como un escolio a una idea borgesiana de la que el siguiente texto no es más que una de sus "infinitas" variaciones[1]:

> El primer monumento de las literaturas occidentales, la *Ilíada*, fue compuesto hará tres mil años; es verosímil conjeturar que en ese enorme

---

* Publicado originariamente en *Sur*, N° 350-351, 1982.

1. Véase, por ej., los textos recogidos por L. I. Madrigal para ilustrar la concepción y el rol de la metáfora en la poética de Borges (Madrigal 1977, pp. 188-189).

plazo todas las afinidades íntimas, necesarias (ensueño-vida, sueño-muerte, ríos y vidas que transcurren, etcétera), fueron advertidas y escritas alguna vez. Ello no significa, naturalmente, que se haya agotado el número de metáforas; los modos de indicar o insinuar estas secretas simpatías de los conceptos resultan, de hecho, ilimitados.

Borges, OC, p. 384

Permítaseme recordar una vez más aquel soneto gongorino que en diálogo con una inmensa cadena de discursos anteriores y posteriores fija en el instante único de un discurso particular el incesante proceso de remodelamiento verbal de la secreta simpatía entre los conceptos "amor" y "mar":

> *Aunque a rocas de fe ligada vea*
> *con lazos de oro la hermosa nave*
> *mientras en calma humilde, en paz süave*
> *sereno el mar la vista lisonjea,*
>
> *y aunque el céfiro esté (porque le crea),*
> *tasando el viento que en las velas cabe,*
> *y el fin dichoso del camino grave*
> *en el aspecto celestial se lea,*
>
> *he visto blanquëando las arenas*
> *de tantos nunca sepultados huesos*
> *que el mar de Amor tuvieron por seguro*
>
> *que dél no fío si sus flujos gruesos*
> *con el timón o con la voz no enfrenas,*
> *¡oh dulce Arión, oh sabio Palinuro!*

Góngora, Soneto 247

Es precisamente en virtud de esa recóndita afinidad entre elementos de dos campos asociativos sólo en apariencia tan distantes —anunciada y apuntalada por la afinidad complementaria entre "rocas" y "fe"— que el compacto discurso náutico deja filtrarse, a través de dos puntos de fuga señalizados por una incompatibilidad conceptual de superficie, un discurso amoroso en el que se razona la relación dialéctica deseo-miedo con la férrea lógica de una retórica literaria tan antigua como la lírica erótica. Como producto del traslapamiento parcial de estos dos universos dialogantes en el interior de un mismo texto, se articula un trasparente discurso simbólico en el que la metáfora del *mar de Amor* es a la vez intersticio por el que irrumpe y prolifera la palabra del amante receloso, así como obvia clave para la transcodificación de la palabra del navegante que no se atreve a hacerse a la mar. He aquí una 'traducción' posible, que incluye entre barras la referencia a algunos de los elementos transcodificados:

"Aunque la mujer que amo parezca constante en sus sentimientos /nave bien amarrada/ y parezca poseer la cualidad más valiosa en el amor: la fidelidad / amarrada con lazos de oro a rocas de fe/ ; aunque ella se muestre bien dispuesta ante mis pretensiones amorosas /mar en calma/, aunque me incite sutilmente a amarla /suave viento propicio/ y aunque la expresión benévola de su bello semblante /aspecto celestial/ me dé a entender que me corresponderá plenamente y me será leal /final feliz de la navegación/, no me animo a iniciar una relación amorosa /temor de zarpar/, pues son muchos los que han sido infelices / náufragos/ por haberse dejado llevar irreflexivamente de su pasión /excesiva confianza en el mar de Amor/. Sólo me animaría a amar si tuviera la sabiduría necesaria para controlar y moderar racionalmente la violencia de mis afectos /serenar la marejada como Arión con la magia de su canto o Palinuro con su pericia de timonel/".

Intersticio y clave, apertura puntual hacia un discurso heterónomo y centro de confluencia de una secreta simpatía entre conceptos disímiles —no por precodificada menos secreta—, *mar de Amor* representa el segmento textual en que la analogía recóndita se encubre tras la disonancia de una unión léxica 'imposible'. La relación de especificación instaurada por el sintagma preposicional *de Amor* es aquí una relación de identificación de lo incompatible: "mar" = "amor". Estamos, pues, ante un tipo metafórico que se puede subsumir en la clase de figuras que los manuales de retórica suelen designar como metáforas *in praesentia* y cuya característica es que tanto el "concepto superficial" (literal, incompatible con el contexto) como el "concepto profundo" (no-literal, construido con miras a su compatibilización)[2] se manifiesitan léxicamente —si bien de modo parcial— en la cadena sintagmática. Este tipo metafórico (el de las metáforas 'de genitivo') tiene una complejidad adicional respecto del tipo clásico de metáfora *in praesentia* (aquel en que se establece una relación de especificación con ayuda de la cópula "ser"). La complejidad radica en que el elemento que en la estructura superficial aparece como el especificador puede —y suele— ser el especificado dentro de la relación metafórica y viceversa. Para *mar de amor* cabrían teóricamente dos posibilidades: tomar *mar* como especificado manteniendo su sentido literal y reinterpretar *amor* en un sentido compatible con aquél de modo que se restablezca la homogeneidad del discurso 'náutico' o, a la inversa, tomar *amor* como especificado y, consecuentemente, reinterpretar *mar* en el sentido requerido por el discurso 'amoroso'. Estas opciones dan como resultado dos ecuaciones de muy diversa naturaleza:

a) *el mar* /"masa de agua salada"/ *es amor* (o *un amor* o *el amor*) / ? /, donde parece bastante difícil elaborar un concepto profundo apto para el especificador.

b) *el amor* /"atracción sexual y afectiva"/ *es un mar* /"sentimiento violento, incontrolable, peligroso, etc."/, donde, como se ve, resulta relativamente simple hallar un concepto profundo satisfactorio para el especificador.

Es indudable que la segunda opción es, por razones que se verán enseguida,

---

2. Una aclaración exhaustiva de estos términos y del rol que juegan los conceptos en cuestión en la constitución del proceso metafórico se halla en el cap. VI.

la más natural para cualquier lector con un mínimo de competencia literaria[3]. Incluso sigue siéndolo cuando se toma en cuenta una dificultad adicional soslayada hasta aquí: el hecho de que en el texto gongorino *Amor* aparezca con mayúscula a la manera de un nombre propio, podría crear la sensación engañosa de que se trata de una designación geográfica por su analogía con otros nombres marinos que presentan la misma estructura sintáctica superficial (como *Mar de Coral, Mar del Norte, Mar de los Sargazos*, etc.), lo que llevaría a mantenerlo dentro de la isotopía 'náutica'. Sin embargo, en el proceso de descodificación semejante posibilidad se descarta de inmediato y en su lugar se impone la representación animizadora de un "amor-dios" —en cuyo trasfondo se insinúa la concepción pagana de Eros— la que a su vez entra en relación metafórica con un concepto profundo correspondiente a la experiencia humana del amor como una fuerza ni explicable racionalmente ni controlable con la voluntad. La aparición de este concepto determina un cambio sustancial en el ensamblaje de todas las unidades de sentido del texto: al poner en evidencia que el elemento especificado en la estructura superficial, *mar*, es el especificador dentro de la relación metafórica y que, por tanto, su significado literal pertenece al plano del concepto superficial de la metáfora 'de genitivo', pone simultáneamente en evidencia que el discurso 'náutico' en su integridad se ubica, al igual que *mar* dentro del segmento metafórico intersticial, en el nivel del concepto superficial y que funciona como complejo significante —a la vez sustrato pictural con vida propia y vehículo de un sentido secundario— del discurso 'amoroso'.

Más arriba me referí a la mayor "naturalidad" de esta hipótesis de lectura, pero cuando se examina el proceso que nos lleva a optar por un Eros con algunas cualidades marinas (y no por un mar en alguna medida erotizado) se observa que no son razones de naturaleza las determinantes. El conjunto de nuestras experiencias en relación con fenómenos físicos y anímicos sólo desempeña en esto un rol secundario. El factor decisivo para que entendamos *mar de Amor* en la dirección señalada es la existencia, previa a la acuñación de esta metáfora particular, de un campo metafórico que nos es familiar por sus múltiples realizaciones a lo largo de la historia literaria de Occidente. Sólo sobre el trasfondo de las tradiciones metafóricas de la antigüedad clásica, tan intensamente revitalizadas por la poesía renacentista y barroca, se nos revela cabalmente la secreta afinidad de los conceptos y la ineludible razón poética que llevó a Góngora a hablar del mar para razonar sobre el amor. Antes de contrastar esta visión con la de un poeta de hoy que habla del amor para hacer comunicable su peculiar vivencia del mar, recordemos una vez más algunos hitos fundamentales en la fijación del campo de las metáforas 'náuticas', así como algunos ejemplos estrechamente emparentados con el soneto de Góngora, para que podamos percibir en su exacto registro el carácter subversivo de una voz que se añade al ininterrumpido dialogar de centenares de voces ilustres, para proponer una

---

3. Sobre la noción de competencia literaria véase el cap. II.

nueva manera de entender y en-tonar una relación conceptual osificada en el sistema literario dentro del que se inscribe su obra.

El temor del mundo antiguo por la navegación, fundado en las circunstancias precarias en que se realizaba la empresa, siempre ligada al riesgo del naufragio, se manifiesta frecuentemente en la literatura griega y latina con dos coloraciones afectivas opuestas: admiración o repudio ante la osadía del hombre que desafía los peligros del mar. Representativa de la primera es la célebre canción coral de la *Antígona* de Sófocles que exalta el cruce del mar como una de las grandes hazañas de la humanidad en su lucha por dominar a la naturaleza hostil (vv. 332 ss.). La misma audacia es, en cambio, drásticamente censurada por Horacio en su Oda I,3, dedicada a Virgilio, y en múltiples pasajes de su obra en los que se refleja una concepción religiosa típicamente latina: el cruce del mar es considerado como una violación de los límites impuestos al hombre por la divinidad. La presencia constante de este topos en la literatura clásica favoreció la fijación de la ecuación "navegación" = "empresa muy riesgosa, que requiere suerte y prudencia para no sucumbir", que sirvió así de base para la elaboración de innumerables metáforas tomadas de la esfera náutica y aplicables a todas las experiencias humanas particularmente difíciles. Un caso paradigmático: de Heracles, arquetipo de existencia esforzada y azarosa, nos dice un coro sofocleo que está sometido a los vaivenes del "trabajoso mar de la vida" (*Traquinias*, vv. 112 ss.).

Este mismo campo metafórico fue muy productivo en el ámbito de la poesía clásica con temas eróticos. "Mar" se convierte allí en cifra de "crueldad", "indiferencia", "insensibilidad". Con frecuencia se le reprocha al amante desdeñoso haber sido "engendrado por el mar" (*Cf.* por ej. Ovidio, *Heroidas* VII, vv. 38-39 y Catulo, *c.*64, v. 155). Asimismo, en las versiones grotescas que de las cuitas amorosas ofrece Plauto, las meretrices faltas de sentimientos e insaciables en su codicia son caracterizadas como un "mar" en el que el jovencito enamorado, como el mercader, ve "naufragar" todos sus bienes —y suplementariamente su cordura (*Cf.* por ej. *La venta de los asnos*, vv. 134-135 y *El hombre malhumorado*, vv. 568 ss.).

El entrecruzamiento de las dos esferas, la náutica y la erótica, se muestra en toda una serie de términos-clave de la elegía latina —y de la lírica amorosa en general— como *aestus, aestuosus, aestuare*, que designan metafóricamente los efectos aniquiladores de la pasión y que se aplican, igualmente, al movimiento del agua en ebullición y a la agitación violenta de las olas del mar. Usos de este tipo —y otros similares— son tan frecuentes que su ejemplificación se volvería enfadosa. Recordemos tan sólo un pasaje ovidiano que tiene particular interés pues ilustra cuán estrechamente estaban vinculadas ambas esferas y, por la misma razón, cuán fácil y naturalmente podía producirse el tránsito de una a otra dentro de un mismo texto. En la epístola XVI de las *Heroidas*, dirigida por Paris a Helena, Ovidio pone en boca de Paris las siguientes palabras: "la diosa de Citeres prometió que un día te tendría en mi lecho. Fue ella mi guía cuando atravesé en mi nave fereclea, desde las costas del Sigleo, por caminos inseguros, los mares inmensos; ella me dio suaves brisas y vientos propicios, pues, nacida del mar, tiene gran poder sobre el mar. ¡Que ella me siga prestando su ayuda! ¡Que serene la marejada (*aestum*) de mi pecho como serenó la del piélago y guíe mis deseos a su puerto! (vv. 20-26)[4].

Escuchemos ahora o, más exactamente, veamos en el blanco de la página la controversial respuesta que Jorge Eduardo Eielson inserta en este denso entramado de discursos poéticos cuya relación dialógica tiene como eje un tema de monolítica fijeza:

POESIA EN A MAYOR

> estupendo Amor AmAr el mAr
> y vivir sólo de Amor
> y mAr
> y mirAr siempre el mAr
> con Amor
> mAgnífico morir
> Al pie del mAr de Amor
> Al pie del mAr de Amor morir
> pero mirAndo siempre el mAr
> con Amor
> como si morir
> fuerA sólo no mirAr
> el mAr
> o dejAr de AmAr

Ya desde el título, en el que ni *amor* ni *mar* están presentes sino tan sólo anunciados o, lo que es lo mismo, anticipadamente develados en su carácter de objetos visuales a través de una de las letras que los integran, el poema instaura un diálogo refutatorio con dos grupos de textos consagrados dentro de la tradición artística en la que él mismo se ubica con su movimiento de rebeldía; de un lado prepara al desmontaje —por reificación gráfica y literalización semántica— de la vieja y ya empobrecida metáfora *mar de amor* y de otro lado evoca y simultáneamente disloca la equiparación, tan frecuente entre simbolistas y modernistas, de la poesía con música. *Poesía en A mayor* connota, en efecto, el título de Darío *Sinfonía en gris mayor*, el que a su vez connota cualquier título musical que aluda al tipo de composición y al tono o modalidad en que esté escrita como, por ej., *Sinfonía en sol mayor*. La acción de connotar no implica, sin embargo, la revitalización o la asunción del recuerdo suscitado, sino, por el contrario, su más categórica negación. El poema no quie-

---

4. Sobre la productividad del campo metafórico de la "navegación" en la cultura occidental antigua y moderna —aplicado en particular a la conducción del estado y, en general, a circunstancias vitales azarosas— véase Lausberg 1975, p. 213. Sobre la historia de este mismo campo metafórico aplicado a la composición de una obra literaria véase Curtius 1955, pp. 189-193.

re ser leído como armonía verbal ni como paradigma de sinestesias a la manera rubeniana sino como texto verbo-musical escrito en el que la letra *A*, además de cumplir la función subsidiaria de componer signos gráficos que remiten a unidades de sentido de la lengua natural, adquiere independencia y relieve visual por mantenerse invariablemente como mayúscula en abierta contravención de las normas ortográficas. El efecto de extrañamiento así logrado, en conjunción con la manipulación, en el título, del estereotipo técnico con que se indica la tonalidad, promueven la homologación de esta *A* con una figura recurrente en un pentagrama.

El carácter partitural del texto —música sólo en potencia, conjunto de signos gráficos que simbolizan relaciones temporales y acústicas— se subraya, además, por la relación dialógica entre el título del poema, los títulos de otros poemas que integran el mismo libro (como por ej., *solo de sol, nocturno, impromptu*, y tres que incluyen el término *variaciones*), el título del libro: *Tema y variaciones*, y el título del volumen que recoge todos los poemarios de Eielson publicados hasta ahora: *Poesía escrita*. Mientras que el título de la serie y de la mayoría de los poemas incluidos en ella connota la pertenencia a la esfera de la música, el título global hace simultáneamente hincapié en el carácter verbal y visual de todos los textos, incluidos los de naturaleza 'musical'.

En tanto término técnico, *variación* designa cada una de las formas en que se presenta un tema melódico, con modificaciones rítmicas y tonales a través de las cuales se mantiene siempre reconocible. La apertura del poemario con el rótulo *Tema y variaciones* sugiere, por tanto, que los textos que lo integran son otras tantas variaciones —transformaciones no sustanciales— de un tema —esquema conceptual y/o formal— común a todos. Pero, de otro lado, puesto que tres de ellos se titulan respectivamente *variaciones en torno a un vaso de agua, variaciones en amarillo y verde* y *variaciones sobre un tema de jorge guillén*, y puesto que en todos los demás se reconoce el mismo principio composicional de una idea que recurre bajo diversos ropajes, queda sugerido a la vez que cada texto-variación contiene un tema propio con variaciones.

Nuestra *poesía en A mayor* se presenta así, dentro del marco de la isotopía musical aludida, como una variación sobre el tema general del amor y como un conjunto de variaciones sobre el subtema de la relación amor-mar. Sin embargo, dado que *mayor* no sólo connota aquí un sistema tonal, sino simultáneamente un tipo de letras (la mayúscula) y las convenciones ortográficas ligadas a ella, el texto que sigue a tal título aparece implícitamente señalizado como un objeto visual, en consonancia con el título general del volumen y en estrecho parentesco con los poemas más picturales del mismo libro (como *poesía en forma de pájaro*) y, sobre todo, con los de la serie *Canto visible*.

Como resultado del doble movimiento de intertextualidad confluyente en el título del poema, en el que *Tema y variaciones* proyecta el aspecto musical y *Poesía escrita* el de la palabra-imagen, *poesía en A mayor* sugiere el anuncio de una "partitura (*escrita*) de música (*tema y variaciones... en... mayor*) - hecha - con - palabras" (*poesía - escrita - en A may-* [úscula]). En ella el material verbal se puede leer a la vez como conjunto de signos lingüísticos que componen un discurso amoroso, como constelación de elementos gráficos distribuidos en el blanco de la página según un ritmo espacial extralingüístico y, finalmente, como sustituto grafo-mimético de símbolos musicales sin equivalencias sonoras.

Sobre el trasfondo de las relaciones dialógicas con el título rubeniano y con los posibles títulos sinfónicos a su vez connotados por éste, *poesía* implica la negación de *sinfonía* (entendida como el simulacro verbal de una composición instrumental) y *en A mayor* implica tanto la reafirmación de *escrita* como la negación de la nota musical y de la unidad sinestésica de sonido y color.

La letra no sólo triunfa, así, sobre el sonido musical, el color y las correspondencias sensoriales consagradas en la poesía-canto, sino incluso sobre su propio correlato acústico. Su recurrencia, siempre en mayúscula, a la manera de la nota dominante de una partitura, a la par que subraya su naturaleza de grafo, veda el tránsito a su realización acústica: es una *A may-* [or / úscula] que como tal no puede ser dicha.

Además de esta *A* que da la tónica —en sentido técnico y lato—, otras letras recurren regularmente a lo largo del texto: del modo más notorio, las que integran las palabras-clave *amor* y *mar*. En rítmica alternancia con la *A*, la *m*, la *r* y (secundariamente) la *o* dibujan en el blanco de la página una figura compleja, objeto y signo a la vez, que evoca la disposición de las figuras musicales en el pentagrama y, en particular, la presencia reiterada, a intervalos regulares, de ciertas notas o combinaciones de notas características de la tonalidad en que está escrita una partitura. Puesto que, de otro lado, estas letras-figuras no dejan de funcionar como componentes de palabras escritas que remiten a unidades de sentido, su insistente repetición a lo largo del texto da lugar a una densa red de relaciones semánticas adicionales entre las palabras en que ellas reaparecen. El viejo recurso poético de la aliteración, si bien despojado de su carácter acústico-mimético, es llevado aquí hasta sus últimas consecuencias. Su desmesurada proliferación en tan pequeña superficie textual produce un fuerte efecto de retroensamblaje semántico cuyo resultado es la quasi-inversión del mensaje estereotípicamente asociado a la metáfora del *mar de amor*.

Considerada desde este ángulo, *poesía en A mayor* tiene la apariencia de un ejercicio destinado a ilustrar de modo ejemplar la acción del principio de equivalencia en la constitución del texto poético, así como el valor semántico —no meramente eufónico— de todo tipo de recurrencia, aun cuando se trate de fonemas o, como en este caso, de letras.

Desarrollando una idea sugerida un poco al pasar por R. Jakobson cuando observa que las semejanzas fónicas generan necesariamente semejanzas de significado (Jakobson 1974 [1960]) pp. 154-157), Y. Lotman describe con exactitud el fenómeno que nuestro poema representa casi paradigmáticamente. Al ocuparse de la recurrencia de unidades menores que la palabra, Lotman señala, en efecto, que en la poesía la combinabilidad de las unidades semánticas no está dada de antemano por el hecho de que posean o no ciertos rasgos semánticos comunes. En poesía funciona un orden inverso al de la utilización no-literaria de la lengua: "el hecho de la combinación determina la presunción de la existencia de comunidad semántica. El caso extremo, y por consiguiente el que pone en claro el mecanismo, es aquel en el que el elemento común, complementario respecto a la regularidad gramatical, no es semántico, sino, por ejemplo, fonológico" (Lotman 1978, p. 258).

Si bien nuestro texto no constituye un caso extremo[5] por cuanto el elemento común no es sólo gráfico/fonológico sino también semántico, la sistemática repetición de *A, m, o* y *r* (que reunidas componen *Amor*) y, adicionalmente, de la *i* presente en *vivir, mirar* y *morir*, genera una corriente intermitente de significación que traslapa la corriente continua formada por los significados usuales de las palabras que se van alineando en la cadena sintagmática. El resultado de este proceso es la quasi-homologación semántica de los términos *Amor* (con su variante *AmAr*), *mAr, mirAr* y *morir*, lo que implica, como se verá enseguida, el total dislocamiento de la tradición poética —y metafórica— subyacente.

Eielson evoca, en efecto, esta tradición con evidente intencionalidad al insertar en el centro —punto áureo del texto en la poética clásica latina— dos versos casi idénticos en los que la expresión *mAr de Amor*, presente dos veces, funciona a modo de cita distorsionada del soneto gongorino y de todos los textos temáticamente vinculados con él.

Como consecuencia de las relaciones que este nuevo *mar de amor —mAr de Amor en A mayor—* establece con su contexto inmediato y, en particular, con el primer verso, quedan anulados tanto la ecuación implícita en la vieja metáfora (*el amor es un mar*) como el concepto profundo ligado a ella ("el amor es una aventura riesgosa, que puede llevar a la destrucción"). Recuperada su literalidad por el laborioso camino de la evocación y simultánea negación del sentido translaticio, *mar* deja de funcionar como predicación metafórica de *amor* para convertirse en objeto privilegiado de la acción de amar; el nuevo

---

5. Como sí lo son, por ejemplo, los siguientes pasajes de Martín Adán, en los que se ve claramente cómo la recurrencia fonológica genera, en el eje de la combinación, una compatibilidad semántica que no existe en el eje de la selección:

El Angel no bajó: que es *sueño* o *cirro*
Tu piedra es *mano* humana, *feble, lueñe*. . .
Estarás manando siglos y *r*indiendo *ro*cas
*Ro*mpida *f*uente de *f*atal vertiente
Muda, repetida la palabra.
El decir ¿quién lo dice. . . ¡madre honda de mis sienes!
Sino la *memoria*, la *malicia*, la *malaria*?. . .

                    Obra poética, p. 158.

Cuando habitamos, es el verso
El *cr*imen y el *cr*iterio, la misma vida.

                    Obra poética, p. 163.

mAr de Amor (que engloba tanto el *mAr* de la letra impresa, criatura de papel y tinta, como el nombre que ella dibuja y su referente del mundo natural) es simplemente el "mar amado".

El desgastado simulacro de sufrimiento amoroso —Eros disfrazado de oleaje— cede así el paso a la imagen de una naturaleza no hipostaseada por el discurso poético y vuelta objeto de serena y placentera adoración: *estupendo Amor amAr el mAr*. Con el desplazamiento de la dominante conceptual de "amor" a "mar" que es, a su vez, resultado inmediato de la negación del discurso náutico encubridor, la ecuación subyacente a la metáfora 'de genitivo' invierte sus términos: *el mar es amor = el mar* /"masa de agua salada", "nombre del objeto" y "graficación del nombre en letras-figuras quasi-musicales"/ *es amor* /"fuente y centro de confluencia de la vivencia cósmico-erótica del sujeto del discurso"/.

La sustitución de la mujer amada de la tradición por un objeto sin capacidad de relación dialógica, naturaleza inerme expuesta a los sentidos del sujeto del discurso, facilita la equiparación, promovida por la recurrencia gráfica, "amar" = "mirar", a través de la cual se subraya el aspecto puramente contemplativo de esta forma de amor que excluye los connotados "amenaza" y "temor".

Mientras que el *mar de amor* de la tradición clásica está asociado a terroríficas imágenes de naufragio y muerte que no pasan de ser símbolos ampliamente convencionalizados de fracaso amoroso, este amor al mar eielsoniano, que es sólo un *mirAr siempre el mar / con Amor*, una ininterrumpida contemplación sin penas ni inquietudes, incluye la posibilidad de la muerte 'real' que, en oposición a la muerte 'de amor', es concebida como un cese indoloro: como un simple dejar de mirar-amar.

La presencia de la muerte, despojada de todo dramatismo retórico, se hace literalmente *visible* en la doble ocurrencia de *morir,* la única palabra-clave recurrente que no es *en A mayor* pero que reúne, en sutil juego anagramático, cinco de las siete letras que componen el sintagma *no mirAr*, equivalente gráfico y semántico de [*no*] *AmAr*:

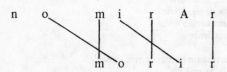

En su primera aparición *morir* alude al proceso de dejar la vida, al "irse muriendo" contemplativamente unido al objeto amoroso; en su segunda aparición designa, en cambio, la pura acción independientemente de su duración, y esta acción es parangonada con la suspensión no traumática de otra acción placentera: amar con la mirada, mirar con amor. *Morir* se constituye así, en virtud de las equivalencias formales —tanto visuales como propiamente lingüísticas— y de los desplazamientos contextuales señalados, en correlato antonímico de "amar", que a su vez equivale a "mirar":

$$morir = \text{"no amar-mirar"}$$

Esta forma de morir —un ir cerrando los ojos frente al mar, un gradual alejamiento de la imagen amada— no implica ni la salvación de la tortura amorosa ni el desgarramiento de la pérdida objetal, ya que el amor que con ella cesa ("morir" = "dejar de amar") comienza y acaba con la mirada ("amar" = "mirar"———"dejar de amar" = "no mirar"), del mismo modo que la vida que el sujeto del discurso plantea como ideal se sustenta en esa clase de amor impasible y acaba impasiblemente con él.

Los dos únicos adjetivos del texto, equivalentes entre sí por su significado valorativo-positivo, por su longitud de cuatro sílabas y por su carácter deliberadamente banal-coloquial, ponen precisamente de relieve la perfección de un amor en el que es igualmente grato vivir (*estupendo*) como morir (*mAgnífico*) pues excluye toda emoción perturbadora, todo impulso agónico.

La relación de consustancialidad entre esta rara especie de amor —ataráxico, exento de sorpresas y ansiedades— y un objeto amoroso no-humano, se expresa gráfica y semánticamente en el hecho de que los términos *en A mayor* recurrentes y equivalentes entre sí contienen la palabra mAr, ya sea en forma de sílaba (A-*mAr*), ya sea en dispersión anagramática (A-*m*-o-*r*, *m*-i-*r*-A-*r*).

Es así como el encajamiento de esta figura-signo en las otras figuras-signos 'tonal' y temáticamente dominantes instaura una suerte de solidaridad léxica entre *Amor - AmAr - mirAr* y *mAr*, como si no existiera otro amor que el amor al mar ni el mar fuera otra cosa que un *mar de Amor* nuevamente entonado: mar que se ama y se canta con la mirada, al ritmo reposado y silencioso de la letra.

XI

UN TEXTO NARRATIVO.

BORGES: TEORIA Y PRAXIS
DE LA FICCION FANTASTICA*

A propósito de "Abenjacán el Bojarí, muerto en su laberinto"

El presente trabajo tiene como marco de referencia teórico el Cap. V de este libro: "Ficcionalidad, referencia, tipos de ficción literaria". Aquí me propongo tan sólo. mostrar la exacta correspondencia entre la teoría y la práctica borgeanas de la ficción fantástica utilizando para ello un mínimo de presupuestos cuya justificación podrá hallarse en el estudio mencionado.

Una de las más sagaces reflexiones que Borges ha consagrado a aquellas formas literarias ficcionales que gozan de su predilección y de las que él mismo es consumado artífice se encuentra en el prólogo a *La invención de Morel* de A. Bioy Casares:

> Las ficciones de índole policial —otro género típico de este siglo que no puede inventar argumentos— refieren hechos misteriosos que luego justifica e ilustra un hecho razonable; Adolfo Bioy Casares, en estas páginas, resuelve con felicidad un problema acaso más difícil. Despliega una odisea de prodigios que no parecen admitir otra clave que la alucinación o que el símbolo, y plenamente los descifra mediante un solo postulado fantástico pero no sobrenatural [. . .]. Básteme declarar que Bioy renueva literariamente un concepto que San Agustín y Orígenes refutaron, que Louis Auguste Blanqui razonó y que dijo con música memorable Dante Gabriel Rossetti [. . .]. En español son infrecuentes y aun rarísimas las obras de imaginación razonada (Borges 1975, pp. 23 s.).

Borges caracteriza aquí a las ficciones policiales en términos bastante afines a los utilizados por T. Todorov (1972, pp. 62 s.). Ambos coinciden en reconocer que lo típico de ellas es la presencia de sucesos anómalos aparente

---

* Publicado originariamente en *Lexis*, Vol. VI, Núm. 2, 1982.

mente imposibles, que parecen dislocar el orden asumido como normal por el productor y los receptores de tales historias pero que, en última instancia, reciben una explicación racional que se integra sin dificultades dentro de ese orden. Los "hechos misteriosos que luego justifica e ilustra un hecho razonable" son, pues, pseudo-imposibles, hechos que no parecen obedecer a ninguna de las formas de causalidad presupuestas en todas las acciones cotidianas de un hombre de nuestra época y cultura pero que finalmente se desenmascaran en su condición de posibilidades poco verosímiles (esto es, integradas a nuestra noción de realidad como escasamente susceptibles de devenir en hechos fácticos) que en la ficción acceden al rango de lo efectivamente acaecido. Borges no oculta su desdén por esta convención propia del género que él siente próxima a la impostura. Por ello no debe asombrar que precisamente en "Abenjacán el Bojarí, muerto en su laberinto" —que en una charla informal en la que fui su interlocutora él definió como "modesto relato policial"— articule su menosprecio bajo la cobertura de una reflexión metaliteraria incorporada al discurso del narrador:

> Dunraven, versado en obras policiales, pensó que la solución del misterio siempre es inferior al misterio. El misterio participa de lo sobrenatural y aun de lo divino; la solución, del juego de manos (p. 13)[1].

Borges descarta de su propio universo imaginario las soluciones "razonables". O quizá: descarta toda solución. Lo que no implica, claro está, que renuncie de antemano a cualquier búsqueda de explicación. Los *imposibles* que sus ficciones nos proponen como *posibles* desafían al receptor presupuesto por la voz narrativa —y a través de él a los receptores reales— a explicarlos, pero simultáneamente le impiden reducirlos a cualquier tipo de legalidad natural o sobrenatural, a cualquier forma de causalidad conocida o, al menos, comunitariamente aceptada como verdad de fe. Es a este rasgo de su propia obra al que apunta certeramente Borges cuando define y exalta la poética ficcional en que se sustenta *La invención de Morel* con una de esas aparentes paradojas con las que gusta desconcertar a sus lectores: lo imposible que sólo se puede pensar como posible en tanto producto de un desvarío de los sentidos o en tanto significante de un significado acorde con nuestros criterios de realidad, es *des-cifrado* por Bioy, despojado de su carácter de cifra o misterio, descubierto, explicado "mediante un solo postulado fantástico pero no sobrenatural".

El postulado de que se vale Bioy para "descifrar" lo imposible es el mismo que subyace a muchos de los relatos de Borges: la idea de un tiempo cíclico en el que cada elemento del universo es a la vez todos y ninguno, idéntico a todos en los que se repite indefinidamente y, por ello mismo, carente de identidad individual. Lo que hace de esta proposición metafísica un "postulado fantástico" no es simplemente el hecho de que se oponga a la concepción, predominante en el horizonte cultural del productor y los receptores de tales relatos,

---

1. Todas las indicaciones de páginas que se hacen en el texto remiten a la siguiente edición: Jorge Luis Borges, *El Aleph*, Buenos Aires (Emecé), 1961.

de un tiempo en progresión lineal en el que cada individuo histórico sólo es igual a sí mismo. Proposiciones metafísicas, dogmas religiosos, creencias de mayor o menor vigencia en determinados espacios y momentos históricos, se vuelven postulados fantásticos cuando, al no ser ni legitimados ni denunciados como ilusorios, se incorporan al mundo miméticamente constituido en la ficción con el status de posibilidades inquietantes, dislocadoras de todos los órdenes pensables, de todas las "verdades" admitidas, de todas las certezas en que se funda un hombre de nuestros días y de nuestra cultura para ubicarse y actuar en el mundo de su experiencia.

Sistemas metafísicos, teológicos o religiosos vigentes o no vigentes en el horizonte cultural en que se inscribe la obra de Borges cumplen en ella la función que I. Bessière adjudica a los diablos, vampiros y apariciones de ciertas ficciones fantásticas hoy consideradas clásicas (Bessière 1974, p. 37). Así como esa imaginería consagrada por viejas tradiciones populares representa los límites de un universo conocido y, por ello mismo, sirve para introducir a lo "absolutamente nuevo" sin explicarlo, de un modo similar los postulados fantásticos de Borges representan los límites de lo pensable, de la capacidad humana de comprender, lo que los vuelve aptos para abrir una brecha hacia lo desconocido e incognoscible, para sugerir una dimensión tan ajena a nuestros hábitos mentales que sólo podemos aceptarla bajo el rótulo tranquilizante de "locura".

Las afirmaciones de Borges sobre Bioy Casares aluden, además, a un rasgo estructural común a muchos de sus propios relatos y muy especialmente a "Abenjacán el Bojarí. . .". Descifrar conforme a un postulado fantástico o –lo que parece ser lo mismo– producir "obras de imaginación razonada", no es sino retardar, mediante una serie de hipótesis sucesivamente descartadas, de argumentos y contra-argumentos de similar coherencia, la presentación –y consecuentemente el hallazgo, por parte del receptor– de una 'explicación' que en realidad no explica nada, que tan sólo enmarca e intenta designar lo inexplicable.

Las "obras de imaginación razonada" que Borges tanto aprecia y cultiva tienen una sintaxis narrativa semejante a la del relato policial con enigma. En este tipo literario ficcional todos los elementos de la historia cumplen dos funciones opuestas y complementarias: la de conducir necesaria y coherentemente a la solución del enigma y la de camuflar la vía que conduce a ella para que resulte enteramente inesperada. El receptor presupuesto por el narrador –y todo lector real que esté en condiciones de asumir el rol de lector fijado por el texto– cumple a su vez la función de elaborar –o co-elaborar– diferentes hipótesis explicativas que en el curso del proceso narrativo serán en su mayor parte desechadas hasta el descubrimiento de la 'verdadera' explicación, que es a la vez racional y sorprendente, con un alto grado de improbabilidad. El tipo literario ficcional al que Borges alude en su alabanza de Bioy Casares se diferencia, empero, del que acabo de caracterizar, en un aspecto definidor de la clase: el lugar correspondiente a la solución del enigma es ocupado por un "postulado fantástico" que, como se ha visto, constituye a su vez un enigma más irreductible e inquietante que aquel o aquellos que pretende explicar. Todas las obras que ostenten este rasgo se pueden considerar, en consecuencia, realizaciones de un subtipo bien delimitado dentro de la clase de textos ficcionales caracterizables como "relatos fantásticos"[2].

"Abenjacán el Bojarí, muerto en su laberinto" es —pese a las protestas de Borges— un complejo y sofisticado exponente de relato policial-enigmático con solución fantástica. El objeto de la narración parece consistir, como en el relato policial, en el proceso de indagación racional y de esclarecimiento de las circunstancias y los personajes que han intervenido en un acontecimiento misterioso que a su vez parece contener los típicos pseudo-imposibles de las ficciones detectivescas. Como en éstas, el enigma propuesto para su desentrañamiento es un crimen insólito: la muerte violenta de Abenjacán, rey de una tribu nilótica, su esclavo y su león en el interior de un laberinto construido, según testimonio del propio rey, para eludir la venganza que su primo y visir, Zaid, tras haber sido asesinado por él en el desierto, le anunció en un sueño.

Dos amigos, un poeta y un matemático, representantes arquetípicos de dos maneras antitéticas de encarar el misterio —la vía de la fantasía que acepta imposibles y la de la especulación racional que los rechaza— proponen dos versiones diferentes de los extraños sucesos narrados primero por el poeta y examinados luego por ambos. Dichas versiones se pueden correlacionar con el par oposicional que constituye el eje de la estructura argumentativa de muchos relatos policiales: una hipótesis seductora por su simplicidad pero racionalmente inaceptable, que admite la ingerencia de factores sobrenaturales, y una hipótesis improbable y compleja, que reordena los sucesos en el contexto de causalidad de la realidad.

Dunraven, el poeta, se inclina a aceptar la intervención de un muerto que regresa al mundo de los vivos para vengarse de su victimario. En la medida en que en su versión lo sobrenatural codificado —el fantasma vengador— tiene el status de lo meramente posible, se reconoce en ella algo muy próximo a un "postulado fantástico". Su manera de presentar los sucesos se puede calificar de *poética* tanto por su carácter no especulativo como por el hecho de que responde a las exigencias de una poética ficcional: precisamente aquella en que se sustentan todos los subtipos de la literatura fantástica (*Cf.* Cap. V, pp. 119 ss. y 144-151).

Unwin, el matemático, elabora, en cambio, una hipótesis en consonancia con el modo de razonamiento tradicionalmente atribuido a los amantes de las ciencias exactas así como a los detectives o aspirantes a detectives de las ficciones policiales y a los lectores de tales ficciones familiarizados con las leyes del género. En su reconstrucción de los sucesos el misterio se resuelve racionalmente mediante un simple trueque de identidades: no es que Abenjacán edificó un laberinto para ponerse a salvo del fantasma vengador de Zaid en cuyas manos habría sucumbido finalmente, sino que Zaid, cuya cobardía le impidió matar a Abenjacán mientras éste dormía en el desierto, ocultó parte del tesoro,

---

2. *Cf.* el sistema clasificatorio propuesto en el cap. V.

huyó con el resto a tierras lejanas y construyó allí un laberinto para atraer a él y matar en él –como en una trampa– al valiente rey. Según esta versión, Zaid se hizo pasar por Abenjacán e inventó la historia del asesino-fantasma para poder eliminar con comodidad a su adversario y adueñarse del resto del tesoro suscitando en la policía la creencia de que el muerto hallado en el laberinto con la cara destrozada era él mismo.

A través de una reflexión metaliteraria puesta en boca de Dunraven, Borges-autor nos alerta sobre el hecho de que semejante solución corresponde exactamente a la requerida por una poética ficcional que es aplicada rutinariamente tanto en la producción como en la recepción de buena parte de los relatos policiales con enigma:

> Acepto –dijo– que mi Abenjacán sea Zaid. Tales metamorfosis, me dirás, son clásicos artificios del género, son verdaderas *convenciones* cuya observación exige el lector (p. 133).

Si bien las dos versiones, la 'detectivesca' de Unwin y la 'poético-fantástica' de Dunraven, difieren en el ordenamiento causal de los hechos y en la identificación de los personajes que intervienen en ellos, ambas coinciden en un punto sustancial: quien muere en el laberinto es en ambas, como lo anuncia el título del cuento, Abenjacán el Bojarí. El final del diálogo de los dos amigos sugiere, sin embargo, una tercera manera de "descifrar" el enigma a la que anticipatoriamente alude el posesivo *su* incluido en el título mismo.

Incitado por Dunraven a reinterpretar la función del tesoro dentro de su propia versión, Unwin concluye:

> Zaid, si tu conjetura es correcta, procedió urgido por el odio y por el temor y no por la codicia. Robó el tesoro y luego comprendió que el tesoro no era lo esencial para él. Lo esencial era que Abenjacán pereciera. Simuló ser Abenjacán, mató a Abenjacán y finalmente *fue Abenjacán* (p. 134).

En conformidad con una explicación racionalista del enigma, la última frase se puede entender como referida a tres fases sucesivas de una secuencia temporal, cada una de las cuales constituye la condición de la siguiente. De ser así, el valor informativo de la expresión se podría parafrasear del siguiente modo: 'Zaid hizo creer que era Abenjacán, después (valiéndose de este engaño como base de su coartada) eliminó al auténtico Abenjacán y así logró usurpar definitivamente la identidad del rey'.

El comentario final de Dunraven –que coincide con el final del cuento– proporciona, sin embargo, una nueva clave interpretativa para esa misma afirmación que parece corroborar:

> Sí –confirmó Dunraven–. Fue un vagabundo que, antes de ser nadie en la muerte, recordaría haber sido un rey o haber fingido ser un rey, algún día (*loc. cit.*).

Este comentario, lejos de ubicarse dentro del esquema argumentativo de corte racionalista en que se fundaba nuestra paráfrasis de la reflexión de Unwin, trastorna los nexos temporales y la relación consecutiva presupuestos en ella y subraya retroactivamente una información tan sólo connotada por el relieve gráfico del enunciado *"fue Abenjacán"*. En efecto, en la expresión "recordaría haber sido un rey o haber fingido ser un rey, algún día", la acción de fingir, que tiene su correlato en aquella parte de la afirmación de Unwin que en la paráfrasis aparecía como primera fase de una secuencia ("Simuló ser Abenjacán"), aparece referida en segundo lugar y como alternativa en relación con el hecho de ser alguien. La formulación resulta, pues, doblemente extraña, tanto por el orden de los términos como por la sugerencia implícita en ellos de que *simular* y *ser* son posibilidades equivalentes.

A partir del comentario corroborativo de Dunraven —que, en verdad, representa, más que una confirmación, una singular interpretación de lo dicho por Unwin— se entiende que *"fue Abenjacán"* no alude simplemente a la exitosa etapa final de un proceso de simulación (la usurpación definitiva de una identidad ajena), sino que insinúa connotativamente la equivalencia mencionada: si se plantea la posibilidad de que *simular* y *ser* sean nociones intercambiables, queda igualmente abierta la posibilidad de suponer que quien simula ser otro *es* el otro, vale decir, *tiene* —no usa o usurpa— la identidad de otro. Pero la asunción de semejante hipótesis llevaría necesariamente, como la reflexión final de Dunraven lo pone en evidencia, a la hipótesis, complementaria de la anterior, de que nadie puede ser realmente alguien y de que, en consecuencia, todo esfuerzo por esclarecer identidades resulta infructuoso.

Como en el tipo ficcional del relato policial con enigma, el discurso narrativo se cierra con una revelación sorprendente que ha sido cuidadosamente preparada y a la vez escamoteada desde el comienzo —en este caso concreto desde el título— y que viene a invalidar otras hipótesis explicativas cuya función consiste en desviar al lector implícito —y por su intermedio al lector real— de la 'verdadera' explicación. Pero aquí la solución del enigma de la muerte de Abenjacán se presenta en la forma de un postulado fantástico que se puede sintetizar en la idea (contraria a la noción de realidad vigente en el horizonte cultural de Borges y de sus lectores pero, además, ni legitimada ni denunciada como ilusoria) de que quien simula ser un rey y quien es un rey, quien persigue y quien es perseguido, quien asesina y quien es asesinado pueden ser una misma persona o, lo que es lo mismo, simulacros de individuos diferentes dotados de una identidad propia. Sobre la base de este postulado, que constituye a su vez un nuevo enigma para el que ya no hay explicación, es posible "descifrar" todos los enigmas previos a la revelación final, esto es, releerlos, reinterpretarlos proyectando hacia atrás la información adquirida al cierre del relato, en suma, reconstruir de modo retrospectivo el ejercicio de "imaginación razonada" efectuado por el productor del texto y propuesto al receptor para su co-realización.

El rol de lector fijado por este tipo de relato fantástico —que, por cierto, no todo lector real está en condiciones de asumir— comprende, pues, la ejecución de dos tareas complementarias. La primera de ellas consiste en la lectura 'normal' del texto, desde el título hasta el fin. La poética ficcional que regula la construcción y recepción de un tipo ficcional con las características mencionadas exige que, en el curso de este proceso, se registren con particular intensidad aquellos aspectos de los sucesos narrados cuya motivación no parece responder a ninguna de las formas de legalidad conocidas, así como los rasgos extrañantes y —muy especialmente— las ambigüedades del discurso o los discursos que narran esos sucesos. Exige, asimismo, que se elaboren diversas expectativas en torno a la posible explicación de los misterios de la historia, así como de las expresiones oscuras o no-unívocas de los discursos que la refieren. Y requiere, por último, la elaboración de la expectativa sustancial de que la solución de todas las incógnitas será contraria a las expectativas producidas a lo largo del proceso de lectura.

La segunda tarea se inicia en el punto preciso en que concluye la anterior. Puesto que con el hallazgo del postulado fantástico quedan invalidadas todas las hipótesis explicativas previas a él, se hace preciso el re-desciframiento de los pasajes textuales recepcionados como problemáticos en la primera lectura. Esta segunda lectura, fragmentaria y en sentido inverso a la anterior, deviene, a semejanza de la lectura del analista que busca poner en descubierto los procedimientos narrativos del autor, una metalectura parcial en la que se 'corrigen' los 'errores' de interpretación dimanados del desconocimiento del postulado-clave.

Uno de los resultados de la ejecución de la segunda tarea es, por ej., el descubrimiento retrospectivo del complejo mensaje vehiculizado por el posesivo *su* del título del cuento. Si se acepta el postulado de que Abenjacán y Zaid pueden ser dos manifestaciones complementarias de una misma entidad sin identidad, se llega a la conclusión de que el título no confirma la versión 'poético-fantástica' de Dunraven, según la cual Abenjacán construyó el laberinto y el fantasma de Zaid lo mató en *su* laberinto (el de Abenjacán), ni contradice la versión 'detectivesca' de Unwin, según la cual Zaid construyó el laberinto para matar en él a Abenjacán (en cuyo caso el laberinto es de Zaid), ni apoya por la vía de la sugerencia esta misma versión (ya que cabría la interpretación banal de que el laberinto le pertenece a Abenjacán pues fue construido con su tesoro). La aplicación del postulado fantástico al enunciado *Abenjacán el Bojarí, muerto en su laberinto* da como resultado que el posesivo *su* se pueda entender como co-referencial no sólo con Abenjacán sino también con Zaid a pesar de que la predicación incluida en el título parezca referida a un solo individuo al que se lo designa como *Abenjacán.* Si el perseguidor y el perseguido, el asesino y el asesinado, el constructor del laberinto y el muerto en el laberinto pueden ser una misma persona, entonces, como quiera que se llame el muerto, éste habrá muerto en *su* laberinto. Se comprende, además, que el edificio laberíntico de la historia, que tiene su correlato en el 'laberinto' natural del desierto en el que 'Abenjacán-Zaid cobarde-valientemente duerme-vela' (y en el que deambula hasta morir el rey de "Los dos reyes y los dos laberintos") constituye a su vez una imagen simbólica de la perplejidad del ser humano ante el misterio del universo y de su propia existencia. Desde esta perspectiva, todo hombre —ya sea que sea o que crea o que finja ser alguien— muere en *su* laberinto, el suyo, el de todos y el de nadie en particular.

Análogamente, es posible reinterpretar a la luz del postulado-clave algunas de las expresiones ambiguas de los diferentes discursos narrativos que confluyen en el texto y descubrir así que la tendencia natural, propia de la lectura 'normal', a desambiguarlas en conformidad con la hipótesis explicativa que en cada caso les sirve de marco, entorpece el hallazgo de una solución que se sugiere ya, si bien de modo solapado, en la ambigüedad· misma, en una ambigüedad que al final se revela como irreductible, como la única manera de expresar la premisa inexplicable que permite descifrar todo lo demás.

Así, cuando Unwin, en su reconstrucción 'detectivesca' del crimen, dice, refiriéndose a Zaid:

> Sabía [. . .] que, tarde o temprano, el Bojarí lo vendría a buscar en su laberinto (p. 133).

utiliza un posesivo que en su discurso es co-referencial sólo con Zaid (*su* = "de Zaid") pero que descifrado de acuerdo con el postulado fantástico resulta co-referencial con Zaid y con el Bojarí, con el perseguidor y el perseguido, con el valiente y el cobarde, con el traidor y el traicionado, con el habitante del laberinto y el que muere en el laberinto, en suma, con dos figuraciones de una misma entidad (*su* = "de Abenjacán-Zaid").

Del mismo modo, cuando Dunraven —quien en su relato da por sentado que el constructor y habitante del laberinto es el rey Abenjacán— dice, refiriéndose al esclavo:

> [. . .] cambiaba palabras africanas con las tripulaciones y parecía buscar entre los hombres el fantasma del rey (p. 128).

utiliza una expresión algo equívoca que sólo puede estar en consonancia con su propia versión de los sucesos si se la entiende en el sentido de "el fantasma que perseguía o atemorizaba al rey". La falta de univocidad de la expresión resulta particularmente extrañante cuando se advierte —por cierto que recién en el proceso de re-desciframiento del texto— que también se la puede interpretar en conformidad con la hipótesis 'detectivesca' de Unwin, a saber, en el sentido de "el (pretendido) fantasma del (auténtico) rey". Una vez más, la aplicación del postulado fantástico implícito en la revelación final pone en evidencia la razón de ser y el valor informativo de la ambigüedad misma reafirmando el reconocimiento de que cualquier intento por atribuir referentes distintos a los dos nombres utilizados en el relato (o, como en este caso, a las correspondientes perífrasis identificadoras) aparta de la 'verdadera' solución.

En su edición de las *Obras completas* Borges al parecer desambigua la expresión sustituyendo *rey* por *visir* (1974, p. 603). Con todo, si bien esta variante elimina el carácter problemático del enunciado en relación con la versión de Dunraven, sigue dando pie a dos interpretaciones: una 'normal' –trivial–, en armonía con dicha versión ("la imagen de ultratumba del visir asesinado") y otra, recién posible en la metalectura, elaborada según la explicación racionalista de Unwin ("el fantasma inventado por el visir", "el —falso— fantasma de la versión del —auténtico— visir"). Pero la aplicación del postulado fantástico lleva, igualmente, a la invalidación de ambas y al descubrimiento de que el término *fantasma*, independientemente de la especificación que lo acompañe (*del rey* o *del visir*) y de la modalidad que el sujeto de la enunciación le atribuya ('real' o 'irreal'), se refiere a una entidad dual y connota la indivisible 'fantasmalidad' de los dos antagonistas.

El desciframiento del texto de acuerdo con esta misma clave fantástica permite aclarar, además, algunos detalles relacionados con la compleja polifonía narrativa de este cuento. Se pueden reconocer en él en efecto varios niveles narrativos a los que les corresponden diferentes narradores cuya consistencia de 'personas' y cuyo grado de presencia en lo narrado varía mucho en cada caso[3].

El texto se presenta como el relato de dos encuentros y de las conversaciones de dos amigos, el poeta Dunraven y el matemático Unwin. Este relato contiene un relato de Dunraven —la historia de la extraña muerte del rey Abenjacán— que a su vez incluye un relato autobiográfico que representa una parte y, simultáneamente, una versión de esa misma historia —la versión del propio protagonista. Si se prescinde del hecho de que este tercer relato es presentado por Dunraven como una reelaboración suya hecha sobre la base del testimonio del interlocutor de Abenjacán, el rector Allaby, y de que no está claro si este testimonio fue oído directamente por Dunraven o le llegó a través de las versiones de otros, se pueden distinguir tres niveles narrativos con sus respectivos narradores.

La fuente de lenguaje de que dimana inmediatamente el texto —el narrador del primer nivel— se caracteriza por estar ausente de la historia narrada y, además, porque, incluso en su carácter de instancia narrativa, tiene una forma de presencia muy poco notoria, próxima a la transparencia. El modo predominantemente mimético de la narración —los pormenores escénicos, la presentación directa de diálogos— crea a trechos la sensación de que la historia se cuenta sola y no se dirige a nadie. Sólo muy esporádicamente el narrador se muestra como tal: a través de algún comentario personal aislado y de una única referencia al proceso de producción del relato que es, a la vez, una pregunta retórica dirigida al lector implícito: "—¿será preciso que lo diga?—" (p. 123). No hay en este nivel, como en muchos relatos fantásticos del propio Borges y de otros autores —y, como se verá enseguida, en el segundo nivel de este mismo relato— un narrador afanoso por autentificar su historia y por vencer la presumible incredulidad de un receptor presente como persona ficcional o meramente presupuesto. Las razones resultan obvias: lo narrado en el primer nivel

---

3. No puedo ahondar aquí en el examen de las relaciones de cada narrador con su respectivo "narratario" (*Cf.* Prince 1973). Para no apartarme del marco temático de este trabajo renuncio, igualmente, a realizar un análisis pormenorizado de los distintos tipos de narrador y de narración correspondientes a cada nivel del relato. La noción de "nivel narrativo" procede de G. Genette (1972).

no tiene, a primera vista, nada de anómalo, inexplicable o perturbador. Lo que aquí se narra es, sustancialmente, el relato de unos enigmáticos sucesos en el curso de una visita al lugar en el que se produjeron (un edificio laberíntico abandonado) y la reflexión posterior del narrador (el poeta Dunraven) y de su receptor (el matemático Unwin) sobre la manera más conveniente de aclarar el enigma.

Dunraven, el narrador del segundo nivel, cuenta a su amigo Unwin una historia acaecida muchos años atrás ("Hará un cuarto de siglo", p. 123) en el mismo escenario en que se encuentran ambos y de la que él fue personalmente testigo cuando niño. Esta circunstancia lo hace ingresar con el carácter de personaje en el universo de su propio relato. Dunraven hace saber a su interlocutor que él conoció de vista al protagonista de su historia, que se sintió impactado por su aspecto así como por el del esclavo negro y el león que lo acompañaban el día de su llegada a Pentreath, su pueblo natal ("Entonces yo era niño, pero la fiera del color del sol y el hombre del color de la noche me impresionaron menos que Abenjacán. Me pareció muy alto [. . .]", p. 125) y que hizo conjeturas sobre él antes de saber nada acerca de su identidad ("En casa dije: 'Ha venido un rey en un buque'. Después, cuando trabajaban los albañiles [. . .]", *loc. cit.*). A través de todas estas precisiones y de otras similares, la historia del misterioso forastero llegado a Pentreath adquiere la apariencia de ser un fragmento de la autobiografía del propio narrador, al menos en aquellos aspectos que éste presenta como experiencias infantiles suyas particularmente significativas. Cabe señalar, sin embargo, que lo elaborado en forma de recuerdos personales o de experiencias inmediatas se reduce casi exclusivamente a la percepción de detalles externos tales como las características físicas del forastero ("Me pareció muy alto; era un hombre de piel cetrina, de entrecerrados ojos negros, de insolente nariz, de carnosos labios, de barba azafranada [. . .]", *loc. cit.*), las señales de la existencia del león ("En las noches el viento nos traía el rugido del león, y las ovejas del redil se apretaban con un antiguo miedo", p. 127) o el color del laberinto ("El esclavo descendía del laberinto (que entonces, lo recuerdo, no era rosado, sino de color carmesí) [. . .]", p. 128). Lo sustancial de la historia, los extraños sucesos supuestamente vividos por el forastero, son relatados en forma de versiones llegadas a oídos del narrador, no sabemos si de primera o segunda mano ni en qué momento de su propia vida.

Con todo, si se compara la actitud del poeta-narrador del segundo nivel con la del narrador anónimo y escasamente perceptible del primer nivel, salta a la vista, por contraste, cómo aquél se afana por darle a su relato la apariencia de un informe orientado hacia lo fáctico. Parte de la estrategia empleada por él para persuadir al amigo que lo escucha incrédulo de que los objetos y hechos de referencia de su discurso tienen el carácter de lo efectivamente acaecido y de que él es un narrador objetivo y digno de crédito, consiste precisamente en presentar algunos de esos hechos como directamente aprehendidos, en tematizar la distancia, el grado de nitidez y el valor testimonial de sus recuerdos, en poner de relieve —si bien excepcionalmente— lo que él mismo *no* vio y en cuestionar implícitamente la fidelidad fáctica de su evocación aludiendo a su fantasía infantil como un factor distorsionante. Todos estos recursos autentificadores se manifiestan, por ej., en los siguientes pasajes:

> Acaso el más antiguo de mis recuerdos —contó Dunraven— es el de Abenjacán el Bojarí en el puerto de Pentreath. Lo seguía un hombre negro con un león; sin duda el primer negro y el primer león que miraron mis ojos, fuera de los grabados de la Escritura. Entonces yo era niño, pero la fiera del color del sol y el hombre del color de la noche me impresionaron menos que Abenjacán. Me pareció muy alto; era un hombre de piel cetrina, de entrecerrados ojos negros, de insolente nariz, de carnosos labios, de barba azafranada, de pecho fuerte, de andar seguro y silencioso (p. 125).

> El esclavo descendía del laberinto (que entonces, lo recuerdo, no era rosado, sino de color carmesí) [...] (pp. 127 s.).

> A los tres años de erigida la casa, ancló al pie de los cerros el *Rose of Sharon*. No fui de los que vieron ese velero y tal vez en la imagen que tengo de él influyen olvidadas litografías de Aboukir o de Trafalgar, pero entiendo que era de esos barcos muy trabajados que no parecen obra de naviero, sino de carpintero y menos de carpintero que de ebanista. Era (si no en la realidad, en mis sueños) bruñido, oscuro, silencioso y veloz, y lo tripulaban árabes y malayos (p. 128).

Este afán del narrador del segundo nivel por subrayar la veracidad de lo narrado que —preciso es repetirlo— se muestra tan sólo en cuestiones de detalle y en aspectos marginales de la historia, resulta contrarrestado, sin embargo, por su tendencia a contar los hechos en un estilo verbal aderezado con figuras retóricas altisonantes y con algunas fórmulas épicas que connotan la pertenencia de su discurso a ciertos tipos de textos tradicionalmente considerados literarios y, concomitantemente, la probabilidad de que un discurso con tales características sea total o parcialmente ficcional[4].

4. La connotación 'literario' no implica necesariamente la connotación 'ficcional'. *Cf.*, en apoyo de esta afirmación, Landwehr (1975, pp. 15 s. y *passim*) y Searle (1975, pp. 319 s.) quienes coinciden, además, en considerar ambas nociones como categorías pragmáticamente constituidas, sólo definibles en relación con interpretantes. Ahora bien, a pesar de que no existe un conjunto de rasgos textuales comunes a todas las obras consideradas literarias que sea condición necesaria y suficiente para caracterizarlos como tales independientemente de la sanción de sus receptores, resulta evidente que ciertos tipos de discurso literario canonizados por una larga tradición son reconocibles a partir de ciertas propiedades inherentes al discurso mismo. A través de esas propiedades se manifiesta la poética en que ellos se sustentan, esto es, el conjunto de normas —asumidas por el productor del texto y reconocidas por el receptor competente— que determinan un modo particular de organización del material lingüístico y eventualmente, un modo particular de organización del universo ficcional. Así, por ej., ciertas figuras de recurrencia como aliteraciones y paralelismos sintácticos en combinación con otros recursos más específicos como los epítetos clisificados que acompañan a los nombres de los héroes (o de los dioses que asisten o castigan a los héroes) indicando sus atributos más saltantes así como otras

Es interesante recordar al respecto que el narrador del primer nivel no se limita a presentar al narrador del segundo nivel como poeta —o, más exactamente, aspirante a poeta—, hecho que bastaría ya para explicar el alto grado de elaboración de su estilo discursivo como una especie de "deformación profesional" que lo llevaría compulsivamente a aplicar su retórica poética a todas sus acciones verbales. Al aludir a las aspiraciones literarias de Dunraven, el narrador del primer nivel proporciona una información adicional de la mayor importancia:

> Dunraven fomentaba una barba oscura y se sabía autor de una considerable epopeya que sus contemporáneos casi no podrían escandir y cuyo tema no le había sido aún revelado; (p. 123).

De acuerdo con esta aclaración dirigida al lector implícito del cuento "Abenjacán el Bojarí. . .", Dunraven tiene un ambicioso proyecto literario pero no ha encontrado aún el tema que le permita llevarlo a cabo. Es de suponer, por tanto, que la historia que relata a su amigo no está en relación directa con su plan de escribir una gran obra épica. Las expectativas fundadas en esta inferencia resultan, sin embargo, contradichas cuando el mismo narrador del primer nivel presenta a Dunraven repasando mentalmente un par de versos cuya conexión temática con la historia de Abenjacán es manifiesta:

> Menos instados por la lluvia que por el afán de vivir para la rememoración y la anécdota, los amigos hicieron noche en el laberinto. El matemático durmió con tranquilidad; no así el poeta, acosado por versos que su razón juzgaba detestables:
> *Faceless the sultry and overpowering lion,*
> *Faceless the stricken slave, faceless the king.*
> (p. 130)

Juzgado retrospectivamente a la luz de esta nueva información, el discurso narrativo de Dunraven se insinúa como una suerte de ejercicio literario preparatorio de la epopeya, como una condensada versión en prosa de un poema heroico sobre la muerte del Bojarí, con la que el joven poeta ensaya sus capacidades de narrador y estilista a la par que mide los efectos de su labor creadora en las reacciones de su receptor. La vinculación temática de los versos que ali-

expresiones formulísticas que se repiten, a modo de 'relleno' en partes fijas de una unidad rítmica, son muy frecuentes en el discurso épico de las más diversas épocas y culturas (*Cf.* Lord, 1925, Cap. III y Bowra 1964, Cap. VI). Y si bien la épica suele tener como base temática sucesos realmente acaecidos, tanto pertenecientes al pasado remoto de un pueblo como a su historia más reciente, se trata de un género literario que, como lo señaló ya Aristóteles a propósito de las epopeyas homéricas, admite en mayor grado que otros tipos literarios ficcionales —como por ej. la tragedia griega clásica— ingredientes "maravillosos", contrarios a nuestra experiencia de la realidad (*Cf.* Cap. V, pp. 118 s.). Dejando de lado el problema de determinar en qué medida por esta vía la épica ingresa en la categoría de la literatura fantástica, resulta, empero, obvio que la presencia de lo "imposible", "portentoso" o "contrario a la razón" —para decirlo en términos aristotélicos— vuelve evidente el carácter ficcional de la mayoría de las obras pertenecientes a este género.

mentan el insomnio de Dunraven con el relato que él acaba de hacer a su amigo proporciona, pues, un indicio más de la pertenencia de su discurso narrativo al ámbito de la literatura. Con todo, aun en ausencia de este indicio, resulta de suyo evidente que su peculiar manera de narrar no corresponde a la actitud pragmática de quien sólo se propone informar a su interlocutor de una serie de sucesos extraños para divertirlo, pasmarlo o moverlo a buscar una explicación. Su tendencia a 'adornar' a trechos su discurso con la introducción de un registro verbal ampuloso y grandilocuente apoyado por la recurrencia de ciertas figuras que en el lenguaje cotidiano se usan muy esporádicamente, sugiere, más bien, la actitud de un anacrónico orador-juglar atosigado de cultura literaria que con gesto patético-teatral se complace en acumular los más típicos recursos del estilo 'sublime' consagrados por las retóricas clásicas.

Ya desde un comienzo, en la presentación del héroe y de sus acompañantes, destaca la elaborada estructuración de algunos de los enunciados descriptivos. Una doble recurrencia léxica en dos construcciones paralelas (similar a la anáfora de los dos versos citados arriba) subraya enfáticamente la intensidad y el carácter insólito de la experiencia visual rememorada por Dunraven:

> Lo seguía un hombre *negro* con un *león*; sin duda *el primer negro y el primer león* que miraron mis ojos, fuera de los grabados de la Escritura (p. 125).

Los dos extraños integrantes de la comitiva del rey reaparecen de inmediato aludidos, con una inversión quiásmica (esclavo-león ~ león-esclavo), mediante dos perífrasis descriptivas que integran una de las figuras más explotadas por toda la oratoria clásica greco-latina desde Gorgias en adelante: la "antítesis" o "período de miembros contrapuestos", en el que dos construcciones sintácticamente equivalentes (isócolon) están en una relación semántica de oposición antonímica o quasi-antonímica (antitheton)[5]:

5. Una ajustada descripción de este recurso, de la que derivan en última instancia todas las modernas definiciones de "paralelismo" hecha desde una perspectiva lingüístico-literaria, se encuentra ya en Aristóteles (*Retórica*, 1409 b 33-1410 a 24) quien distingue dos tipos de elocución periódica: una simplemente "dividida en miembros" (esto es, constituida por construcciones con un alto grado de equivalencia sintáctica y semántica) y una "contrapuesta en miembros" a la que llama *antítesis* (esto es, constituida por construcciones sintáticamente idénticas –o con un alto grado de equivalencia sintáctica– y semánticamente opuestas). El peculiar atractivo de este segundo tipo radica, según Aristóteles, en el hecho de que "los conceptos contrarios son los más fáciles de entender y resultan todavía más fáciles de entender cuando están paralelos παρ' ἄλληλα: 'uno junto al otro')" (1410 a 21-22). Para una presentación del fenómeno del paralelismo dentro del marco de la retórica tradicional *Cf.* Lausberg (1966-1968) § 719-723 (sobre *isocolon*); § 787-796 (sobre *antitheton*); § 943 (sobre los dos tipos de elocución periódica distinguidos por Aristóteles). Como ejemplo de definiciones hechas con criterios lingüísticos y basadas en el postulado jakobsoniano de que el paralelismo es una estructura típica del lenguaje poético (Jakobson 1974) véanse Levin (1974), pp. 53-58, Posner (1972), pp. 155-157 y Oomen (1973), pp. 50-54.

Entonces yo era niño, pero *la fiera del color del sol y el hombre del color de la noche* me impresionaron menos que Abenjacán.

Sigue una minuciosa caracterización física del héroe en la que destaca un largo período quasi-versificado, compuesto por siete sintagmas preposicionales paralelos, dependientes del sustantivo *hombre*, en los que se reconoce una organización rítmica lo suficientemente regular y a la vez lo suficientemente poco previsible como la erigida en canon por los antiguos maestros de oratoria[6]:

Me pareció muy alto, era un hombre de piel cetrina, de entrecerrados ojos negros, de insolente nariz, de carnosos labios, de barba azafranada, de pecho fuerte, de andar seguro y silencioso.

Unidades rítmicas de 5, 6, 7 y 9 sílabas, con una distribución acentual bastante regular, se alternan en este texto de un modo al parecer azaroso pero que, como se verá enseguida, obedece al principio —muy estimado por el arte clásico— de la simetría axial. Reescribo a continuación el período, separando y

Cotejada con las muchas definiciones antiguas y modernas (hasta las más recientes que, como la de Oomen, redescriben el fenómeno en los términos de la gramática generativa), la caracterización aristotélica sorprende por su exactitud. En efecto, Aristóteles no sólo reconoció claramente que el paralelismo no se reduce a la repetición de un mismo esquema sintáctico sino que, además, al poner de relieve las interrelaciones sintáctico-semánticas y al distinguir dos variedades, hizo una interpretación muy adecuada del valor informativo del paralelismo de tipo contrastivo. En el comentario citado más arriba se vislumbra ya —al menos en germen— la idea de que un contraste semántico de tipo paradigmático —antónimos o quasi-antónimos en el nivel de lengua— puede ser intensificado por su inclusión en una estructura paralela, en la medida en que la oposición semántica (paradigmática) resulta reforzada por la oposición adicional (sintagmática) entre la identidad sintáctica y la oposición semántica de los términos paralelos. Sobre este último aspecto cf. Reisz de Rivarola (1977), pp. 77 ss., esp. 89-90.

6. Véase como ejemplo, la siguiente recomendación aristotélica: "La forma de la elocución no debe ser ni en verso ni carente de ritmo. Lo primero no es apto para persuadir (por cuanto resulta artificioso) y, a la vez, desvía la atención pues hace que se concentre en registrar cuándo vuelve a producirse el mismo esquema [. . .]. Por otra parte, lo arrítmico es ilimitado y es preciso que haya un límite, si bien no por medio del verso, ya que lo ilimitado resulta desagradable e ininteligible [. . .]. Por eso el discurso debe tener ritmo pero no debe estar en verso pues en tal caso sería un poema. El ritmo, empero, no ha de ser riguroso, lo cual se obtendrá cuando haya ritmo sólo hasta cierto punto" (*Retórica*, 1408 b 21-32). El anónimo autor del tratado *De lo sublime* —escrito en griego hacia los comienzos de la época imperial romana— traza una excelente caricatura de los efectos negativos de un discurso fundado en un esquema rítmico demasiado riguroso y por ello, totalmente previsible: "Pero lo peor de todo es lo siguiente: así como las cancioncillas distraen del tema a los oyentes y los fuerzan a reparar sólo en ellas, así también las partes demasiado ritmizadas de los discursos no les transmiten a los oyentes el apasionado discurrir de las palabras sino el del ritmo, al punto que a veces, por conocer aquéllos de antemano los obligados finales de período, les marcan el compás a los oradores y adelantándose a ellos les completan la cadencia a la manera de un coro danzante" (41. 1. 12-17). En relación con este mismo precepto se hallarán abundantes referencias a fuentes latinas —especialmente Quintiliano— en Lausberg (1966-1968, § 980 y 981).

numerando sus unidades, para que se perciban con mayor claridad las equivalencias silábicas y prosódicas y el esquema subyacente que regula su distribución:

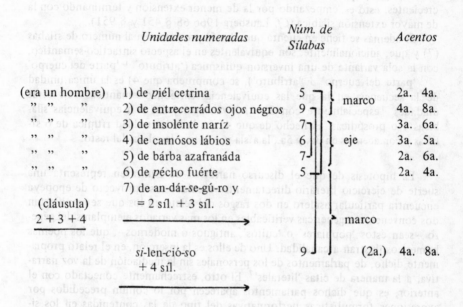

Unidades numeradas	Núm. de Sílabas	Acentos
(era un hombre) 1) de *p*iél cetrina	5 ⎤ marco	2a. 4a.
" " " 2) de entre*c*errádos ojos négros	9 ⎦	4a. 8a.
" " " 3) de insolénte naríz	7⎤	3a. 6a.
" " " 4) de carnósos lábios	6 ⎬ eje	3a. 5a.
" " " 5) de bárba azafranáda	7⎦	2a. 6a.
" " " 6) de *p*écho fuérte	5 ⎦	2a. 4a.
7) de an-dár-se-gú-ro y		
(cláusula)	= 2 síl. + 3 síl. ⟶ marco	
2 + 3 + 4		
*s*i-len-*c*ió-so	9 ⎦ (2a.)	4a. 8a.
+ 4 síl.		

Como puede comprobarse, las unidades más estrechamente correlacionadas
—por la coincidencia en ellas de diversas clases de equivalencias— son respectivamente 1) - 6) y 2) - 7).

1) y 6) son equivalentes no sólo por tener igual número de sílabas (5) y
acentos en idénticas posición (en 2a. y 4a. sílabas) sino, además, porque en
ambos el sintagma nominal presenta la misma estructura (Sustantivo + Adjetivo) y el sustantivo que lo integra comienza con /p/.

2) y 7) son equivalentes respecto del número de sílabas (9), de la posición
de los acentos principales (en 4a. y 8a. sílabas) y de la recurrencia de /s/, que
adquiere en 7) un valor próximo al de las aliteraciones quasi-onomatopoyéticas
tan gustadas por muchos oradores y poetas latinos, con las que se buscaba
sugerir ('imitar') un tipo de sonido —o de ausencia de sonido— a que aludían
una o más unidades léxicas de la secuencia aliterante (/s/ - /s/ - /s/ etc.:
'incitación a callar' → 'ruido mínimo' → 'silencio').

Desde el punto de vista semántico-sintáctico 2) y 7) son sólo parcialmente
equivalentes pues si bien sólo en ellos el sustantivo núcleo del sintagma nominal

aparece modificado por dos adjetivos en lugar de uno, ambos difieren tanto por la posición de los adjetivos como por el hecho de que en 7) el sustantivo no designa, como en todos los demás casos, una parte del cuerpo (*piel, ojos, nariz, labios, barba, pecho*) sino una acción corporal (*andar*). 7) se aparta, además, de todo el resto por ostentar un rasgo muy apreciado por la retórica clásica que subraya su status de *cláusula* (= parte final del período, que lo 'cierra'): estar integrado por unidades léxicas ordenadas según la ley de los miembros crecientes, esto es, empezando por la de menor extensión y terminando con la de mayor extensión silábica (*Cf.* Lausberg 1966-68 § 451 y § 951).

Si además se tiene en cuenta que 3) y 5) presentan igual número de sílabas (7) y que, adicionalmente, son equivalentes en el aspecto sintáctico-semántico, con la sola variante de una inversión quiásmica ('atributo' + 'parte del cuerpo' 'parte del cuerpo' + 'atributo'), se comprueba que 4) es la única unidad de la secuencia en la que las equivalencias sintáctico-semánticas con otras unidades —especialmente con 3)— no van aparejadas con equivalencias silábicas y/o prosódicas. El hecho de que 4) sea la única unidad rítmica de 6 sílabas y con acentos en 3a. y 5a., la aísla y, a la vez, la releva del resto.

La hipótesis de que el discurso narrativo de Dunraven representa una suerte de ejercicio literario directamente vinculado a su proyecto de epopeya encuentra particular asidero en dos rasgos del relato en los que se manifiestan dos convenciones genéricas verificables en los más variados ejemplares del género —sean éstos 'populares' o 'cultos', antiguos o modernos—, que los poemas homéricos ilustran a cabalidad. Uno de ellos es la inserción, en el relato propiamente dicho, de parlamentos de los personajes sin la mediación de la voz narrativa, a la manera de citas 'literales'[7]. El otro, estrechamente conectado con el anterior, es que dichos parlamentos aparecen por lo común precedidos por expresiones formulísticas performativas del tipo de las contenidas en los siguientes versos del Canto I de la *Ilíada*:

Levantándose dijo Aquiles, el de los pies ligeros (v. 58)
Mirándolo con torva faz fijo Aquiles, el de los pies ligeros (v. 148)

Y dirigiéndose a ella le dijo [Aquiles] estas aladas palabras (v. 201)

Su carácter de fórmulas —elaboradas a su vez sobre la base de otras fórmulas de menor longitud— se evidencia en su insistente recurrencia, en los más variados contextos, con un número limitado de variantes. Todos los componentes de semejantes clisés, tales como el nombre del personaje que habla, el atributo caracterizador del personaje, la indicación de una actitud corporal-gestual y/o anímica vinculada al hablar, así como el propio *verbum dicendi* con

---

7. La práctica sistemática de este principio en la *Ilíada* y la *Odisea* llevó a Platón (*República*, Libro III, 6-7, 392 d - 394 c 5) y subsecuentemente a Aristóteles (*Poética*, Cap. III, 1448 a 20-24) a caracterizar la epopeya como un género mixto, en el que alternan el relato de acciones verbales y no verbales (*diéguesis simple*) con la presentación directa de acciones verbales (*diéguesis a través de la mímesis*).

o sin objeto interno (o una perífrasis correspondiente), son opcionales. Lo único constante es su posibilidad combinatoria que se actualiza cada vez de modo diferente por la presencia de unos y la ausencia de otros.

El discurso narrativo de Dunraven se muestra respetuoso de las convenciones señaladas, ya que no falta en él una alocución directa del héroe —que a su vez representa un relato autobiográfico dentro del relato— introducida por una fórmula performativa:

> Abenjacán le dijo, de pie, estas o parecidas palabras: (p. 126).

Lo que hace de esta expresión una fórmula es no sólo el hecho de que esté constituida por componentes típicos (nombre del héroe + *verbum dicendi* + actitud vinculada al hablar [8] + objeto interno del *verbum dicendi*) sino, además, el que se repita —con las obligadas variantes impuestas por el nuevo contexto— para anunciar un parlamento de uno de los dos personajes de la historia contada por el narrador anónimo del primer nivel:

> . . . tres o cuatro noches después, Unwin citó a Dunraven en una cervecería de Londres y *le dijo estas o parecidas palabras*: (p. 130).

Más adelante veremos qué consecuencias se derivan, para la interpretación de todo el cuento, de la presencia de una misma fórmula en dos niveles narrativos diferentes. De momento conviene destacar que el extenso parlamento de Abenjacán —a quien se puede caracterizar como narrador-protagonista de un tercer nivel incrustado en el relato del narrador del segundo nivel— ostenta los mismos rasgos connotadores de literaturidad que tipifican el estilo épico-retórico de Dunraven. Inmediatamente después de la primera frase se descubre, en efecto, la tendencia a 'adornar' el discurso mediante el empleo predominante de un registro verbal bombástico —lo más apartado posible del habla cotidiana— que aparece, además, relevado por equivalencias rítmicas y por su combinación con la prestigiosa figura retórica de la antítesis, centrada aquí en la oposición semántica entre los verbos *mitigar* y *agravar*:

> Las culpas que me infaman son tales que aunque yo repitiera durante siglos el Ultimo Nombre de Dios, ello no bastaría a mitigar uno solo de mis tormentos; las culpas que me infaman son tales que aunque yo lo matara con estas manos, ello no agravaría los tormentos que me destina la infinita Justicia (p. 126).

El período transcripto resulta ante todo estilísticamente llamativo por la estructuración paralelística de las dos frases complejas que lo integran. Cada una de ellas constituye un período consecutivo cuya primera parte, la correspondiente a la frase-antecedente, es idéntica en ambas y se destaca del resto por

---

8. Un nítido testimonio de la ligazón, convencionalizada por los textos épicos, entre *ponerse de pie y hablar* se halla en el *Cantar de Mio Cid*, en el que la sola frase *levantarse en pie* es utilizada en cuatro ocasiones para introducir parlamentos a la manera de un *verbum dicendi* (*Cf.* de Chasca 1967, pp. 213 s.).

ostentar el esquema rítmico de un decasílabo con acentos en 2a., 6a. y 9a. sílabas:

> Las cúlpas que me infáman son táles
> . . . .
> las cúlpas que me infáman son táles

La segunda parte, la correspondiente a la frase-consecuente, se caracteriza en ambas por la inserción de una frase concesiva introducida por *aunque* inmediatamente después del *que* consecutivo, lo que da como resultado un primer segmento frástico con una configuración sintáctica y rítmica parcialmente equivalente:

> que aunque yó repitiéra / / duránte siglos (el último nombre de Dios)
> . . . .
> que aunqué yó lo matára / / con éstas mános

Si se deja de lado el objeto directo de la primera de las dos unidades precedentes, se observa que ambas conforman una secuencia rítmica de 12 sílabas dividida en dos hemistiquios de 7 y 5 sílabas que presentan respectivamente acentos en 3a. y 6a. y en 4a. (con uno secundario en 2a.). Además, el segundo hemistiquio está ocupado en ambos por un sintagma preposicional con valor circunstancial (de tiempo y de instrumento resp.).

El segundo segmento de la segunda parte (el resto de la frase-consecuente interrumpida por la concesiva) comienza en ambas frases complejas con un eco rítmico del primer segmento (un heptasílabo con acentos en 1a., 3a. y 6a.):

> éllo nó bastaría
> - - - - - - - - - -
> éllo nó agravaría

y se prolonga, ya sin ritmo definido, en un segmento final en el que las equivalencias sintático-semánticas se vuelven algo más laxas para dar lugar al surgimiento de una quasi-cláusula en la que se manifiesta la tendencia —englobable dentro de la ya mencionada ley de los miembros crecientes (*Cf. supra*, p. 306)— a cerrar el período con la más extensa de las secuencias correlativas que lo integran:

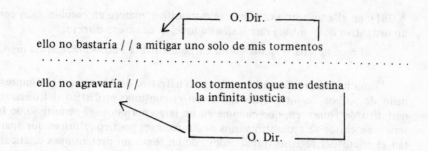

O. Dir.

ello no bastaría // a mitigar uno solo de mis tormentos

ello no agravaría //   los tormentos que me destina
                         la infinita justicia

O. Dir.

En casi todo lo que dice, Abenjacán se muestra un *personaje de epopeya* que habla en conformidad con las convenciones lingüísticas en que se sustentan los poemas homéricos, y que fueron luego acatadas en buena parte de la épica culta occidental. Una de ellas, relevada ya por Aristóteles (*Poética*, Cap. 22, esp. 1458 a 21-23 y 1459 a 8-10) es el uso —más profuso que en otros géneros— de palabras que suenan "extrañas" ya sea por pertenecer a otras variedades dialectales o por haber caído en desuso. Abenjacán se vale, en efecto, de un vocabulario extraño y mayestático, que alcanza lo 'sublime' mediante el apartamiento de las formas coloquiales normales, como es el caso de:

En tierra alguna es desconocido mi nombre (*ib.*).

o mediante la inserción de cultismos y/o de expresiones arcaizantes que ponen de relieve el parentesco del castellano con su ilustre lengua-madre:

Durante muchos años las despojé, con asistencia de mi primo Zaid, pero Dios oyó mi *clamor* y *sufrió* que se rebelaran. Mis gentes fueron *rotas* y acuchilladas; yo alcancé a huir con el tesoro recaudado en mis años de *expoliación* (*ib.*).

Como su antecesor latino, *clamor* tiene aquí el sentido técnico-militar de "grito de guerra". En analogía con el verbo latino *pati* que, además de "padecer", puede significar "permitir", *sufrió* es utilizado aquí en la segunda de estas acepciones. De un modo similar, en *rotas* se actualiza el sentido técnico-militar —correspondiente a un registro verbal más bien elevado— que ya tenía su étimo latino *rumpere* (participio: *ruptus, -a, -um*): "desbaratar (un cuerpo de gente armada)"[9].

Entre los variados rasgos extrañantes que tipifican a esta alocución como exponente del estilo oratorio-solemne propio de los parlamentos de la épica clásica, no podía faltar, asimismo, un modo de expresión que los antiguos tratados de retórica subsumían en la categoría general de la "derivación" (repetición de una raíz léxica con modificaciones flexivas) dándole a veces el nombre de "figura pleonástica" y que en tiempos modernos fue rebautizada con el nombre "figura etimológica" (*Cf.* Lausberg, 1966-1968 § 503, y 648, 6 y 1975

9. Véanse testimonios de estos usos en el *Diccionario de Autoridades*, s.v.

§ 281); en ella un verbo usualmente intransitivo aparece en combinación con un sustantivo de su misma raíz léxica en función de objeto directo:

> el roce de una telaraña en mi carne me había hecho *soñar aquel sueño* (*ib.*).

Como lo señalé más arriba, el discurso narrativo de Abenjacán, tan impregnado de pathos, se integra sin fisuras en el continuo estilístico del discurso narrativo de Dunraven, que culmina en un largo período —el penúltimo de la serie— en el que se acumulan varios de los recursos poético-retóricos que apartan el relato del registro verbal propio de un texto sin pretensiones estéticas. En él confluyen enfáticas recurrencias léxicas, correlaciones rítmicas más o menos laxas con efecto de eco y estructuras paralelísticas con variaciones, así como la expansión del miembro final a la manera de una cláusula* (ver cuadro).

En violento contraste con la precedente porción textual, el último período se caracteriza por su parquedad y sencillez:

> A los pies del hombre había un arca taraceada de nácar; alguien había forzado la cerradura y no quedaba ni una sola moneda (*ib.*).

Esta aparente falta de rebuscamiento cumple, sin embargo, una función parangonable a la de cualquiera de las complicadas figuras diseminadas a lo largo del texto. Concisión y simplicidad no son aquí producto de una actitud discursiva espontánea o espontaneísta sino que constituyen un recurso inscripto en cierto código estético: el final anticlimático que subraya retroactivamente, por su condición de extremo polar inferior, el punto más alto de una curva patética ascendente.

Que nuestro narrador del 2o. nivel no se limita a contar una historia sino que al contarla produce un texto literario de segundo grado —un híbrido de epopeya prosificada y pieza oratoria del género epidíctico o judicial— es puesto explícitamente de relieve por el narrador anónimo del primer nivel, quien intercala, acto, seguido, la siguiente reflexión metalingüístico-literaria:

> Los períodos finales, agravados de pausas oratorias, querían ser elocuentes; (*ib.*).

La inmediata caracterización de la actitud evaluativa del narratario del segundo nivel colabora a subrayar la literaturidad del relato de Dunraven, a la par que sugiere su ficcionalidad:

> Unwin adivinó que Dunraven los había emitido muchas veces, con idéntico aplomo y con idéntica ineficacia. (*ib.*).

Unwin no se limita a reconocer la tendencia literaturizante del relato de su amigo sino que la juzga negativamente, como un indicio más de la falsedad de la historia. La sensación de que Dunraven no hace sino repetir, como un experimentado y rutinizado juglar, un pretencioso texto sabido de memoria aparece estrechamente asociada, en el modo 'matemático' de razonamiento de

Cláusula

estaba muerto.

estaba muerto

le habían destrozado la cara

y el león

que
(el esclavo)

a quien
(al Bojari)

El jadeante relato del Bojari le pareció fantástico,

con el león.

con el esclavo.

con el Bojari.

dio

(dio)

(dio)

pero en un recodo de las galerías

en otro

en la cámara central

y

y

Unwin, a la idea de lo inverosímil, incapaz de persuadir: el *aplomo* resultante de la frecuente repetición de un mismo texto artificiosamente elaborado tendría como inevitable —e indeseable— correlato la *ineficacia* del narrador para convencer de la fidelidad fáctica de lo que cuenta. Es por ello que Unwin pierde todo interés en el relato:

> Preguntó, para simular interés:
> —¿cómo murieron el león y el esclavo? (*ib.*)

y que no vacila en tildarlo *de mentira* al responder a una pregunta meramente retórica de Dunraven, con la que éste busca tan sólo aprobación:

> —¿No es inexplicable esta historia?
> Unwin le respondió, como si pensara en voz alta:
> —No sé si es explicable o inexplicable. Sé que es mentira (*ib.*).

De este modo, asume implícitamente el viejo anatema platónico "los poetas mienten", que reposa en la confusión conceptual de lo literario-ficcional con lo falaz. Esta misma idea subyace en la modificación que de su severo juicio hace Unwin cuando vuelve a encontrarse con su amigo unos días después:

> —En Cornwall dije que era mentira la historia que te oí. Los hechos eran ciertos o podían serlo, pero contados como tú los contaste, eran, de modo manifiesto, mentiras (p. 130).

Puesto que acto seguido se dedica a refutar las *mentiras* de la historia de Dunraven señalando errores de razonamiento y oponiendo a la versión *increíble* (p. 132) otra más verosímil, basada en una forma diferente de interrelacionar los mismos hechos, parecería que su alusión a la manera de contar de Dunraven concierne solamente al ordenamiento causal de los sucesos. Sin embargo, en el trasfondo del mencionado comentario metalingüístico-literario del narrador del primer nivel y de su caracterización de la reacción de Unwin como narratario, la expresión *contados como tú los contaste* connota la negación de la naturaleza sólo instrumental de los enunciados narrativos o, lo que es lo mismo, la sospecha —y la concomitante actitud de rechazo— de que Dunraven se limita a repetir un texto por el puro gusto de la producción verbal, un texto emancipado de cualquier relación inmediata con la realidad y que por eso mismo es "ineficaz" frente a todo oyente que lo juzgue por su contenido de verdad sin reparar en la organización del material lingüístico y en las intenciones estéticas que se manifiestan en ella. El *contados como tú los contaste* implica, pues, también, todo el ornato retórico del relato, todas las figuras, todos los tópicos de viejo cuño literario (oratorios y/o épicos) que, como se ha observado ya, colaboran a neutralizar la tendencia autentificadora-testimonial del discurso narrativo y a generar un movimiento antitético hacia su literaturización-ficcionalización.

Dentro del universo ficcional del texto titulado "Abenjacán el Bojarí, muerto en su laberinto", la historia narrada por uno de los personajes aparece, en consecuencia, implícitamente *marcada como ficción*: como un relato épicofantástico incrustado en un relato cuyos protagonistas son (o parecen ser) un poeta y un matemático. Con el paréntesis dubitativo me ubico ahora en la perspectiva del narratario del primer nivel, de esa entidad en este caso tan anónima y con tan tenue densidad de 'persona' como la voz narrativa que lo presupone en su discurso.

La duda del narratario —y por su intermedio, la de cualquier lector familiarizado con la poética ficcional borgeana— se suscita a partir del momento en que el narrador del primer nivel introduce un parlamento de uno de sus personajes (Unwin) con una expresión formulística performativa muy similar a aquella con la que el narrador del segundo nivel (Dunraven) introduce el discurso de su 'héroe' (*Cf. supra*, p. 307):

> ... tres o cuatro noches después, citó a Dunraven en una cervecería de Londres y *le dijo estas o parecidas palabras* (p. 130).

Semejante recurso, por demás extrañante, le quita de pronto, a todo lo referido en el primer nivel, el aire de realidad que parecía tener. Hasta aquí hubiera podido pensarse que la fuente de lenguaje de que dimana el relato de primer grado adjudica a los objetos y hechos de referencia de su discurso el carácter de lo efectivamente existente o acaecido. A partir de este punto, la marca de literaturidad-ficcionalidad connotativamente impresa en lo narrado en el segundo nivel se proyecta, en un sutil juego de ecos verbales y simetrías temáticas, a lo narrado en el primer nivel. Ello se hace particularmente manifiesto en algunas partes del parlamento de Unwin introducido por la fórmula en cuestión. Sorprende, en efecto, que el matemático —tan receloso de florilegios discursivos— comience repentinamente a contaminar su estilo con el del amigo poeta o, peor aún, con el del héroe épico de la historia de su amigo. La esporádica irrupción del registro retórico 'sublime' tan gustosamente cultivado por Dunraven resulta, por ejemplo, llamativa (e incluso chocante) en el siguiente pasaje:

> La sabia reflexión que ahora te someto me fue deparada anteanoche, mientras oíamos llover sobre el laberinto y esperábamos que e¹ sueño nos visitara; amonestado y mejorado por ella, opté por olvidar tus absurdidades y pensar en algo sensato (p. 131)[10].

Las expresiones subrayadas son, como puede apreciarse, del mismo tenor de aquéllas que otorgan un halo de distancia mítico-heroica al parlamento de Abenjacán. Uno de los recursos que colaboran a este efecto es, como ya se

---

10. Igualmente llamativos por su semejanza con las antítesis típicas del estilo de Dunraven son los siguientes períodos, en los que se combinan estrictas equivalencias sintácticas con relaciones antonímicas:

> Duerme el visir, de quien sabemos que es un cobarde;
> no duerme el rey, de quien sabemos que es un valiente
> (p. 132).

> Esa noche durmió el rey, el valiente,
> y   veló   Zaid, el cobarde (*ib.*).

señaló, el empleo de un vocabulario arcaizante. En este aspecto el término más notorio es *amonestado*: en él no se actualiza el significado de *amonestar* que hoy se conserva más vivo ('reprender') sino aquel otro que en la Edad Media concurría con él ('advertir (sin vituperio)', 'aconsejar', 'animar') y que corresponde al sentido usual del verbo latino del que indirectamente procede (*admonere*: 'poner en la mente de alguien', 'sugerir', 'advertir', 'aconsejar') (*Cf.* Corominas, DCELC, s. v.). La mayor proximidad respecto del étimo latino queda aquí además sutilmente relevada por el hecho de que la relación contextual con *sueño* suscita la asociación con locuciones tales como *admonitus in somnis* (*Mateo* 2, 22), con lo cual se alude a José, quien "avisado en sueños" depone su temor y decide marchar a Galilea.

Al igual que en el parlamento de Abenjacán, no sólo el vocabulario resulta arcaizante sino también cierta manera de interpretación del mundo cuyo medio de expresión natural son frases que desde una perspectiva racionalista se juzgan como meras metáforas: como "personificaciones" de entidades abstractas que ya para Aristóteles cumplían la función de dar vivacidad al discurso "poniendo ante los ojos" lo no perceptible o presentando "en acción" lo que carece de vida (*Cf. Retórica* III, Cap. 11, esp. 1421 b 22 - 1412 a 8). Para ciertas formas de pensamiento mítico-mágico tales frases no son, empero, un modo figurado de hablar sino el único modo posible y apropiado: atribuirle cara al desierto (*le ordené a mi esclavo que vigilara la cara del desierto*, p. 126), presentar al sueño como un visitante nocturno o una reflexión como una gracia otorgada por fuerzas exteriores a la propia conciencia y, a la vez, como una persona que aconseja, pueden constituir, según las premisas de que se parta, tanto meras convenciones estilísticas como directas manifestaciones de una concepción animista y antropomorfizadora del mundo.

Ahora bien, en un texto literario ficcional no siempre es fácil decidir de cuál de los dos casos se trata; el problema varía, además, según el nivel narrativo desde el cual se lo juzgue. Así, las peculiaridades estilísticas y temáticas del discurso de Abenjacán pueden ser evaluadas, en el interior del nivel correspondiente, como señales de la pertenencia del hablante a un ámbito cultural muy distinto del de su interlocutor, un hombre de mentalidad 'occidental-moderna'. Precisamente, luego de descartar la hipótesis facilista de la locura, el rector Allaby contempla la posibilidad de interpretar el "extravagante relato" del moro con criterios antropológicos:

> Quizá tales historias fueran comunes en los arenales egipcios, quizá tales rarezas correspondieran (como los dragones de Plinio) menos a una persona que a una cultura (p. 127).

Sin embargo, en cuanto salimos de este nivel y observamos el relato en cuestión desde el nivel inmediato superior (escepticismo de Unwin respecto de todo lo narrado por su amigo) y, por último, desde el nivel englobante de los dos anteriores (reflexiones metalingüístico-literarias del narrador anónimo), esas mismas peculiaridades aparecen como convenciones literarias utilizadas por Dunraven para darle a su Abenjacán formato de héroe épico.

De un modo análogo, si se examinan los rasgos extrañantes del discurso de Unwin desde el nivel inmediato superior, esto es, a la luz de la expresión formulística introductoria *le dijo estas o parecidas palabras*, dichos rasgos se revelan como otras tantas convenciones literarias de que se vale el narrador anónimo del primer nivel para proyectar sobre Unwin la imagen épica de Abenjacán.

Una de las más interesantes correspondencias entre los dos personajes y sus respectivos discursos radica en el importante rol que juega en ambos casos el motivo del sueño, que a su vez remite a un ilustre topos literario: así como Abenjacán refiere sueños ominosos que para él pertenecen al dominio de la realidad, Unwin declara haber recibido una suerte de revelación y consejo mientras *esperábamos que el sueño nos visitara*, todo lo cual suscita la asociación con el célebre comienzo del Canto Segundo de *La Ilíada*, en el que Zeus (que no puede dormir) envía a Agamenón un "sueño funesto" que se detiene "sobre su cabeza" con la apariencia de Néstor y le aconseja atacar Troya sin dilaciones.

La consecuencia inmediata de las correspondencias anotadas es, como ya lo anticipé, la desrealización de todo lo narrado en el cuento. La marca de literaturidad-ficcionalidad se proyecta de nivel a nivel hasta alcanzar el discurso mismo del narrador anónimo en el instante en que éste repite con leves variantes la fórmula épica del discurso narrativo de Dunraven. Si bien esta sorprendente coincidencia representa el caso más evidente de contaminación (o mejor: con-fusión) de los estilos de ambos narradores, no faltan otros ejemplos aislados que, inadvertidos en un primer momento, llamen retroactivamente la atención desde que la fórmula del segundo nivel reaparece en el primero. La tendencia a estructurar frases o partes de frases en forma paralelística y ritmizada se percibe con bastante nitidez en:

Al ruído de los pásos
| | | |
se agregó. . . el ruído de la llúvia (p. 129)

donde los dos sintagmas correlativos (con estricta equivalencia sintáctica a partir de *ruido*, cuya recurrencia hace más notorio el paralelismo) destacan, además, por tener en común el esquema de un heptasílabo con acentos en 2a. y 6a.

La misma tendencia se vislumbra en:

La incorregible voz
| | |
contestó con. . . sombría satisfacción (*ib.*)

donde los dos sintagmas correlativos (adjetivo + sustantivo), de 6 y 7 sílabas respectivamente, realizan en su interior una sutil variación quiásmica (adjetivo 'largo' + sustantivo 'breve' — adjetivo 'breve' + sustantivo 'largo') y se distribuyen, según un cuidadoso balanceo rítmico, de modo que el más extenso (de 7 sílabas y con sustantivo 'largo' al final) clausure la secuencia.

315

Con todo, el caso más interesante de implícita marca literario-ficcional en el discurso del narrador del primer nivel —y uno de los más ricos en consecuencias para la interpretación integral del cuento— es el siguiente:

> Unwin, *lento en la sombra*, oyó de boca de su amigo la muerte de Abenjacán (p. 125).

Para un lector real próximo al lector implícito postulado por las ficciones borgeanas —alguien familiarizado con una larga tradición literaria en la que Virgilio ocupa un lugar prominente—, la caracterización que sigue al nombre de Unwin resulta un eco clarísimo de uno de aquellos célebres hexámetros que inauguran el libro de las *Eglogas*:

> nos patriam fugimus: tu Tityre, *lentus in umbra*
> formosam resonare doces Amaryllida silvas (*Egl.* I, vv. 4-5)

> nosotros huimos de la patria; tú Títiro, *tranquilo en la sombra*, enseñas a los bosques a repetir un canto a la bella Amarilis.

La *Egloga I* es el diálogo de dos pastores, Títiro y Melibeo, que, como se ha señalado repetidas veces desde la antigüedad, representan dos figuraciones poéticas del propio Virgilio. Dos momentos de su biografía se proyectan, en un mismo tiempo ficcional, en los dos personajes reunidos en el lugar ameno. Su dolorosa experiencia de pequeño propietario despojado de sus tierras a raíz de las guerras civiles queda artísticamente plasmada en Melibeo; los éxitos y el sentimiento de seguridad del poeta protegido por el emperador Augusto se objetivan en Títiro, quien echado despreocupadamente a la sombra de una encina toca la zampoña y canta las excelencias de su amada.

El hecho de que *lentus* no signifique aquí 'lento' sino 'distendido', 'despreocupado', no es una prueba en contra sino a favor del carácter intencional de la reminiscencia literaria: *lento en la sombra* no quiere ser una traducción de *lentus in umbra* sino un eco en el sentido literal del término. La preferencia otorgada a la equivalencia en el plano del significante cumple la función de suscitar más vivamente el recuerdo del verso modélico y, con él, el del mundo poético-ficcional del que forma parte. Una prueba adicional de que no se trata de una coincidencia fortuita ni, mucho menos, de una deficiente 'traducción' se encuentra en un pasaje de un cuento recientemente publicado por Borges con el título "Las hojas del ciprés"[11], en el que el narrador recuerda el v. 25 de la misma *Egloga I* y reflexiona sobre el significado del adjetivo *lentus* en ese contexto:

> El árbol de mi muerte era un ciprés. Sin proponérmelo, repetía la línea famosa: *Quantum lenta solent inter viburna cupressi.*

---

11. El cuento apareció originalmente en *El Clarín* de Buenos Aires y fue reproducido meses después en *La Gaceta del Fondo de Cultura Económica*, N° 104, agosto de 1979, de donde tomo la cita. Corrijo una errata en el verso latino incluido en ella.

Recordé que *lenta*, en ese contexto, quiere decir flexible, pero nada tenían de flexibles las hojas de mi árbol. Eran iguales, rígidas y lustrosas y de materia muerta[12].

El cuadrito inicial de la *Egloga I* de Virgilio anuncia en forma simbólica lo que un libro de églogas promete al lector: las convenciones del género exigen que el pastor sea fundamentalmente músico-poeta y sólo tangencialmente pastor, lo que da como resultado que el contenido de los poemas bucólicos suela reducirse al 'canto' (= poesía acompañada de música) o, por lo menos, incluya el tema del 'canto'. No deja de ser extraño, por ello mismo, que el narrador anónimo del primer nivel de "Abenjacán el Bojarí. . ." aplique el *lento en la sombra* a Unwin, el matemático, y no a Dunraven, el poeta, quien representaría el adecuado correlato del Títiro virgiliano. ¿No será ésta una manera de sugerir, además del carácter literario-ficcional de Unwin, la posibilidad de que el matemático y el poeta sean, como Abenjacán y Zaid (y en cierta medida como Títiro y Melibeo), dos figuraciones fantasmales de una misma entidad?

Curiosas simetrías entre las situaciones protagonizadas por todos estos personajes parecen apoyar tal hipótesis. En la égloga virgiliana Títiro canta tranquilo mientras Melibeo huye angustiado tras haber sido expulsado de sus tierras. La paz del uno y el desasosiego del otro se corresponden con el tranquilo sueño del matemático y la inquieta vigilia del poeta en la noche que pasan ambos en el laberinto, sueño y vigilia que a su vez se corresponden con el reposo de Zaid y el atormentado desvelo de Abenjacán conforme a la versión de Dunraven o con su figura invertida en la versión de Unwin. Obsérvese además que el 'sueño-vigilia' de 'Abenjacán-Zaid' tiene lugar en el desierto, que es el correlato natural del laberinto construido por el hombre, como lo demuestra la historia divulgada por el rector Allaby desde el púlpito para censurar el proyecto del Moro[13].

Así como la marca de literaturidad-ficcionalidad se proyecta de nivel en nivel e impide discernir, en cada uno de los mundos ficcionales respectivos, la

12. La conclusión que saca el narrador fundándose en el significado de *lenta* (la negación de la presuposición de que las hojas del ciprés son flexibles) parecería indicar una confusión en la interpretación del verso evocado, cuyo sentido, que no se puede separar del sentido del verso que lo precede, es el siguiente: "Pero esta ciudad [Roma] eleva tanto su cabeza por encima de las otras, *cuanto suelen elevarse los cipreses sobre los flexibles viburnos*". Como se ve, *lenta* no está referido a las hojas del ciprés —que no parecen caracterizarse por su flexibilidad— sino a los arbustos entre los que descuellan los cipreses. Sin embargo, ello no invalida nada de lo dicho por cuanto el comentario léxico es básicamente correcto y, lo que es más importante, revela la extraordinaria vitalidad del texto virgiliano en la memoria de Borges.

13. "Los dos reyes y los dos laberintos", que remite en nota (p. 135) al mencionado sermón de Allaby, se ubica, pues, dentro del universo ficcional de "Abenjacán el Bojarí. . .", en un nivel correlativo de aquel al que pertenece el discurso narrativo de Abenjacán. Se trata, en ambos casos, de los relatos de dos personajes de la historia relatada por el narrador del segundo nivel.

realidad de la ficción[14], el postulado fantástico que "descifra" el enigma de la muerte de Abenjacán se refleja especularmente en el relato del nivel superior e instaura la con-fusión integral de personajes y voces narrativas: Abenjacán y Zaid, Unwin y Dunraven, Dunraven y el narrador anónimo del primer nivel aparecen como desdoblamientos fantasmales de entidades igualmente fantasmales e intercambiables entre sí.

Una sutil alusión literaria que se añade a la reminiscencia virgiliana y que, como ésta, connota la unidad en la dualidad, constituye una importante pieza del engranaje proyectivo en virtud del cual el postulado fantástico se erige en la explicación última —a su vez inexplicable— de *todo* lo narrado. Ella se encuentra casi al comienzo del cuento, por lo cual su capacidad connotativa sólo se muestra con nitidez retrospectivamente. Cuando Dunraven comienza a enumerar con excesiva prolijidad las extrañas circunstancias del supuesto crimen, Unwin lo interrumpe con el siguiente comentario:

> No multipliques los misterios —le dijo—. Estos deben ser simples. Recuerda la carta robada de Poe, recuerda el cuarto cerrado de Zangwill (p. 124).

En "La carta robada" de Poe —un relato policial-enigmático con la exigida solución a la vez sorprendente y racional—, el astuto e inescrupuloso ministro que idea una treta casi perfecta para robar y mantener oculta una carta que le da poder absoluto sobre su encumbrada destinataria, es caracterizado como posesor de una capacidad de raciocinio superior a la de un "simple matemático" por el hecho de ser, además de matemático, poeta:

> —Pero ¿es realmente poeta? —pregunté—. Sé que son dos hermanos y que ambos han logrado fama en la literatura. El ministro, según creo, ha escrito un libro muy notable sobre el cálculo diferencial e integral. Es un matemático y no un poeta.
> —Se equivoca usted; le conozco muy bien: es poeta y matemático. Como poeta y matemático, ha debido de razonar con exactitud; como simple matemático no hubiera razonado en absoluto, y habría quedado así a merced del prefecto.
>
> (*Narraciones completas*, p. 539)

Pienso que el pasaje transcripto contiene *in nuce* el diseño argumental de lo narrado en el primer nivel de "Abenjacán el Bojarí. . ." así como el postulado de cuya aplicación resulta la fantastización retroactiva de la historia: la referencia de *dos* hermanos autores de obras famosas, la conjetura de que el ministro es el matemático (con el supuesto implícito de que el otro es el poeta) y, finalmente, la afirmación refutatoria según la cual el ministro es *poeta y*

---

14. En sentido estricto, lo que no se puede distinguir claramente es si los componentes de cada nivel (esto es, cada narrador y los objetos y hechos de referencia de su discurso) son parte de una 'realidad' miméticamente constituida en la ficción o tienen un status ficcional dentro de la ficción.

matemático a la vez, tienen como correlato en el texto de Borges la idea de la existencia de dos amigos aspirantes a la genialidad, el uno como matemático, el otro como poeta, cuyas maneras presumiblemente opuestas de razonar y expresarse llegan a amalgamarse hasta tal punto que parecen desvanecerse las fronteras de sus respectivas identidades. El reconocimiento de estas relaciones y, en general, el de todas las relaciones existentes entre el universo ficcional de "Abenjacán el Bojarí..." y los universos ficcionales de los textos literarios modélicos a los que él remite (por la vía del 'eco' estilístico o de la alusión directa) es parte sustancial del ejercicio de "imaginación razonada" que Borges propone a sus lectores.

UN DIALOGO INTERTEXTUAL

TRANSFERENCIAS POETICAS: GARCILASO DE LA VEGA Y SU "IMITACION" DE LA BUCOLICA VIRGILIANA*

Para Viktor Pöschl en sus 65 años

> ... digo, y afirmo, que no tengo por buen poeta al que no imita los excelentes antiguos. Y si me preguntan por qué entre tantos millares de Poetas, como nuestra España tiene, tan pocos se pueden contar dignos deste nombre, digo, que no hay otra razón, sino porque les faltan las ciencias, lenguas y dotrina para saber imitar.
>
> El Brocense, *Obras del excelente Poeta Garci Lasso de la Vega*, Salamanca 1574[1].

En este categórico juicio de don Francisco Sánchez de las Brozas, el erudito profesor de retórica de la Universidad de Salamanca que en un acto insólito consagró sus esfuerzos a redactar el primer comentario a una obra poética escrita en español, se encierra el más certero elogio que se le puede hacer a Garcilaso de la Vega, un poeta que por poseer "ciencias, lenguas y dotrina para saber imitar" se hizo acreedor, ya en su siglo, a ser estudiado, admirado e imitado a la par de un Horacio o un Virgilio.

Con Garcilaso se inaugura en las letras hispánicas un período comparable al de máximo florecimiento de la literatura latina tanto por la jerarquía de sus manifestaciones artísticas como por el papel central que desempeña en el pro-

*   Agradezco a Ana María Barrenechea, Elias L. Rivers, Arnold Rothe y Lía Schwartz-Lerner por su lectura crítica de una primera versión del presente trabajo, y muy especialmente a Isaías Lerner por sus múltiples y valiosas observaciones de detalle. Heidelberg 1975.
    Publicado originariamente en *Iberomania*, Núm. 6, 1980.

1. Apud A. Gallego Morell (² 1972), p. 23. Todas las referencias a los comentarios del Brocense y de Fernando de Herrera se hacen por esta edición.

ceso de creación la presencia normativa de un modelo. Como el poeta latino, el poeta del Renacimiento se siente tributario de una tradición antigua y valiosa que forma el marco de referencia constante de su propia obra: la potencia artística se manifiesta en ambos casos bajo la forma de una permanente confrontación con el paradigma. La originalidad consiste en continuar, combinar, remodelar lo ya existente, dar nueva respuesta a una vieja problemática con materiales conocidos. La latinidad clásica y el Renacimiento demuestran de modo ejemplar que la materialidad del texto es sólo una parte de la obra literaria. El estudio exclusivamente inmanente del texto, siempre insatisfactorio cuando se desea aprehender el fenómeno de la comunicación poética en su real complejidad, conduciría en estos dos casos extremos a una ficción de conocimiento. Esta afirmación, válida para todos los géneros, se vuelve, si cabe, aún más evidente cuando se piensa en la poesía bucólica, que, por tener como protagonistas seres particularmente dotados para percibir y crear belleza —pastores músicos y poetas que expresan sus sentimientos cantando— se presta idealmente al juego con modelos conocidos, a la cita ingeniosamente encubierta, a la reflexión, la ironía y la crítica poéticas bajo el inocente aspecto de una confesión sentimental. La mayor efectividad de un análisis que tome en cuenta las relaciones del texto con todos los demás sistemas poéticos que le sirven de trasfondo permanente e irrumpen intermitentemente en él —ya sea por la vía directa de la cita o por la indirecta de la modificación— resulta obvia. Es preciso, no obstante, alertar contra un riesgo no menos grave que la simplificación inmanentista: creer que el estudio de una obra con las características enunciadas se agota en la identificación de las fuentes o que el talento de su autor se muestra principalmente allí donde no es posible detectar un modelo conocido.

En los análisis siguientes intentaré probar la hipótesis contraria: que el genio de Garcilaso de la Vega se muestra en su máximo vigor en los momentos en que se ciñe más rigurosamente al texto clásico que le sirve de inspiración. Como veremos enseguida, en ninguno de esos momentos se puede hablar de imitación en el sentido trivial de recreación de un tema o de un par de detalles estilísticos o de la inclusión de un motivo conocido en un contexto nuevo. Se trata más bien de un proceso de transferencia: del difícil paso de un sistema poético a otro sistema poético cerrado e independiente pero construido conforme a las mismas reglas estructurales. Semejante labor representa un verdadero "tour de force" en el que el poeta lucha por alcanzar el máximo de libertad dentro de los límites más estrechos imaginables.

Puesto que el producto de un esfuerzo artístico de tales proporciones sólo se deja describir sobre la base del estudio del texto y su modelo, del rastreo en la tradición cultural a la que ambos pertenecen y de la confrontación esporádica —a modo de control— entre el texto recreado y otras reelaboraciones a que el modelo ha dado lugar, ha sido necesario reducir el campo de observación a unos pocos versos. He escogido para este propósito la introducción y las dos primeras estrofas del canto amebeo con el que acaba la Egloga III[2] por la calidad excepcional de estos versos, por el hecho de que representan una unidad cerrada a pesar de su forzoso carácter fragmentario y, sobre todo, por su mayor proximidad a Virgilio. La *Arcadia* de Sannazaro, que tan frecuentemente actúa como intermediaria entre Garcilaso y sus fuentes griegas y latinas, ha ejercido aquí escasa influencia.

La Egloga III se cierra, en efecto, con un episodio que M. J. Bayo ha caracterizado adecuadamente como "una confesión virgiliana de primer grado" (Bayo 1959, p. 142): en el instante en que las cuatro ninfas moradoras del Tajo abandonan sus bordados para regresar al agua, las detiene la música de dos pastores que cantan acompañándose con sus zampoñas para hacer más amena la tarea de recoger el ganado. La estrofa que introduce el canto (vv. 297-304) informa sobre sus nombres, Thyrreno y Alzino, y sobre sus singulares dotes artísticas. Los cuatro versos finales son un eco directo del comienzo de la Egloga 7 de Virgilio, donde los pastores participantes en la contienda poético-musical, Tirsis y Coridón, son presentados en los siguientes términos:

> ambo florentes aetatibus, Arcades ambo,
> et cantare pares et respondere parati (vv. 4-5)

2. Las transcribimos a continuación:

> Thyrreno destos dos el uno era,
> Alzino el otro, entrambos estimados
> y sobre quantos pacen la ribera
> 300 del Tajo con sus vacas enseñados;
> mancebos de una edad, d'una manera
> a cantar juntamente aparejados
> y a responder, aquesto van diziendo,
> cantando el uno, el otro respondiendo:

Thyrreno

> 305 Flérida, para mí dulce y sabrosa
> más que la fruta del cercado ageno,
> más blanca que la leche y más hermosa
> que'l prado por abril de flores lleno:
> si tú respondes pura y amorosa
> 310 al verdadero amor de tu Thyrreno,
> a mi majada arribarás primero
> que'l cielo nos amuestre su luzero.

Alzino

> Hermosa Phyllis, siempre yo te sea
> amargo al gusto más que la retama,
> 315 y de ti despojado yo me vea
> qual queda el tronco de su verde rama,
> si más que yo el murciégalo dessea
> la escuridad, ni más la luz desama,
> por ver ya el fin de un término tamaño
> 320 deste dia, para mí mayor que un año.

> "ambos en la flor de la edad, ambos arcadios,
> parejos en el canto y dispuestos a la réplica"

Garcilaso da la siguiente versión:

> mancebos de una edad, d'una manera
> a cantar juntamente aparejados
> y a responder, aquesto van diziendo,
> cantando el uno, el otro respondiendo:

Antes de analizar en detalle el primero de estos versos y de proponer una puntuación distinta que, en mi opinión, corresponde más fielmente a la técnica de reelaboración del modelo característica de nuestro poeta, será preciso observar algo más de cerca el texto latino y confrontarlo con las principales recreaciones a que ha dado origen.

El rasgo más destacado de los dos versos de Virgilio es que a pesar de que forman una unidad de sentido, se muestran relativamente independientes uno de otro. En cada caso la apariencia compacta y cerrada del verso deriva de su arquitectura sintáctica que lo divide en dos hemistiquios correlativos. En el v. 5 ambos hemistiquios son estrictamente paralelos; en el v. 4, que es el que ahora nos interesa, el orden de los elementos sintáctica y semánticamente equivalentes está invertido en forma de quiasmo, de modo que la palabra que presenta a los dos pastores como miembros de una clase dual y, por ende, como portadores de idénticas cualidades (*ambo*), resulta especialmente relevada por su posición al comienzo y al final del hexámetro. La anularidad estructural resultante, así como la presencia de la diéresis bucólica —cesura que confiere a la poesía clásica pastoril, merced a su típico efecto de eco, una notoria individualidad musical y que subraya aquí con la mayor intensidad el carácter bimembre del verso— hacen de este hexámetro una unidad de marcado perfil y llamativa independencia dentro del conjunto inicial.

Las peculiaridades estilísticas del comienzo de la Egloga 7 de Virgilio, y en particular, de su cuarto verso, parecen haber sido claramente registradas por los traductores e imitadores de este texto, quienes de uno u otro modo han procurado evocar algunas de las correlaciones presentes en él. Sannazaro que, como veremos más adelante, ha dejado un par de huellas en la versión de Garcilaso, mantiene en un pasaje de la Prosa IV de la *Arcadia* los paralelismos y bimembraciones del original, amplificándolos y contaminándolos con algún rasgo teocriteo. Así se refiere a los pastores Logisto y Elpino:

> pastori belli de la persona, e di età giovenissimi: Elpino di capre, Logisto di lanate pecore guardatore; ambiduo coi capelli biondi più che le mature spiche, ambiduo di Arcadia, et egualmente a cantare et a rispondere apparecchiati

El *florentes aetatibus* virgiliano aparece en cierta manera 'desdoblado' en la primera frase por medio de dos construcciones con paralelismo quiásmico (*belli de la persona, e di età giovenissimi*), la primera de las cuales parece hacer explícito un rasgo semántico apenas sugerido en *florentes* —que por su relación con *flos* tiende a evocar junto a la noción de 'frescura', 'juventud', la concomitante de 'belleza'. Las características más sobresalientes del verso 4 de Virgilio se muestran aquí distribuidas en distintas frases y en distintos niveles lingüísticos: la primera frase corresponde en el nivel semántico al primer hemistiquio (*ambo florentes aetatibus*) y en el nivel de interrelaciones sintáctico-semánticas a todo el hexámetro por su construcción quiásmica. La tercera frase, a su vez, recoge el par *ambo-ambo* así como el contenido informativo del segundo hemistiquio (*Arcades ambo*) pero lo pone en relación contrastante con una información sobre el color del cabello de los pastores, que procede del Idilio 8 de Teócrito[3]. Acerca de la última frase y de su proximidad al texto virgiliano se hablará extensamente más adelante.

La fidelidad estilística de Sannazaro que, forzoso es repetirlo, debe ser entendida en un sentido lato, como el respeto a un par de rasgos sustanciales combinado con la mayor libertad para ampliar, reducir, variar, contaminar y fantasear, caracteriza también al más brillante traductor hispánico de Virgilio, Fray Luis de León[4], quien vierte el v. 4 del siguiente modo:

ambos zagales bellos, ambos diestros

La principal marca estilística en relación con el original es aquí, sin dudas, el par *ambos. . . ambos*. Fray Luis no reproduce el quiasmo —como sí lo hace Herrera al traducir ocasionalmente este verso en su comentario a Garcilaso: *Ambos de edad florida, de Arcadia ambos* (Gallego Morell [2]1972, p. 584)— pero distribuye igualmente a los dos miembros en posiciones de relieve: las correspondientes a los acentos de 1ª y 8ª sílaba, que junto con el de 6ª (y el algo menos intenso de 4ª) representan las cimas rítmicas de este endecasílabo. Respecto de Sannazaro es interesante observar una coincidencia y una divergencia. Concuerda Fray Luis con el poeta italiano en desarrollar el *florentes aetatibus* virgiliano asociando explícitamente a la noción de juventud extrema la de belleza (*ambos zagales bellos*). Difiere, en cambio, en eliminar la referencia directa al lugar de procedencia de los pastores reemplazándola por un

---

3. Teócrito, Idilio 8, 3-4:

> ἄμφω τώγ'ἤστην πυρροτρίχω, ἄμφω ἀνάβω
> ἄμφω συρίσδεν δεδαημένω, ἄμφω ἀείδεν

"ambos eran pelirrojos, ambos adolescentes,
ambos expertos en tocar la siringa, ambos en cantar".

4. Otro testimonio que revela hasta qué punto la estructura paralelística del modelo virgiliano hizo impacto en los artistas del Renacimiento y los movió a imitarla variando y contaminando sus componentes básicos, se encuentra en los vv. 7-9 de la égloga escrita por Diego Hurtado de Mendoza, cuya introducción combina elementos procedentes de las Eglogas 7 y 8 de Virgilio (*cf.* Bayo 1959, p. 170 ss.). Los pastores Melibeo y Damón son presentados allí de la siguiente manera:

> entrambos aquejados de pasión
> iguales en cantar y en responder
> iguales en quejarse con razón.

adjetivo que alude a su capacidad técnica (*ambos diestros*). No es difícil vislumbrar aquí que para Fray Luis, como para tantos hombres del Renacimiento, la Arcadia de que habla Virgilio no es una mera región geográfica sino, ante todo, un ámbito artístico, cuna de la música y de la poesía y, por ello, patria espiritual de todos los pastores-cantores. Decir de éstos que son arcadios o artistas consumados es, pues, algo muy semejante. Esta interpretación poética se corresponde exactamente con la aclaración de Herrera a propósito del mismo verso virgiliano (que atribuye erróneamente a la Egloga 3): "Llámalos Arcades, porque lo parecen en la suavidad y destreza del canto". Y la misma idea parece subyacer ya en la más antigua versión española de las églogas, la de Juan del Encina:

> ambos moços florecientes
> y en cantar bozes parejas
> como Arcadios respondientes

Si bien se trata de una traducción bastante libre —la escasa fidelidad estilística está condicionada en buena medida por la gran distancia que va del hexámetro latino al octosílabo tradicional hispánico— resulta más o menos evidente que la expresión *como Arcadios respondientes* no alude simplemente al lugar geográfico de donde proceden los pastores sino a una modalidad de canto que suele asociarse a la legendaria Arcadia de Pan, el dios pastoril inventor de la flauta: al canto amebeo de la poesía bucólica.

A la luz de todos estos testimonios coincidentes no parece descaminado suponer que también Garcilaso entendió el *Arcades* virgiliano en sentido polivalente y que no menos que Luis de León, debió haber intentado mantener en lo sustancial los rasgos distintivos de la estructura modelo, vale decir, el carácter independiente del verso dentro de la estrofa, su organización interna bipartita-correlativa y, sobre todo, la insistencia en presentar a los pastores como individuos de la misma clase. Todas estas características se reconocen fácilmente en el texto de Garcilaso a condición de que se lea una coma después de *manera*:

> mancebos de una edad, d'una manera,
> a cantar juntamente aparejados
> y a responder. . .

Al *ambo. . . ambo* virgiliano corresponde aquí la repetición *de una. . . d'una*, que recalca la identidad de cualidades. El *florentes aetatibus* está implícito en *mancebos* ('jóvenes de pocos años') cuya unión con *de una edad* no es redundante precisamente porque esta última construcción indica de modo explícito —como lo haría un *ambos*— que los dos son igualmente adolescentes. La misma función de la diéresis bucólica está desempeñada aquí por la fuerte cesura tras la sexta sílaba, que da como resultado un endecasílabo *a maiore*, una unidad métrica bastante próxima al hexámetro bucólico. Pero las equivalencias estructurales no acaban en esto: así como el par *ambo. . . ambo* está relevado por su posición en el hexámetro, análogamente el par *de una. . . d'una* se destaca dentro del endecasílabo por ser portador de dos acentos rítmicos (el de cuarta y séptima sílaba)[5]. Al *Arcades ambo* de Virgilio correspondería, por último, la expresión *d'una manera.* Ya he anticipado la conjetura de que Garcilaso debió haber percibido la plurivalencia semántica de *Arcades.* De ser así, entonces hay que seguir conjeturando que, puesto que la caracterización de Alcino y Tirreno como habitantes de Arcadia resultaba incompatible con su condición de vaqueros de la ribera del Tajo[6], nuestro poeta la sustituyó del modo más natural por otra caracterización más acorde con su texto y, sin embargo, no enteramente distante de su modelo. La típica plurivocidad del lenguaje virgiliano facilitó su tarea: si *Arcades* denota la pertenencia a un lugar geográfico concreto pero también a un mundo de artistas, se lo puede reemplazar por cualquier referencia a modos de ser o de actuar propios de ese mundo. Luis de León restringió el contenido informativo del original escogiendo, de entre los varios estratos semánticos convergentes en *Arcades*, el correspondiente a la esfera técnica (*diestros*). También Garcilaso anuló el polisemantismo del modelo pero optó por una variante generalizadora. En lugar de presentar a Alcino y Tirreno como igualmente 'sensibles a la belleza' o 'artísticamente dotados' o 'sabios en canto y poesía' o 'hábiles flautistas', etc., es decir, revestidos de las cualidades específicas de los individuos de un ámbito específico, los hace 'de la misma índole'. Esta interpretación de la palabra *manera* está avalada no sólo por testimonios anteriores a Garcilaso[7] sino, especialmente, por los usos del propio poeta. Entre ellos tiene particular interés Egl. I, 106-108 (*¡Ay, quán diferente era / y quán d'otra manera / lo que en tu falso pecho se escondía!*), donde *d'otra manera* : es mucho más que un doblete de *diferente.* El contenido informativo de *manera* es aquí muy pobre. La mayor carga semántica de la expresión reposa en *otra*, elemento indicador de una

5. Como ha señalado acertadamente T. Navarro Tomás (1951-1952, pp. 205-211; *cf.* además 1956, pp. 175-177) el endecasílabo de Garcilaso y, en particular, el de la Egloga III, se caracteriza por la abundancia de acentos rítmicos y la gran variedad de combinaciones. En nuestro verso, como parece ser la norma en Garcilaso, todos los acentos prosódicos desempeñan un papel rítmico activo: además del obligado acento en la décima sílaba y del muy frecuente en la sexta, tienen valor rítmico los acentos de la segunda, cuarta y séptima sílabas. Este último es ciertamente poco común pero por ello mismo tanto más notorio.

6. Es cierto que Virgilio no ve contradicción alguna en presentar a sus pastores arcadios a la orilla del Mincio, el río de su patria norditaliana. Pero es preciso recordar que en su poesía bucólica la Arcadia mítica de Pan y de los pastores divinos como Dafnis, la Sicilia de Teócrito —el gran modelo griego— y el propio paisaje campestre natal forman una unidad indisoluble. Puesto que las églogas son ante todo poesía que tiene por contenido la creación poética misma (*cf.* Schmidt 1972), es perfectamente normal que un poeta latino que se siente inscripto en una tradición artística iniciada por los griegos combine con la mayor libertad elementos de ambos mundos. En Garcilaso, en cambio, semejante fusión resultaría mucho menos natural.

7. *Cf. Libro de Buen Amor*, 65b y 1006a. Véase también un testimonio del *Libro de los Estados* de Juan Manuel en Cejador, s. v.

'no-identidad'. Puesto que en nuestro verso se encuentra la misma construcción pero denotando una 'identidad', cabría la posibilidad de entender *manera* casi igualmente vacía de sentido que en el ejemplo precedente (*d'una manera*: 'iguales'). Semejante interpretación parece, sin embargo, descartable, pues implicaría la negación del paralelismo semántico de los dos hemistiquios y de las respectivas correlaciones con el modelo. Más adecuado es poner nuestro texto en relación con otros pasajes en los que *manera* designa inequívocamente el conjunto de cualidades típicas de una persona u objeto. Tal es el caso de Egl. II, 1095-1096 (*No te sabré dizir, Salicio hermano, / la orden de mi cura y la manera*), donde *orden* y *manera* son semánticamente intercambiables (ambos denotan 'clase', 'tipo'). Más interesante aun es Egl. II, 1328-1335 por la presencia, en un mismo verso (1330), de *modo* y *manera*, que, contra lo habitual, carecen aquí de valor sinonímico: mientras que *modo* significa 'estilo', 'usanza', *manera* denota 'modales', 'forma de presentarse', 'apariencia externa' pero también 'modo de ser' en el sentido más amplio —incluidas las cualidades espirituales— por cuanto la *manera* del mancebo se manifiesta en *el gesto / lleno d'un sabio, honesto y dulce affeto* (vv. 1331-1332). *Cf.* además Egl. II, 1549, donde se dice que el italiano ve en don Fernando *la manera misma y maña* del gran Aníbal, es decir, su mismo 'carácter' y 'habilidad', su misma 'índole' de guerrero inteligente y valeroso.

Una última observación en apoyo de la puntuación propuesta: la ausencia de pausa al final del v. 301 entorpece la comprensión de los dos versos siguientes pues no se ve con claridad a qué está referida la construcción *d'una manera* ni qué añade a la información contenida en dichos versos. En efecto, si se entiende como una precisión modal —única interpretación posible si no se acepta la coma— se la puede poner en relación: a) sólo con *cantar*, es decir, los pastores están 'dispuestos a cantar de la misma manera y, además, a responder' b) con *cantar* y *responder* a la vez, es decir, los pastores están 'dispuestos a cantar de la misma manera y a responder de la misma manera' c) con *aparejados*, es decir, los pastores están 'dispuestos de la misma manera tanto a cantar como a responder'. Ninguno de las tres posibilidades parece satisfactoria. a) y b) presuponen un esquema sintáctico retorcido y poco transparente. Además, y esto tal vez sea aun más importante, implican la destrucción retroactiva del paralelismo sugerido por el verso precedente, que se vuelve así, a posteriori, un aborto de estructura correlativa bipartita. La misma objeción vale para c), a pesar de que en este caso la quiebra del paralelismo resulta menos abrupta, en la medida en que 'aparejados de la misma manera' puede ser considerado, en última instancia, como un correlato algo defectuoso de 'de la misma edad'. A diferencia de a) y b) el esquema sintáctico presupuesto por c) es aceptable. Con todo, tampoco esta interpretación da un sentido realmente satisfactorio, a menos que se entienda *manera* casi vacío de significado y, por tanto, *d'una manera* como equivalente de *igualmente*, es decir, 'dispuestos ambos'. Pero semejante solución tendría, como contrapeso negativo, el implicar, no menos que a) y b), la anulación total del paralelismo.

Con la expresión *a cantar juntamente aparejados* / *y a responder* Garcilaso parece traducir literalmente, como lo ha indicado G. Cirot (1920, p. 242), la última frase del pasaje de Sannazaro citado más arriba: *et egualmente a cantare et a rispondere apparecchiati.* Que este texto se ha interpuesto entre Virgilio y Garcilaso se muestra no sólo en *aparejados*, exacto equivalente del it. *apparecchiati*, sino, sobre todo, en *juntamente*.

Respecto de *aparejados* cabe recordar que ésta es la palabra más corriente desde antiguo[8] para designar el concepto correspondiente al lat. *parati*. No obstante, el hecho de que Garcilaso lo escogiera entre otros equivalentes semánticos normales en su época como por ej. *presto*[9], *pronto, dispuesto*[10], etc., se explica, en buena medida, por influencia de la versión de Sannazaro.

El caso de *juntamente* es aun más claro. Garcilaso no utiliza este adverbio en el sentido de 'juntos', 'simultáneamente', 'en consonancia' —como podría hacerlo suponer la combinación con el verbo *cantar*— sino en el sentido habitual en él, vale decir, como un elemento copulativo que simplemente refuerza la conjunción *y*[11]. En consecuencia, se lo puede considerar correlato del it. *egualmente.* Ambos adverbios cumplen tan sólo la función de subrayar la unión de los dos infinitivos a la manera de un 'tanto. . . como'. Que Garcilaso es aquí tributario de Sannazaro surge claro del hecho de que ambos pasan por alto el *pares* del modelo virgiliano. Permítase observar de paso que Cirot plantea defectuosamente el problema cuando afirma: "et cette traduction *ad verbum* le trahit un peu, car Virgile emploie ici un simple adjectif, *pares*" (Cirot 1920, p. 242). No es que Virgilio utilice un 'simple' adjetivo que los dos poetas románticos 'amplían', como podría deducirse de esta curiosa formulación. Tanto Sannazaro como Garcilaso traducen fielmente el *parati* pero omiten el *pares*, con lo cual quiebran la perfecta simetría del modelo clásico, en el que *pares* es el correlato sintáctico de *parati*:

et cantare pares et respondere parati

A la equivalencia de funciones sintácticas (ambos adjetivos son predicativos y de ambos depende respectivamente un infinitivo) se suma la equivalencia fónica *par*-es - *par*-ati, que a su vez crea una ligazón de contenido entre las palabras en cuestión. En efecto, *pares* ('parejos', 'del mismo rango', 'de igual capacidad', pero también 'contrincantes', 'rivales', 'adversarios') y *parati* ('prepara-

---

8. *Cf.* Corominas, sub *par*.

9. Herrera lo utiliza precisamente para traducir el *parati* virgiliano en su comentario al texto de Garcilaso: *y en canto iguales y en respuesta prestos* (apud Gallego Morell, p. 584).

10. El verbo *disponer* es utilizado por el propio Garcilaso en varias de sus formas. *Cf.* por ej. Egl. II, 1603, donde usa *disponía* en el sentido de 'preparar', 'alistar'.

11. Todos los testimonios de *juntamente* permiten esta interpretación (*Cf.* Sarmiento, s. v.).

dos', 'prontos', 'dispuestos', 'resueltos') son percibidos, a consecuencia de su semejanza fónica, en relación de 'encabalgamiento' semántico. La unidad de contenido resultante de esta superposición abarca los rasgos semánticos comunes a ambas palabras pero es más compleja que la mera suma de dichos rasgos. Se podría parafrasear como 'disposición (a la competencia) fundada en un equilibrio de fuerzas'. Y esta unidad se vuelve a su vez en parte equivalente a la formada por los infinitivos correlativos *cantare* y *respondere*. Por el hecho de estar integrados en construcciones paralelas estos últimos sufren, en el proceso de recepción, un intercambio de rasgos semánticos que enriquece sus respectivos contenidos informativos: *respondere* toma de su relación con *cantare* el sentido técnico de 'replicar en una contienda poético-musical' y *cantare* adquiere retrospectivamente, por su relación con *respondere*, el sentido subsidiario de 'incitar a la réplica'. No se trata, pues, tan sólo de 'cantar' y 'responder' sino más bien de una actividad creativa competitiva en dos direcciones opuestas.

Si me he detenido en la observación de un hexámetro latino admirable por su sencilla arquitectura y la densidad semántica que de ella resulta, ha sido sobre todo con el propósito de llamar la atención sobre las extraordinarias dotes de Garcilaso para mantener, con medios distintos, el mismo complejo informativo. Es cierto que Garcilaso, siguiendo a Sannazaro, omite el *pares* virgiliano y destruye de este modo el paralelismo del modelo clásico:

> a cantar juntamente aparejados
> y a responder, aquesto van diziendo

Si interrumpiéramos la lectura en este punto, la comparación con Virgilio arrojaría un saldo negativo para nuestro poeta, quien parece 'estirar' gratuitamente el muy conciso hexámetro a través de dos endecasílabos demasiado 'largos' para su densidad informativa relativamente baja y que concluyen, para remate, con una fórmula de relleno destinada a introducir el canto amebeo propiamente dicho. Pero Garcilaso, muy sabiamente, no se detuvo aquí y en lugar de pasar sin más preámbulos al canto de los dos pastores, retoma la antítesis *cantar-responder* en un endecasílabo más, que a primera vista puede parecer superfluo:

> cantando el uno, el otro respondiendo

El proceso a que se ha aludido con motivo del verso virgiliano, consistente en el aumento de contenido informativo de cada uno de los dos infinitivos por su relación paralelística con el otro, no llega a cristalizar del todo en los dos endecasílabos anteriores a éste porque *cantar* y *responder* son sintácticamente equivalentes pero no paralelos. Su grado de ligazón es por tanto menor y, consecuentemente, también es menor su grado de recíproca influencia semántica. El endecasílabo final viene, pues, a completar la información contenida en el modelo latino restituyendo la simetría perdida. La integración de *cantar* y *responder* —esta vez en la forma del gerundio para hacer menos pesada la repetición— en un esquema paralelo bimembre con inversión quiásmica, acarrea dos modificaciones sustanciales: por una parte dichos verbos adquieren respectivamente, de modo unívoco, los significados 'incitar a la réplica poética' y 'replicar poéticamente' y se convierten así en términos técnicos; por otra parte se acentúa el carácter bidireccional y competitivo de la acción por el relieve que adquieren los distributivos *el uno-el otro* en virtud de su ubicación central en el quiasmo[12].

Se puede afirmar, entonces, que la presencia de Sannazaro entre Virgilio y Garcilaso no le ha impedido a este último mantener en lo fundamental la organización semántica del texto latino pese a aparentes omisiones y mutaciones.

La misma fidelidad en libertad, la misma feliz combinación de riguroso respeto a los principios arquitectónicos del modelo con la mayor creatividad en la selección y combinación de los materiales poéticos, caracteriza a las dos estrofas iniciales del canto amebeo. La primera de ellas —correspondiente a Tirreno— se abre con la invocación a la amada, seguida de una comparación ·elogiosa:

> Flérida, para mí dulce y sabrosa
> más que la fruta del cercado ageno

Cuando se la compara con el modelo, se experimenta una cierta sorpresa. El pastor de Virgilio dice tan sólo:

> Nerine Galatea, thymo mihi dulcior Hyblae
> "Nereide Galatea, para mí más dulce que
> el tomillo hibleo"

Garcilaso hace hablar a su Tirreno con mayor locuacidad y, lo que es más importante, reemplaza el tomillo por un término de comparación que en un primer momento puede sonar un tanto extraño. ¿De dónde viene esta *fruta del cercado ageno*? Por cierto que la sola presencia de la fruta no tiene nada de especial en el contexto de la poesía bucólica. El Cíclope del Idilio 11 de Teócrito —fuente inmediata de Virgilio en este verso y los siguientes— compara a Galatea con "uva en agraz" (v. 21) y en la larga reelaboración ovidiana del modelo teocriteo (*Metamorfosis*, 13, 789 ss.) la ninfa es caracterizada como

---

12. De un modo similar parecen haber entendido el verso el Brocense y Herrera, ambos excelentes conocedores de los modelos clásicos. En efecto, el Brocense se limita a remitir a otro verso de la misma Egloga 7 de Virgilio, que se encuentra en la parte introductoria al canto amebeo y que hace explícita la idea sugerida al comienzo (*et cantare pares et repondere parati*, v. 5) mediante una acotación de tipo técnico (apud Gallego Morell, p. 302):

    alternis igitur contendere versibus ambo coepere (vv. 18-19)
    "Ambos comenzaron, pues, a competir con versos alternados"

    Por su parte Herrera —quien, al parecer, evita sistemáticamente coincidir con las opiniones del Brocense— escoge como glosa otro verso virgiliano de contenido similar (Egl. 3, 59) y lo hace preceder de la siguiente aclaración: "*Cantando*. Denota la naturaleza del verso amebeo, que es aquel en que se responde a veces. . ." (apud Gallego Morell, p. 584).

"más noble que manzanas" (v. 794) y "más dulce que uva madura" (v. 795). Garcilaso utiliza, pues, un viejo motivo pero le incorpora un rasgo diferenciador con su referencia al cercado ajeno. Ya María Rosa Lida puso acertadamente de relieve cuánto de personal hay en esta armoniosa fusión de elementos tradicionales de diversa procedencia (Lida 1939, pp. 52 ss.). No es fácil, empero, adherir a su opinión de que lo propiamente garcilasiano del símil sea el interrumpir el tono risueño de la égloga con "la preocupación del pecado". Tampoco es fácil aceptar que haya que entender esta *fruta del cercado ageno* enteramente aparte de la "elegante fábrica pagana", como descendiente directa del fruto prohibido del Génesis. Si se trata de definir qué es lo que añade a la comparación la alusión a la propiedad ajena, parece más adecuado hablar de la atracción que ejerce la vedado, un fenómeno psíquico tan común en el mundo pagano como en el judeo-cristiano. Siguiendo al Brocense M. R. Lida considera como remoto modelo de estos versos la máxima *aquae furtivae dulciores sunt, et panis absconditus suavior* ("las aguas robadas son más dulces y el pan escondido más sabroso", *Proverbios*, 9, 17), pero no toma en cuenta el otro proverbio que el mismo comentarista cita en latín y que presenta, como interesante elemento de parentesco con el texto de Garcilaso, la mención de la fruta: *dulce pomum, quum abest custos* ("dulce es la fruta cuando el guardián está ausente").[13] Es cierto que el contexto en que aparece el proverbio bíblico hace suponer que éste está más próximo al símil garcilasiano por la referencia, implícita en ambos, a la mujer-objeto de placer sensual. No hay que olvidar, sin embargo, que el simbolismo erótico de la fruta en general y de ciertas frutas en particular no es patrimonio exclusivo del pensamiento bíblico sino que parece pertenecer a un fondo cultural mucho más vasto que incluye la tradición grecolatina.

En el ámbito literario pagano, como en el judeo-cristiano, la fruta desempeña diversas funciones erótico-simbólicas.

La equivalencia metafórica 'manzanas' : 'senos' es bastante común en la literatura griega. Aparece, por ej., en Aristófanes, *Lisístrata* 155, *La Asamblea de las mujeres* 903, *Los Acarnienses* 1199 (donde las manzanas son sustituidas por la especie similar de los membrillos) o en Teócrito (*Ps. Teoc.* 27, 50). En el Renacimiento semejante metáfora es ya trillada. No podía faltar en Sannazaro, quien hace uso de ella, no sin cierta picante elegancia, en la Prosa IV de la *Arcadia* (p. 78). En este contexto es interesante recordar que el *Cantar de los Cantares* ofrece una equivalencia mucho más bella y osada que no parece haber dejado huellas en la tradición posterior: 'racimos de vid que penden de una palma' : 'senos' (7, 7).

En el mundo poético greco-latino la fruta y en particular la manzana es uno de los presentes amorosos más corrientes. Testimonio de su carácter casi trivial es precisamente un verso del creador del género bucólico, Teócrito: en el Idilio 11, 10-11 se encarece el amor del Cíclope aclarando que no lo expresaba regalando "manzanas, rosas o bucles" sino "con verdaderos transportes".

---

13. Sobre el origen y significado de este proverbio véase más adelante, p. 336.

Dos pasajes virgilianos ilustran de modo ejemplar este topos: Egl. 3, 70-71, donde uno de los dos pastores que compiten en canto declara haber recogido "diez manzanas doradas" para su amada, y el llamado 'catálogo de frutas' de la Egloga 2 (vv. 51-55) que sigue al 'catálogo de flores' ofrecidas por el apasionado Coridón al bello Alexis. Un refinamiento especial, higos de Quíos, sustituyen a las tradicionales manzanas en la Egl. 2, 80-83 de Calpurnio Sículo, uno de los más fieles imitadores de la bucólica virgiliana en la tardía antigüedad. Particularmente interesante por el clima de marcado erotismo en que se inscribe este motivo es el pasaje de la tercera elegía del primer libro de Propercio, en que el poeta refiere cómo jugó delicadamente con la amada dormida sin interrumpir su sueño adornando su frente con guirnaldas, formando bucles con sus cabellos y poniendo en sus manos manzanas que caían una y otra vez del laxo regazo (vv. 21-26). Una variante del mismo motivo aparece finamente elaborada en Virgilio, Egl. 8, 37 (que a su vez tiene como lejano modelo a Teócrito, Id. 11, 25-26): el amante adolescente ayuda a la niña amada, que llega acompañada de su madre, a coger manzanas de su propio cercado.

En la poesía de amor homosexual —cuyo principal exponente bucólico es precisamente la segunda égloga de Virgilio— y, en general, cuando se trata de exaltar la belleza masculina, juega un rol importante la imagen del membrillo (es decir, 'una especie de manzana con pelusa') para evocar las mejillas cubiertas de suave bozo del muchacho aún imberbe. La semejanza fónica de *mala* ('mejilla') y *malum* ('poma') —obsérvese que el plural de *malum* es *mala*— favorece semejante asociación. Así, Virgilio, sin dudas influido, de modo consciente o no, por un verso en que Lucrecio describe las mejillas cubiertas de delicada pelusa del jovencito (5, 889), utiliza una expresión muy similar en el mencionado 'catálogo de frutas' pero haciendo de las mejillas (*malas*) membrillos (*mala*) y de éstos presente amoroso para el muchacho amado. Los membrillos (símbolo de belleza masculina) reemplazan aquí, sutilmente, a las manzanas (símbolo de belleza femenina) que, como se ha visto por el pasaje del Cíclope teocriteo, son el presente más común que se le hace a una muchacha[14].

El sentido del rito amoroso del que son testimonio los pasajes precedentes se dibuja con bastante claridad en un fragmento de un poema perdido de Catulo (que aparece en las ediciones bajo la sigla 2a o 2b) en el que se alude al mito de Atalanta, la doncella que para eludir el matrimonio somete a todos sus pretendientes a una competencia de velocidad en la que ella siempre resulta invicta. Según la versión beocia de la saga, uno de ellos, Hipomenes, logra finalmente ganarle mediante una treta que le aconseja Afrodita: arrojándole manzanas que ella se detiene a recoger en medio de su carrera. Catulo pone audazmente en relación directa, como causa y efecto, la manzana y la pérdida de la virginidad: "... me es tan agradable como cuentan que fue para la doncella veloz la manzana dorada que desató su ceñidor largo tiempo anudado". A la luz de la equivalencia metafórica 'cinturón desatado' : 'entrega al impulso erótico', el

---

14. *Cf.* además Calpurnio Sículo, Egl. 2, 89-91, donde uno de los dos pastores compara explícitamente sus mejillas con membrillos para encarecer su propia belleza.

valor simbólico de la manzana aparece nítido: es la atracción sexual que ejerce el pretendiente —una sensación inédita para la joven— lo que la paraliza en su carrera-huida.

El presente de las manzanas —y, en general, el de frutas— se puede interpretar, por lo tanto, como cifra de una oferta de goce erótico. Un gesto inequívocamente sensual se puede reconocer en una variante de este mismo topos, que aparece, como era de esperarse, tanto en Teócrito como en Virgilio: para acicatear los deseos del pastor enamorado la muchacha le tira manzanas. En Teócrito (*Id.* 5, 88-89) la joven golpetea, además, suavemente los labios como quien tira besos (ποππυλιάσδει), lo que vuelve el juego aún más sugerente y provocativo; en Virgilio (Egl. 3, 64-65) finge huir avergonzada de su osadía como para incitar al galán a perseguirla. El singular encanto de la escena, en la que se amalgaman con perfecta armonía un espíritu lúdico, casi infantil, con un fuerte erotismo, no pasó inadvertido a la sensibilidad pictórica de Sannazaro, quien acogió el motivo en la égloga novena de su Arcadia (vv. 85-87) convirtiéndolo en un cuadrito dramático lleno de dinamismo y color.

Dentro de esta misma línea se ubica —pese a las obvias diferencias de contexto ideológico-cultural— el símil del *Cantar de los Cantares* en que la Esposa compara al Amado con un manzano y declara haber deseado su sombra y gustado la dulzura de su fruto (2, 3)[15]. "Ir al huerto", "comer fruta", "comer miel", "beber vino", "beber leche", "embriagarse" son otras tantas cifras de unión sexual familiares a la lírica bíblica (*cf.* por ej. *Cantar de los Cantares*, 5, 1 y 5, 2) que no carecen de correspondencias en la lengua erótica de los líricos griegos, en la que se encuentran expresiones metafóricas como "hacer apacentar" (Anacreonte, P. Ox. 2321 y Teognis, 1250 ss.) o "hacer beber" (Anacreon-

---

15. En el extremo opuesto por su carácter descaradamente obsceno y burlón y, sin embargo, dentro del mismo campo metafórico se encuentra el eufemismo "juntar higos" : 'tener relaciones sexuales' de Aristófanes (*La Paz*, 1346). Para el sentido obsceno de "higo" y "bellota" en griego se pueden mencionar, entre los muchos testimonios disponibles, el mismo texto de Aristófanes (*La Paz*, 1349-1350), donde "higo" (σῦκον) designa tanto el sexo del hombre como el de la mujer, y Teócrito, *Id.* 5, 94-95, donde "bellota" (ἄκυλος) y "manzana de monte" o "higo" (posibles significados de la oscura palabra ὀρομαλίδες) se pueden entender respectivamente como símbolos de miembro viril y sexo femenino. Tomamos el ejemplo y su ingeniosa interpretación de E. A. Schmidt (1974, p. 223). Entre los ejemplos latinos se puede mencionar Marcial, 12, 13, donde "jardín de higueras" (*ficetum*) equivale a "jóvenes esclavos destinados al placer sexual". Sobre el simbolismo de los higos se encontrará una rica documentación, así como agudos análisis de los ejemplos recogidos, en V. Buchheit, "Feigensymbolik im antiken Epigramm" (1960). Entre las muchas observaciones interesantes que contiene este artículo, una resulta particularmente esclarecedora para entender los complejos mecanismos de la tradición cultural pluriestratificada en la que es preciso enmarcar el texto de Garcilaso: el higo aparece como símbolo sexual no sólo en los autores griegos y latinos mencionados sino también en los Padres de la Iglesia como Metodio y Tertuliano. Este hecho sólo se explica por la confluencia, en el pensamiento de dichos autores, de elementos procedentes de las Sagradas Escrituras —especialmente *Génesis*, 3,7— y de la otra simbología, tan extendida y común en el ámbito pagano mediterráneo.

te, 55 D; Teognis, 959 ss.), esta última bastante frecuente en la poesía de muchos pueblos (*Cf.* Treu 1959, p. 195).

Para captar lo más exhaustivamente posible el caudal informativo de la comparación garcilasiana es preciso, pues, examinarla a la luz de dos vertientes tradicionales que, como se ha visto hasta aquí, presentan no pocos puntos de contacto. Los tres elementos constitutivos del símil, la fruta deleitosa, el cercado que la protege de la codicia de extraños y el que sea propiedad ajena como atractivo adicional, se encuentran, ya sea combinados entre sí de diversas maneras, ya sea independientemente uno de otro, en variados testimonios del lenguaje erótico greco-latino.

Cuando, en el siglo XI a. C., el poeta lírico Ibico contraponía a la imagen de la pasión-tempestad el cuadro primaveral del "jardín inviolado de las Vírgenes" (Ninfas) en el que florecen apaciblemente, irrigados por frescas corrientes, membrillos y retoños de vid (Frag. 5, ed. D. L. Page en: *Poetae melici graeci*, Oxford 1962), sus oyentes podían reconocer ya fácilmente, en la flor (o el fruto) el símbolo de la juventud que despierta al amor en la 'primavera' de la vida y en el jardín inviolado el de la inocencia del joven que, bajo el resguardo del 'cercado' familiar, no ha probado aún las dulzuras y sinsabores de la pasión (*Cf.* Fraenkel 1955, pp. 43-46). El jardín protector reaparece en las dos canciones de bodas escritas por Catulo (c. 61 y c. 62), quien a su vez debió haber tomado el motivo de Safo. Un topos fijo en semejantes poemas es la alusión a la castidad de la doncella a punto de convertirse en esposa. Su virginidad, representada metafóricamente por la flor o la fruta intocada, vuelta inaccesible por el resguardo de un cerco o la altura del árbol[16], es presentada desde dos perspectivas diferentes: como especial incentivo del goce erótico que le corresponderá al futuro esposo y, a la vez, como cualidad suprema de encanto femenino cuya pérdida inminente y definitiva provoca el lamento de las doncellas amigas de la novia. Así, en Catulo, c. 62, 39-47, el coro de muchachas que alterna con un coro de muchachos compara a la joven virgen con una flor que por crecer "apartada en un jardín cercado" despierta en chicos y chicas el deseo de poseerla. Dentro del mismo símil la joven que pierde su virginidad es parangonada con la flor que una vez arrancada y marchita ya no despierta el deseo de nadie. Un sentido análogo debió tener, en uno de los epitalamios perdidos de Safo, el símil de la "manzana dulce" que va poniéndose roja en la rama más alta de un árbol sin que los recolectores puedan alcanzarla (Frag. 116 Diehl). La equivalencia 'fruta' : 'muchacha (o muchacho) en la plenitud de su atractivo juvenil' es bastante común en el lenguaje metafórico de la antigüedad. Al respecto es interesante recordar que ὀπώρα, la palabra griega que designa fruta, significa también 'parte final del verano' —es decir, aquella porción del año en que el mundo vegetal alcanza en Grecia el máximo de exuberancia y en que tienen lugar las cosechas— y, por una sencilla transferencia, 'parte de la vida en que el ser humano alcanza —como la fruta recién madurada— la cúspide de su desarrollo'.

---

16. Afín a esta imagen es la del *Cantar de los Cantares*, 4, 12: "huerto cercado".

Teniendo en cuenta estas asociaciones se entiende fácilmente por qué Aristófanes llama 'Οπώρα a la novia simbólica de su comedia *La Paz* (v. 523 ss.) y por qué tal apodo parece haber sido aplicado frecuentemente a cortesanas (*Cf.* Buchheit 1960, p. 215). Por las mismas razones se explica que para un poeta de la *Antología Palatina* la mujer entrada en años sea una "manzana vieja y arrugada" y que, en consecuencia, exprese el deseo de tener como amante una "fruta fresca" (Buchheit, *loc. cit.*). Análogamente, en Horacio (c. 2, 5, 10) "uva ácida" (*inmitis uva*) aparece como cifra de 'adolescente aún inmadura para el amor'. La "fruta en sazón" despierta la avidez de extraños y requiere, por ello, un cerco o un guardián que la protejan. Pero no es tan simple la tarea de mantenerla intacta pues la atracción que ejerce sobre cuantos la descubren es demasiado poderosa, tan poderosa como la fuerza misma de Afrodita. Semejantes ideas son puestas por Esquilo en boca del rey Dánao hacia el final de su tragedia *Las Suplicantes* (v. 996 ss.). Preocupado por la suerte que pueden correr sus cincuenta hijas doncellas durante su ausencia, Dánao las exhorta a cuidar a todo precio de su honra pues ellas están en ese "verdor de la mocedad que atrae las miradas de los hombres". Con una de esas sentencias características de la sabiduría popular, el padre alude metafóricamente al riesgo a que las expone el esplendor de su juventud:

τέρεw' ὀπώρα δ'εὐφύλακτος οὐδαμῶς (v. 998)
"La fruta tierna no es nada fácil de guardar"

Un refrán atribuido a Diogeniano —precisamente aquel que el Brocense cita en versión latina, junto al proverbio de Salomón, como fuente inmediata de Garcilaso— expone un pensamiento similar con palabras similares:

γλυκεῖα ὀπώρα φύλακος ἐκλελοιπότος
"Dulce es la fruta cuando el guardián está ausente"

En ambas máximas se descubre una misma experiencia humana sustancial pero presentada desde dos perspectivas opuestas: el desvelo del propietario que teme que le arrebaten su tesoro en la una y el placer del ladrón que ve facilitada su tarea en la otra. Aunque en el segundo caso no se dispone de un contexto que haga explícita la esfera de aplicación del refrán, de todo lo expuesto hasta aquí resulta claro que los diversos significados ligados a la palabra ὀπώρα —así como las asociaciones concomitantes— hacen plausible, si bien no excluyente, la interpretación erótica. Este hecho permite a su vez descubrir un nexo más profundo entre la máxima pagana y la expresión probablemente acuñada por Garcilaso: la fruta momentáneamente descuidada no resulta dulce tan sólo por ser fácil de robar, sino, sobre todo, por tener un guardián que se deja burlar y, en última instancia, por tener dueño. La *fruta del cercado ageno* y la ὀπώρα de Diogeniano derivan su particular seducción, al igual que las aguas bebidas a hurto y el pan saboreado a escondidas del proverbio salomónico, del simple hecho de estar vedadas.

Recordemos, por último, que Garcilaso usa a veces *fruta* (o *fruto*) en sentidos metafóricos y contextos similares a los de los testimonios greco-latinos presentados más arriba. Así, en el son. 25, el apóstrofe inicial al destino cruel que le ha arrebatado a la mujer amada contiene una imagen que, si bien procede literalmente de Sannazaro (*Arcadia*, Prosa XII), adquiere en manos de Garcilaso un sentido nuevo, que la emparienta en línea recta con numerosos símiles clásicos referidos a una muerte prematura:

> ¡Oh hado secutivo en mis dolores,
> cómo sentí tus leyes rigurosas[17]!
> Cortaste'l árbol con manos dañosas
> y esparziste por tierra fruta y flores.

Mientras que el árbol segado no representa tan sólo, como lo ha indicado certeramente R. Lapesa, a la mujer amada sino "que alude a todo un mundo de afectos e ilusiones" (Lapesa 1968, p. 127), *esparcir fruta y flores* tiene el sentido unívoco de la destrucción de una vida joven, apenas llegada a la plenitud.

De un modo análogo, la incitación del son. 23:

> coged de vuestra alegre primavera
> el dulce fruto antes que'l tiempo ayrado
> cubra de nieve la hermosa cumbre

se inscribe en la misma esfera metafórica que ha quedado ilustrada con el texto de Ibico: "primavera" (o "final del verano") y "flor" (o "fruto dulce, en sazón") son otras tantas cifras clásicas de 'juventud extrema', 'belleza aún intocada', 'madurez recién alcanzada para el goce erótico', 'iniciación al amor', 'placeres y encantos exclusivos de la juventud'.

Que las varias coincidencias entre el lenguaje erótico de Garcilaso y el de la lírica greco-latina no son meramente fortuitas, parece probado por la recurrencia de ciertas fórmulas. Así, la equivalencia 'fruta (o fruto) dulce' : 'objeto amoroso en la plenitud de su atractivo' reaparece, como lo ha señalado M. R. Lida (1939, p. 62), en un pasaje de la Elegía II bastante afín al de Flérida. Aquí se queja el poeta de que su destino no lo haya llevado a morir en guerra

> porque me consumiesse contemplando
> mi amado y dulce fruto en mano agena,
> y el duro possesor de mí burlando (vv. 106-108).

Obsérvese que entre los dos pasajes en cuestión existe una diferencia de óptica parangonable a la que separa la máxima esquilea del proverbio atribuido a Diogeniano. En la Egloga III el yo poético habla desde la perspectiva de ladrón potencial: el elemento de referencia para encarecer el atractivo de la propia amada es precisamente el poder de seducción que ejerce la propiedad ajena. En la Elegía II, en cambio, el yo aparece como dueño burlado: el propio

---

17. Me aparto aquí de Rivers para seguir la versión del Brocense, de Herrera y otros editores antiguos.

tesoro ha ejercido sobre un tercero la seducción de lo ajeno, incitándolo al robo.

Hasta aquí he procurado mostrar en qué medida Garcilaso es tributario de la tradición greco-latina. En lo que sigue intentaré poner el descubierto cuánto hay de personal y renovador en ciertas diferencias con el modelo virgiliano que a primera vista pueden parecer poco significativas. Para ello será necesario detenerse un momento en la organización semántica de la comparación. En verdad, aunque la estructura sintáctica corresponda a lo que usualmente se entiende por comparación de superioridad, nos encontramos ante una forma mixta de *comparatio* y *similitudo*. Al contaminar ambas figuras se procede como si los elementos parangonados pertenecieran a la misma clase, es decir, como si llenaran el requisito básico de una comparación en sentido estricto. La relación analógica cualitativa propia del símil se transforma, así, en una relación cuantitativa que sólo se puede entender como figurada. En semejante procedimiento, tan frecuente en la lengua poética como en la coloquial, es preciso ver, como señala acertadamente M. Le Guern (1973, p. 54), la expresión hiperbólica de un símil. Una estructura semántica de este tipo se vuelve aun más compleja cuando, como en el caso del verso de Garcilaso y de su modelo clásico, el adjetivo que designa la cualidad o cualidades que se desean subrayar, tiene un valor polisémico. En efecto, tanto el lat. *dulcis* como su derivado español *dulce* adquieren un significado distinto según se los refiera a una persona o a un objeto comestible (para sólo mencionar los dos elementos de referencia que aquí interesan). Puesto que en Garcilaso —como en Virgilio— *dulce* se combina a la vez con dos sustantivos que actualizan respectivamente los significados 'grato a los sentidos' y 'grato al paladar', no llega a producirse una monosemización que permita descifrar el texto de modo unívoco. Semejante mecanismo no tiene, por cierto, nada de novedoso. Símiles intensificativos del tipo "más dulce que miel", "más amargo que hiel", etc., reaparecen constantemente en la poesía de todas las épocas y culturas. En el ámbito greco-latino el primero de ellos tiene valor proverbial (*Cf.* Otto 1890, sub *mel*) y su empleo figurado se registra ya en Homero (Il. 1, 249: "palabras más dulces que miel"; 18, 109: "ira más dulce que miel"). Al reemplazar la miel por el tomillo de Hibla —alimento de abejas productoras de una miel célebre en la antigüedad por su calidad y por proceder de la región en que se hallaba un viejísimo santuario de Apolo (*Cf.* Pöschl 1964, p. 121)— Virgilio no sólo desmecanizó el clisé sino que amplió su contenido informativo haciéndolo ingresar, por la vía asociativa Hibla-Apolo, a la esfera sagrada del mito. La comparación de Galatea con objetos ligados de algún modo al culto religioso —el tomillo hibleo, los cisnes consagrados a Apolo y a Venus, la hiedra, atributo de Dionisos— confiere a la invocación el aire solemne de los himnos a los dioses y eleva implícitamente a la amada a un rango casi sobrenatural (Pöschl, *loc. cit.*):

Nerine Galatea, thymo mihi dulcior Hyblae,
candidior cycnis, hedera formosior alba (vv. 37-38)

"Nereide Galatea, para mí más dulce que el tomillo
hibleo, más nívea que los cisnes, más hermosa que
la hiedra blanca"

En la elección de sus términos de comparación Garcilaso se mantiene en un plano más modesto y cotidiano pero —y aquí reside su aporte personal— da un paso más en el enriquecimiento semántico del primer símil utilizando como elemento de referencia para hiperbolizar la 'dulzura' de la amada una expresión que, juzgada a la luz de las tradiciones culturales en las que se enmarca su obra, y, especialmente, sobre el trasfondo del v. 107 de la Elegía II citado más arriba, se puede interpretar a su vez como metáfora erótica: *la fruta del cercado ageno*. La originalidad de Garcilaso no se revela, como creo haberlo demostrado en las páginas precedentes, en ninguno de los elementos que integran el símil considerados aisladamente. Ni el esquema comparativo ni la bisemia de los adjetivos ni los componentes de la metáfora son nuevos. Nuevo es sólo el complejo modo de articulación de todos los elementos en juego. El rasgo más destacado de estos dos versos es precisamente el hecho de que la mayoría de los lexemas que los integran se pueden descifrar de dos maneras distintas. La comparación-símil de Garcilaso ilustra pues, casi de modo ejemplar, un mecanismo que se puede considerar típico del lenguaje metafórico: la superposición, en el desarrollo sintagmático del texto, de dos campos semémicos diferentes[18]. Los otros campos reconocibles aquí se podrían caracterizar respectivamente como 'esfera agrícola-gastronómica' y 'esfera erótica'. Dos lecturas analíticas —dos tipos de desciframiento conforme a diferentes claves— permitirán separar constituyentes semánticos o indicaciones referenciales (en el caso de las palabras deícticas) que en todo proceso normal de recepción son captados en bloque. Dentro del

18. Con el término *semema* nos referimos a cada uno de los contenidos que puede adquirir una palabra de acuerdo a los contextos en que aparezca. Un campo semémico (o isotopía semémica) estará constituido, en consecuencia, por un grupo de sememas que tengan en común uno o más semas (es decir, una o más unidades con carácter distintivo). Adoptamos aquí, en lo sustancial, la terminología y la definición de metáfora propuesta por F. Rastier en *Systématique des isotopies* (en Greimas 1972, pp. 80-105). Para el autor metáfora es toda isotopía elemental (es decir, toda relación de equivalencia) establecida entre dos sememas o grupos de sememas pertenecientes a dos campos distintos. La relación de equivalencia se establece, según Rastier, en el nivel de los semas nucleares centrales; una relación de oposición —disyuntiva— tiene lugar, por el contrario, en el nivel de los semas nucleares periféricos, que son precisamente aquellos que hacen ingresar al semema en un campo semémico cualquiera. Esta última afirmación requiere, según creo, ser algo precisada y corregida: la relación disyuntiva de que habla Rastier sólo existe fuera o independientemente de la metáfora misma. Una vez constituida la equivalencia metafórica todos los semas de los dos sememas (o grupos de sememas) equivalentes coexisten dentro de un mismo enunciado. Los semas periféricos no son "suspendidos" en el proceso de recepción sino tan sólo desplazados del nivel de la denotación al de la connotación. Al parecer es a este fenómeno al que se hace alusión cuando se habla de una "imagen asociada" como rasgo sustancial de la metáfora (*Cf.* Cap. VI "Predicación metafórica y discurso simbólico").

campo mencionado en primer término se pueden distinguir, de acuerdo con su orden de aparición en la cadena sintagmática, las siguientes unidades:

1) 'yo aficionado a comer fruta' (*mí*)
2) 'que produce al paladar una sensación generalmente admitida como agradable y contrapuesta a lo amargo' (*dulce*)
3) 'que produce al paladar una sensación intensa y agradable' (*sabrosa*)
4) 'fruto comestible de ciertos árboles y plantas, generalmente dulce' (*fruta*)
5) 'huerto rodeado de una cerca' (*cercado*)
6) 'perteneciente a un cultivador distinto del yo' (*ageno*)

Dentro del campo mencionado en segundo término se reconocen las siguientes unidades:

1') 'yo enamorado de una mujer' (*mí*)
2') 'que produce un apacible agrado erótico' (*dulce*)
3') 'que produce deleite erótico' (*sabrosa*)
4') 'mujer en la plenitud de sus encantos' (*fruta*)
5') 'vínculos eróticos y/o sociales que ligan a la mujer a un hombre y la hacen normalmente inaccesible a todos los demás hombres' (*cercado*)
6') 'perteneciente a un amador distinto del yo' (*ageno*)

Si se toma en cuenta el proceso de recepción del texto —en el que, forzosamente, determinados elementos de la cadena sintagmática son percibidos antes que otros— se advertirá que el encabalgamiento de los dos campos recién se produce en el momento en que el lector u oyente percibe el término de comparación: *la fruta del cercado ageno*. En virtud del carácter dual de esta expresión (de su posibilidad de ser descifrada tanto en sentido unívoco-literal como en sentido plurívoco-metafórico) las unidades semánticas precedentes, interpretadas en un primer momento como monosémicas, se bisemizan retroactivamente. En efecto, si nos detenemos en el primer verso, *Flérida para mí dulce y sabrosa*, y procuramos entenderlo sin tomar en consideración lo que sigue, encontraremos un enunciado unívoco, en el que los adjetivos polisémicos *dulce* y *sabrosa* se monosemizan en el sentido translaticio de 'grata al ánimo' por el hecho de estar referidos a *Flérida*, nombre que designa a la mujer amada. Nada permite vislumbrar aún que se trata de una comparación ni que los adjetivos puedan tener algún otro sentido que el mencionado. Cuando más, se podrá descubrir una vaga señal de bisemia en *sabrosa*, en la medida en que no parece haber sido muy común su uso en relación con personas[19]. El segundo verso sor-

19. Si bien los testimonios lexicográficos de *sabroso*: 'grato al ánimo' referido a los más diversos objetos son bastante abundantes tanto para la Edad Media como para el Renacimiento, no hemos podido encontrar ejemplos en los que *sabroso* aparezca como atributo de seres humanos, como es frecuente en el caso de *dulce*. Es interesante señalar al respecto que de los cinco testimonios de *sabroso* que ofrece en total la obra de Garcilaso (Can. 4, 79; Egl. I, 4; Egl. II, 735; Egl. II, 1141 y nuestro texto) sólo el verso de Flérida ilustra semejante uso. Entre los muy numerosos ejemplos de *dulce*: 'grato al ánimo' hallamos, en cambio, siete en los que el adjetivo se aplica

prende, por tanto, con un *más* inicial que, desplazado de su posición normal delante del adjetivo intensificado —caso que ilustran acto seguido las expresiones *más blanca que la leche* y *más hermosa qu'el prado* en los dos versos siguientes—, informa a posteriori que se está ante una comparación de superioridad. A la luz de este nuevo dato y, sobre todo, al tomar conocimiento del elemento con el que se compara y descubrir la posibilidad de descifrarlo de dos maneras —tanto en su sentido literal como en su carácter de equivalente metafórico de 'mujer particularmente atractiva perteneciente a otro hombre'— el lector (u oyente) se ve forzado a volver hacia atrás y a reinterpretar el verso anterior. Recién en este punto del proceso de recepción es que tiene lugar el encabalgamiento de cada una de las unidades de un campo semémico con su correspondiente del otro campo. En el caso del lexema *dulce* la superposición de los sememas 2) y 2') —'grato al paladar' y 'grato al ánimo' respectivamente— se produce, pues, en forma retroactiva, como una irradiación de la bivalencia semántica propia de la expresión *la fruta del cercado ageno*. Lo mismo vale, ciertamente, para *sabrosa*, que tras haber sido interpretado primero en sentido translaticio por su relación con *Flérida*, recupera ahora, a posteriori, su sentido primitivo por su relación con *fruta* sin que por ello se anule el significado anterior. Semejantes marchas y contramarchas son ajenas al texto de Virgilio por cuanto el término de comparación, *thymo*, precede al adjetivo en grado comparativo, *dulcior*. El lector reconoce, así, desde un comienzo, que está ante un símil intensificativo y que *dulcior* debe ser interpretado a la vez en sentido propio y translaticio por relacionarse tanto con *Galatea* (nombre de mujer) como con *thymo* (nombre de vegetal). Por otra parte, dado que "tomillo de Hibla" difícilmente podría interpretarse como metáfora erótica, no tiene lugar tampoco la metaforización de las demás unidades del enunciado. La bisemia que en los dos versos de Garcilaso se extiende a casi todos los componentes del símil está restringida aquí al adjetivo *dulcior*. Obsérvese, por último, que el hecho de que Garcilaso reemplace el epíteto único del modelo clásico por el par *dulce y sabrosa* acarrea como consecuencia, no ya la mera amplificación del original, sino un auténtico acrecentamiento de su contenido semántico. *Sabrosa* no es, como se ha sugerido más arriba, un simple doblete de *dulce*. Puesto que en el sentido de 'grato al ánimo' se aplica mucho menos frecuentemente a personas que *dulce*, su significado primario, ligado a la esfera gustativa, tiende a predominar ligeramente sobre el significado traslaticio desde el instante en que se lo puede referir no sólo a *Flérida* sino también a *fruta*. Algo similar acontece, como veremos más adelante, en el v. 314, por efecto de la combinación *amargo al gusto*. Respecto de Virgilio se aprecia en Garcilaso una cierta inclinación a concretizar o rusticalizar el símil, que se manifiesta en el relieve de lo que hemos dado en llamar 'esfera agrícola-gastronómica'. En estrecha relación con esta tendencia es preciso juzgar el tenor de las com-

a personas (Son. 19, 10; Egl. I, 49, 62, 230; Egl. II, 624, 1418 y nuestro texto). Este empleo de *dulce* parece, pues, tan común como el de su correspondiente latino *dulcis* en el ámbito del lenguaje erótico-elegíaco.

paraciones siguientes y, en particular, la naturaleza de los objetos presentados como término de comparación:

> más blanca que la leche y más hermosa
> que'l prado por abril de flores lleno

Como se ha señalado más arriba (p. 338), Virgilio escoge objetos ennoblecidos por su vinculación con la esfera sagrada para sugerir con ellos que la pastora alabada pertenece a un nivel que está por encima de la humanidad común, más cerca de los dioses que de los hombres. En este aspecto se diferencia radicalmente de su modelo, el mencionado Idilio 11 de Teócrito (v. 20 ss.), en el que el Cíclope enamorado —una figura a la vez conmovedora y grotesca— celebra los encantos de la ninfa marina Galatea comparándola con objetos del mundo rústico, sólo valiosos desde la sencilla óptica de un rudo pastor: "Más blanca eres a la vista que leche cuajada, más delicada que un cordero, más esquiva que una becerra, más resplandeciente que uva verde". La selección de semejantes elementos está determinada por la intención del poeta de subrayar con humor e ironía el primitivismo de su personaje, a quien presenta anclado en el estrecho marco de su experiencia campesina. En relación con los dos célebres modelos de la antigüedad greco-latina Garcilaso parece asumir una posición intermedia, que descarta tanto el tono de ingenua rusticidad, destinado a provocar la sonrisa benévola del hombre urbano, como los solemnes acentos hímnicos, que elevan a la amada a un rango sobrehumano. En consonancia con sus tendencias habituales nuestro poeta selecciona sabiamente sus términos de comparación entre objetos de la naturaleza que representan casi en forma arquetípica una belleza elemental, en estado de pureza. Desde este punto de vista podría decirse que se aproxima bastante —si bien de modo fortuito— al "realismo sustancial" de Safo, de quien es probable que Teócrito haya tomado a su vez el "más blanca que leche" (*Cf.* Schadewaldt 1950, pp. 172 s.). Este tipo de óptica artística, que tiende a despojar a los objetos poetizados de todo lo accidental y a convertirlos casi en símbolos de unas pocas cualidades esenciales, explica también por qué, en contraste con Virgilio, quien menciona plantas concretas como el "tomillo hibleo" o la "hiedra blanca", Garcilaso sólo habla de clases, *fruta* y *flores*, sin añadir siquiera una nota de color. Paradójicamente, el efecto logrado por uno y otro poeta está en relación inversa con los medios respectivamente utilizados. En la medida en que los ejemplares particulares de Virgilio se asocian al culto de un dios, su presencia en el símil colabora a desrealizar la belleza de la mujer ensalzada, de la que sólo parece quedar un resplandor sobrenatural. Esta sensación está subrayada, como lo ha indicado certeramente Pöschl (1964, p. 120), por el predominio del color blanco brillante (*candidior, alba*) e incluso por las asociaciones que despierta el nombre *Galatea* a través de su relación con la palabra griega γάλα: 'leche'. Por el contrario, la referencia, en los versos de Garcilaso, a meras clases dentro del mundo vegetal sirve para relevar la belleza enteramente humana de la amada, tan real y palpable como la de cualquier fruta o flor. Y así como en la égloga virgiliana el nombre de la pastora refuerza sutilmente el carácter casi etéreo de su imagen, de modo análogo, el nombre *Flérida* —que procede de los libros de caballerías y es de uso poco frecuente en el resto de la literatura española (*Cf.* Lida 1939, p. 53)— sugiere todos los halagos sensoriales ligados a una planta en flor por su paronimia con la palabra *florida*. Precisamente el hecho de que este nombre no pertenezca a la tradición bucólica greco-latina ni a la italiana parecería confirmar que el poeta lo escogió sólo por su sonoridad, que crea una cierta relación de equivalencia semántica con la *fruta* y las *flores* de los símiles siguientes. Observemos todavía un paralelismo más con Virgilio: así como el nombre sugerente, *Galatea*, aparece relevado métricamente por encontrarse en el límite de una cesura que es muy frecuente en el hexámetro griego pero más bien rara en el latino (la llamada κατὰ τρίτον τροχαῖον), de un modo similar, *Flérida* se destaca nítidamente de los demás componentes del verso por hallarse al comienzo de un endecasílabo acentuado en la primera sílaba —el llamado "enfático"—, un tipo métrico muy poco usado por Garcilaso, que sirve "para realzar el primer vocablo, que de ordinario suele ser elemento importante en el sentido del verso" (Navarro Tomás 1951-1952, p. 206).

En la última de sus comparaciones Garcilaso se aparta, en cambio, considerablemente de Virgilio. La imagen del prado florido se remonta al ya mencionado pasaje del Libro 13 de las *Metamorfosis* en el que Ovidio amplifica a lo largo de dieciocho versos (vv. 789-807), en un verdadero alarde de virtuosismo, las comparaciones del Cíclope teocriteo con la misma intención paródica que animaba al poeta griego. Galatea es aquí *floridior pratis*, "más florida que los prados". Puesto que esta imagen representa, como lo ha sugerido sagazmente K. Jax, la "máxima potencia del símil de la flor" (Jax 1933, p. 65), es preciso ver en ella, más que una simple alusión a la belleza de la ninfa, la exaltación de todos los atributos característicos de la juventud (y del pimpollo recién brotado): gallardía, frescura, lozanía. Sannazaro, en quien, como veremos, se apoya parcialmente Garcilaso, modifica la imagen ovidiana guiado por su sensibilidad pictórica y reemplaza la sugerencia relativamente abstracta de esplendor juvenil por una concreta nota de color que se vuelve centro semántico del símil. Y para poner de relieve la noción implícita de exuberancia vegetal, ubica expresamente el prado-término de comparación en la época del año en que está particularmente florido. La pastora celebrada en la Egloga II de su *Arcadia* es:

> più vermiglia che 'l prato a mezzo aprile (v. 102)
>
> "más sonrosada que el prado a mediados de abril"

Con razón ha señalado M. R. Lida que "el momento primaveral del prado" es el "único punto de contacto seguro" entre Garcilaso y Sannazaro (Lida 1939, p. 53). En todo lo demás nuestro poeta está más cerca de los modelos latinos. En lugar del rasgo visual colorista hallamos en él, igual que en Virgilio, la mera alusión a belleza. El término escogido, *hermosa*, es por lo demás el descendiente hispánico directo del adjetivo virgiliano. Más próximo a Ovidio se encuentra, en cambio, por la referencia explícita a flores, en la que puede verse la translación al plano real-concreto del atributo *floridior*.

Tras la invocación ensalzadora, los cuatro versos siguientes expresan el deseo de ver a la amada con acentos bastante diversos de los de Virgilio:

> si tú respondes pura y amorosa
> al verdadero amor de tu Thyrreno,
> a mi majada arribarás primero
> que'l cielo nos amuestre su luzero

La estrofa virgiliana, compuesta en total por cuatro versos (dos de invocación y dos de ruego) culmina, como corresponde al esquema hímnico adoptado, con la palabra —deliberadamente demorada hasta el final mediante la anteposición de dos oraciones subordinadas— que revela la naturaleza del pedido en el tono solemne y formulístico del imperativo futuro:

> cum primum pasti repetent praesepia tauri,
> si qua tui Corydonis habet te cura, venito (vv. 39-40)

> "tan pronto los toros, después de pacer, vuel-
> van a los establos, si tu Coridón te interesa
> algo, ven"

En Garcilaso encontramos un esquema sintáctico bastante similar y la misma bipartición del enunciado en invocación y ruego, con la sola diferencia de que el número de versos está respectivamente duplicado para llenar la longitud de la octava, la unidad estrófica mantenida a través de toda la égloga. La actitud del yo poético es también semejante: se descubre la misma morosidad, el mismo esfuerzo por reservar las palabras decisivas para más adelante, la misma tensión creciente que se resuelve al final del período. Incluso coinciden ambos poetas en el particular relieve que le conceden a la última palabra: también en Garcilaso ésta representa la culminación de una idea que pugna por manifestarse a lo largo de varios versos. La diferencia reside, empero, una vez más, en que el poeta hispano no la expresa de modo directo sino por la vía alusiva de la metaforización. Al respecto es interesante observar que la oración condicional, que —como en Virgilio— precede inmediatamente al ruego, se caracteriza por poner en el primer plano nociones enteramente ajenas al modelo como 'reciprocidad' y 'sinceridad en la relación amorosa'. Sobre el trasfondo del texto latino, en el que, coherentemente con la deificación de Galatea, el amante le ruega humildemente a la amada —como el suplicante a la divinidad tutelar— que acuda si es que él le "interesa algo", es decir, sin atreverse a suponer que ella lo ame, los versos de Garcilaso sorprenden por poner como premisa una situación igualitaria (responder al amor con amor) y por recalcar la necesidad de que los sentimientos sean auténticos de ambos lados (que a la verdad se le responda con pureza o, dicho de otro modo, que a un impulso afectivo incontrolable corresponda otro impulso afectivo igualmente incontrolable). El peculiar contenido de la oración condicional explica por qué el solemne imperativo del pastor virgiliano aparece sustituido aquí por un simple futuro.

En él no hay que ver el esfuerzo por reproducir miméticamente el imperativo futuro latino —forma de la que carece el español— sino más bien la intención de desacralizar el ruego, de presentarlo como una mezcla de cortés pedido y conjetura, como es natural en un amante que se ubica en el mismo plano de la amada. Esta misma circunstancia explica también por qué la estrofa no se cierra con la expresión deprecatoria sino con la referencia al momento del día que debe unir a los amantes. No es casual, pues —y así podemos retornar a uno de los supuestos preliminares— que la última palabra sea *luzero*, el nombre popular del planeta Venus, la estrella de la tarde llamada ἕσπερος por los griegos y celebrada como el astro más bello en las canciones de bodas por cuanto su aparición en el firmamento marcaba la hora en que la esposa debía ser entregada al esposo[20]. La última oración de la estrofa no ha de ser entendida, en consecuencia, como una mera localización temporal análoga a la de Virgilio. *Primero que'l cielo nos amuestre su luzero* se puede y debe descifrar en más de un sentido: 'antes que anochezca' pero también 'bajo los auspicios del astro que une a los amantes' y, especialmente, 'bajo el signo de Venus'. La pastora amada debe acudir empujada por Venus, es decir, por la fuerza incontrolable de la pasión. El *verdadero amor* que exige una réplica *pura y amorosa* encuentra su definición más adecuada en la alusión implícita a la divinidad de la que nace el impulso erótico. Una vez más nos sorprende Garcilaso por su respeto al esquema heredado y la audacia con que lo llena de un contenido informativo siempre más complejo. Comparada con las traducciones casi literales de Encina y Luis de León, en quienes la estrofa concluye con una palabra estructuralmente poco significativa, la versión de nuestro poeta resulta tanto más luminosa[21].

La octava de responsión ejemplifica tal vez con mayor claridad y contundencia la peculiar actitud bifacética de Garcilaso frente a su modelo clásico: por un lado una minuciosa fidelidad para reconstruir con distintos materiales la misma base arquitectónica de los versos virgilianos, por otro lado una vigorosa originalidad en la elaboración de un lenguaje artístico propio, dotado de un alto grado de saturación semántica. En el texto latino la estrofa de réplica reemplaza el esquema de alabanza directa ('Tú mejor que...') por un sutil

---

20. *Cf.* por ej. Catulo, c. 62, 26 ss.

21. Dice Encina en la segunda mitad de su estrofa:
    si por yo penar por ti
    se te pega algun cuydado
    al repastar del ganado
    vente vente para mí
    Coridón tu enamorado
    y Fray Luis:
    si vive en tu sentido y si reposa
    de aqueste tu pastor algún cuidado,
    vendrás con pie ligero a mi majada,
    en tornando del pasto la vacada.

elogio indirecto, que se desprende de la irrealidad de la hipótesis negativa y de la autoimprecación ligada a ella ('Ojalá yo te parezca peor que... si no es verdad que desespero por verte'):

> Immo ego Sardoniis videar tibi amarior herbis,
> horridior rusco, proiecta vilior alga,
> si mihi non haec lux toto iam longior anno est;
> ite domum pasti, si quis pudor, ite iuvenci. (vv. 41-44)

> "No, antes bien, ojalá yo te resulte más amargo
> que las hierbas de Cerdeña, más áspero que el
> rusco, más despreciable que algas arrojadas a
> la orilla, si este día no me parece más largo
> que un año entero; id a casa después de pacer,
> si tenéis un poco de pudor, idos, becerros"

M. R. Lida ha llamado la atención sobre el hecho de que, si bien el esquema laudatorio de dos series de comparaciones dispuestas simétricamente tuvo gran acogida en el Renacimiento y dio lugar a las más variadas reelaboraciones, la contraposición de una loa directa y otra *per negationem* no encontró, en cambio, seguidores. Los poetas bucólicos peninsulares de los siglos XVI y XVII adoptan casi unánimemente la versión simplificada de Sannazaro, quien en el citado pasaje de la Egloga II reemplaza el complejo sistema contrastivo de Virgilio por la geminación de la alabanza directa ('Tú mejor que...', 'Tú mejor que...') (Lida 1939, pp. 52 ss.):

> Fillida mia, più che i ligustri bianca,
> più vermiglia che'l prato a mezzo aprile (vv. 101-102)
> . . . . .
> Tirrena mia, il cui colore agguaglia
> le matutine rose e'l puro latte;
> più veloce che damma (vv. 109-111)
> . . . . .

El hecho de que Garcilaso sea el único en mantenerse fiel a la estructura de Virgilio —excepción hecha, claro está, de los traductores—representa un testimonio a primera vista algo paradójico de su independencia artística. He aquí la octava de responsión con su característica arquitectura de autoimprecaciones seguidas de una hipótesis irreal:

> Hermosa Phyllis, siempre yo te sea
> amargo al gusto más que la retama,
> y de ti despojado yo me vea
> qual queda el tronco de su verde rama,
> si más que yo el murciégalo dessea
> la escuridad, ni más la luz desama,
> por ver ya el fin de un término tamaño
> deste dia, para mí mayor que un año.

Precisamente porque la presencia del modelo se dibuja tan nítida en el trasfondo de esta estrofa, es que las diferencias entre los dos diseños saltan tanto a la vista. La primera de ellas se descubre ya en la invocación, único punto en que Garcilaso sigue el esquema simétrico de Sannazaro: *Flérida - Hermosa Phyllis* corresponde a *Fillida mia - Tirrena mia*. La estrofa de responsión de Virgilio se caracteriza, en cambio, por su falta de paralelismo con el comienzo de la estrofa precedente. Mientras que Coridón empieza nombrando a la amada con un tono de respeto religioso (*Nerine Galatea*), Tirsis inicia su respuesta con un abrupto *Immo ego* ("antes bien, yo. . .") que pone de manifiesto rasgos de carácter particularmente negativos que al poeta le interesa recalcar: egocentrismo, impaciencia, falta de veneración por su pastora. Semejantes características —finamente sugeridas a través de la elección de los temas y del vocabulario con que Tirsis replica a Coridón— así como ciertas imperfecciones estilísticas que Viktor Pöschl ha analizado en un minucioso estudio comparativo de las intervenciones de los dos pastores (Pöschl 1964, pp. 100 ss.) están al servicio de una intención poetológica: al presentar el canto amebeo como parte de una justa poética en regla, de la que uno de los rivales debe salir derrotado, Virgilio ofrece a sus lectores un modelo de buena y mala —o mediocre— poesía pastoril. Puesto que Garcilaso ha dejado de lado el motivo de la competencia, es natural que omitiera a la vez todos aquellos aspectos que en la égloga virgiliana estaban destinados a subrayar la inferioridad de uno de los dos pastores. La estrofa de Alcino no podía carecer, en consecuencia, de una respetuosa invocación a la amada. El nombre adoptado, *Phyllis*, pertenece tanto al modelo clásico (Egl. 3 y 7 de Virgilio) como al renacentista (el citado pasaje de Sannazaro).

Dentro de la autoimprecación la principal diferencia se observa en el número y las características de las comparaciones utilizadas. La rigurosa simetría virgiliana (tres símiles intensificadores de Tirsis contra otros tantos de Coridón) no ha sido respetada, por lo mismo que no se trata aquí de una competencia poética y, por tanto, no es preciso atenerse a severas reglas de responsión. A los tres símiles de Tirreno corresponden dos de Alcino y de estos dos sólo uno (el primero) reúne los rasgos típicos del esquema mixto de símil y comparación de la estrofa anterior. El texto de Garcilaso retoma, pues, tan sólo la primera de las antítesis de su modelo: la oposición "más dulce que tomillo hibleo" - "más amargo que hierbas de Cerdeña" aparece reelaborada de un modo a la vez fiel y personal en las expresiones paralelas *dulce y sabrosa / más que la fruta del cercado ageno - amargo al gusto más que la retama*. Si se comparan estas dos expresiones entre sí, independientemente del texto latino, se descubrirán como principales rasgos unitivos la posposición del *más* y la concomitante bisemización retroactiva de los adjetivos *dulce* y *amargo* respectivamente. También en este último caso el lector (u oyente) tiende a interpretar primeramente *amargo* en el sentido traslaticio de 'desagradable al ánimo' por su relación inmediata con *yo te sea* pero, cuando descubre que se trata de una comparación y que el término de referencia es un vegetal (*retama*), actualiza también, a posteriori, el significado primario, ligado a la esfera gustativa. Una coincidencia más: el tipo de desplazamiento del relieve semántico observado a propósito de *sabrosa* se repite aquí, todavía más nítidamente, como resultado de la combinación de *amargo* con el complemento explicativo *al gusto.* Es cierto que *gusto* se puede interpretar desde un primer momento como la 'facultad de sentir o apreciar lo bello y lo feo' o simplemente como la 'inclinación del ánimo hacia algo'. La actualización de este significado —que es, por lo demás, el único adecuado en un contexto en el que se trata de la impresión que una persona le produce a otra— resulta, empero, algo estorbada por el hecho de que *gusto* aparezca aquí en relación con un adjetivo que, como *amargo* (o *dulce*), designa primariamente un tipo de sabor. Dicho brevemente: en un contexto como el que acabamos de describir tanto *amargo* como *gusto* se pueden entender en sentido traslaticio, a condición de que no aparezcan juntos. No bien se los une en un sintagma (*amargo al gusto*), tienden, en cambio, a ser interpretados en sentido propio. En casos en que el contexto no favorece tal sentido —como en nuestro verso— se produce una cierta ambigüedad. En la réplica de Alcino dicho sintagma se siente algo anómalo hasta el instante en que el lector puede referirlo, no ya simplemente a una persona, sino a una persona a la que se la compara con una retama. Y esto implica, a su vez, que dentro del obligado proceso de bisemización de *amargo al gusto* —análogamente al de *dulce y sabrosa*— tiene lugar un leve predominio del significado primario ('que produce una impresión desagradable para el sentido corporal ubicado en la lengua y el paladar').

Observemos, por último, una diferencia de peso entre las dos expresiones confrontadas hasta aquí: mientras *la fruta del cercado ageno* se puede entender no sólo como el elemento real de referencia ('fruta') sino además como metáfora erótica que metaforiza a su vez, retroactivamente, a casi todos los componentes del símil, la *retama* de Alcino se queda en el nivel de término de comparación con sentido unívoco-concreto, como las "hierbas de Cerdeña" de Virgilio. Como para compensar esta carencia, Garcilaso introduce a continuación un símil que si bien quiebra la simetría con los versos de Tirreno por no ser de tipo comparativo en sentido estricto, crea nuevas correlaciones semánticas interestróficas, en la medida en que parte de sus componentes son susceptibles de ser interpretados en sentido simbólico-erótico:

> y de ti despojado yo me vea
> qual queda el tronco de su verde rama

En la imagen de la rama indisolublemente unida al tronco no es difícil descubrir una variante —y en cierto aspecto una intensificación— de otras imágenes de la esfera vegetal que se fijaron desde muy antiguo en la tradición literaria greco-latina como símbolo de la estrecha unión de los amantes. Una de las más frecuentes, la de la vid —una planta débil, necesitada de apoyo, pero a la vez fértil, dadora de un dulce fruto— que florece enroscada a un tronco fuerte —en particular el del olmo— parece haber sido utilizada ya por Safo, según el testimonio de un antiguo léxico (*Cf.* Schadewaldt 1950, pp. 47 s.). En el ámbito latino fue Catulo quien contribuyó a su consolidación introduciéndola en sus dos canciones de bodas. En una de ellas (c. 61, 106-109) es el esposo el que se abraza a la esposa "como la vid se enlaza flexible en torno al árbol junto al que está plantada". En la otra (c. 62, 49-58) se establece un paralelismo doble: por una parte, entre la doncella que envejece virgen y la vid que, por crecer sin sostén, nunca llega a dar uvas; por otra parte, entre la doncella que se casa en la edad oportuna y la vid que, "si se une al olmo, su marido", recibe el cuidado solícito de los agricultores y produce frutos. Al mismo contexto de bodas pertenece otro símil de la esfera vegetal utilizado por Catulo para sugerir la intensidad y permanencia del amor matrimonial: en c. 61, 31-35 se le pide al dios Himeneo que encadene el alma de la futura esposa con un lazo amoroso, "como la hiedra tenaz se enrosca en torno al árbol extendiéndose por todos lados". La hiedra aparece también en Horacio como paradigma simbólico de mujer apasionada que abraza ávidamente al hombre amado. La Neera del Epodo 15 lo oprime en sus brazos "más estrechamente que no ciñe la hiedra a la elevada encina" (vv. 5-6) y la Dámalis de la Oda 36 del Libro Primero no se separará del nuevo amante "enlazándose a él más que hiedra lujuriosa" (vv. 18-20). Ambas imágenes gozaron de larga vida en la lírica amatoria posclásica. No es casual, por tanto, que Garcilaso las haga aparecer unidas[22], ya convertidas en metáforas de fácil desciframiento para cualquier lector culto de la época, en uno de los pasajes más dramáticos de la Egloga I:

> No ay coraçón que baste,
> aunque fuesse de piedra,
> viendo mi amada yedra
> de mí arrancada, en otro muro asida,
> y mi parra en otro olmo entretexida,
> que no s'esté con llanto deshaziendo
> hasta acabar la vida. (vv. 133-139)

Sobre el trasfondo de estos versos y, en particular, de la antiquísima tradición en que se inscriben, la imagen de la rama verde —es decir, bella, lozana y a la vez frágil— que forma un todo con el tronco que le da apoyo y sustento,

---

22. Como curiosidad y como muestra de la difusión de ambos motivos, transcribo un texto del humanista flamenco Joannes Secundus (1511-1536), fino poeta en lengua latina ligado a Garcilaso por una serie de notables coincidencias: su vinculación con la corte de Carlos V, su presencia, junto al emperador, en el sitio de Túnez, así como la fecha de su muerte, igualmente prematura. He aquí el Basium 2, una de sus diecinueve poesías consagradas al tema del beso, que se inicia, precisamente, con una combinación de los dos símiles (cito por la ed. de M. Rat: Jean Second, *Les Baisers* (París 1938)):

Vicina quantum vitis lascivit in ulmo
    Et tortiles per ilicem
Brachia proceram stringunt immensa corymbi:
    Tantum, Neaera, si queas
In mea nexilibus proserpere colla lacertis!

    "¡Ay, Neera, si pudieras enlazar mi cuello con tus brazos tan estrechamente como la vid vecina se adhiere lasciva al olmo y como los flexibles corimbos [de la hiedra] aprietan sus inmensos brazos en torno de la alta encina!"

se entiende como la representación plástica de la unión amorosa elevada a la categoría absoluta de la identificación. Respecto de la hiedra asida al muro o de la parra entretejida al olmo, la rama que sólo se puede separar del tronco si se la corta —es decir, si se la mata— representa un paso adelante en el esfuerzo por visualizar el poder cohesionante del amor.

Cuando el símil de Alcino se analiza dentro del marco del lenguaje erótico de la época y, especialmente, del propio Garcilaso, sus componentes adquieren una nueva dimensión: *el tronco* y *su verde rama* (obsérvese, de paso, cómo el posesivo y el singular sugieren ya una relación afectiva) no se quedan en el nivel de 'tronco' y 'rama', como es normal que ocurra con los elementos de cualquier símil, sino que empiezan a ser sentidos como variantes o nuevas versiones de viejas metáforas eróticas.

Volvamos ahora a la confrontación del texto de Garcilaso con su modelo latino. Habíamos comprobado que a las tres comparaciones contenidas en la autoimprecación del pastor de Virgilio, sólo corresponden dos (y no del todo paralelas) en la autoimprecación de Alcino. Notemos, empero, que nuestro poeta parecería haber querido compensar esta asimetría introduciendo en la hipótesis un símil intensificador ausente en el modelo pero emparentado, por sus connotaciones marcadamente negativas, con la serie de objetos desagradables con los que se compara, en un aparente gesto de autodenigración, el Tirsis virgiliano. Puesto que dentro de la hipótesis una actitud de autodepreciación no cumple ninguna función, habría que concluir que Garcilaso, al presentar a su Alcino comparándose con un murciélago recrea aun tal vez sin habérselo propuesto, un importante rasgo del original: en la longitud y la morosidad con que Tirsis se desea lo peor parangonándose con los objetos más viles "se trasluce algo que Tirsis mismo no quiere expresar" (Pöschl 1964, p. 123). Una perspectiva ajena a la del yo presenta al pastor como un necio pedante, condenado de antemano a la derrota por su falta de mesura, que lo lleva a producir con sus afirmaciones un efecto contrario al que él se propone. Es cierto que, como se ha indicado más arriba, Garcilaso abandona el motivo de la justa poética y, en consecuencia, no necesita seguir a Virgilio en la caracterización negativa de uno de los dos pastores. Sin embargo, parecería que todos los rasgos del original —incluso los descartados por inadecuados a la diferente situación en que cantan sus pastores— ejercieron algún tipo de influencia en su reelaboración. Al menos no parece demasiado audaz suponer que la "fuerza elemental" y la innegable "belleza barroca" (Pöschl 1964, p. 122) de los tres símiles con los que el Tirsis virgiliano se conjura el destino más mísero confiado en la imposibilidad de su cumplimiento, debieron incitar a Garcilaso a incluir alguna comparación de una fealdad análogamente cautivante, a pesar de que no pudiera estar directamente motivada en el carácter de su personaje. La vigorosa imagen del murciélago amante de la oscuridad no pasó inadvertida a la fina sensibilidad de Cirot, quien, al pasar breve revista, en el artículo citado al comienzo, a los principales puntos de contacto entre Garcilaso y Virgilio, puso de relieve cuán ingeniosa es esta comparación de propio cuño. Pero, además de la motivación estética, detrás de este símil parece haber una clara intención funcional: Garcilaso necesitaba llenar —por cierto no sólo en el sentido banal del número de versos— el hueco que dejaba en su octava la supresión del topos contenido en el último verso de Virgilio. El por qué de la omisión aparece transparente cuando se interpreta el verso en cuestión —como lo ha hecho Pöschl— sin la pacatería que ha oscurecido la visión a casi todos los traductores y comentaristas del texto clásico[23]. La ruda invitación a los becerros —castos por su poca edad— a abandonar el lugar si es que tienen "algún pudor", no deja dudas sobre lo que va a producirse en ese mismo sitio en cuanto llegue la amada. El pasaje sólo tiene sentido si se lo entiende como un chiste obsceno de dudosa gracia, como corresponde al temperamento de Tirsis. Es obvio que en el texto de Garcilaso semejante ocurrencia resultaría por demás chocante y hasta incluso disparatada. Con todo, algo del erotismo primario del original se ha filtrado aquí, por cierto que de modo muy sutil y en la exacta proporción admitida por el buen gusto. Ante todo, la comparación con un murciélago —un feo animal de las tinieblas cuya presencia resulta por demás insólita en el mundo luminoso e idealmente bello de la pastoral— le confiere a la impaciencia amorosa de Alcino un cierto aire de impulso elemental, de afecto realmente vivido, a salvo de toda idealización desnaturalizadora. Pero, además de ello, la selección del vocabulario, especialmente de los verbos, en combinación con la peculiar estructuración sintáctico-semántica del símil, sugiere la imagen sensual de un amante-murciélago que se consume de pasión por la amada-oscuridad:

si más que yo el murciégalo dessea
la escuridad, ni más la luz desama.

Semejante juego asociativo está favorecido por el género masculino de *murciégalo* y el femenino de *escuridad* y *luz*, así como por la bivalencia de los verbos *dessea* y *desama*, susceptibles de ser interpretados como contrarios tanto en un sentido volitivo-afectivo muy amplio ('querer' - 'no querer', 'anhelar la presencia' - 'anhelar la ausencia', 'encontrar placer en' - 'encontrar disgusto en', etc.) como en un sentido específicamente erótico ('sentir atracción sexual' - 'rechazar por repugnante a los sentidos', 'anhelar la posesión amorosa' - 'aborrecer', etc.). El que dichos verbos estén vinculados entre sí por la aliteración de la sílaba inicial y por aparecer ambos al final del verso, en la posición de relieve de la palabra portadora de la rima, no parece casual: estas coincidencias

23. Así, Encina traduce tan sólo *yd bueyes yd ya a majada*, omitiendo toda referencia a pudor; Luis de León traslada el verso de un modo más prolijo y cercano al original pero malentiende —voluntaria o involuntariamente— el *si quis pudor: Id hartos, id, novillos, a la estanza;/que ya es mala vergüenza tal tardanza*, como si con dicha frase Virgilio aludiera a una inocente falta de disciplina. Más sorprendente todavía es que Diego Girón, a quien Fernando de Herrera cita repetidas veces en su comentario al texto de Garcilaso, impresionado, al parecer, por la corrección y gran fidelidad de sus versiones, traduzca aquí con tal libertad que casi no queden trazas del original: . . .; *recoge presto,/novillos, si queréis, que el sol ya es puesto* (apud Gallego Morell, p. 586).

hacen que se destaquen de los demás componentes del verso y que formen, así, el núcleo semántico que posibilita la transferencia del enunciado al plano erótico. En virtud de esta transferencia, *escuridad* y *luz*, cuya relación semántica antitética está subrayada por el quiasmo sintáctico (verbo + objeto directo – objeto directo + verbo), adquieren un contenido informativo adicional: una vez establecida la equivalencia 'murciélago' = 'amante', se identifica 'oscuridad' con 'mujer deseada' y 'luz' con 'mujer detestada' respectivamente.

Señalemos, por último, un rasgo más en el que podría verse una cierta irradiación subliminar del sensualismo contenido en el modelo. El Tirsis virgiliano declara escuetamente que el día le parece más largo que un año y utiliza para ello la palabra *lux*, que en latín designa tanto la luz del día (en oposición a la oscuridad), como el espacio temporal comprendido entre la salida y la puesta del sol (en oposición a la noche). Es preciso recordar que en el segundo caso la idea concomitante de luz solar puede estar tan neutralizada por el contexto que *lux* se convierta en casi-sinónimo de *dies*, el día como mera unidad de tiempo. En la expresión de Tirsis el concepto 'luz' está, si bien no enteramente ausente, al menos relegado a un último plano en la medida en que sólo se hace referencia explícita a duración y que aparece como término de comparación otra unidad de tiempo ("año"). A pesar de ello, Garcilaso toma en cuenta los dos significados señalados y hace aparecer en su reelaboración las dos palabras españolas correspondientes: *luz* y *dia*. Alcino afirma detestar la luz y anhelar que llegue la oscuridad y fundamenta acto seguido su deseo con palabras que, como veremos enseguida, dicen sólo una verdad a medias:

> por ver ya el fin de un término tamaño,
> deste dia, para mí mayor que un año.

El sentido de estos versos, a primera vista algo difíciles de descifrar, resulta claro si se coloca —como acabo de hacerlo— una coma después de *tamaño*. Puesto que *término* sólo puede significar aquí 'tiempo determinado', es decir, el tiempo que Alcino debe esperar para poder ver a la amada, propongo interpretar *deste dia* como una aposición que delimita con exactitud la dimensión sugerida por *término tamaño*. La aclaración siguiente, *para mí mayor que un año*, viene a resolver la contradicción que se deriva del hecho de que *término tamaño* implique una extensión relativamente grande y *deste dia* un período corto. De ella surge que la primera de las determinaciones temporales expresa la medida subjetiva mientras que su aposición informa sobre la medida objetiva. Así analizados, estos dos versos no contienen ningún ingrediente superfluo y explican con una lógica impecable la comparación con el murciélago: Alcino desea oscuridad y no luz por cuanto la oscuridad, es decir, la llegada de la noche, es el signo de que ha concluido el tiempo de espera, un intervalo que va sólo de la salida a la puesta del sol, pero que su impaciencia le hace sentir interminable. Este es, sin dudas, el mensaje inmediato del texto. Sin embargo, no parece que con él se agote todo su caudal comunicativo. El particular relieve que alcanza aquí la referencia a oscuridad por efecto de la sugerente imagen del murciélago incita a leer entre líneas un segundo mensaje cifrado, articulado a medias y, como en Virgilio, ajeno a la perspectiva del yo. Así como las comparaciones puestas en boca de Tirsis se pueden interpretar, conforme a dos códigos diferentes, como enunciado del personaje y comentario irónico sobre el personaje, de modo análogo, el anhelo de oscuridad manifestado por Alcino en términos tan poco convencionales y que apelan tan intensamente a la fantasía del oyente, oculta una segunda motivación: se trata, en última instancia, del mismo deseo de sustraerse a toda mirada ajena que el pastor virgiliano expresa con tan poca delicadeza en su burlona recomendación a los becerros.

Una vez más en el breve espacio de dos estrofas Garcilaso ha logrado detectar, ya sea con la clara conciencia analítica del humanista estudioso de los clásicos, ya sea con su intuición de gran poeta —pero éste es un detalle secundario— los más recónditos mecanismos del arte virgiliano y les ha dado nueva vida dentro de otra lengua y de otro sistema poético, basado en un código estético distinto pero no menos complejo y refinado que el antiguo.

REFERENCIAS BIBLIOGRAFICAS

Th. W. Adorno, *Aesthetische Theorie*, Frankfurt am Main 1970.

W. Abraham, "Zur Linguistik der Metapher", Trier 1973 (policopiado).

Aristóteles, *Poética*, ed. trilingüe por V. García Yebra, Madrid 1974.

———, *Retórica* (Aristotelis, *Ars. Rhetorica*, ed. W. D. Ross, Oxford 1959).

M. Bal, "Narration et focalisation", *Poétique*, 29 1977, pp. 107-127 [1977 a].

———, *Narratologie. Essais sur la signification narrative dans quatre romans modernes*, Paris 1977 [1977 b].

———, "Notes on narrative embedding", *Poetics today*, 2,2, 1981, pp. 41-59 [1981 a].

———, "The laughing mice or: on focalization", *Poetics today*, 2,2, 1981, pp. 202-210 [1981 b].

Ch. Bally, "Le style indirect libre en français moderne", *Germanisch-romanische Monatsschrift* 4, 1912, pp. 549-556 y 597-606.

———, "Figures de Pensée et Formes Linguistiques", *Germanisch-romanische Monatsschrift* 6, 1914, pp. 405-422 y 456-470.

A. Banfield, "The formal coherence of represented speech and thought", PTL, 3, 1978, pp. 289-314.

———, "Reflective and non-reflective consciousness in the language of fiction", *Poetics today*, 2,2, 1981, pp. 61-76.

A. M. Barrenechea, *La expresión de la irrealidad en la obra de Borges*, Buenos Aires, 1967.

———, "Ensayo de un tipología de la literatura fantástica", en *Textos hispanoamericanos. De Sarmiento a Sarduy*, Caracas 1978, pp. 87-103 (aparecido por primera vez en *Revista Iberoamericana*, XXXVIII, 80, 1972).

R Barthes, *Mythologies*, Paris 1970 (1a. ed. 1957) (Barthes 1957).

———, "Eléments de sémiologie", en *Communications* 4, 1964, pp. 91-135.

K. Baumgärtner, "Formale Erklärung poetischer Texte", en: H. Kreuzer-R. Gunzenhäuser (ed.), *Mathematik und Dichtung*, München 1967, pp. 67-84.

———, "Der methodische Stand einer linguistischen Poetik", en *Jahrbuch für Internationale Germanistik* I, 1, 1969, pp. 15-43.

B. Bayerle, "Ein vernachlässigter Aspekt der erlebten Rede", *Archiv für neuere Sprachen und Literaturen* 208, 1972, pp. 350-366.

M. J. Bayo, *Virgilio y la pastoral española del Renacimiento (1480-1530)*, Madrid 1959.

M. C. Beardsley, *Aesthetics. Problems of the philosophy of criticism*, New York, 1958.

O. Behaghel, *Die Zeitfolge der abhängigen Rede im Deutschen*, Padeborn 1878.

I. Bessière, *Le récit fantastique. La poétique de l'incertain*, Paris 1974.

M. Black, *Models and Metaphors. Studies in Language and Philosophy*, New York 1962.

W. C. Booth, *The Rhetoric of Fiction*, Chicago 1961. (Trad. española: *La retórica de la ficción*, Barcelona 1974).

———, "Distance et point de vue", *Poétique* 4, 1970, pp. 511-524.

C. M. Bowra, *Heldendichtung. Eine vergleichende Phänomenologie der heroischen Poesie aller Völker und Zeiten*, Stuttgart 1964.

B. Brecht, "Kleines Organon für das Theater", en B. Brecht, *Schriften zum Theater*, Frankfurt 1957 (1a. ed. 1948).

L. Brinton, "Represented perception: a study on narrative style", *Poetics* 9, 4, 1980, pp. 363-381.

Ch. Brooke-Rose, *A granmar of metaphor*, London 1958.

V. Buchheit, "Feigensymbolik im antiken Epigramm", *Rheinisches Museum*, N.F. 103 1960, pp. 200-229.

K. Bühler, *Teoría del lenguaje*, Madrid 1950.

R. Caillois, *Antología del cuento fantástico*, Buenos Aires 1967.

J. Cejador, *Vocabulario medieval castellano*, Madrid 1929.

E. de Chasca, *El arte juglaresco en el "Cantar de mio Cid"*, Madrid 1967.

G. Cirot, "A propos des dernières publications sur Garcilaso de La Vega", *Bulletin Hispanique* 22, 1920, pp. 234-255.

L. J. Cisneros, *Formas de relieve en español moderno*, Lima 1957.

J. Cohen, *Structure du langage poétique*, Paris 1966.

J. C. Coquet, "Poétique et linguistique", en A. J. Greimas (ed.), *Essais de sémiotique poétique*, Paris 1972 (trad. esp.: *Ensayos de semiótica poética*, Barcelona 1976).

J. Corominas, *Diccionario crítico etimológico de la lengua castellana*, 4 v., Madrid 1954.

E. Coseriu, "Lexikalische Solidaritäten", en *Poetica* I, 1967, pp. 293-303.

———, "Thesen zum Thema Sprache und Dichtung", en: W. D. Stempel (ed.), *Beiträge zur Textlinguistik*, München 1971, pp. 183-188 (trad. esp. en: *El hombre y su lenguaje*, Madrid 1977, pp. 201-207).

———, *Sprache, Strukturen und Funktionen*, Tübingen 1971.

E. R. Curtius, *Literatura europea y Edad Media latina*, México 1955.

A. Coyné, *César Vallejo y su obra poética*, Lima 1957.

De lo sublime (Pseudo-Longinos *Vom Erhabenen*, ed. R. Brandt), Darmstadt 1966.

T. A. van Dijk, *Some aspects of text grammars*, The Hague-Paris 1972.

———, *Texto y contexto. Semántica y pragmática del discurso*, Madrid 1980 [1980 a].

———, *Estructuras y funciones del discurso*, México 1980 [1980 b].

P. Domínguez de Rodríguez-Pasqués, *El discurso indirecto libre en la novela argentina*, Rio Grande do Sul 1975.

———, "El discurso indirecto libre en la narrativa de Miguel Angel Asturias", *Estudos Ibero-Americanos* 11, 1976, pp. 85-91.

J. Dubois et al., *Rhétorique générale*, Paris 1970.

A. Escobar, *Cómo leer a Vallejo*, Lima 1973.

E. Fraenkel, *Wege und Formen frühgriechischen Denkens*, München 1955.

———, *Horaz*, Darmstadt 1974.

S. Freud, "Lo siniestro", en *Obras Completas*, Madrid 1972, Tomo VII, pp. 2483-2505.

K. von Fritz, "Entstehung und Inhalt des neunten Kapitels von Aristoteles' Poetik", en *Antike und moderne Tragödie*, Berlin 1962, pp. 430-496.

M. Fubini, *Entstehung und Geschichte der literarischen Gattungen*, Tübingen 1971.

M. Fuhrmann, *Einführung in die antike Dichtungstheorie*, Darmstadt 1973.

A. Gallego Morell, *Garcilaso de la Vega y sus comentaristas*, Madrid ²1972.

G. Genette, "Fronteras del relato". En R. Barthes *et al.*, *Análisis estructural del relato*, Buenos Aires 1970, pp. 193-208 (versión original en *Communications* 8, 1966, pp. 152-163).

———, "Lenguaje poético, poética del lenguaje", en: *Estructuralismo y literatura*, Buenos Aires 1970 [or. 1968].

———, "Discours du récit. Essai de méthode", en *Figures III*, Paris 1972, 67-282.

———, *Mimologiques*, Paris 1976.

———, *Nouveau discours du récit*, Paris 1983.

H. Glinz, *Textanalyse und Verstehenstheorie I Methodenbegründung-soziale Dimension-Wahrheitsfrage-acht ausgeführte Beispiele*, Frankfurt am Main 1973.

J. Chr. Gottsched, "Versuch einer critischen Dichtkunst vor die Deutschen" [1730], en *Schriften zur Literatur*, Stuttgart 1972, pp. 12-196.

A. J. Greimas, *Sémantique structurale*, Paris 1966.

——— (ed.), *Essais de sémiotique poétique*, Paris 1972.

H. U. Gumbrecht, "Poetizitätsdefinition zwischen Metaphysik und Metasprache", *Poetica* 10, 2-3, 1978, pp. 342-361.

K. Hamburger, *Die Logik der Dichtung*, Stuttgart 1957.

L. C. Harmer, *The French Language Today*, London 1954.

G. W F. Hegel, *Logik (Wissenschaft der Logik)*, hrgg. von G. Lasson, Hamburg 1966 [1813].

M. B. Hester, *The Meaning of Poetic Metaphor*, The Hague 1967.

G Hilty, "Imaginatio reflexa. A propos du style reflecteur dans *La modification* de Michel Butor", *Vox Romanica* 32, 1973, pp. 40-59.

L. Hjemlslev, *Prolegomena to a theory of language*, Madison 1963.

W. Ingendahl, *Der metaphorische Prozess*, Düsseldorf 1973.

C. Isbasescu Haulica, "El texto borgeano en busca del autor", *Anuario de letras* XIX, 1981, pp. 183-224.

W. Iser, *Der Implizierte Leser*, München 1972.

R. Jakobson, "Linguistics and poetics" en: T. A. Sebeok (ed.), *Style in language*, Cambridge, Mass., 1960, pp. 250-377 (trad. esp. en: Th. A. Sebeok (ed.), *Estilo del lenguaje*, Madrid 1974).

———, "Poesie der Grammatik und Grammatik der Poesie", en: H. Kreuzer-R. Gunzenhäuser (ed.), *Mathematik und Dichtung*, München 1967, pp. 21-32.

R. Jakobson-C. Lévi Strauss, " 'Les Chats' de Charles Baudelaire", *L'Homme*, 2, 1962, pp. 5-21 (trad. esp. en: J. Sazbón (ed.), *Estructuralismo y Literatura*, Buenos Aires 1970, pp. 11-34).

H. R. Jauss, *Literaturgeschichte als Provokation*, Frankfurt am Main 1970.

K. Jax, *Die weibliche Schönheit in der griechischen Dichtung*, Innsbruck 1933.

A. Jolles, *Einfache Formen*, Tübingen 1972 [1930].

Th. Kalepky, "Mischung indirekter und direkter Rede (T. II, X) oder V. R. [Verschleierte Rede]?", *Zeitschrift für romanische Philologie* XXIII, 1899, pp. 491-509.

W. A. Koch, "Poetizität zwischen Metaphysik und Metasprache", *Poetica* 10, Heft 2-3, 1978, pp. 285-341.

W. Köller, *Semiotik der Metapher*, Stuttgart 1975.

J. Landwehr, *Text und Fiktion*, München 1975.

R. Lapesa, *La trayectoria poética de Garcilaso*, Madrid 1968.

H. Lausberg, *Manual de retórica literaria*, tomo II, Madrid 1967.

———, *Elementos de retórica literaria*, Madrid 1975.

G. Lenne, *El cine "fantástico" y sus mitologías*, Barcelona 1974.

M. Le Guern, *Sémantique de la métaphore et de la métonymie*, Paris 1973.

E. Leisi, *Der Wortinhalt*, Heidelberg 1975.

G. Lerch, "Die uneigentlich direkte Rede", en *Idealistische Neuphilologie. Festschrift für Karl Vossler*, Heidelberg 1922, pp. 107-119.

S. Levin, *Linguistic structures in poetry*, Den Haag 1962 (trad. esp. *Estructuras lingüísticas en poesía*, Madrid 1974).

M. R. Lida, "Transmisión y recreación de temas grecolatinos en la poesía lírica española", *Revista de Filología hispánica*, I, 1939, pp. 20-63.

H.-H. Lieb, *Der Umfang des historischen Metaphernbegriffs*, 1964 (Tesis de doctorado, Univ. de Colonia).

J. Link, *Literaturwissenschaftliche Grundbegriffe*, München 1974.

———, *Die Struktur des literarischen Symbols*, München 1975.

J. Lintvelt, *Essai de typologie narrative. Le point de vue*, Paris 1981.

M. Lips, *Le style indirect libre*, Paris 1926.

A. B. Lord, *Der Sänger erzählt. Wie ein Epos entsteht*, München 1965.

E. Lorck, *Die "erlebte Rede". Eine sprachliche Untersuchung*, Heidelberg 1921.

Y. Lotman, *Vorlesungen zu einer strukturalen Poetik*, München 1972 (1972 a).

———, *Die Struktur literarischer Texte*, München 1972 (1972 b) (trad. esp.: *Estructura del texto artístico*, Madrid 1978).

———, "The content and structure of the concept of 'literature' ", PTL I, 2, 1976, pp. 339-356.

H. P. Lovecraft, "El horror sobrenatural en la literatura", en *Necronomicon* II, Barcelona 1974, pp. 159-254.

G. Lüdi, *Die Metapher als Funktion der Aktualisierung*, Bern 1973.

M. Lüthi, *Das europäische Volksmärchen. Form und Wesen*, Bern³ 1968 (1968 a).

———, *Es war einmal... Vom Wessen des Volksmärchens*, Göttingen³ 1968 (1968 b).

L. I. Madrigal, "Para una poética de Borges", *Dispositio* II, N° 5-6, 1977, pp. 182-207.

F. Martínez-Bonati, "El acto de escribir ficciones", *Dispositio* 3, 1978, pp. 137-144.

———, "El sistema del discurso y la evolución de las formas narrativas", *Dispositio* V-VI, 15-16, 1980-1981, pp. 1-18.

B. McHale, "Free indirect discourse: a survey of recent accounts", PTL 3, 1978, pp. 249-287.

H. Meier, *Die Metapher. Versuch einer zusammenfassenden Betrachtung ihrer linguistischen Merkmale*, Zürich 1963.

W. Mignolo, "Algunos aspectos de la coherencia del discurso (literario)", en *The Analysis of Hispanic Texts. Current Trends in Methodology*, New York 1975, pp. 273-299.

———, "La noción de 'competencia' en poética", *Cuadernos Hispanoamericanos* N° 300, 1975, pp. 1-18.

———, "Conexidad, coherencia, ambigüedad: 'Todos los fuegos el fuego' ", *Hispamérica*, 5, 14, 1976, pp. 3-26.

———, *Elementos para una teoría del texto literario*, Barcelona 1978.

T. Navarro Tomás, "El endecasílabo en la tercera Egloga de Garcilaso", *Romance Philology* 5, 1951-1952, pp. 205-211.

———, *Métrica española*, New York 1956.

E. Neale-Silva, *César Vallejo en su fase trílcica*, The University of Wisconsin Press, 1975.

U. Oomen, *Linguistische Grundlagen poetischer Texte*, Tübingen 1973.

A. Otto, *Die Sprichwörter und sprichwörtlichen Redensarten der Römer*, Hildesheim 1965 (Reproducción fotomecánica de la edición de Leipzig 1890).

R. Pascal, *The Dual Voice: Free Indirect Speech and its functioning in the Nineteenth-Century European Novel*, Manchester 1977.

A. Pimenta, *O silêncio dos poetas, a regra do jogo*, Lisboa 1978.

Platón, *República* (Platonis, *Opera*, ed. I. Burnet, Tomus IV, Oxford University Press, 1962).

H. F. Plett, *Einführung in die rhetorische Textanalyse*, Hamburg 1973.

V. Pöschl, *Die Hirtendichtung Virgils*, Heidelberg 1964.

R. Posner, "Strukturalismus in der Gedichtinterpretation. Textdeskription und Ezeptionsanalyse am Beispiel von Baudelaires 'Les Chats' ", en: J. Ihwe (ed.), *Literaturwissenschaft und Linguistik*, Frankurt am Main 1972, t. 1, pp. 136-178.

G. Prince, "Introduction à l'étude du narrataire", *Poétique* 14, 1973, pp. 178-196.

———, "Le discours attributif et le récit", *Poétique* 35, 1978, pp. 305-313.

Quintilianus, *Institutio Oratoria*, ed. L. Radermacher, Leipzig 1971.

F. Rastier, "Systématique des isotopies", en A. J. Greimas *et al.*, *Essais de sémiotique poétique*, Paris 1972, pp. 80-105.

S. Reisz de Rivarola, *Poetische Äquivalenzen. Grundverfahren dichterischer Gestaltung bei Catull*, Beihefte zu *Poetica*, Heft 13, Amsterdam 1977.

R. Reitzenstein, *Zur Sprache der lateinischen Erotik*, Heidelberg 1912.

P. Ricoeur, *La métaphore vive*, Paris 1975.

M. Riffaterre, *Essais de stylistique structurale*, pres. et trad. par D. Delas, Paris 1971 (trad. esp.: *Ensayos de estilística estructural*, Barcelona 1975).

S. Rimmon, "A comprehensive theory of narrative: Genette's *Figures* III and the structuralist study of fiction", PTL 1, 1, 1976, pp. 33-62.

M. Rojas, "Tipología del discurso del personaje en el texto narrativo", *Dispositio* V-VI, 15-16, 1980-81, pp. 19-55.

M. Ron, "Free indirect discourse, mimetic language games and the subject of fiction", *Poetics today* II, 2, 1981, pp. 17-39.

N. Ruwet, "Malherbe: Hermogène ou Cratyle?", *Poétique* 42, 1980, pp. 195-

224.

J.-P. Sartre, *L'imaginaire. Psychologie phénoménologique de l'imagination*, Paris 1940.

F. de Saussure, *Cours de linguistique générale*, ed. de T. de Mauro, Paris 1972.

W. Schadewaldt, *Sappho*, Potsdam 1950.

J. M. Schaeffer, "Romantisme et langage poétique", *Poétique* 42, 1980, pp. 177-194.

W. Schmid, *Der Textaufbau in den Erzählungen Dostoevskijs*, München 1973.

E. A. Schmidt, *Poetische Reflexion. Vergils Bukolik*, München 1972.

———, "Der göttliche Ziegenhirt. Analyse des fünften Idylls als Beitrag zu Theokrits bukolischen Technik", *Hermes*, 1974, pp. 207-243.

S. J. Schmidt, *Literaturwissenschaft als argumentierende Wissenschaft*, München 1975.

———, "Zu einer Theorie ästhetischer Kommunikationshandlungen", *Poetica* 10, Heft 2-3, 1978, pp. 362-382.

A. Schöne, *Emblematik und Drama im Zeitalter des Barock*, München 1964.

J. R. Searle, "The logical status of fictional discourse", *New Literary History*, VI, 1975, pp. 319-332.

L. Spitzer, "Pseudo-objektive Motivierung (Eine stilistisch-literatur-psychologische Studie")", *Zeitschrift für französische Sprache und Literatur* XLVI, 1923, pp. 359-385.

W. B. Stanford, *Greek Metaphor/Studies in Theory and Practice*, Oxford 1936.

G. Steinberg, *Erlebte Rede. Ihre Eigenart und ihre Formen in neverer deutscher, französischer und englischer Erzählliteratur*, Göopingen 1971.

K. Stierle, "Der Gebrauch der Negation in fiktionalen Texten", en: *Text als Handlung*, München 1975 [1975 a].

———, *Text als Handlung. Perspektiven einer systematischen Literaturwissenschaft*, München 1975 [1975 a].

———, "Versuch zur Semiotik der Konnotation", en *Text als Handlung*, München (Fink) 1975 [1975 a].

———, "Was heisst Rezeption bei fiktionalen Texten?", *Poetica* 7, 1975, pp. 345-387 [1975 b].

———, "Die Identität des Gedichts-Hölderlin als Paradigma", en *Identität* (hrgg. von O. Marquard und K. Stierle), München 1979.

C. Thöming, "Bildlichkeit", en *Grundzüge der Literatur- und Sprachwissenschaft*, ed. H. L. Arnold y V. Sinemus, tomo I, München 1973.

A. Tobler, *Vermischte Beiträge zur französischen Grammatik, 2. Reihe*, Leipzig 1894.

T. Todorov, *Qu'est-ce que le struturalisme? 2. Poétique*, Paris 1968.

———, *Introduction à la littérature fantastique*, Paris 1970 (trad. esp.: *Introducción a la literatura fantástica*, Buenos Aires 1972).

———, "Introducción a *Lo verosímil*", en R. Barthes, *Lo verosímil*, Buenos Aires 1970, pp. 11-15 [1970 a].

———, "Las categorías del relato literario", en R. Barthes *et al.*, *Análisis estructural del relato*, Buenos Aires 1970, pp. 155-192 [1970 b].

———, "On Linguistic Symbolism", en *New Literary History*, VI, 1974, pp. 110-134.

———, "La poétique de Jakobson" en *Théories du symbole*, Paris 1977.

———, *Les genres du discours*, Paris 1978.

———, *Mihail Bakhtine. Le Principe dialogique*, suivi de *Ecrits du Cercle de Bakhtine*, Paris 1981.

M. Treu, *Archilochos*, München 1959.

S. Ullmann, *Style in the French Novel*, Cambridge 1957.

J. Vachek, *The Linguistic School of Prague*, Indiana 1966.

L. Vax, *Arte y literatura fantásticas*, Buenos Aires 1965.

G. Verdín Díaz, *Introducción al estilo indirecto libre en español*, Madrid 1970.

J. A. Verschoor, *Etude de grammaire historique et de style sur le style direct et les styles indirects en français*, Paris-Groningen 1959.

V. N. Voloshinov/M. Bajtín, *El signo ideológico y la filosofía del lenguaje*, Buenos Aires 1976 [or. 1930].

R. Warning, "Pour une pragmatique du discours fictionnel", *Poétique* 39, 1979, pp. 321-337.

H. Weinrich, "Münze und Wort. Untersuchungen an einem Bildfeld", en *Romanica*. Festschrift für G. Rohlfs, Halle 1958, pp. 508-521.

———, "Semantik der kühnen Metapher", en *Deutsche Vierteljahres-schrift fur Literaturwissenschaft und Geistesgeschichte* 37, 1963, pp. 325-344.

———, "Semantik der Metapher", en *Folia linguistica* I, 1967, pp. 3-17.

———, [Intervenciones en] "Die Metapher" (Bochumer Diskussion), en *Poetica* 2, 1968, pp. 101-121.

———, "Los tiempos y las personas", *Dispositio*, III, núms. 7-8, 1978, pp. 21-38.

G. Wienold, "Empirie in der Erforschung literarischer Kommunikation", en: J. Ihwe (ed.), *Literaturwissenschaft und Linguistik*, Frankfurt am Main 1972, t. 1, pp. 311-322.

L. Wittgenstein, *Tractatus logico-philosophicus. Logisch-philosophische Abhandlung*, Frankfurt am Main[9] 1973 [1921].

OBRAS LITERARIAS CITADAS

M. Adán, *Obra poética*, Lima (Ediciones Edubanco) 1980.

J. L. Borges, *El Aleph*, Buenos Aires (Emecé) 1961.

———, *Obras completas*, Buenos Aires (Emecé) 1974.

———, *Otras Inquisiciones*, en *Obras Completas* (cf.).

———, *Prólogos. Con un prólogo de prólogos*, Buenos Aires (Torres Agüero) 1975.

A. Bryce Echenique, *La vida exagerada de Martín Romaña*, Barcelona (Argos Vergara) 1981.

J. Cortázar, *Final del juego*, Buenos Aires (Sudamericana) 1959.

———, *Las armas secretas*, Buenos Aires (Sudamericana) 1964.

———, *La vuelta al día en ochenta mundos*, Buenos Aires (Siglo Veintiuno), 2a. ed., 1968.

———, [Texto sin título], en J. Ortega (ed.), *Convergencias. Divergencias. Incidencias*, Barcelona (Tusquets) 1973, pp. 13-16.

———, *Alguien que anda por ahí*, México (Hermes) 1977.

J. Donoso, *El jardín de al lado*, Barcelona (Seix Barral) 1981.

J. M. Eguren, *Obras completas*, Lima (Mosca Azul) 1974.

J. del Encina, *Cancionero* (1496), Madrid (RAE) 1928 (facsímil).

C. Fuentes, *La muerte de Artemio Cruz*, México (FCE), 5a. reimpr., 1970.

Garcilaso de la Vega, *Obras completas*, ed. de E. L. Rivers, Madrid (Castalia) 1968.

L. de Góngora y Argote, *Obras Completas*, Madrid (Aguilar) 1967.

Gorgias, *Helena*, en *Die Fragmente der Vorsokratiker* (hrgg. von H. Diels-W. Kranz), Dublin-Zürich 1966, pp. 288-294.

L. Gusmán, *Brillos*, Buenos Aires (Sudamericana) 1975.

Jean Second, *Les Baisers*, ed. de M. Rat, Paris (Budé) 1938.

F. Kakfa, *La metamorfosis* (trad. de J. L. Borges), Buenos Aires (Losada) [3]1958.

Fr. L. de León, *Obras completas castellanas*, ed. F. García, Madrid (BAC) 1951.

R. Piglia, *Respiración artificial*, Buenos Aires (Pomaire) 1980.

E. A. Poe, *Narraciones completas* (trad. de J. Gómez de la Serna), Madrid (Aguilar) 1964.

M. Puig, *Pubis angelical*, Barcelona (Seix Barral) 1979.

J. R. Ribeyro, *La palabra del mudo III*, Lima (Milla Batres) 1977.

J. Sannazaro, *Arcadia*, a cura di E. Carrara, Torino (Unione tipografico-editrice torinese) 1948.

C. Vallejo, *Obra poética completa*, Caracas (Biblioteca Ayacucho) 1979.

M. Vargas Llosa, *La casa verde*, Barcelona (Seix Barral) 1966.

———, *La guerra del fin del mundo*, Barcelona (Seix Barral) 1981.

INDICE

Impreso en los Talleres Gráficos Color Efe, Paso 192, Ave-
llaneda, provincia de Buenos Aires, en enero de 1989.